Los sesenta no pasan de moda

Doctor Who, El Prisionero, Los Vengadores y otros héroes (y un par de monstruos) de la pequeña pantalla

Un libro de DOC PASTOR
(lleno de nostalgia, respeto
y **mucha mitomanía**)

Los sesenta no pasan de moda

© 2014 de la presente edición T. Dolmen Editorial
Primera edición: Febrero 2014
ISBN: 978-84-15932-29-1
Depósito Legal: PM   1180-2013
C/Oms, 53
07003 Palma de Mallorca
dolmen@dolmeneditorial.com

Autor: Doc Pastor
Corrección: Pilar Lillo
Diseño portada: Tomeu Morey
Maquetación y diseño interior: Fernando Fuentes
Editor: Vicente García
Dirección: Darío Arca

Para Luis de Jesús y Guadalupe.
Por todo en general.

Dedicado a todos los que sabemos
el sonido de un destornillador sónico
(sí, ese que estáis haciendo ahora
mismo en vuestra cabeza).

AGRADECIMIENTOS

Si fuera sincero tendría que dar las gracias a todos los que han trabajado en estas series de las que hablo, pero podría ser algo de locos.

A Javi Rod por aguantarme, a Alfonso Arranz por compartir mi pasión por *Star Trek*, a Lander Arteaga por disfrutar de Doctor Who, a Daniel Mainé por entender que un periodista puede ir por ahí con un destornillador sónico, a Jorge Domínguez por los largos mails analizando capítulos de la nueva época de Doctor Who, a Jordi Bayarri por su Emma Peel, a Joseba Morales, a Pepe Rubíes y a Borja Carcayú por las ilustraciones, a Rubén Fernández por el prólogo, a la gente de Birras y Series León por invitarme y hablar sobre series británicas (aunque no fueran de los sesenta), a Pedro del Río por hacer una interesante revisión del Amor de Hollywood por las series de los sesenta, a Carlos Pacheco por saber que los X-Men le deben mucho a Emma Peel.

En especial a Dafne Calvo por aguantar charlas sobre todo esto y ser la primera en leer (revisar) este libro, a Marta Berengué por su correción de estilo, junto a Diego Matos por animarme y a Rafael «Fali» Ruiz-Dávila por sus consejos (y por las conversaciones en el jacuzzi).

Sin olvidar a Nacho Carmona, a Juanma Conde y al maestro Toni Busquets, que son los culpables de encender una mecha hace muchos años.

Por supuesto a mis padres por dejarme soñar con las estrellas.
Y a John Steed.

Este libro se ha escrito de junio a noviembre de 2012 entre Valladolid, Madrid y Sevilla. (Con unas actualizaciones en septiembre de 2013).

ÍNDICE

PRÓLOGO

LA INFINIDAD INFINITA DE INTERNET

por Rubén Fernández,
autor de *El Jueves*, creador de *Federik Freak* y fan de *Doctor Who*

Qué, Internet está muy bien, ¿no? ¡Buscando en Google encuentras TODO sobre cualquier cosa! ¡Es una maravilla, joder!

O no tanto. Dejadme que os explique una cosa que me pasa con Internet: me resulta imposible centrarme en una sola cosa. Es tal el bombardeo de información constante que me he acostumbrado (como mucha otra gente, imagino) a saltar de página en página, de pestaña en pestaña, de tuiteo en tuiteo, sin parar, constantemente, sin profundizar demasiado en nada. Un festival *tutti frutti* de datos, un auténtico *snack* variado donde lo más fácil es perderse y vagar sin rumbo y sin criterio ninguno. Es como ese episodio de *Los Simpson* en el que se descubre que el señor Burns sigue vivo porque tiene TANTAS enfermedades que los microorganismos perniciosos no se dejan espacio los unos a los otros para hacer bien su trabajo.

Si algún atractivo le sigue quedando a las publicaciones en papel en estos tiempos, es que cuando tienes un libro en las manos tienes un libro y no otra cosa. Así que no te queda otra que centrarte en lo que te cuente. No es como si empiezas a leer algo en el iPad, pero al rato paras para jugar un poco al Apalabrados, o para mirar Facebook, o para ver una serie o... En fin, que te come por dentro el ansia de pensar «estoy desaprovechando esta máquina si no lo hago TODO a la vez». ¡Eh, a mí me pasa, oigan!

Soy muy fan del *Doctor Who* de la era moderna, pero tengo muchísimas lagunas de la serie clásica. He visto todo *The Prisoner*, incluido el *remake*, pero me encanta indagar en las multiplísimas teorías que ha generado. No he visto nada de *The Avengers*, pero es un pedazo de historia televisiva que algún día visionaré. E indagaré muchísimo sobre ella, que me conozco.

Todo lo que quiera saber sobre estas tres series lo voy a encontrar en Internet, seguro. Lo que está por ver es si seré capaz de resistir todo el ruido anárquico que la Red estará generando alrededor... Y lo más probable es que no pase de los dos primeros párrafos de la entrada respectiva de la Wikipedia antes de saltar a ver qué nuevo Tumblr bizarro ha salido hoy. Es lo que hay, el siglo XXI me ha convertido en alguien disperso.

Por eso agradezco que sigan apareciendo libros como este. Porque sé que no incorporarán un cuadrito en una esquina que al pulsarlo me lleve a un mundo de vídeos de gatitos, cuentas de Twitter graciosas y porno. Porque sé que al cogerlo al fin podré saber lo que quiera de lo mejor de la TV inglesa sin distracciones raras. ¡Gracias, Doc Pastor! ¡Y encima el libro me sale gratis!

Y hasta aquí el prólogo. Odio los prólogos demasiado largos. Quizá otra consecuencia del siglo XXI. Maldito sea. VAMOS YA AL TURRÓN.

INTRODUCCIÓN,

POR LLAMARLO INTRODUCCIÓN
(o el día que amé los sesenta de forma enloquecida)

Si tengo que pensar en el primer momento en que los sesenta entraron en mi vida no podría concretarlo, pero sí recuerdo una antigua fotografía de mi madre, con unos veinte años, llevando vestido de esa época. Igual no es real y solo lo he imaginado, cuando eres pequeño a veces las cosas se funden en tu mente, pero de la forma que sea yo tengo esa imagen en mi cabeza desde siempre.

Por otro lado soy lector de cómics, marvelita de nacimiento y decemaníaco por elección, y ambas compañías (Marvel y DC) deben mucho a esta época en concreto. No, por supuesto que no se fundaron entonces, aunque en algunos muy mal informados lugares así lo indiquen, pero para la primera de ellas fueron los años en que pasó de ser una editorial más a la reina del mercado, dejó de seguir ideas como hacía hasta entonces intentando tener solo al lector del momento para convertirse en La Casa de las Ideas (posteriormente La Fábrica de las Ideas cuando la cosa fue creciendo) y fijar algunos de los que serían sus personajes más conocidos durante las décadas venideras: Spider-Man, *Los vengadores* (el grupo de superhéroes que salva el mundo y no el dúo televisivo que golpea villanos), X-Men o La Patrulla X para los más veteranos (que se convertiría en su franquicia más rentable y de mayor tamaño).

También se vive en estos años un proceso de renovación de la sociedad por el que se replantearon muchas de las bases que estaban sentadas y dieron lugar a otras nuevas. Cierto es que en nuestro país esto no fue así al estar viviendo una dictadura, lo que provocó un retraso de años aunque el cambio llegaría finalmente. El movimiento del Amor libre era ya una realidad, inolvidable desde el verano del Amor de 1968 (mismo año en el que se celebraría el mítico festival de música de Woodstock, con tres días de canciones y paz), además de la fuerza de los beatnicks y los hippies que comenzaron a ser bastantes más que unos pocos. La juventud estaba ya cansada de vivir a la sombra de una Guerra Mundial que no había sufrido y que no sentían cercana a ellos, los hechos recientes tampoco es que fueran de su agrado y los intentos de represión por parte del gobierno solo provocaron que se hicieran las cosas con más pasión.

Estamos hablando de una renovación total, de abandonar los viejos roles y hacer que las ilustraciones del «*American Way of Life*» quedaran invalidadas de por vida, se convertirían en bonitas e idílicas postales por las que recordar una época que ya pasó. No solo es que se diera la vuelta a situaciones ya existentes, que también, es que algunas que hasta hacía no demasiado parecían imposibles comenzaban a ser algo cotidiano e imparable como la incorporación de la mujer al trabajo o el tratamiento de situaciones sociales en los cómics mucho antes del auge de lo que nos empeñamos, quizá sin demasiado sentido, en llamar «novela gráfica».

Spider-Man ya no solamente trepaba por los muros como bien indica ese apelativo de «trepamuros», en sus aventuras mientras pelea con Kingpin por una vieja tabla de arcano poder en el campus en el que estudia Peter Parker hay manifestaciones de jóvenes en contra de lo que está sucediendo en su país.

El *rock* cada vez está más vivo, Elvis nunca morirá pero es el gran momento en el que nacerán los liverpoolianos The Beatles (un juego de palabras con «beetle», «escarabajo», y «beat», «ritmo») y los incombustibles Rolling Stones, que parece que nunca dejarán de girar y rodar.

La televisión no estaba ciega respecto a esta situación y antes o después el cambio tenía que llegar también hasta ella. Nadie tuvo todavía el valor para enfrentarse a la tópica clase media con una familia de cuatro miembros pero los que veremos en la pequeña pantalla eran algo distintos, en concreto una formada por monstruos en *The Munsters* y otra con unos miembros bastante tétricos y de ascendencia europea llamados *The Addams*.

Pero sin duda si algo rompió con todos los moldes habidos y por haber fueron las aventuras de John Steed junto a alguna de sus atractivas compañeras, aunque Emma Peel siempre estuviera por encima de todas. Diana Rigg es mucha Diana Rigg. Un hombre y una mujer compartiendo vivencias, una amistad pura sin atisbos de romance o justo lo contrario en el caso de la mujer que hemos nombrado, y es que bien parecía que había algo y ese ambiente de tensión sexual y romántica estaba siempre presente entre ellos, esto es algo en los que además entraremos en varias ocasiones a lo largo del libro.

Si nos situamos en el punto de vista actual es cierto, e innegable, que muchas veces las cosas que veremos de las series de aquel momento se nos mostrarán en exceso cándidas e incluso inocentes. Aunque para su momento sean realmente adelantadas no lo son tanto hoy en día, a excepción de *El prisionero* que sigue siendo realmente imbatida, pero todo cambia si nos intentamos poner en el lugar del espectador de la época que veía todas estas producciones de forma novedosa.

Cuando empecé a escribir nunca pensé que encontraría tanto material, documentación y opiniones. Amén de lo maravilloso que es volver a consultar algunos libros que estaban en mi colección y que hacía demasiado que no retomaba. Ha sido una experiencia fantástica. Ojalá tuviera mi propia TARDIS para viajar en el tiempo y poder pasear por mi soñado Londres de los años sesenta.

UN RÁPIDO VISTAZO
AL ESTILO INGLÉS
(PARA ACLARAR ALGUNAS COSAS AL LECTOR)

Si nos ponemos a pensar nombres de series que vemos nos vendrán un buen montón a la cabeza. Muchos somos seguidores de la fantasía científica y tendremos entre nuestros visionados *Eureka*, *Almacén 13* y otros similares, además de pequeñas obras maestras como *Habitación perdida* que en solo seis capítulos logra unos niveles de tensión, calidad y coherencia dignos de admiración. Otros irán por el terreno de la comedia y en cabeza pondrán a *Cómo conocí a vuestra madre*, *Friends* o *Seinfield*, por citar tres que se basan en la misma idea, o las creaciones de Seth McFarlane[1] que llevan cerca de una década entre nosotros.

Y luego estaría un sector que es el que ve producciones británicas, algo que quizá algunos piensen que no precisa separación del resto o que no es un género, y en esto último tendrían razón ya que no lo es, pero que ciertamente tienen unas formas de ser que las diferencia totalmente de las americanas (que probablemente sea lo que más veamos). Su estilo, argumentos, actuaciones, humor y tratamiento narrativo tienen unas marcadas tendencias que hacen que con solo ver unos minutos podamos situar perfectamente que son de ese país.

Recientemente tenemos dos claros ejemplos de esto, las exitosas *Downton Abbey* y *Sherlock* en la actualizada revisión de la BBC (y americanización con *Elementary*, con Jonny Lee Miller en el papel de Holmes y Lucy Liu en el de Watson). La primera que hemos nombrado nos hace viajar a principios del siglo pasado, el XX que no el XIX aunque nos cueste darnos cuenta, hasta una rica familia y los problemas de herencia que tendrán al fallecer uno de ellos con el hundimiento del Titanic, esto llevará a una serie de situaciones y problemas llenos de flema y altivez al más puro estilo de la aristocracia inglesa televisiva (y de la real). La segunda es una nueva versión del detective por excelencia, el mito es tratado con un gran respeto hacia las historias originales pero con los suficientes puntos de actualización para hacerla atractiva a los ojos de hoy; con un protagonista joven y guapo, esencial para lograr el interés de cierto sector del posible público, y un inteligente uso de la tecnología moderna para solucionar las crisis a las que el investigador se enfrenta.

Estas dos series tienen algo en común con las que vamos a revisar en este libro. Por un lado tenemos que la producción de *Downton Abbey* es de ITV[2], igual que lo fueron *El prisionero* y *Los vengadores*, que por otro lado también estaban llenas de estilo y de cierta aristocracia en sus personajes y actuaciones (no olvidemos a la bella Diana Rigg y al elegante John Steed). Y en segundo punto que el guionista responsable de la fama de *Sherlock* no es otro que Steven Moffat, también responsable de las últimas líneas que está siguiendo *Doctor Who* cuando Russell T. Davies lo dejó al término de las aventuras del décimo Doctor (que interpretaba David Tennant).

De esta manera llegamos hasta las tres cabeceras que nos interesan y por las que has comprado este libro, supongo. *Doctor Who*, *Los vengadores* y *El prisio-*

nero. Sin duda el trío de las más conocidas creaciones británicas. La primera de ellas sigue gozando de una salud envidiable y está viviendo una nueva edad dorada como no veía desde Tom Baker, con el tiempo la segunda se ha convertido en un auténtico icono de los años sesenta, aunque no sea un reflejo exacto (sí del tópico popular) pero su influencia ha sido tal que lo vemos así, y la tercera se ha encumbrado como obra de culto y una adelantada a su tiempo al tocar temas acerca de la manipulación, la individualidad y la afirmación personal como base para la libertad del hombre.

Llama la atención que todas ellas han tenido su momento, y su aplauso por parte del público, y que hoy en día sigan siendo reconocidas como fuente de entretenimientos, pero también de inspiración y por tener una profundidad mayor de lo que se puede apreciar a primera vista. Igualmente en los tres casos han tenido una readaptación en nuestros días (dicho esto de forma laxa) ya sea en forma de película, por parte de *Los vengadores* pero que no logró llegar ni a la suela de los zapatos al carisma original de la cabecera de hace décadas; en una nueva miniserie si hablamos de *El prisionero*, que intentó ser directamente de culto y no consiguió ser del gusto de los aficionados; y finalmente con la continuación de sus aventuras en una nueva etapa si nos vamos hasta *Doctor Who*, que sigue las andanzas que se empezaron en 1963[3].

Pero, ¿de dónde viene todo? Eso es precisamente lo que podréis conocer en este libro.

Como ha dicho Rubén Fernández, vamos al turrón.

Valladolid
10 de julio de 2012.

DOCTOR WHO

Confíe en mí, soy el Doctor

DOCTOR WHO?
William Hartnell

CONFÍE EN MÍ, SOY EL DOCTOR

Lo habitual en televisión es que las series vengan y vayan, se hagan unas cuantas temporadas y queden en el recuerdo o en el olvido (y hoy en día también en nuestras videotecas personales dentro de sus cajitas metálicas), pero en ocasiones aparece alguna que se salta esta norma y permanece siempre en la actualidad. Pocos casos podemos contar, menos todavía si nos ceñimos a lo estricto y dejamos fuera las reposiciones; uno de estos ejemplos excepcionales sería *Los Simpson*.

La genial creación de Matt Groening daba sus primeros coletazos de vida a finales de los ochenta en *El Show de Tracey Ullman*, aquí en su formato original de cortometrajes, y no han parado desde entonces. En todo este tiempo la calidad ha tenido sus más y sus menos, pero ha seguido siempre viento en popa.

Otro caso sería *Doctor Who*, una serie británica que llegó a las pantallas en 1963 y que ahora está viviendo una nueva edad de oro. No sería justo decir que ha estado siempre en continua emisión y que todo ha sido un éxito, por desgracia no ha sido así y ha sufrido parones a lo largo del tiempo aunque eso no ha impedido que su mitología se siguiera desarrollando por otros medios como cómics o novelas.

Lo cierto es que parece mentira que una producción televisiva aguantara tanto en antena, más todavía la increíble resurrección que ha tenido y manteniendo la misma historia (que muchas lo intentan pero por el camino de la secuela o del *remake*), sí que hay otras que lo han conseguido y superado pero estamos hablando de una serie en la que el protagonista es un extraterrestre y que solo por eso entra en el género de la ciencia ficción por pura definición. No es una obra para todo el mundo y no se dirige a un público generalista, cierto que tiene un sector muy amplio y que cada vez lo es más debido a la gran calidad de la época nueva, pero el éxito original todavía es inigualable y muy probablemente no se repita el que esté en emisión durante dos décadas (aunque se va acercando a las diez temporadas).

Muchos han sido los rostros que ha tenido este Doctor, más de los que salen en los episodios, pero no todos han pasado al imaginario popular y tendríamos que hablar de Tom Baker al que se considera el definitivo y por algo es el que durante más años lo interpretó. Pero aunque este actor es el más recordado y querido, todos, anteriores y posteriores, tuvieron su momento de gloria, compañeros que jamás podremos olvidar y una historia que debe conocerse para poner todo en su sitio (o intentarlo, que es complejo el lograrlo).

Lógicamente ha tenido su paso en otros medios pero en estas páginas nos ceñiremos únicamente a la serie, con alguna concesión momentánea para que la información sea más completa, pero como ha dejado claro Rubén Fernández en su prólogo (gracias, Rubén) lo bueno de un libro, pero también lo malo, es que en un momento dado termina. Precisamente para evitar esto mismo se tomó la decisión de no entrar en los cómics, novelas y seriales radiofónicos, que existen y muchos son canónicos (hasta que se diga lo contrario) pero que se escapan de las intenciones de este trabajo.

Aquí se van a dar unas pinceladas de todos estos años, un primer encuentro para el que se está iniciando en la serie clásica y no termina de encontrar ciertos datos, también para el que es seguidor de la nueva etapa ya que la cronología sigue (no se ha hecho borrón y cuenta nueva) y hay personajes y referencias que se explicaron en un día ya muy lejano, pero también para el que sencillamente sienta interés por las series televisivas, ya que realmente son varias, y quiera saber más.

EL ORIGEN DE LA SERIE

Los años sesenta fueron una época prodigiosa en lo que a creación de series se refiere. Cualquiera puede citar de memoria varios títulos como *Batman*[4], *Star Trek* o *Danger Man* (de las que se hablará en el capítulo final de este libro, entre otras) que fueron un torrente de imaginación, además de sentar muchas bases para todo lo que había de venir y que siguen siendo referenciadas en muchas ocasiones.

Una de las más destacables, por calidad y duración ya que hoy sigue siendo emitida con nuevas historias sería *Doctor Who*, un serial en toda regla que sería muy difícil englobar en un género concreto aunque por sus características principales, un alienígena que viaja por el tiempo y el espacio, se encuadraría dentro de la aventura y la fantasía, pero también de la comedia y del drama a pesar que siempre pensemos en ella por la ciencia ficción. Con el paso de los episodios y las décadas se acercará a muchos terrenos y el situarla en uno concreto será cada vez más complejo.

La primera emisión de esta serie se remonta a 1963, en concreto al 23 de noviembre, una fecha dramática y con tintes bastante oscuros ya que justo el día antes fue asesinado John F. Kennedy (trigésimo presidente de los Estados Unidos de América). Un año de planificación y discusiones sobre el correcto enfoque que debía tomar el programa precedieron a este lanzamiento, destacando sin duda el nombre de Sydney Newman como principal creador, aunque compartiendo el honor con otros compañeros.

Este guionista nació en Canadá en 1917 y llegaría a la BBC en 1962 para encargarse del departamento de drama (en el sentido británico del termino), lo que entendemos por productor, tras haber pasado por la NBC TV y la ABC TV en lo que fue una rápida y exitosa carrera profesional, su biografía se dará de forma más extensa en su momento. Fue además responsable de la creación de otra de las series que se tratan en este libro, *Los vengadores*, pero poco podía imaginar que sus ideas seguirían en activo tantas décadas después, lo que hizo que fuera una referencia en el mundo audiovisual.

Pero realmente el proyecto de *Doctor Who* comenzó antes de que se incorporara a la compañía que daría luz verde. Fue en su tiempo en la ABC, junto a Howard Thomas[5] y contando con la ayuda del Middlesex Education Authority (lo que para nosotros sería el departamento de educación) para la realización de un estudio de medios y audiencia en el que juntaron a un total de ocho chicos, tres niños y cinco niñas, a este grupo se les pusieron diversas grabaciones y anotaron su respuesta ante las mismas. Las conclusiones que sacaron de esta sesión fueron las líneas que se consideraron para la realización de un programa que se llamaría «Dr. Who», pero al marcharse a la BBC Newman se llevó sus apuntes consigo, quedando la posibilidad truncada (al menos por el momento).

Aunque en este punto hay distintas versiones y algunos hechos no terminan de estar claros del todo. Gary Levy, editor del *Doctor Who Bulletin*, mostró su postura en una entrevista en la que indicó que «No, definitivamente no se cogió de la ABC. En la ABC hicimos una serie llamada *Pathfinders in the Space* que iba de una niña, su padre y un científico loco», con todo es innegable ver ciertas similitudes entre una y otra, con parecidos más que razonables y de hecho se acepta como una de las principales influencias que tuvo la serie en sus primeras andanzas.

Ya con el enfoque decidido, más o menos, y con el público que querían tener (infantil pero deseando llegar también hasta los adultos) quedaba lo más complejo de todo: poner en marcha la serie en sí misma. Newman estaba convencido de las virtudes del trabajo en equipo y de la necesidad del mismo para poder sacar adelante un programa de forma semanal, así que se juntó con Verity Lambert y comenzó lo que se ha denominado «The Original Whovians».

El concepto original de Sydney Newman era un breve memorando en el que se indicaban las pautas básicas, que no eran otras que un excéntrico extraterrestre de unos 700 años, algo senil, que viajaba a bordo de una nave espacial a través del tiempo y del espacio, pero se veía incapaz de controlarla bien y terminaba atravesando distintas épocas de la historia en su intento de ir a casa. Esa barcaza debía poder pasar desapercibida, camuflándose con algo de alrededor como un viejo coche, en cita directa de lo que su creador dijo, además de ser más grande por dentro que por fuera[6], por supuesto tenía que poder ser emocionante y educativa al mismo tiempo. Queda claro que desde un primer momento los elementos más característicos ya estaban presentes, aunque todavía quedaban muchos detalles por pulir.

Pronto se unieron al equipo el productor Donald Wilson, John Lucarotti, David Whitaker, Anthony Coburn, Dennis Spooner (que había trabajado ya con Newman en Los vengado-res) además de Louis Marks, Peter R. Newman y Bill Strutton. Pero todavía hay que nombrar una incorporación más, que además sería definitivamente decisiva para este serie, Terry Nation que sería el creador de los Dalek, personajes que no tardarían en convertirse en los más queridos por los fans y además en los peores enemigos del Doctor.

Los whovians contaron además con un asesor técnico, ya que el contenido científico que iba a tener la serie lo hacía necesario e indispensable, pasando a formar parte de este grupo Mervyn Pinfield en calidad de productor asociado. El último de los miembros fue Waris Hussein, un nuevo talento que se incorporó por decisión de Verity Lambert y que sería responsable de dirigir los primeros episodios del serial.

Y llegó el momento esperado, la grabación de "An Unearthly Child" y así daba comienzo una historia que todavía hoy sigue sin terminar.

DEL PROGRAMA EDUCATIVO A LOS SERIALES DE AVENTURAS, MONSTRUOS Y VILLANOS

Uno de los mayores problemas era ¿quién es este caballero que viaja por las estrellas? Una pregunta que no tenía una respuesta sencilla. Había que decidir tanto su personalidad como su nombre, que sigue siendo un misterio hoy en día, de dónde y cuándo venía, algo con lo que se sigue especulando ya que realmente apenas sabemos nada de él. Se llegó hasta ese nombre tan característico de una forma muy sencilla, planteándose quién es ese hombre y de dónde viene (recordemos que en inglés «quién» es «who»).

Sí, algunas pautas estaban claras y las hemos comentado en el apartado anterior. Debía ser un anciano, casi mil años, sin tener control del todo sobre la nave en la que viaja[7] y además tener contenido de carácter educativo. La idea era que los episodios alternaran diversos pasos por la historia para que así los más pequeños pudieran aprender a la vez que se divertían. Esto fue cierto, al menos la primera intención era así, pero con el paso del tiempo la aventura y la space opera fue tomando cada vez mayor importancia pasando a ser casi el único motivo por el que el Doctor seguía siendo emitido.

El primer episodio fue de presentación, lo lógico en toda producción. Pero aunque sirvió para que conociéramos a los personajes,

por parte de los cavernícolas y luchar por sus vidas para lograr regresar sanos y salvos.

Cierto es que fue una versión muy tópica y estandarizada de nuestros antepasados. Con unas caracterizaciones que, vistas hoy, no dejaban de ser muy poco creíbles, y con un guión muy simple, claro que era una serie enfocada para niños y por tanto llena de las barreras que las propias televisiones se autoimponían (por ejemplo el hecho de no poder tener relaciones amorosas por parte del protagonista, algo que tardará mucho en romperse).

Sentada esta base no tardó en abandonarse, siempre con el viaje en el tiempo presente y visitando distintas épocas de nuestra historia (pasado, actual o venidera), tomando las riendas la aventura pura y dura. De esta forma en la segunda trama nos metemos de lleno en un fantástico recorrido hasta otro planeta, un lugar en el que existen dos especies que parten de una misma rama, una clara y directa referencia a *La máquina del tiempo* de H.G. Wells. Una de estas ramas es la que da lugar a la fantástica creación de Terry Nation, los Dalek[8], que tendrán aquí su primer encuentro con el Doctor, con lo que empezará una relación que terminará convirtiéndolos en los más peligrosos enemigos del mismo, además de los más queridos por los seguidores del serial.

Pasamos así directamente de un pasado prehistórico a una civilización ficticia, futurista e increíble, con las típicas puertas que se abren solas y las enormes consolas que tan acostumbrados a ver estamos en las producciones de los sesenta, dejando claro que aunque la labor educativa está ahí, no iba a ser la primordial. Según iban pasando los capítulos esto quedaba todavía más claro, aunque se alternaban las emociones con el conocimiento y así tenemos el legendario episodio de "Marco Polo" pero sin olvidar que vendrá también el mucho más fantástico "The Keys of Marinus", por citar dos bien conocidos (pero podrían ser muchos más).

Esto se mantuvo todavía menos en la segunda temporada y en las posteriores no se tuvo realmente en cuenta, haciendo que los viajes temporales sirvieran solo al fin de entretenimiento, aunque siempre aparecieran personajes y detalles históricos que ayudaban a enri-

no para sacar mucho más del protagonista, conviene no olvidar que habitualmente nuestra mente conforma un todo con lo que sabemos y desde el punto de vista actual (tras muchas temporadas y encarnaciones) tenemos en nuestro poder mucha más información de la que sus propios creadores disponían en ese momento. Hay que tener presente que es habitual en esta serie ir soltando pequeños detalles, guiños y hechos sin aparente relevancia pero que posteriormente se pueden volver prácticamente pilares básicos.

En ese encuentro número uno descubrimos a los que serán los primeros compañeros del Doctor, que trataremos en un capítulo posterior, además de a él mismo que aparecerá ante nosotros como un hombre anciano, gruñón y bastante huraño en sus relaciones con los demás. Curiosamente es él el primero que dirá «Doctor Who?» como respuesta al «Doctor Foreman» que lanzará Ian Chesterton, el hombre de acción del grupo, en esa inesperada cita que cambiará la vida de todos para siempre.

Tras situarnos en el Londres actual, siempre entendiendo que es respecto de la época de emisión, comienza el que será su primer viaje y que les llevará directamente al pasado, más concretamente a la época de las cavernas. Esta trama se desarrollará a lo largo de cuatro actos y seguía la idea que mostró Newman de hacerlo educativo y entretenido, siendo evidente esta vertiente de enseñanza por el hecho de comenzar en los oscuros años de nuestra propia historia siendo el mismo punto de partida que en cualquier colegio. Por supuesto la parte de aventura hace su aparición y nuestros héroes deberán enfrentarse a la incomprensión

quecer la producción y hacían más interesantes las tramas. El cambio fue total ya con la segunda y tercera encarnación, que variaron bastante en actitud respecto de su predecesor, haciendo que uno sintiera cierto miedo ante los extraterrestres a los que se enfrentaba y el otro supiera artes marciales además de inventar diversos *gadgets,* no llegaba a ser un *Mad Doctor* pero poco faltaba.

Visto hoy en día, en las temporadas de esta segunda edad de oro que está teniendo, es innegable que es aventura por aventura y entretenimiento por entretenimiento, pero se sigue respetando en parte esas primeras directrices, así tenemos la aparición de William Shakespeare, Charles Dickens con una brillante interpretación de Simon Callow o a Vincent Van Gogh en el extraordinario *"Vincent and the Doctor", uno* de los mejores capítulos de la actual época ya con Matt Smith de protagonista (y la aparición del fantástico Bill Nighy).

EL VIEJO, EL VAGABUNDO Y EL DANDY

Uno de los puntos más conocidos y característicos de *Doctor Who* es la capacidad de su protagonista de esquivar a la muerte, no en vano hay que recordar que es un fugitivo (por así decirlo) con unos 1000 años y sigue vivo. No tanto su habilidad para escapar de villanos, trampas, demonios y planetas en explosión (que también), mas ese poder que tiene por ser un Señor del Tiempo que les otorga la virtud de regenerarse cuando su vida llega a su fin, pudiendo continuar con su existencia, conlleva que de uno a otro ya no sea realmente el mismo.

Este hecho ha llevado a que con el paso de las décadas distintos actores hayan puesto su rostro al personaje, doce en estas once encarnaciones que ha tenido hasta el momento, empezando por el veterano William Hartnell.

El viejo
Primer Doctor. William Hartnell 1963-1966 (Temporadas uno a cuatro)

Esta primera encarnación es quizá la más alejada de todas según la visión tópica que tenemos del Doctor de un viajero intrépido y dinámico, y alocado si tenemos en cuenta a Tom Baker (cuarto rostro) ya que es prácticamente todo lo contrario. Un hombre de avanzada edad, gruñón, pensativo y sabio que debe ayudarse de un bastón e incluso pedir a sus compañeros que paren para que él pueda tomar un respiro y seguir caminando o trotando. Vestido de manera victoriana y sin salirse prácticamente de lo estricto del blanco y negro, lo que por otra parte tenía sentido ya que las primeras emisiones no eran en color y tampoco se habría notado realmente la diferencia.

Al comienzo de la serie no sabemos realmente nada sobre su pasado, lo único que parece claro es que realmente la joven Susan es su nieta y al empezar el primer episodio que se llama Foreman, lo que queda inmediatamente descartado cuando Ian Chesterton se dirige a él por este nombre («Dr. Foreman») a lo que responderá extrañado «Doctor who? », siendo así él mismo la primera persona que planteará esa pregunta que hoy sigue sin respuesta[9].

Será con este rostro cuando se encuentre por primera vez con los Dalek y los temibles Cybermen, otros de sus grandes enemigos, y veamos ya cierta incapacidad para manejar la TARDIS, a lo que Susan indicaba que su abuelo era "algo olvidadizo", pero en cambio también un genio científico, sabio y con gran conoci-

miento aunque eso no le impedía ser en ocasiones retorcido y casi cruel; esto se ha mantenido y lo cierto es que este protagonista está lejos de ser todo virtud. Con el paso del tiempo esta actitud se fue relajando y pasó a ser más bondadoso, apreciando a sus compañeros y las aventuras que vivía con ellos. Lo cierto es que desde el principio es una contradicción andante, por un lado por ser un hombre anciano que va viviendo aventuras de acción y por otro por tener un carácter casi infantil y más inmaduro de lo que cabría esperar en alguien que ya hace mucho que peina canas.

Este Doctor será también el protagonista de la primera gran despedida de la serie, cuando deje a su nieta fuera de la nave para que pueda vivir libre de sus ataduras con él en compañía de su joven enamorado, cerrando esta etapa con una de las mejores frases que ha tenido el programa: «*One day I shall come back, Yes, I shall come back. Until then, there must be no regrets, no tears, no anxieties. Just go forward in all your beliefs and prove to me that I am not mistaken in mine.*»

Que traducido vendría a ser: *Un día volveré, sí, volveré. Hasta entonces, no debe haber nada que lamentar, sin lágrimas, sin penas. Solo tienes que seguir adelante en todas tus decisiones y demostrarme que no me equivoco en la mía.*

La avanzada edad de esta encarnación hizo que finalmente no pudiera con el peso de sus aventuras, cayendo rendido dentro de la TARDIS tras enfrentarse a los Cybermen y dando paso a la que sería la primera regeneración que interpretaría Patrick Troughton a propuesta del propio William Hartnell. El motivo real de este cambio fue la delicada salud del intérprete original, padecía arterioesclerosis, lo que le impedía recordar correctamente sus guiones, y además tenía ciertos problemas con el equipo de producción.

Volveríamos a ver el rostro de este primer actor en la aventura "*The Three Doctors*", compartiendo protagonismo con sus dos sucesores, y posteriormente en "*The Five Doctors*" siguiendo la misma tónica. En este último caso se usaron imágenes de archivo ya que había fallecido y sus escenas fueron interpretadas por Richard Hurndall, cumpliendo sobradamente aunque su aspecto era más amable y cercano a esa idea de abuelo bondadoso que ya estaba en la mente colectiva de los seguidores del personaje.

El vagabundo
Segundo Doctor. Patrick Troughton 1966-1969 (Temporadas cuatro a seis)

Patrick Troughton fue el segundo afortunado en poner su rostro al Doctor. Comenzó en el mundo del teatro en 1939, pasando por distintas compañías y finalmente debutaría en televisión en 1947, medio gracias al cual pasaría por bastantes series y conocería así a William Hartnell. Ambas experiencias le permitieron hacerse con el papel al contar con una gran versatilidad interpretativa y tener la recomendación de su antecesor. A pesar de todo esto él pensaba que la audiencia no aceptaría el cambio, por suerte se equivocó por completo.

Su primera aparición en el *show* fue en *"The Tenth Planet"* pero solo en el momento posterior a la regeneración y ya con todo el protagonismo en *"The Power of the Daleks"*, tristemente ambos pertenecen a esa tanda de varios episodios perdidos debido a la política de grabación que tenía la BBC por aquel entonces[10], aunque algunos han sido posteriormente encontrados y restaurados. Persisten algunas imágenes entre las que por suerte para los que somos seguidores de la serie, y hay que dar gracias, se cuentan los segundos en que se pasa de un actor a otro. Sí, la primera regeneración se conserva, aunque lógicamente el tratamiento técnico es poco más que un fundido pero la época tampoco permitía mucho más.

Una de las más claras consecuencias que tiene la resurrección del Doctor es su cambio de físico y de personalidad, algo que queda además patente también en su vestuario ya que se ajusta según sea en cada ocasión e incluso la propia TARDIS (que está viva y no es solo una máquina) sufre también cambios para acoplarse a la nueva identidad que adopta su piloto y compañero. Lo más evidente, y que salta a la vista, es el rejuvenecimiento que se presencia en este caso ya que pasamos de un actor anciano a un hombre de mediana edad. Esto no es siempre así y aunque sirva para esquivar a la muerte no asegura que vuelva a la vida con menos años o que siga siendo un hombre[11].

Esta encarnación es igualmente sabia, aunque en otro sentido, y más cercana de lo que era en principio la anterior aunque luego se fuera suavizando. Se variaron también sus complementos y si lo habitual de Hartnell era verle con bastón aquí se prescinde totalmente del mismo, aunque en su lugar llevará una flauta y un extravagante sombrero, una marca más de su excentricidad que terminará desapareciendo al carecer por completo de sentido y no aportar nada en absoluto al personaje. Fue este actor el que usó por primera vez el icónico destornillador sónico, el pseudónimo de John Smith y entablar relación con el brigadier Sir Alistair Gordon Lethbridge-Stewart, uno de sus secundarios más recordados y queridos del que hablaremos más tarde.

Menos reflexivo que el primer Doctor, descuidado y alegre pero también manipulador, calculador y asustadizo cuando empezaba a perder el

control de las situaciones. Se le apodó «*Cosmic Hobo*», el Vagabundo Cósmico, e incluso será llamado «payaso» despectivamente cuando se encuentre con su anterior encarnación que parece no estar muy conforme con la forma de ser de sus dos sucesores. Pero también tendrá sus grandes momentos, como ser el primero en recomendar a sus compañeros que corran (algo que se convertirá en marca de la casa), se encontrará con UNIT y se opondrá a los actos de sus hermanos Señores del Tiempo y será precisamente esto lo que hará que llegue su fin.

La interpretación de Patrick Troughton cederá terreno a la de Jon Pertwee cuando se vea obligado a regenerarse, sin opción y sin necesidad, como castigo por su propia especie y además sea confinado al siglo XX de la Tierra convirtiéndose así en un exiliado y marcando la relación de amor-odio que tendrá para con su planeta, Gallifrey, y sus habitantes.

Por supuesto volverá a la serie ya que los viajes en el tiempo permiten los cruces entre los distintos Doctores. La primera vez será en *"The Three Doctors"*, posteriormente en *"The Five Doctors"* y finalmente con la sexta encarnación, a la que da vida Colin Baker, en *"The Two Doctors"*.

El dandy
Tercer Doctor. Jon Pertwee 1970-1974 (Temporadas siete a once)

Para Jon Pertwee el mundo del escenario le iba en la sangre. Siendo hijo del actor y guionista Roland Pertwee, y para completar el cuadro su padrino era el shakesperiano Henry Ainley, con esto presente, estaba claro que el gusanillo le picaría, haciendo que su vida estuviera ligada a la interpretación con un gran amor al teatro, por el que decidiría abandonar su trabajo en *Doctor Who* al cabo de cinco temporadas y siendo hasta el momento el que más tiempo lo había encarnado, por encima de sus predecesores. Fallecería en 1996, el mismo año en que se lanzó la película televisiva del personaje y se presentaba su octavo rostro.

Manteniendo la idea de que tras cada regeneración la personalidad debe ser distinta de las anteriores, en esta ocasión volverá a alejarse totalmente y se convertirá en todo un *dandy* al más puro estilo de un caballero británico. Será mucho más alto, de nuevo con el cabello plateado además de no dudar en pelear directamente contra sus enemigos ya que es experto en artes marciales[12], lo que es todo un cambio puesto que el primero y el segundo eran más reacios a ello cediendo a la negociación o a la huida.

Dada la condición de exiliado que le han impuesto sus hermanos Señores del Tiempo, será el que más aventuras viva en la Tierra, lo que realmente era una forma de reducir costes, además de hacer las veces de consejero para UNIT (siglas de *Unified Intelligence Taskforce* o *United Nations Intelligence Taskforce*), ficticia agrupación que hizo su aparición con el segundo Doctor en "*The Web of Fear*". Consecuencia de esto es que comprenderá a los humanos mejor que ninguno de las dos anteriores encarnaciones y mostrará más cariño por ellos, destacando el personaje de Sarah Jane Smith por la importancia que tendrá dentro de la serie que se extenderá hasta la época actual.

Este tercer Doctor tendrá su propia muletilla, la frase «revertir la polaridad del flujo» que era la forma que tenía Pertwee de salvar la profesionalidad cuando no recordaba todo el párrafo del tecnolenguaje que habitualmente usaba el personaje. Con todo solo llega a decirla entera, «revertir la polaridad del flujo de neutrones» en dos ocasiones: la primera en "*The Sea Devils*" y la segunda en "*The Five Doctors*". Esta sencilla sentencia se convertirá en una autoreferencia en la propia serie, además de en las novelas y audiorelatos, y será usada por posteriores regeneraciones incluyendo la décima que interpreta David Tennant en un guiño que es a la vez homenaje.

Pero si algo marca las temporadas de Jon Pertwee es la primera aparición del que será, con permiso de los Dalek, el más temible enemigo de todos: el Amo (o el Maestro dependiendo de la traducción ya que en inglés es «*The Master*»). Otro Señor del Tiempo renegado que recorre el universo viviendo sus propias aventuras, pero al contrario que el protagonista este no tiene bondad alguna en sus actos y su propio nombre indica las claras intenciones que tiene. Creado para ser el reflejo maligno del personaje principal, Roger Delgado le puso su rostro por primera vez en "*Terror of the Autons*" en 1971 y por última en 1973 en "*Frontier in Space*". Sería sustituido por Peter Pratt tras su fallecimiento en un accidente.

Tras su regeneración en Tom Baker, que se convertiría en el más recordado de todos los

actores, el Doctor regresaría en los ya mentados "*The Three Doctors*", en el que sería perdonado por sus hermanos de especie con lo que recuperaría sus conocimientos de viajar en el tiempo y podría reparar su TARDIS, y "*The Five Doctors*", uniendo su línea temporal a la de sus dos predecesores y sus dos herederos.

«Mi Doctor era una especie de James Bond de ciencia ficción con un toque de hombre del Renacimiento»
Jon Pertwee sobre su personaje.

4, 5,6 Y 7, CAMBIANDO Y MEJORANDO (A VECES) CON LOS AÑOS

Aunque bien podían hacerse este capítulo y el anterior de seguido, parecía más lógico hacer una separación por un motivo muy concreto, se pasa de los tres primeros Doctores al que interpreta Tom Baker. Para muchos este actor es el que da la versión definitiva del personaje (incluyendo los más actuales). El trabajo que hizo es en parte responsable de lograr que la serie se conformara como

el gran éxito que llegó a ser en su momento, algo actualmente recuperado por la buena labor de Russell T. Davies y Steven Moffat[13] al frente de la franquicia.

Por supuesto la labor de los posteriores actores que encarnaron al protagonista no son para menos que llenarlos de elogios, pero entre todos este merecerá siempre un lugar especial.

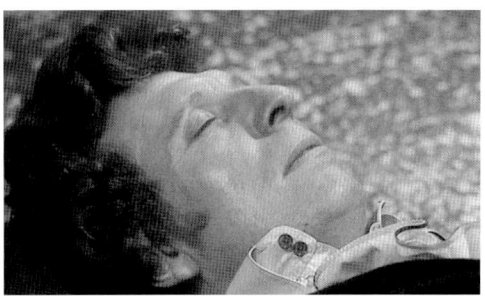

El Doctor por excelencia
Cuarto Doctor. Tom Baker 1974-1981 (Temporadas doce a dieciocho)

Tras algo más de una década de emisión a nadie le extrañaba ya la capacidad de regeneración del Doctor, junto con el hecho de ser siempre distinto al anterior cambiando tanto su ropa como su actitud. La marcha de Jon Pertwee para regresar al teatro dejó paso libre a Tom Baker para coger el papel protagonista, con lo que por primera vez adquiría un rostro más bien joven además de llevar un vestuario que reflejaba claramente su locura y la excentricidad que cada vez era más patente y habitual; con todo no podemos olvidar que estamos ante un extraterrestre con un milenio aproximado de vida. Su personalidad, imprevisibilidad, interpretación y la afición por las gominolas logró ganarse al público y hasta el momento ostenta el record de haber sido el que durante más tiempo ha encarnado al personaje, en concreto a lo largo de siete años.

La primera ocasión en que su rostro pudo verse fue en el episodio "Planet of the Spiders", primero en el que se usa el término regeneración, que ponía punto final a una época y a la trayectoria de Jon Pertwee en el serial, cambiando de forma ante una entristecida Sarah Jane Smith y el brigadier que únicamente exclamará «¡Allá vamos otra vez!», quitando todo dramatismo a la situación y dejando claro que sus compañeros no son realmente conscientes de que su capacidad para esquivar la muerte es una cierta manera de morir. De esta forma terminaba la undécima temporada, con lo que la siguiente ya tendría a Tom Baker metiéndose de lleno en el personaje desde el primer momento, en el que protagonizará un divertido encuentro con un médico al que le aclara que es cierto que es un doctor pero que él es el Doctor.

En ese mismo capítulo dará paso a la que será su primera incursión en el humor tan habitual en él, cuando entre en la TARDIS para encontrar su adecuado vestuario, saliendo vestido de vikingo y rey para finalmente aparecer con su larga bufanda de colores y su sempiterno sombrero, dos elementos que se convertirán en puros iconos para el *fandom* y que tienen su origen en la pintura del conocido Henri de Toulouse-Lautrec de su amigo Aristide Bruant; pero sobre esto entraremos en el apartado destinado a la vestimenta de cada encarnación, que el tema tiene tela (nunca mejor dicho). Esta pequeña anécdota sirve claramente de ejemplo de la línea que seguirá el personaje, aunque no deje de ser brillante por estas pequeñas rarezas que por otro lado lo enriquecen terriblemente.

No puede olvidarse la bolsa de gominolas y la eterna sonrisa que dejaba claro lo que disfrutaba con sus aventuras pero en ocasiones asustaba y hacía pensar que, quizá, no fuera del todo consciente del peligro que él y sus compañeros corrían al enfrentarse a villanos y peligros. Dos de los más importantes puntos de esta etapa, tres si contamos su cada vez más profunda relación con Sarah Jane, es la compañía del robótico perro K-9 y la aparición de una de las pocas Señoras del Tiempo que harán presencia en la serie, Romana[14]. Esto es consecuencia de su regreso al espacio y a explorar el universo, ya que el tercero estaba exiliado en el siglo XX de la Tierra, lo que además hará que se encuentre por primera vez el temible Davros, responsable de la creación de los Dalek, en el episodio "*Genesis of the Daleks*" de 1975.

No puede faltar el Amo, al que veremos en su peor momento al haber llegado a su última vida y aparecerá convertido en una espeluznante figura casi muerta, y que será el responsable del nuevo cambio de aspecto del Doctor, pasando a tener un rostro todavía más joven y no sería atrevido que casi infantil. Esta será, en ese momento, la más emotiva de todas las regeneraciones ya que mientras está perdiendo la vida recordará a sus compañeros y finalmente cambiará rodeado de los que en ese momento estaban junto a él.

Lógicamente este cuarto Doctor volvió en "*The Five Doctors*", no así Tom Baker ya que se usaron imágenes de archivo ante su negativa a tomar parte en este mítico episodio, algo que, según él mismo ha explicado en varias ocasiones, es algo de lo que siempre se arrepentirá.

Joven y con un apio
Quinto Doctor. Peter Davison 1982-1984 (Temporadas diecinueve a veinte)

Si bien Tom Baker era más joven que sus predecesores, aunque contaba ya con cuarenta años en su momento, sorprendió la elección de Davison (que no Davidson, aunque el error sea común) para continuar con el legado ya que tenía solamente treinta, lo que era un choque total con todo lo anterior, pero la apuesta por rejuvenecer al protagonista y a la propia serie era casi obligada ya que un cambio en el equipo de producción, y por tanto de la forma de hacer y las líneas a seguir, conllevó que el público empezara a dejar de lado a la veterana serie, cayó la audiencia y debía tomarse alguna resolución. La arriesgada apuesta sentó bien y aunque no logró el mismo éxito que en años pasados se mantuvo dignamente; no obstante, el final y el cierre (o suspensión) estaba solo a un lustro de distancia.

Nada más terminar de regenerarse este Doctor luce claramente desorientado, sin encontrar su personalidad y pasando por distintos momentos en que sus anteriores caracteres van apareciendo, saliendo de su boca expresiones y tonos que hacen pensar en las primeras temporadas, incluyendo el mítico «*When I say run, run!*» (Cuando diga corred, ¡corred!) del segundo Doctor. Finalmente, en ese mismo episodio, cogerá la ropa que le caracteriza, incluyendo el sombrero y el largo abrigo de color *beige*, aunque todavía no lleva la mítica rama de apio de adorno en la solapa en este diseño de vestuario que firma el propio Peter Davison.

Parte de la juventud de esta encarnación se notaba en la diferente actitud que tenía, ya que era más sensible y reservado, además de reaccionar a lo que iba sucediendo a su alrededor, casi parecía que le faltaban años de experiencia para llegar a ser las personas que ya había sido anteriormente. Esto es algo que fue aprovechado por el intérprete, que hizo que al principio el personaje intentara ser ellos, igual de gruñón que el primero y dárselas de importante, pero con el paso de los episodios lo llevó a su propio terreno, marcando así la personalidad que tendría en estas temporadas. Además este aspecto y mentalidad más cercana a un chaval que a un Señor del Tiempo con un milenio a sus espaldas hizo que también valorase más a sus compañeros, con un claro respeto que era

independiente de su edad, pero seguía siendo quien era y debajo latía su experiencia, compasión y sabiduría.

Sin contar con el destornillador sónico, ya que fue destruido en el capítulo "The Visitation" de 1982[15], era también reacio a la violencia (algo que depende mucho de qué Doctor sea, ya que puede no matar o hacerlo sin dudar un instante) lo que también venía en parte dado por la indecisión de la que hacía gala en ciertos momentos, aunque por otro lado también estaba la valentía y la osadía que quizá era debida a la inconsciencia de la juventud; sea como fuere no dudaba en hacer sacrificios personales si era preciso para así ayudar a los demás. De hecho fue esto mismo lo que terminó con su vida, ya que la entregó para salvar a Peri, compañera de viajes y aventuras.

Compartió con sus predecesores el episodio "The Five Doctors" y volvería a ser visto en el especial "Time Crash", hecho a favor de la producción de caridad Children in Need, en el que compartió unos pocos minutos con su décima encarnación. Si está o no dentro de la continuidad es discutible, aunque aseveraciones de Moffat indican que sí, pero poco importa ante la alegría que es recuperar a Davison por unos breves momentos y verle interactuando con David Tennant, que se ha ganado a pulso un reconocimiento como actor del personaje que solo puede compararse con el de Tom Baker.

Colores brillantes y alma oscura
Sexto Doctor. Colin Baker 1985-1986 (Temporadas veintiuna a veintitrés)

Para los que somos habituales del mundo del cómic los años ochenta nos llevan a una época de oscuridad, en que los personajes se volvieron (algunos) crueles y se alejaban de esos cánones de bondad que habían tenido, tendencia que se volvió más frecuente durante los noventa (en algunos casos de forma completamente absurda). Esto mismo es en parte lo que sucedió en

Doctor Who, que pasó a tener un personaje algo inestable de lo que en realidad era una búsqueda para darle un aspecto más misterioso y quizá temible.

Tras un abandono de ese primer hombre que vestía de negro y tenía algo de crueldad, además de poca preocupación por el bienestar de sus compañeros (a excepción de su nieta, Susan), el personaje fue evolucionando por otros derroteros, aunque con el abandono de Davison y las dudosas cuotas de audiencia se intentó, en cierta forma, un retorno hacia la vertiente clásica y recuperar algunos aspectos de la primera temporada. Justo al término de la regeneración que le da este nuevo rostro vemos esa actitud de superioridad y un tono de voz con el que es imposible no recordar a William Hartnell con ese «*My dear*» tan característico de él incluido.

Probablemente la elección de este nuevo actor y de la forma de ser que le es impuesta al protagonista marquen el final de la mejor época que había tenido el serial, pasando esta sexta encarnación sin mayor pena ni gloria entre los aficionados de la serie, que no verán de nuevo al personaje en plena forma hasta que en 2005 sea recuperado por Russell T. Davies con la cara de Christopher Eccleston con unas líneas de actuación más cómicas y adecuadas (amén de con algunos rasgos que se pensaron para el octavo Doctor).

El espectador de estas dos temporadas estará frente a un hombre muy soberbio, con poco apego por sus compañeros (casi podríamos decir que para él son mascotas), sarcástico e inestable. Esto chocaba sobremanera con la elección de un vestuario más colorista que nunca, con rojos y amarillos de forma predominante, lo que estaba totalmente enfrentado a un sexto Doctor que más bien recordaba al primero pero al que debían diferenciar de alguna forma, siendo esta la elegida, aunque no por ello dejaba de parecer totalmente forzada y sin sentido. Además llevaba un broche de gatito. En opinión del propio Baker hubiera sido mejor

que fuera todo vestido de negro y así lo expresó a sus jefes, pero sus ruegos cayeron en oídos sordos.

Solo cuatro hechos marcan un cierto interés en esta etapa:

1) La aparición de Rani, una Señora del Tiempo renegada.
2) La suspensión durante año y medio de la serie.
3) El episodio "*The Two Doctors*" en el que comparte protagonismo con Patrick Troughton (ya con el pelo gris).
4) La trama "*The Trial of a Time Lord*" que marcará el final de la segunda temporada de Colin Baker siendo juzgado por sus hermanos de raza.

Como curiosidad hay que destacar que este actor ya había hecho sus pinitos en *Doctor Who* antes de recaer sobre él el personaje principal; interpretó a Maxil (un guardia de Gallifrey) en "*Arc of Infinity*".

El final de una época
Séptimo Doctor. Sylvester McCoy 1987-1989 (Temporadas veinticuatro a veintiséis) – 1996 (*Doctor Who*, película)

El poco éxito y carisma del sexto Doctor dejaron algo claro, había que cambiar radicalmente o cancelar la serie de forma definitiva. Tras una regeneración en la que Baker (Colin que no Tom) no estaba, no quiso rodarla, daba comienzo a lo que serían los últimos coletazos de una idea que ya acusaba el paso de los años, el cansancio de los aficionados y un claro "no sabemos

qué hacer" por parte de los cerebros pensantes, todo ello sumado a la intención que la productora tenía desde hacía tiempo de cerrar la gallina de los huevos del tiempo, al menos hacerlo mientras todavía hubiera algo digno que salvar y no seguir hundiendo más el producto.

Dicho y hecho: se eligió a un actor con ningún parecido al anterior, Sylvester McCoy,

quien tuvo que enfrentarse a unas primeras historias pensadas para el anterior intérprete, curiosamente esto mismo pasaría con la incorporación de Honor Blackman en *Los vengadores*. Medía menos, era algo mayor, su cabello pasó a ser oscuro y se abandonaron los colores por una vestimenta algo más sobria, en la que no faltaban los signos de interrogación (algo heredado de anteriores encarnaciones) incluso siendo la forma del mango de paraguas que se convirtió en uno de sus elementos característicos del momento. Por otro lado se volvió más intrigante y calculador, casi pareciendo que tenía todo orquestado y que los demás eran marionetas en sus manos (quizá no es que lo pareciera).

En un intento de captar la atención del público más joven se introdujo a Ace, una adolescente problemática (con todos los tópicos de esta idea), pero que igual que tantas cosas de los años ochenta, no se ha conservado precisamente bien y hoy nos resulta curiosa y anacrónica. Se habla algo más en profundidad de este personaje más adelante, pero lo que fue una forma de reclamar la atención de un sector de los espectadores es hoy una idea que ha envejecido muy mal y que casi hubiera sido mejor dejar en el cajón de los posibles.

Pero todo dio igual y aunque se hicieron episodios que pasaron a ser clásicos en cuanto se emitieron, como *"The Remembrance of the Daleks"*, se terminó dando el cierre a un cuarto de siglo de historia. El episodio final, *"Survival"*, concluye con un monólogo del protagonista (traducido libremente):

«Hay mundos ahí fuera en los que el cielo está ardiendo, y el mar está dormido, y los ríos sueñan; las personas están hechas de humo y las ciudades de canciones. En algún sitio hay peligro, en algún sitio hay injusticia, y en algún otro sitio el té se está enfriando.

Vamos, Ace. Tenemos trabajo que hacer.»

Esa última frase dejaba claro que aunque este era el broche final de todo lo contado hasta el momento no era tampoco definitivo, o eso se quería hacer entender. Las aventuras seguirían, la serie no estaba realmente cancelada, solo era una suspensión (indefinida, eso sí). Pasarían los años y tendría que llegar la ayuda americana para el que fue el primer intento de recuperar al personaje, aunque no resultó todo lo bien que habría cabido esperar. De hecho, si hay que ser del todo sinceros, más bien fue un error en toda regla.

Tras más de una década de parón los aficionados tuvieron lo que tanto tiempo habían querido, el regreso de Sylvester McCoy y de la cabecera *Doctor Who*, pero en el sorprendente formato de una película[16] (intento de episodio piloto que fracasó) y solo para morir en los primeros minutos de la misma, dando así paso a la breve intervención de Paul McGann en el papel protagonista.

EL DOCTOR DEL LIMBO

Octavo Doctor. Paul McGann 1996 (*Doctor Who*, la película)

Si los ochenta habían sido una época de cambio y de cierta oscuridad en personajes, series o tramas, los noventa siguieron en parte esa estela pero en lugar de poner un lado sombrío a lo que ya existía se intentó dar nueva forma, había que recrear y que las cosas parecieran nuevas pero sin querer dejar de lado todo lo anterior y eso es igual de absurdo que suena. Esta tendencia encontró su más fuerte marca en los cómics y la fantasía científica, así tenemos el éxito que en los cómics tuvieron versiones tecnificadas de personajes clásicos, por ejemplo Batman, que dejaron de lado la creación original para intentar hacer algo que se consideraba del gusto de los fans de la época, que se lograra o no es ya algo muy distinto.

Tras el cierre de la serie *Doctor Who* vino un periodo en el que, ciñéndonos a la televisión, estuvo vacía de contenido y aunque se supone que solo era una suspensión para los fans estaba claro que el final había llegado hace tiempo. Una luz brilló trayendo cierta esperanza con *Dimensions In Time*, un especial del año 1993 que reunía al plantel de actores que dieron vida al personaje y algunos de sus acompañantes en un *show* que es más digno de olvidar que de otra cosa, pero que ahí está (por si alguno tiene curiosidad puede saltarse páginas e ir a leer el apartado de esta producción). Casi parecía que el motivo real por parte de la cadena era dejar claro que seguían con ello, que lo tenían en mente, que no abandonaban y que antes o después la TARDIS volvería a surcar el espacio-tiempo.

Lo cierto es que así fue, pero no de la forma en que nadie se había esperado. Que el misterioso Señor del Tiempo se convirtiera en una película no era algo novedoso, ya que hubo esas dos adaptaciones no canónicas de los años sesenta protagonizadas por Peter Cushing, lo que sí sorprendería es que esta historia se situaba dentro de la línea cronológica de la serie original aunque fuera por separado y pretendiera ser una saga independiente o más bien dar comienzo a una nueva.

Americanos, os saludamos con alegría

Lo primero que debe indicarse, y que ayudará mucho al que se acerque a esta película, ya que es una parte totalmente básica para comprender el cómo es así, es que esta aventura no sería solamente una producción británica y que se contó con ayuda americana, en concreto de la mano de Fox. Antes de este acuerdo hay que decir que Amblin se mostró interesada, pero tras un tiempo con

todo parado se dejó de lado, el Doctor ya había esperado demasiado y no podía seguir en barbecho. El único problema es que la casa de *Los Simpson* no tenía interés en hacer de golpe una serie completa, el coste no les salía a cuenta con el público que pensaba que podrían tener, con lo que se tomó la decisión de realizar una cinta de hora y media que recuperaría al Doctor, su historia y todo lo que conllevaba. Si salía bien habría servido de capítulo piloto para esta nueva etapa y si salía mal no se habría perdido mucho, teniendo además un filme televisivo que podría seguir explotándose en el futuro.

Por supuesto debe tenerse en cuenta que la audiencia de Inglaterra, conocedora del personaje y con sus excentricidades totalmente asumidas, era radicalmente diferente de la americana que podrían no estar al tanto de los detalles y sencillamente que les resultara totalmente ajena la forma de comportarse del extraño protagonista y sus tan británicos compañeros. Esto casi

sienta algunas de las bases que, por fortuna, no se llevaron a cabo, como un cambio en el aspecto de los Dalek que les asemejaba más a una especie de insecto mecánico con muchas patas, que podéis encontrar sin demasiado problema por Youtube y quizá os recuerde a la araña de la versión cinematográfica de *The Wild Wild West* (titulada *Wild Wild West* sin el "*The*"), unos modernizados Cybermen, la aparición de Tom Baker como el Doctor (por su fama pero que rompería totalmente la línea cronológica) y por supuesto sucediendo en los Estados Unidos.

Aunque este último punto sí fue cumplido, no así los otros, por suerte, el intento de reinventar conceptos para adecuarlos a los noventa y al público de América no llegó a buen puerto, aunque eso no impidió que el personaje de el Maestro (o el Amo) recayera en uno de los actores más duros de la época, Eric Roberts, con una interpretación que llevaba cuero, gafas de sol y de regalo escupía ácido por la boca[17]. El problema de todo esto, igual que pasaría en el caso de *Los vengadores* y *El prisionero*, es que desde el primer episodio y hasta el último el britanismo marcaba toda su existencia y el traspaso a una cultura tan diferente, que no pretendía el característico producto original si no una revisión que se adecuara a ellos, conllevaría que fuera un fracaso y que el experimento no saliera en absoluto bien.

Algunos aciertos, pero pocos

1996 fue el año en que las dos empresas televisivas, BBC y Fox, lanzaron la película al público, teniendo reacciones muy extremas que en parte provocaron que *Doctor Who* volviera al cajón del olvido por años. Cabe la duda de

si habría sucedido lo mismo de haber sido un producto totalmente británico, pero nunca se sabrá más que en pura suposición. Decir que esta es una mala película sería caer en lo sencillo, dejémoslo en que no es buena y que podría haber sido realmente mejor de haber tenido otros enfoques; con todo tiene varios puntos que la hacen digna de ser vista:

- El regreso de Sylvester McCoy como el séptimo Doctor Who. Una última oportunidad para verle siendo este gran personaje, que si bien se regenerará al poco de empezar la película es todo un guiño a los seguidores y al trabajo de varias décadas.
- La TARDIS es la más bella hasta la fecha. Se nota el concepto de estar trabajando en una producción mayor y no en una serie de forma atropellada. Cierto que en las nuevas épocas la competición sería muy dura, pero el ambiente nostálgico que se logra dentro de la misma es sencillamente magnífico.
- Paul McGann, que sí es británico, brinda una fantástica interpretación de un Doctor más humano que nunca, elegante hasta decir basta e igual de resolutivo que siempre. Una encarnación que con todo sí ha logrado tener su propia legión de seguidores.
- Se descubren algunas cosas nuevas del personaje, como el hecho de ser medio humano por parte de madre. Lo que si bien tampoco aporta mucho, deja la puerta abierta para suposiciones y posibles implicaciones de esto mismo en el futuro[18].
- El regreso de los Dalek y del Amo. Además de poder decir que tienen

poco respeto por las anteriores versiones, no están a la altura de las mismas e incluso más bien parece que nadie se hubiera visto la serie original.
- Se rompe la norma según la cual el Doctor no podía intimar, de forma amorosa, con sus acompañantes. Esto se hace evidente en el poco afecto físico que se demuestra, no digamos ya en interés romántico a lo largo de la serie original. Esta regla aquí queda anulada al besar a la doctora Grace Holloway y que se mantendrá en la época actual con el Amor que surgirá entre él y Rose Tyler.

A nadie le sorprenderá que en el Reino Unido la acogida fuera muy buena, ciertamente había ganas de volver a las historias de este misterioso viajero, pero no así en Estados Unidos y de nuevo todo se paró durante años, en concreto hasta la nueva época que daría comienzo a mediados de la pasada década de los 2000, pero estamos adelantando.

Situación en el canon cronológico

Aunque esta película es la única oportunidad que tenemos de ver a Paul McGann en televisión, no fue así con sus aventuras, ya que se siguieron en novelas y radio con gran éxito y dejando claro que, a pesar de las quejas y dudas de algunos fans, estaba dentro de la continuidad, algo que quedó totalmente demostrado cuando así lo consideró Russell T. Davies haciendo que

su serie comenzara justo después de la regeneración (aunque esta no se ha visto) y encontrándose el espectador de golpe con un noveno Doctor tan sorprendido de su aspecto como las personas al otro lado de la pantalla. Se lleva tiempo rumoreando sobre la posible vuelta de este actor al personaje para el serial, en sus propias declaraciones «estaría encantado de ello», y según parece hay un interés por parte de los actuales responsables con lo que no es descabellado que en esta nueva temporada haga aparición en un nuevo episodio de encuentro entre distintos Doctores y teniendo un muy esperado *The Four Doctors* con la octava, novena, décima y undécima encarnación. Soñar es gratis.

Por lo que parece es este Doctor el que estuvo implicado en la Guerra del Tiempo, el temible lance bélico entre los Señores del Tiempo y sus mortales enemigos, los Dalek. Por pistas que se dan desde la llegada de la nueva época con el noveno Doctor se da a entender esto, igual que escapó para salvar su propia vida y por ello está seguro de ser el último de su raza (aunque con las aventuras del décimo sabremos que no

es así), igualmente considera que sus temibles enemigos habían desaparecido por completo y se sorprenderá al encontrarse con uno de ellos en el capítulo de 2005 que lleva el sencillo nombre de "*Dalek*"[19].

Por lo pronto no parece que vayamos a conocer realmente qué paso en esa batalla, ya que actualmente no tendría sentido ponerse a crear historias para un Doctor que ya está por su undécima encarnación y que debería dar un salto hacia atrás, pero por otro lado nunca se ha tocado en los otros medios en que se puede leer sus aventuras y cabe la esperanza de que en un momento dado nos lo cuenten, ya sea a base de breves *flashbacks* o con el esperado regreso de Paul McGann a la cabecera.

«*Felicidades, compañero. Es todo tuyo ahora*»
Sylvester McCoy dirigiéndose a Paul McGann.

LA ROPA, UNA MARCA DE LA CASA

Cuando uno empieza a ver *Doctor Who* muchas cosas le llaman la atención. Sin duda entre las primeras estará la gran cantidad de villanos a los que tiene que hacer frente, por supuesto está el destornillador sónico que es algo de lo que uno se enamora rápidamente, seguido del sorprendente hecho de la regeneración (y el que sin mayor problema aceptemos que sigue siendo el mismo) y la consecuencia de esto que es el cambio tanto de personalidad como de ropa.

Aunque hoy esto se ha convertido en algo habitual, y de hecho hemos visto varias veces el vestidor[20] en el que almacena sus trapitos, que cambia al igual que él y que la propia TARDIS, de la que conviene no olvidar que está viva y no es solamente una máquina, es más que probable que ninguno de sus creadores tuviera en mente que ese hombre mayor decidiera en ningún momento variar de *look* de su ropa inicial, menos todavía que además lo hiciera de perso-

nalidad, algo hecho a propuesta del propio William Hartnell y que finalmente se convirtió en uno de los elementos más característicos y enriquecedores de toda la serie.

Hay que tener en cuenta que el enfoque de las historias va transformándose según las épocas y el público, se intenta acoplar a las tendencias que se van marcando.

No siempre acertadamente y en alguna ocasión de hecho cabría clamar al cielo ante el terrible atentado a la moda que se está haciendo, pero siempre con un claro motivo que es diferenciar a un Doctor de otro. Si bien es cierto que el actor cambia, lo que ya debería ser suficiente, al hacerlo también lleva una nueva personalidad y lógicamente cambian sus gustos en lo que a ropa se refiere. Según se ha visto con el paso de los años esto se extiende también a la comida, aficiones y otro sinfín de cuestiones que hacen que cada encarnación sea única.

Claro que algunos elementos se repiten de unos a otros, haciendo que se conviertan en algo totalmente representativo del personaje, por ejemplo el uso de chalecos y la camisa blanca con signos de interrogación (lo que no tiene realmente sentido ya que es un símbolo de nuestro lenguaje y él es un extraterrestre, pero cumple su función perfectamente) que conlleva una expresión más del misterio que es este Doctor, del desconocimiento que hay sobre quién es o dónde ha nacido, este punto es algo que en principio se planteó para que él y su nieta fueran del futuro de la Tierra, posteriormente se decidió que no y con la llegada de los Señores del Tiempo comenzó toda una mitología en la que descubriremos que él es un renegado y que su especie está lejos de la bondad que él muestra.

Pasemos a hacer un pequeño repaso por cada una de sus encarnaciones y la ropa que era característica de ella.

El primer Doctor: el negro estilo victoriano

Una de las primeras ideas que se tuvieron para este personaje es que debía ser un hombre de avanzada edad y que viajaría con su nieta. El concepto de patriarca dictatorial de décadas pasadas, más bien de la época victoriana, parecía adecuado para alguien que viajaba por el tiempo. Esta anacrónica vestimenta ayudaba a dar ese fondo de no ser del ahora y de la capacidad de poder moverse tranquilamente a lo largo del tiempo, lo que vemos ya en el segundo capítulo, y el espacio, que se descubre cuando hacen su aparición los Thal y sus hermanos mutantes[21].

Parece mentira que algo tan puramente británico tuviera por protagonista a un hombre que estaba tan alejado de lo que marcaba la moda del país en aquellos momentos. Cierto es que algo similar pasará con el personaje de John Steed, de *Los vengadores*, pero en este caso no importaba ya que reflejaba la idea del *gentleman* inglés de forma quintaesencial con lo que se perdonaba la falta de modernidad, ya que servía totalmente al fin determinado. El porqué el Doctor parecía sacado de un momento no muy lejano del pasado venía dado tanto por

el tema del viaje en el tiempo como por un intento de mostrar su desconexión con nuestro mundo, ya fuera por ser del futuro o un extraterrestre viajero.

El estilo que mostraba al vestir era el habitual para un hombre de edad de finales del siglo XIX, principios del XX si uno apura mucho, con ese negro que predomina por todas partes y que sirve en parte para hacer ver el carácter del que será el anfitrión dentro de la nave, forma por la que él mismo se refería al comienzo a la TARDIS y que muy lejos quedaba del «sexy» que llegará a usar la undécima regeneración que interpreta Matt Smith al hablar del prodigioso esquife.

Su uniforme, por así decirlo, aunque término muy adecuado ya que lo estricto del mismo hace que casi lo parezca, consta de una chaqueta, una camisa blanca sobre la que lleva un chaleco y acompaña con una corbata de lazo (algo que hoy en día está prácticamente

desaparecido, por no decir del todo), pantalones grises o de cuadros oscuros y zapatos. Esto se pudo ver completado con una capa, en lugar de un largo abrigo, e incluso un gorro de marcada línea rusa que se puso en ocasiones. No hay que dejar de lado el bastón que llevaba, que posteriormente se fue perdiendo, para ayudarse a caminar ya que su avanzada edad le exigía contar con un apoyo e incluso sentarse a tomar aire, retrasando la marcha de los que compartían la TARDIS con él, aunque cabría llamarlo más bien cachaba por su aspecto retorcido y oscuro, precisamente, igual que el del protagonista.

Con esta imagen queda claro que estamos muy alejados de la idea que tenemos ahora mismo de este personaje. Sí era ya un excéntrico, pero este primer Doctor era más joven que los que hemos visto posteriormente y todavía tenía mucho que aprender sobre sí mismo, los humanos y la forma de relacionarse con ellos. El negro que domina toda su ropa es un ejemplo de su actitud original que en ocasiones era casi cruel, mostrando muy poca preocupación por sus asistentes, término por el que se refirió a lo que hoy conocemos por compañeros, y sin duda mucho más adecuado ya que es el papel que cumplen en sus viajes.

Dentro de la TARDIS hay una sala de control secundaria desde la que es posible operar la fantástica máquina. Esta sala luce un aspecto victoriano que casa perfectamente con este primer Doctor, aunque la descubriremos con el cuarto pero que completa la imagen y estilo de la encarnación de William Hartnell[22].

El segundo Doctor: cuando el negro es menos oscuro

Con el paso del tiempo la interpretación del primer Doctor se fue suavizando mucho, la dura cáscara que llevaba se fue cayendo poco a poco para dejar ver un lado más compasivo y humano. El abandono de su nieta y la marcha de Ian y Barbara dejaron claro que en el fondo tenía profundos sentimientos por sus compañeros de viaje, si bien no solía ponerlos encima de la mesa, estaban ahí. Pero claro, aunque poco a poco el aspecto interior tomara un nue-

vo rumbo no se le podía cambiar de primeras el exterior y seguía llevando los estrictos colores que se habían convertido casi en iconos.

El abandono de William Hartnell por causas de salud y la propuesta de ser sustituido por Patrick Troughton, pasando por primera vez el trance de la regeneración, permitieron que todos los cambios que se habían llevado a cabo tomaran por fin una resolución formal y hacer su aparición en la figura del Doctor que ahora portaba una cara y una actitud más relajada, humorística y quizá hasta asustadiza.

Esta segunda encarnación vestía prácticamente igual que la anterior, lo que puede explicarse ya que si realmente era la primera vez que se regeneraba, le pillaba de nuevas y por tanto estaría muy aferrado al viejo rostro que acababa de abandonar pero no así las prendas que eran características de él. El chaleco y el anillo se perdieron por el camino, la chaqueta parecía venirle grande (ciertamente es que era grande) y el pantalón lo llevaba por encima de lo que sería normal para cualquier persona; no se diferenciaba prácticamente en nada del anterior pero lo lucía con mucha menos elegancia y por eso mismo se ganó el apodo de Vagabundo Cósmico. Este mote vino reforzado además por la presencia de un abrigo de pieles que pudo verse en ocasiones, de gran tamaño y que llevaba abrochado con una cuerda, algo que resulta total y absolutamente impensable para el estricto papel de William Hartnell.

En un origen además llevaba un largo sombrero que parecía más bien una chimenea y una flauta que tocaba de vez en cuando, para relajarse y pensar, ambos son elementos que han quedado más bien relegados al olvido por lo absurdo de su propia existencia ya que no tenían ningún motivo concreto, salvo reflejar la excentricidad de su amo y poco más. Cuando el quinto Doctor comienza su vida va pasando por distintos episodios de —puede llamarse así— locura en que intenta asumir sus viejos roles entre los que se cuenta su segunda vida cogiendo la flauta de ese pasado y pretendiendo tocarla sin éxito. Se introdujo además un complemento que se volvería en uno de los más recurrentes elementos con el paso de los años, el destornillador sónico, que

en ese momento cumple justamente la función que su nombre indica pero que posteriormente irá teniendo otros usos y virtudes.

A diferencia del Doctor original tenía un cabello abundante y oscuro, aunque cuando apareció en el capítulo "The Two Doctors" junto a Colin Baker ya lo tenía muy grisáceo, mostrando el inevitable paso del tiempo al que el personaje se supone es en parte ajeno, pero no los actores que lo interpretan.

La mejor forma de definir al estilo que llevaba es decir que parecía, en ocasiones, un pordiosero[23], aunque la ropa era prácticamente igual que la de su primera encarnación el no saber llevarla, además del que pareciera vieja, sucia y desgastada marcaron la diferencia con Hartnell. En parte esto fue criticado en su día precisamente por lo similar que era a lo que acababan de ver los espectadores justo antes pero el tiempo hizo entender el porqué de esta decisión y que realmente sí existía un profundo cambio entre uno y otro.

«Mi hija tenía doce y mis hijos entre ocho y diez, así que obviamente los tenía en mi mente cuando interpretaba al personaje»
Patrick Troughton

El tercer Doctor: la elegancia se abre paso

Si el primer Doctor vestía con cierta elegancia era sencillamente porque lo estricto de su forma de ser no le permitía hacerlo de otra manera y además por el hecho referencial a la época victoriana. Por otro lado el segundo llevaba la misma ropa pero sin preocupación alguna y demostraba que el hábito no hace al monje. Cuando llegó el turno de Jon Pertwee, que aterrizó justo cuando comenzaba la década de los setenta (y lo interpretó durante cuatro años), fue el momento en que la elegancia comienza a tomar su lugar en la cabecera y lo hace por gusto, ya que estamos ante una encarnación minuciosa y pulcra que no duda en enfrentarse frente a frente contra sus enemigos.

Atrapado en la Tierra, ya que fue exiliado a la misma por decisión de los Señores del Tiempo, sus aventuras se presentan en alguna ocasión algo aburridas al estar centradas en el aquí y el ahora, respecto del momento de producción del serial, claro, y no del nuestro, ya que estamos varias décadas después, pero por eso tenía más comprensión de los humanos, algo a lo que ayudó su trabajo de asesor científico para UNIT. Y que era más barato que tenerlo por el espacio viviendo asombrosas aventuras.

Un Doctor más alto, estilizado y manteniendo su excentricidad, pero más cercano al *gentleman* inglés que por otra parte se esperaba ver. Cada vez más *Doctor Who* se iba convirtiendo en un éxito de audiencias y debía lograr captar la atención de sus espectadores; en parte podemos pensar que esta decisión vino también dada por la influencia de John Steed que cada vez más se convertía en la representación última de la elegancia británica, y así seguirá siendo hoy en día.

Al igual que todos hasta el momento llevaba una camisa blanca solo que en esta ocasión tenía chorreras y los puños salían por debajo de las americanas (de corte largo que en ocasiones casi rozaban la que puede considerarse como una levita), estas eran de un terciopelo que pasaba del rojo al azul sin mayor explicación, pantalones oscuros con zapatos del mismo tono de aquella época. Completaban el *look* distintos abrigos que marcaban la elegancia que era innata al personaje, desde uno con los clásicos cuadros a otros sin mangas que parecían más una capa que otra cosa, casi en referencia al primer Doctor.

Esta tercera encarnación fue la que presenció la llegada de la ingeniosa Sarah Jane Smith, la primera compañera que podía ganarse ese título y no el de simple comparsa, pero también del Amo al que se creó para que fuera su Moriarty (el mortal enemigo de la más famosa invención de Sir Arthur Conan Doyle), algo que se ha dejado claro en declaraciones y entrevistas, con lo que es fácil entrever que para las mentes detrás de la serie esta tercera regeneración venía a ser una especie de Sherlock Holmes espacial.

Hasta el momento ha sido el más elegante Doctor, y de todos los Señores del Tiempo a excepción del Amo que brilla con luz propia en este aspecto, con una estela que ninguna encarnación posterior ha seguido. David Tennant usaba siempre traje y un largo abrigo de tonos pardos, pero sin un estilo tan natural como el que tenía Jon Pertwee y más bien llevándolo por costumbre que por una preocupación en su aspecto.

El cuarto Doctor: poniendo de moda las bufandas

Tom Baker ha sido y por siempre será el Doctor. Cuando se habla del personaje se piensa automáticamente en él, algo que viene debido tanto por su genial interpretación y muy entretenidas aventuras como al hecho de ser el que durante más años lo interpretó, amén de la cantidad de veces que ha salido representado en otros medios y que se ha elegido que sea este aspecto.

No tan alto como Jon Pertwee pero sí más que William Hartnell y Patrick Troughton, con un ingobernable pelo lleno de rizos, unos ojos cargados de fuerza (y algo de locura cabría decir) y mucho menos agraciado que la encarnación que acababa de dejar, pero con un carisma inigualable y una afición por las chucherías que se convertiría en marca de la casa para este cuarto Doctor.

Los colores empiezan a hacer aparición de una forma más fuerte que en años pasados, aunque sin caer en el espantoso ridículo que fue el sexto rostro y su horrible estilo, aunque la camisa blanca sigue estando presente y el chaleco que nunca termina de abandonar a este extraño y misterioso personaje que viaja por el tiempo y el espacio. Los pantalones van del negro al gris pasando por el marrón, junto con un abrigo, más bien levita, de tono rojizo aunque no siempre es así, ya que en otras ocasiones luce uno de tonos marrones oscuros e incluso un gris cercano al *beige*, dentro de sus bolsillos parece llevar un montón de objetos inservibles pero que por supuesto no lo son y le ayudarán a salir con éxito de las más variopintas situaciones. Además de llevar unas adecuadas botas para su trepidante estilo de vida, ya que al ser un aventurero aficionado a correr (y en este caso recuperando la pasión por ir de un punto al otro del espacio) le van como anillo al dedo.

Otros dos elementos completan el conjunto: un sombrero de ala ancha y la mítica bufanda, absurdamente larga y llena de colores que terminó por convertirse en la prenda definitoria para este Doctor. Hecha de punto, según parece se la tejió la mujer de Nostradamus dentro de la cronología de la serie, y diseñada desde el departamento de vestuario por James Acheson[24]. Una prenda del todo sin sentido y muy poco práctica pero que se convirtió rápidamente en todo un icono para este personaje.

Si Jon Pertwee pudo ser el Sherlock Holmes de la serie, es curioso que fuera precisamente a la interpretación de Tom Baker a la que veremos vestido de esta guisa. Será únicamente una vez, pero no deja de ser llamativo y de interés para ser recordado por el aficionado. En este mismo episodio, "The Talons of Weng-Chiang", se conocerá por primera vez la existencia de la Agencia Temporal (la misma de la que formará parte Jack Harkness cuando aparezca muchos años más tarde).

Según se sabe, y ha sido dicho así por sus creadores, el aspecto se inspiró en gran medida en el arte de Toulouse-Lautrec, en los carteles y pinturas que hizo de su amigo Aristide Bruant quien solía ir vestido con sombrero, un largo abrigo o manto de color negro y todo ello coronado por una bufanda roja que daba el toque de color necesario en todo estilo, además de llamar poderosamente la atención por su choque con la sobriedad que tenían el resto de las prendas y más todavía de las anteriores encarnaciones del protagonista.

Esta forma de vestir también nos recuerda en gran manera al personaje pulp de la Sombra[25], el temible azote del crimen que tuvo su época dorada con el auge de la novela detectivesca en los años treinta. El modelo de ropa elegido por este justiciero es realmente similar al que acabamos de nombrar, con su sombrero de ala ancha, capa negra y un pañuelo o bufanda de color rojo que ocultaba su rostro pero dejaba ver sus casi demoníacos ojos.

Precisamente los ojos y la mirada son algo que también caracterizará a Tom Baker. Siempre muy abiertos para no perder un solo detalle de todo lo que sucede a su alrededor en ocasiones luciendo un cierto toque de locura. Esto coronado con una sonrisa casi permanente que en ocasiones se vuelve inquietante. El punto final, que llegó precisamente en el último año en que este ya legendario actor interpretó al personaje, fueron los signos de interrogación que lucía en el cuello de la camisa y que persistió en las regeneraciones posteriores. Esto vino provocado por la llegada de John Nathan-Turner a la producción del programa, modificó algunos detalles y dejó libertad para cambiarlo por completo si Hudson, diseñador en ese momento, así lo hubiera querido, pero este decidió mantener el aspecto general prácticamente igual y por supuesto mantener la bufanda que ya era totalmente icónica.

Para muchos este actor es el Doctor definitivo, no en vano tuvo casi una década para hacerse con él, y sigue ostentando ese título aunque para bastantes estaría en discusión con David Tennant y su décimo Doctor.

El quinto Doctor: jugando al críquet y de adorno un apio

En este momento ya se puede decir que la intención con cada regeneración es que el Doctor resultante sea totalmente opuesto al anterior o lo suficientemente diferenciado para poder crear su propio universo, aunque lo anterior siga existiendo. Esto es algo que no quedaba tan claro con el paso del primero al segundo, en parte por lo ya explicado de seguir usando prácticamente la misma ropa de uno a otro, pero que con la llegada de Jon Pertwee marcó el principio de esta idea que cobró más fuerza con el cambio a Tom Baker.

La cuarta encarnación perdió la elegancia que tenía la tercera pero a cambio ganó en iconicidad y por supuesto en colorido, además de en complementos. Cuando le llegó el turno a Peter Davison el personaje atravesó por una crisis de identidad nada más cobrar vida. No sabía bien quién era y pensaba que algo había salido mal, las personalidades que ya había dejado en el pasado tomaron por momentos el control hasta que chocó con un palo de críquet que fue decisorio para la ropa que llevaría en esta versión que era mucho más joven (de aspecto físico, lógicamente no en edad) que las de hasta el momento.

La bufanda que tan representativa era quedó relegada al fondo del cajón, más bien deshilachada, para usarla de guía y no perderse en la TARDIS, igual que los tonos rojizos, pero sí mantuvo el llevar un sombrero, aunque en este caso es un Panamá, y el abrigo que adquiere un tono camel que combina perfectamente

con los colores claros que eran predominantes en su atuendo. La camisa blanca con signos de interrogación permanecía inalterable, de hecho así sería hasta la suspensión de la serie, conjuntada con un jersey claro, pantalones de rayas y calzado de tipo deportivo que casan con la idea de críquet, que era la base de este nuevo estilo en el que de hecho se le pudo ver llevando alguna pelota en los bolsillos.

También en alguna ocasión aparece con gafas en una u otra aventura, algo que chocó ya que hasta el momento nunca había tenido ningún defecto físico, ni siquiera en su primera y anciana encarnación[26]. Entre estos complementos estaban también un manual de la TARDIS, que si empieza a consultar en este momento explica mucho del porqué no sabe manejarla correctamente (y que en la época actual se explica que debe ser usada por seis tripulantes a la vez, y eso es lo que hace que sea incontrolable al intentar dirigirla solo uno). También lleva una lupa.

Y claro, lo más inolvidable era esa rama de apio que lucía con orgullo en la solapa. No se regeneró ya con ella, fue poco después cuando comenzó a usarla refiriéndose a ella como una verdura decorativa, algo que fue en parte homenajeado y a la vez ridiculizado (pero desde un tremendo respeto y cariño) en el encuentro que compartieron David Tennant con Peter Davison en el especial de caridad "Crash in Time". Un elemento puesto para reflejar su excentricidad y rareza, lo que hacía falta ya que la vestimenta que llevaba era bastante normal (incluyendo zapatillas deportivas que más tarde serán, precisamente, heredadas por Tennant en un juego de metalenguaje y retrocontinuidad maravilloso) y era necesario de alguna forma reflejar ese aspecto de ser un alienígena que no termina de entender nuestro planeta aunque, como dice Matt Smith cuando empieza a ser la undécima encarnación, ha invertido mucho tiempo en él.

Pero hay que esperar hasta el final de las aventuras de este quinto Doctor (el actor decidió abandonar la serie por consejo de Patrick Troughton, segundo Doctor) para descubrir el auténtico propósito que tenía y que no era so-lamente el ser un broche estrafalario. Según el personaje esta actual encarnación sufre flaqueza ante ciertos gases, praxis, que además tienen la extraña capacidad de volver al apio de color púrpura siendo este el motivo real por el que siempre lo llevaba encima. Esto que puede parecer más anecdótico y sacado de la manga que otra cosa pero viene a simbolizar también que a pesar de lo que pueda parecer este viajero temporal no deja nada al azar nunca.

Esta es una de las encarnaciones que no usó chaleco, igual que la segunda, aunque sí lo lució en una ocasión en 1984, precisamente el año de mi nacimiento. En el episodio "Planet of Fire", en el que conoció a Peri, llevó uno con motivos florales.

El sexto Doctor: colores brillantes para un carácter sombrío

La sexta encarnación del Doctor llevó un horrible conjunto lleno de colores y que parecía más adecuado para un artista circense que para un hombre de acción, un viajero espacio-temporal que lucha contra terribles seres como los Dalek o el Amo. La costumbre, ya impuesta de aquí y para todas las temporadas posteriores, de pasar de un carácter y un estilo totalmente distinto al regenerarse hace que el personaje cambie y tenga una vertiente algo más oscura, sorprende que intenta terminar con la vida de su acompañante aunque esto es debido a la inestabilidad inicial que produce el trance de su poder para esquivar a la muerte.

En opinión de Colin Baker, y así lo ha expresado en varias ocasiones, el adecuado vestir habría sido de color negro ya que es lo que casaba con la que era una versión más oscura que la anterior, casi como si viéramos al primer Doctor pero con unos cuantos años menos ya que su actitud en muchas ocasiones recuerda totalmente a la de este, con esa altivez, arrogancia y poco aprecio a los compañeros que en ocasiones casi roza

el desprecio ante gente que está dentro de su nave y que bien podían estar molestando a otra persona. Pero al igual que pasó con William Hartnell que se suavizó y mostró poco a poco un lado más compasivo pudimos ver algo similar hacia el final de su vida, al menos ya no intentaba matar a sus acompañantes.

Al igual que en las recientes encarnaciones lucía una camisa blanca con signos de interrogación en el cuello, de nuevo con chaleco, corbata de lazo de color chillón y adornada, pantalones amarillos y rojos además de sustituir el broche de apio por un pequeño gato, esto último fue hecho a propuesta del propio Colin Baker en referencia a un poema de Rudyard Kipling[27]. El relato se llamaba *El gato que caminaba solo* y cuyo protagonista sentencia:

Soy el Gato que camina solo y a quien no le importa estar aquí o allá.

Esta frase es para Baker la perfecta representación del Doctor, y ciertamente es complicado decir que no lo sea.

El porqué John Nathan-Turner se inclinó por el colorido y ridículo atuendo, en lugar del más adecuado terciopelo negro que propuso Colin Baker (aunque bien podría ser con su tremendo parecido con el Amo que usaba un estilo no muy diferenciado de esto), no se sabe pero los designios de producción son los que son aunque no sean siempre acertados. La combinación entre ese espantoso traje y la oscuridad de la que hacía gala no fueron del gusto del público, poco a poco se estaba sentenciando a esta serie y el final estaba más cerca de lo que muchos habrían deseado.

Igual que siempre hay distintas variantes en la forma de vestir, al igual que a cualquiera de nosotros que aunque tengamos unas prendas predilectas terminas usando otras. En este caso el abrigo era de color rojo, con solapas amarillas y cuadros verdes, todo un golpe al buen gusto, y con distintas versiones del chaleco que iban desde uno marrón con una corbata turquesa hasta ser rojo, y lo mismo con la corbata. En el caso del calzado sentía predilección por los botines de color verde o anaranjados.

Aunque en parte del universo posterior y portadas de novelas se le ha visto con un traje azul, este fue un color descartado en la serie por un motivo técnico. En muchas producciones se evita este tono, y cierta línea del verde, para evitar que cause problemas con la denominada «pantalla azul» u otros efectos especiales, lo que en una serie de estas características habría sido un problema terrible por la cantidad de los mismos que eran precisos para mantener el estilo de sus historias tan llenas de monstruos, poderes cósmicos y malvados espaciales.

El séptimo Doctor: interrogaciones por doquier

Muchas cosas llaman la atención de esta encarnación y más tomando dc referencia la anterior. En parte se vuelve a puntos del pasado como los colores claros y tonos beige igual que portaba el quinto, alejándose del sinsentido que fueron los retales que llevaba Colin Baker. Un sombrero, que casi parece el mismo que llevó Peter Davison, y un paraguas hacen su aparición, algo que nos lleva directamente a las más idealizada representación del gentleman inglés, teniendo el último complemento un signo de interrogación por mango. Esto se llevó a su completa exageración en el jersey que estaba cubierto de ellos. Completaba su aspecto con pañuelo paisley de color rojo, pantalones tweed con cuadros que iban del blanco al marrón, reloj de bolsillo y zapatos de dos colores.

Es cierto que el signo de interrogación había pasado a ser una marca de la casa, casi una tradi-

ción que había comenzado con la cuarta regeneración a la que dio vida Tom Baker, pero lo que había sido un discreto y acertado detalle cobró aquí unas dimensiones mucho mayores, inundando al personaje en un acto totalmente innecesario y que de nuevo demostraba el intento de ir un paso más allá en lo contado para intentar salvar la serie, pero la suspensión estaba casi al lado y posteriormente el parón durante años hasta que en la década de los 2000 se le otorgara una nueva vida.

Este aspecto bonachón y desenfadado nos hace pensar en Patrick Troughton ya que en parte se aprovechaba de ello igual que él para que sus enemigos se confiaran y le hicieran de menos, pero bajo esa mirada amable late un Señor del Tiempo y ya hemos aprendido sobradamente que esto nunca es así y que muy pocas veces (o más bien ninguna) hacen nada por casualidad. Poco a poco se fue convirtiendo en una figura más intrigante que no dudaba en manipular si con ello conseguía sus fines, hecho que se vio reflejado en algunos aspectos de sus prendas que pasaron a ser de un tono marrón oscuro casi como si fuera el efecto del retrato de Dorian Gray y fuera su ropa la que sufriera el cambio de su alma. A lo largo de la primera temporada llegó a llevar una bufanda roja y negra, además del mango del paraguas.

Sylvester McCoy regresó al personaje para la película de televisión, y por supuesto su atuendo cambió. Habían pasado casi diez años, la intención era poder recuperar la saga y gran parte del mercado que se pretendía era uno muy distinto al británico, el americano, y por tanto debía poder adaptarse a todo ello.

Se eligió volver a una chaqueta más fina, tweed marrón, desechando (menos mal) totalmente las interrogaciones que habían adornado casi cada centímetro de tela y prefiriendo un chaleco rojo oscuro que era sin duda más adecuado para la ocasión, aunque conservó el sombrero panamá que era un elemento muy característico de esta encarnación.

El octavo Doctor: romanticismo steampunk[28]

Al estar limitado solo a la película el aspecto de esta encarnación no tuvo más que una sola representación visual, aunque luego se ha extendido en novelas y cómics, además de en radio siendo la representación de Paul McGann una de las más prolíficas en lo que a aventuras propias se refiere. Pero precisamente al estar limitado a una sola película el proceso es distinto que el tener que elegir una indumentaria que pueda funcionar durante toda una temporada de capítulos que el hacerlo para una sola película.

co, ya que se pretendía conseguir el favor del espectador americano, puede entender que estamos ante un hombre que viene desde otro tiempo (también de otro planeta, pero eso ya es otro tema).

Curiosamente la idea que tenía McGann en la cabeza era la de apostar por una chaqueta de cuero y el pelo corto, algo que no se tomó en consideración pero que posteriormente fue el aspecto que lució su posterior encarnación a la que puso su rostro Christopher Eccleston. Claro que solo fue así durante una temporada, en la que él interpretó al personaje. Es posible pensar que el octavo Doctor sí llegó a vestir así, ya que todas las versiones llevan la ropa de la anterior al cobrar vida, puesto que lo que cambia es su cuerpo y no la vestimenta, y en el primer episodio de la nueva época, cuando es evidente que acaba de regenerarse (de hecho se sorprende de sus orejas al verse reflejado en un espejo por primera vez), aparece ya con ese look. Podemos entender que esa era la forma en que estaba vestido el octavo cuando su cuerpo murió (¿en la Guerra del Tiempo?) pasando al noveno, que mantuvo el cuero por cuestión de gusto, hecho supuesto ya que tampoco llega a explicarse más.

De nuevo regresa el terciopelo, al que tan aficionado era el tercer Doctor, pero en esta ocasión con una actitud más discreta, con la misma elegancia y siendo menos *fashion victim* que la encarnación a la que daba vida Jon Pertwee. Este tejido será el que se use para el abrigo verde oscuro que llevaba, el chaleco vuelve a ser prenda indispensable, pañuelo al cuello y pantalones con zapatos oscuros. Un estilo muy romántico que en parte recupera la vertiente victoriana que llevó William Hartnell aunque mucho menos estricta y que parece más adecuada para un personaje de una película romántica que para un viajero del tiempo, pero que ayuda a hacer que sea totalmente anacrónico, lo que hará que el posible nuevo públi-

LA TARDIS Y EL DESTORNILLADOR SÓNICO. INSEPARABLES COMPAÑEROS DE VIAJE

Las series televisivas siempre tienen un elemento que destaca por encima de los demás, algo que se convierte en la jugada maestra y por la que será recordada en los años venideros, será su icono y con solo verlo sabemos de sobra de qué estamos hablando. *Star Trek* tiene su propio símbolo, si vemos un sable de luz directamente nuestra mente irá hasta la otra saga galáctica, *Star Wars*, un coche negro con faros rojos delante es sin duda *El coche fantástico* y una pelotita amarilla con una estrella dentro hace que queramos ver *Bola de dragón* lo antes posible.

En *Doctor Who* aparecen muchos aparatos, frases y tópicos que permanecen década tras década. Los signos de interrogación, que estuvieron presentes por años, desde la cuarta encarnación y hasta la última de la serie original, son un claro ejemplo de esto mismo. De la misma forma el apio que llevaba el quinto, al que interpretó Peter Davison, o el gato del sexto, con el rostro de Colin Baker, han sobrevivido al desgaste y son hoy una representación que responde únicamente al personaje al que dieron vida (aunque siempre fuera el mismo) y la época concreta del mismo.

Pero por encima de todo, y brillando con luz propia, hay dos elementos que han marcado para siempre a *Doctor Who*: el primero de ellos es esa cabina en la que viaja, esa caja azul que está igual de viva que él y que responde a las siglas TARDIS y en segundo lugar tenemos esa increíble herramienta que es el destornillador sónico, que si bien no estaba desde el comienzo, de hecho desapareció durante años, ha sido una de las bases para muchas aventuras y una de las imágenes más representativas hoy en día. Dos inseparables compañeros de viaje que han llegado a ser casi igual de importantes que el protagonista mismo.

La TARDIS, la caja azul de un loco

A lo largo de los capítulos y las décadas muchas cosas van cambiando, los compañeros vienen y van y el propio Doctor, de hecho, es el que más diferente encontramos de una a otra temporada. Ya hemos visto que no es solo que el actor, por tanto el físico y el rostro, de turno haga su aparición para dar nueva vida al personaje y que sus gustos varíen, sino que básicamente todo lo que hay a su alrededor deja de ser lo que era a excepción de una cosa, la TARDIS. Una increíble máquina de color azul que ha sido su mejor amiga desde el comienzo.

Solo dos cosas quedaron fijadas en el primer episodio: la primera, el nombre de Doctor Who, que salió de su propia boca en forma de pregunta. La segunda fue la nave, la caracterización de William Hartnell se refería a ella sencillamente por el término «nave» («ship» en el original) de una forma muy impersonal y alejada del «sexy»[29] de las últimas temporadas.

Pero ¿qué es la TARDIS? Un conjunto de siglas que hacen referencia a *Time And Relative Dimension In Space* (Tiempo Y Dimensión Relativa En El Espacio), unas fantásticas máquinas construidas por los Señores del Tiempo que les permitían viajar por el tiempo y el espacio, en teoría con el mandato de no tomar parte en los acontecimientos, pero nuestro protagonista no considera que deba ser así, además de indicar que quizá esté realmente huyendo y por eso no pase demasiado tiempo en el mismo sitio. El hecho de no poder interferir fue precisamente lo que convirtió al Doctor en un renegado, muy distinto por otra parte al Amo que aunque comparte su condición sus intenciones son bastante más terribles y malvadas.

Si bien el primero en decir «Doctor Who?» fue el propio Doctor, el honor de bautizar a la nave fue de su nieta, Susan Foreman, que se convirtió así en el primer personaje del que se escuchó el nombre de la nave ya en el primer episodio en 1963. La barcaza que vemos en la serie y que siempre estará a las órdenes del protagonista es un antiguo modelo tipo 40 que se encuentra ya obsoleta, y que según sabremos posteriormente robó el Doctor tanto como ella a él. En perfectas condiciones y bien llevada puede trasladar a sus tripulantes a cualquier punto del tiempo y el espacio que ellos elijan, pero en la serie no suele ser así y terminan a veces en lugares inesperados. Precisamente este hecho es el que da lugar a algunos de los mejores episodios.

Parte del encanto de esta extraña caja azul es precisamente su aspecto y que responde a un hecho muy concreto. Todas las TARDIS tienen un circuito camaleónico que permite que pase desapercibida en cualquier entorno tomando la apariencia de objetos cercanos que hagan que no levante sospechas. Lo cierto es que el propio Doctor desconoce que no funciona hasta el segundo episodio en el que él y sus asistentes, su nieta junto a los recién presentados Ian y Barbara[30], viajan al pasado y cuando salen al exterior esta conserva la misma apariencia de una cabina policial londinense de los años sesenta. Bien podría ser que en parte funcione, o lo haga del todo, ya que en realidad no siempre es la misma cabina y algunos aspectos de la misma van cambiando.

Hasta la película de 1996 se han podido ver cuatro versiones, y los cambios han seguido en la época nueva en la que queda claro que el Doctor ya está encariñado con esta forma (y según parece también la propia nave), que ya desde el comienzo se alejan realmente de cómo era una cabina policial real, ya que la que nos ocupa era algo más pequeña de tamaño.

Peter Brachaki fue el encargado del diseño que se pudo ver en la primera temporada, y del que beberán todos los posteriores. Aunque era muy similar a las cabinas de policía del Londres de los años sesenta partimos del hecho de que es más pequeña que las de verdad, llevaba el logo de *St. John Ambulance* en una de las puertas, que no tenían pomo y permitía el acceso por la izquierda.

Hubo una variante de esta construcción, firmada también por el ya citado Brachaki, en que se tuvo que reconstruir el techo y reducirlo para que pudiera estar dentro de una cueva. También se repararon las puertas, motivo por el que el teléfono cambió de lado pasando a estar en el lado derecho que se conservó de la temporada cuarta a quinta para volver de nuevo en su sitio original, además de que pasó también a tener dos mangos de apertura.

La llegada del color hizo que las letras negras sobre fondo blanco pasaran a ser el ya clásico blanco sobre azul. De la misma forma pasó a conocerse su color y se pudo observar el desgaste sobre la misma con el paso de las temporadas, pero al llegar a la novena se pintó de nuevo pasando a ser de un azul más fuerte.

La segunda versión llegó en la temporada catorce, ya con Tom Baker de lleno en el papel que tan suyo hizo, y vino de la cabeza de Barry Newbery ante el mal estado de la original que hacía inevitable que fuera reemplazada. Al ser ya todo un icono no necesitaba realmente parecerse a las cabinas de verdad y solamente debía ser fiel a sí misma con lo que se hicieron algunos cambios, e incluso se volvió a recuperar algunos elementos del pasado.

Poco después, en la temporada dieciocho, bajo la mano de Tom Yardley-Jones ya en la época de John Nathan Turner, llegó la tercera variante. El techo volvió a cambiar en favor de uno más similar a los que estaban presentes en las de verdad de los años sesenta, además de corregirse un pequeño (y bastante inadvertido) error ortográfico en el cartel exterior. Por una cuestión de practicidad se usaron paneles desmontables, pudiendo ser cambiados dependiendo de qué lado estaba en el frente y cual por detrás.

También vuelve a variar el color pasando a ser algo más oscuro con un ligero toque de gris, algo más adecuado teniendo en cuenta que poco a poco los toques de oscuridad del personaje son más permanentes.

Con todo para el episodio final, que cierra el séptimo Doctor, se usó la original en una total muestra de cariño y autoreferencia dentro de la propia serie.

Lógicamente se construyó una nueva versión para la película de televisión. Se usó de base los diseños de la anterior, que venía de los años ochenta, pero pretendiendo asemejarse más a la de Hartnell, aunque siendo quizá algo más exagerada que esta según marcan los cánones de esa época de reinvención y de intento de dejar atrás todo lo creado. Muestra de esto es también la llave de apertura, algo que según descubrimos con el décimo Doctor de David Tennant no es necesario ya que puede abrirla únicamente con el chasquear de los dedos.

Pero si este circuito camaleónico es importante, a pesar de estar estropeado, igual de relevante es el que tiene de traducción, que funciona de forma automática según llega a un lugar. Esto, aunque sacado de la manga, ayuda a no tener que preocuparse porque los protagonistas de los capítulos se entiendan con los extraterrestres y otros seres fantásticos que se encuentran en su camino. Parece que si el Doctor está inconsciente no funciona, parte de la relación simbiótica que tienen nave y piloto.

Por supuesto otra de sus más destacables características es otro punto que se mostró en el primer episodio, el que sea más grande por dentro que por fuera, algo que es debido a la tecnología de los Señores del Tiempo y que es sencillamente explicado por el cuarto Doctor, que llevó al éxito a Tom Baker, diciendo que el interior y el exterior están en dimensiones distintas, igual que si ves dos objetos a distintas distancias parece que estos tengan diferentes tamaños a pesar de estar en el mismo plano visual. Aunque escrito sea complejo de entender haced la prueba, poneos un dedo cerca del ojo y comparadlo con el televisor al otro lado de la habitación. Vuestro miembro no es más grande pero en la imagen que captamos parece ser así.

Una primera indicación de esto es dicha por el Doctor de Hartnell ante el asombro que Ian y Barbara muestran al entrar en la TARDIS:

«Dicen que no pueden meter un edificio grande dentro de una habitación pequeña. Pero han inventado la televisión, ¿no? Entonces un enorme edificio visto en su pantalla de televisión, es algo que parece imposible, ¿no?»

Pero claro, el Doctor no es más que un loco con una caja azul.

El destornillador sónico, una herramienta para todo

Cualquier fan de *Doctor Who* dirá, muy probablemente, que querría tener su propio destornillador sónico. Otros ya lo tenemos, es muy sencillo comprar una réplica por Ebay o en una de las muchas convenciones de ciencia ficción y cómic que se hacen en nuestro país. Este es un elemento que tardó en aparecer y que además se perdió tras su destrucción hasta que volvió con la nueva serie y entonces se convirtió en algo todavía más indispensable de lo que era dentro de la mitología de este ficticio personaje.

En parte podemos situar el origen de esta herramienta fuera del universo de este viajero del tiempo, en concreto en una serie que fue parte de su inspiración, *Pathfinders in the Space* en donde se ve un «electronic screwdriver» que bien puede ser el antecesor más directo del que usará el Doctor, aunque no será hasta la encarnación de Patrick Troughton que aparecerá por primera vez y su uso será precisamente el que su nombre indica, un destornillador con sonido y veremos con esta primera regeneración que lo usa para sacar unos tornillos, más fácil y simplista es imposible. Queda mucho hasta llegar al genial *gadget* que es hoy, en el que parece que no hay nada que escape de sus capacidades.

Este pedazo de tecnología va mejorando su uso con el paso de los años y desarrollando una especie de simbiosis como sucede con la TARDIS, tanto que al final se ha convertido en un elemento esencial. Aunque sea característico de los Señores del Tiempo veremos más tarde, por ejemplo con la llegada de Jack Harkness, un agente espacio-temporal (y aquí todos pensamos en *Valerián: agente espacio-temporal*), que la ciencia sónica no es única de ellos, de hecho este caballero lleva una pistola sónica, y hay mucho más, esta herramienta excede por mucho lo que su nombre nos indica.

Esto queda claro cada vez que se usa, además de que el propio Doctor nos dice que tiene distintas configuraciones, para así operar de varias formas, aunque esto es algo que toma relevancia con los nuevos Doctores, a partir del noveno que nos mete de lleno en la época de Russell T. Davies y sigue con David Tennant para terminar con Matt Smith y Stephen Moffat. Algunos de los más habituales usos son el abrir puertas, el análisis médico y la curación de ciertas dolencias, incluso se ha usado para salvar la vida de la que será su auténtico amor, River Song[32], pero a pesar de ser tan increíble tiene también sus debilidades y funciona mal frente a la madera, algo que llama la atención y que hace ver una muy directa influencia del primer Linterna Verde[33] que tenía este mismo problema.

Al igual que la TARDIS, y que la armadura de Iron Man por hacer una comparativa, el destornillador sónico va cambiando con el paso del tiempo. En parte se mejora, en otras se reconstruye o sencillamente al regenerarse este hace lo mismo. El primer modelo, que nosotros conocemos, llegó con Patrick Troughton en "*Fury from the Deep*" y se asemeja más a una pequeña linterna que a otra cosa. Todavía no está establecido pero se sientan ya las bases de su forma, la luz que desprende, el nombre y el sonido que terminará siendo igual de icónico que el producido por la nave al aparecer y desaparecer. Ya en estas primeras ocasiones veremos algunas de sus funciones, además de la de sacar tornillos abrirá puertas y paneles, que es algo que todavía hoy permanece.

El segundo diseño se haría para el tercer Doctor. Si bien Jon Pertwee se convirtió en un Doctor más elegante y con estilo esto tenía que trasladarse a la herramienta que pasó a tener mayor tamaño, lo que a su vez permitió que tuviera más detalles apreciables por el espectador que además es algo que se ha preservado en la época actual. Se mantuvo el toque plateado y siguieron estando presentes las rayas negras, además de tener cabezas intercambiables para hacer distintas acciones entre las que están el detectar bombas, abrir esposas y siempre el hacer que ninguna puerta (o casi) sea un impedimento en su continuado correr.

La tercera versión vino de la mano del cuarto Doctor. Era inevitable que si Tom Baker hizo tan suyo el personaje este a su vez no hiciera suyo el destornillador sónico. Pasó a ser de nuevo totalmente plateado y se dejaron de lado las cabezas intercambiables. Fue precisamente este el que también estaría en poder de Peter Davison con su quinta encarnación del protagonista y el que destruiría en "*The Visitation*". A este modelo se le ha visto ser capaz de desactivar un campo de fuerza, interferir un transmisor e incluso crear un agujero temporal en

"*The Invasion of Time*", última historia de la decimoquinta temporada que además es la última vez que aparecerá Leela, a la que interpretó Louise Jameson.

Habrá que esperar hasta 1996, a la película televisiva, para tener una nueva versión del destornillador sónico ya que desde su destrucción no será usado ni por el quinto, sexto ni séptimo Doctor, perdiéndose por años uno de los elementos más característicos de la serie. Pero será al final de esta encarnación cuando volveremos a verlo y pasará a ser propiedad del octavo a la muerte de su predecesor, que es él mismo (ya se ha explicado el concepto de regeneración antes). Era bastante parecido al último que se vio en la serie original, con una punta roja y una linterna en el mango. Gran parte del uso que se le ha dado a esta versión ha sido en el universo expandido, que no es tema de este libro, ya que en la hora y media de aventuras que fue la película (teniendo en cuenta la presentación de personajes y trama) no daba realmente para mucho.

Este apartado tiene que terminar con la muy usada frase de que la realidad siempre supera a la ficción, y si bien quizá no está por encima en esta ocasión, al menos se acerca mucho al plano de la fantasía. En abril de 2012 un grupo de científicos, con fondos europeos, dieron con una réplica (más o menos) de esta herramienta. La intención es que sea usado para cirugía de ultrasonidos mediante resonancia magnética, lo que hace que pueda usarse de manera no invasiva, administración de fármacos y manipulación celular.

Increíble, ¿no?

COMPAÑEROS, ASISTENTES Y AMIGOS

A lo largo de estas décadas de historias, aventuras y cientos de guiones es lógico que la familia crezca. Ya desde la primera idea de la serie, se concibió para ser un programa infantil, aunque al final sea seguida por personas de todas las edades, en la que el Doctor viajaría con su nieta y dos acompañantes más. Al igual que otros hechos que son relevantes e icónicos dentro de la cabecera, la TARDIS o el propio nombre del protagonista, esto es algo que también se aprecia desde el primer programa de todos en el que harán aparición Susan Foreman y sus dos profesores, Ian y Barbara.

No tiene sentido detenerse en todos los asistentes, pasará cierto tiempo hasta que podamos decir compañeros y amigos, que ha tenido el personaje, ya que algunos han sido muy breves o sencillamente han pasado sin pena ni gloria. Pero algunos destacan por encima de todos, por el momento en el que aparecieron, el carisma que tienen o por la importancia que cobran en la cronología (real o ficticia) de la serie.

Antes de pasar a hablar de los elegidos, lo mejor es poner un listado lo más completo posible de ellos:

Susan Foreman, nieta del primer Doctor. Interpretada por Carole Ann Ford.

Barbara Wright, profesora de Susan Foreman. Interpretada por Jacqueline Hill.

Ian Chesterton, profesor de Susan Foreman, convertido irremediablemente en aventurero. Interpretado por William Russell.

Vicki, huérfana del siglo XXV y "nieta" del Doctor. Interpretada por Maureen O'Brien.

Steven Taylor, piloto espacial del futuro de nuestro planeta. Interpretado por Peter Purves.

Katarina, habitante de la antigua Troya. Interpretada por Adrienne Hill.

Dorothea Chaplet/Dodo, adolescente londinense de los años sesenta. Interpretada por Jackie Lane.

Ben Jackson, miembro de la Marina Real Inglesa y acompañante del primer y segundo Doctor. Interpretado por Michael Craze.

Polly, joven del año 1966 que acompañará al primer y segundo Doctor. Interpretada por Anneke Wills.

Jamie McCrimmon, escocés compañero del segundo Doctor. Interpretado por Frazer Hines.

Victoria Waterfield, joven de la época victoriana. Interpretada por Deborah Watling.

Zoe Heriot, joven astrofísica que vive en una estación espacial del siglo XXI. Interpretada por Wendy Padbury.

Sargento Benton, militar que comparte aventuras con el segundo y tercer Doctor. Interpretado por John Levene.

Brigadier Alistair Gordon Lethbridge-Stewart, compañero y amigo del Doctor además de fundador de UNIT. Interpretado por Nicholas Courtney.

Capitán Mike Yates, soldado compañero del tercer Doctor. Interpretado por Richard Franklin.

Elizabeth "Liz" Shaw, asesora científica de UNIT. Interpretada por Caroline John.

Jo Grant, civil que trabaja en UNIT. Interpretada por Katy Manning.

Sarah Jane Smith, compañera del tercer y cuarto Doctor, posteriormente se encontrará con el décimo y el undécimo, además de protagonizar su propia serie. Interpretada por Elisabeth Sladen.

Harry Sullivan, compañero habitual del cuarto Doctor durante la temporada doce. Interpretado por Ian Marter.

Leela, una salvaje muy inteligente. Interpretada por Louise Jameson.

K9, perro robot que acompaña al cuarto Doctor, estuvo a punto de tener su propia serie (y actualmente la tiene). Con las voces de John Leeson/David Brierly.

Romana, Señora del Tiempo llamada Romanadvoratrelundar. Interpretada por Mary Tamm y después de regenerarse por Lalla Ward.

Adric, niño del planeta Alzarius (que solo existe en otra dimensión) que acompañará al cuarto y quinto Doctor. Interpretado por Matthew Waterhouse.

Nyssa, huérfana y aristócrata con origen en Traken. Interpretada por Sarah Sutton.

Tegan Jovanka, azafata que viajará con el quinto Doctor. Interpretada por Janet Fielding.

Vislor Turlough, estudiante extraterrestre aliado con el Black Guardian para intentar matar al Doctor. Interpretado por Mark Strickson.

Kamelion, compañero robot del quinto Doctor. Con la voz de Gerald Flood.

Perpugilliam "Peri" Brown, compañera americana del quinto y sexto Doctor. Interpretada por Nicola Bryant.

Melanie "Mel", programadora informática del siglo XX. Interpretada por Bonnie Langford.

Ace, joven con problemas que cerrará la serie original junto al séptimo Doctor. Interpretada por Sophie Aldred.

Doctora Grace Holloway, *personaje creado para la película televisiva de 1996.* Interpretada por Daphne Ashbrook.

Con solo dar un vistazo hay algo que salta a la vista, al Doctor le gusta ir acompañado por mujeres (y parece que más en concreto si son jóvenes y bellas). De todos estos nombres algunos brillan por luz propia, vamos a conocer más sobre ellos (la elección de personajes que se detallan únicamente responde a criterios personales que pueden ser o no compartidos por el lector, pero se espera contar con su beneplácito).

El primer trío de ases
Susan, Ian y Barbara

La importancia de los compañeros queda clara con ellos, ya que tendrán el mismo protagonismo que el personaje principal, aunque siempre por debajo de este que por algo es el que da nombre, o más bien el que da la pregunta de su nombre, a la serie.

Susan Foreman, la niña del tiempo

La más joven Señora del Tiempo que conocemos es la nieta del Doctor, se asume que es de la misma raza que él, y al contrario que el resto de personajes que aparecen en la serie ella ya estaba allí compartiendo aventuras junto a su abuelo desde antes de que supiéramos de su existencia. Muy probablemente el apellido no sea real, y solo corresponda a una invención de la niña para poder pasar desapercibida en nuestro mundo para no levantar sospecha alguna sobre su presencia en el Londres de los años sesenta. Pero realmente la inclusión de

este personaje en la serie responde a algo muy concreto, el tener un carácter con el que los más jóvenes se pudieran identificar[34], algo de vital importancia, lo que viene a ser un *sidekick*. Pero la época hace mella en esto mismo y lo relega a comparsa del protagonista, siendo la típica damisela en apuros (y asustadiza); una lástima ya que podría haberse aprovechado bastante y no hacer solo de niña frágil y lastimera para cumplir perfectamente el papel de cría asustadiza que hoy haría las delicias de Jason o Leather Face, no en vano son los años sesenta y todavía debería pasar tiempo para que la mujer adquiriese la posición de igualdad que le correspondía.

La importancia que tendrá, de base por su vinculación familiar con el Doctor, es patente ya en el primer capítulo cuyo título, "*An Unearthly Child*", hace referencia directa a ella, además de protagonizar la primera gran despedida de la serie (y todavía hoy una de las más tristes) en "*The Dalek Invasion of Earth*" con lo que sentará otra de las importantes bases que se mantendrá ya para siempre, la pérdida de compañeros como parte de la huida que el Doctor lleva a cabo a lo largo del tiempo y el espacio, a veces se van, otras son dejados de lado y en algunas ocasiones mueren.

Realmente no se pretendía en un principio que fuese en concreto su nieta, pero Verity Lambert planteó que podría haber cierta polémica en que un hombre anciano viajara con una jovencita guapa sin explicación alguna, por lo que era mejor buscar alguna excusa que pudiera suavizar la situación dando lugar a esta relación que ideó Anthony Coburn. Por sorprendente o confuso que esto nos pueda parecer es precisamente lo mismo a lo que Batman y Robin tuvieron que enfrentarse y que se saldó con la creación del personaje de la Tía Harriet.

Ya en ese primer episodio el Doctor anuncia que están exiliados, aunque no los motivos de este hecho, y la joven aclara que ella nació en otro tiempo y mundo, lo que ya les sitúa directamente como extraterrestres y abre totalmente el abanico a las fantásticas aventuras que están por venir, también dice que ella fue la que estableció el nombre de TARDIS, aunque sabremos posteriormente que no es así y que es genérico.

No se sabe con certeza la edad de Susan aunque por comentarios de su abuelo parece que tiene realmente la que aparenta y no siglos como él, lo que cuadra perfectamente con su carácter, ya que de haber tenido la experiencia de años de un Señor del Tiempo (Señora en este caso) muy probablemente habría actuado de otra forma frente a las amenazas y villanos con los que se cruzan en sus viajes. Un viaje que terminará en 1964, según nuestro calendario, pero en el siglo XXII ficticio, cuando se enamore de David Campbell y su abuelo decida que no tiene derecho a quitarle la oportunidad de tener su propia vida y la deje allí para que pueda amar.

Carole Ann Ford dejaría al personaje al encontrarlo muy limitado y querer crecer como actriz, pero volvería en el mítico *"The Five Doctors"*, en homenaje a los veinte años en activo que ya llevaba la serie. Se ha planteado si en la época nueva la hemos podido ver siendo la misteriosa mujer que está presente en la aventura final del décimo Doctor, bien podría ser así, pero hasta el momento todo es pura teoría ya que dentro de la propia cronología de la serie no se ha llegado a indicar claramente, y quizá nunca se haga.

«Yo quería haberme ido antes si hubiera podido, pero mi contrato no me permitía dejarlo»
Carole Ann Ford.

Barbara Wright, la profesora de historia

¿Qué sabemos gracias a esa primera emisión de 1963? De base tenemos la aparición de dos humanos normales, sin implicación alguna con el misterioso hombre de la caja azul, que se meterán de lleno en sus aventuras tomando una parte totalmente activa en las mismas. Esto es algo que será permanente ya que el Doctor siempre tendrá un compañero, además de que más tarde se aclarará que siente un aprecio muy profundo por nuestra especie.

Ian Chesterton y Barbara Wright eran dos profesores que acudieron en busca de una alumna a la única dirección que tenían de ella, el garaje Foreman, pero nunca pensaron que esta sencilla acción les cambiaría la vida. Entrando dentro de la TARDIS, y sorprendiéndose del hecho de ser más grande por dentro que por fuera, comenzaron a viajar junto al Doctor; al principio eran casi más una molestia para él que otra cosa, pero tomará finalmente cariño por ellos, lo que quedará claro cuando al marcharse ambos así lo reconozca ante Vicki.

Si Susan era la joven en apuros, asustadiza y un poco tontita, suena mal pero era así, tendremos aquí el caso opuesto, aunque siempre de los cánones de la época, claro. Todavía deben pasar muchos años hasta que llegue la ingeniosa Sarah Jane Smith o la combativa Rose Tyler, pero se sienta ya aquí un precedente con una compañera femenina que hace algo más que gritar cuando se encuentra en peligro, mostrando tener resolución y un fuerte carácter que ayudará a que salgan del peligro en más de una ocasión.

También es mayor que muchas de las asistentes que tendrá el protagonista, aunque igualmente bella ya que Jacqueline Hill había sido modelo, teniendo experiencia previa en televisión en su país y también en América. Aunque no llegaba al grado que tienen hoy las compañeras hay que reconocer que era un muy buen punto de partida para dejar claro que aquí la mujer no sería un adorno y además era clara muestra de que iba muriendo el tópico de la damisela en apuros que necesita un héroe que la salve.

Inteligente, capaz y con amplios conocimientos en historia que serán usados en los viajes por el pasado que vivirá dentro de la fantástica nave llamada TARDIS.

La actriz, que no el personaje, volvería a la serie años después de su marcha para dar vida y rostro a Lexa.

Ian Chesterton, el hombre de acción

Viéndolo desde la perspectiva actual hay que decir que el personaje de William Russell está más cerca del Doctor que hoy conocemos que la interpretación de William Hartnell, ya que se convirtió en el hombre de acción que tanto precisaba la serie, además de tener ciertos conocimientos científicos (era profesor de ciencia en el colegio al que acudía Susan y en el que también daba clases Barbara) y de hecho en más de un capítulo casi parece que estemos viendo *Las aventuras de Ian Chesterton* y que sus compañeros simplemente estén por ahí de adorno en vista de la importancia que llega a tomar.

Puede decirse que en estos primeros episodios el Doctor es el cerebro y que Ian es el músculo, llevando a cabo todas esas acciones que debido a la edad están fuera del alcance del protagonista, con el que solía mostrarse a menudo en desacuerdo con su forma de actuar y de ser, más por el hecho de no tener problema en que se vean en situaciones de peligro con riesgo de terminar con la vida de todos los que viajan dentro de la TARDIS. Parte de estos enfrentamientos es la evidente química entre él y Barbara, dando a entender claramente que son más que amigos y colegas de profesión[35].

A lo largo de los capítulos su personaje es uno de los que más evolucionará, de hecho será nombrado caballero por el propio Ricardo I bajo el nombre de Sir Ian de Jaffa, pero nunca dejará de querer regresar a su planeta y finalmente, junto a Barbara, lo logrará en una máquina del tiempo de los Dalek para descubrir que han pasado dos años desde que se fueron.

Este personaje volvería, envejecido por el paso de los años y viviendo en una mansión con armadura incluida, como narrador para el VHS de *The Crusade* en 1999, siendo el nexo de unión con los capítulos que faltan y recordando la historia. Esto está enfrentado con la continuidad actual de *Doctor Who* ya que en *Las aventuras de Sarah Jane* escucharíamos por boca de su protagonista que ni él ni Barbara habían envejecido desde los años sesenta, aunque también aclara que es un rumor y por tanto es decisión del espectador qué tomar por real dentro de la mitología del la serie.

Del siglo XXI al espacio
Zoe Heriot

Aunque este personaje no tiene mayor relevancia, el hecho de meterlo en esta breve lista responde sencillamente a ser del siglo XXI y poder mostrar así un ejemplo de la forma de vida que se tendría en la citada época desde los ojos de los años sesenta.

Zoe Heriot, un genio espacial

Esta joven puede situarse entre los intentos de buscar una sustituta a Susan Foreman, con el personaje de Vicki en cabeza de todos, ya que entre otros puntos comparte la edad (que se supone de unos quince años, aunque no llega a confirmarse). Aparece por primera vez en *"The Wheel in Space"*, vive en esa estación espacial en la que estudia astrofísica en el lejano siglo XXI (ahora mismo, en el 2012, es imposible no mirar estos anacronismos sin cierto cariño por la inocencia de los mismos). Ayudará al Doctor y a Jamie, el acompañante de ese momento, contra los temibles Cybermen y se meterá de polizón dentro de la TARDIS.

Al igual que pasará con posteriores incorporaciones de esta siempre creciente familia, es un genio: además de contar con memoria fotográfica y los conocimientos de vivir en el futuro, no tan futuro pero ahí estaba. A pesar de esto no tendrá mucha base en el mundo fuera de los límites de la estación espacial y conllevará que se meta en problemas, no podía ser de otra forma.

Se volverá a enfrentar a los Cybermen en el Londres del siglo XX, además de pelear con los Guerreros de Hielo, que fueron los que más desagradaron a la actriz que llegó a decir que los encontraba horribles, y saldrá con vida contra el Jefe de Guerra llegando aquí el final de sus aventuras con el Doctor, cuando los Señores del Tiempo reclamen su presencia y le fuercen a regenerarse de Patrick Troughton a Jon Pertwee con el castigo de estar exiliado en nuestro planeta.

Los compañeros por excelencia
El brigadier, Sarah Jane y K-9, amigos intemporales

Algunos personajes excedieron con mucho el papel de compañeros, se convirtieron en amigos y todavía hoy en día están en un pedestal al que prácticamente ninguno más ha conseguido subir. El brigadier Alistair Gordon Lethbridge-Stewart comparte con Sarah Jane Smith y el robótico K-9 el honor de estar en estos altos peldaños de la escalera.

Brigadier Alistair Gordon Lethbridge-Stewart, al servicio de su majestad

El brigadier Alistair Gordon Lethbridge-Stewart, normalmente solo llamado brigadier para acortar y ser más prácticos, es uno de esos personajes que apareció para quedarse. Compartió aventuras con distintas encarnaciones del Doctor, regresó pasados los años y en la serie actual también es citado por la relación de amistad que mantuvo con el protagonista. Quizá ese sea uno de los puntos más importantes

y que no fue un compañero a su servicio, menos un asistente, y más bien un amigo fiel con el que siempre podría contar el excéntrico genio del espacio.

Interpretado por Nicholas Courtney, es uno de los fundadores de UNIT, siendo el comandante del citado grupo en el terreno de la corona británica y además nacido en Escocia, según se revela en la serie. Su relación con el viajero comenzó con el Vagabundo Cósmico, cruzó su camino con el segundo Doctor en 1968 en la historia *"The Web of Fear"* comandando un destacamento del ejército encargado de investigar la presencia del Yeti en Londres, pero no será hasta *"The Invasion"* (en el mismo 1968) que sepamos que ha sido ascendido y que trabaja en UNIT, siendo él el que ofrezca al Doctor de Jon Pertwee trabajar para ellos en calidad de asesor científico. Años más tarde, en 1983, sabremos que se ha retirado como militar y que imparte matemáticas en un colegio[37],

sarrollado por él transcendió a la propia serie y fue citado fuera de ella desde guiños en cómics de Marvel o el universo de *Star Trek*.

William Nicholas Stone Courtney falleció el 22 de de febrero de 2011 a los 81 años de edad. Baker, en su página web, dijo «*We shall miss him terribly*» («*Le vamos a añorar terriblemente*»).

Sarah Jane Smith, una periodista en apuros

Muy probablemente nadie se esperaba que el personaje de Elisabeth Sladen tuviera una vida tan larga, al menos ella misma no, ya que cuando fue a una prueba para *Doctor Who* pensaba que sería para un pequeño papel y no para convertirse en un personaje regular. Más que eso, ya que el paso de los años la convirtieron en la amiga y compañera perfecta para el Señor del Tiempo renegado e incluso logró tener su propio *spin-off*, pero mejor empezamos por el principio.

Jo Grant dejaba la serie o más bien la actriz Katy Manning que había interpretado a esta ayudante del tercer Doctor, y el productor Ron Craddock recomendó a Sladen con la que había trabajado en *Z Cars*, serie que se nombrará más veces. Se citó a la actriz para una prueba, con la fortuna de que recayó en ella dar vida a la periodista de investigación Sarah Jane Smith, primero con Jon Pertwee y posteriormente con la regeneración de Tom Baker, con la que el personaje funcionó mejor. Si este era el Doctor definitivo, ella era la compañera definitiva.

Lamentablemente en 1976 dejaría la serie en el capítulo *"The Hand of Fear"*, pero regresó al personaje para grabar un episodio piloto de una nueva producción llamada *K-9 and Company*, de la que el nombre deja todo bastante claro sobre la trama y público potencial, que no tendría continuidad alguna y que puede tomarse como un antecesor de la que sería su propia cabecera: *Las aventuras de Sarah Jane*. Por supuesto, igual que otros míticos compañeros, estuvo presente en *"The Five Doctors"*, *"Dimensions in Time"* y en *Downtime*[38], un *spin-off* lanzado directamente a vídeo.

Tras esto pasaron años hasta que volvimos a verla en el personaje, en parte por su decisión de dedicarse a su familia y dejar la interpretación de lado, fue en 2005 tomando parte en *"Scholar Reunion"* en la nueva serie de *Doctor Who* en el que compartió aventuras con el

aunque de cuando en cuando sea de nuevo requerido por su experiencia y sapiencia.

Muy británico en sus actuaciones, siempre frío y tranquilo, también ha dejado clara su valentía y su carácter de héroe, lo que queda patente en su última aparición en la serie, en 1989, en *"Battlefield"*, junto al séptimo Doctor. Aquí sería llamado de nuevo a las armas teniendo que dejar su retiro para luchar contra una invasión comandada por la mismísima Morgana, la malvada hechicera que todos conocemos de las leyendas del mito del rey Arturo y su Mesa Redonda.

Como se ha adelantado antes, este personaje ha sido retomado durante la nueva época de *Doctor Who*, no en la serie matriz pero haciendo aparición en el *spin-off* que protagoniza Sarah Jane, en concreto en *"Revenge of the Slitheen"* y *"Enemy of the Bane"*, donde se dirigirán a él por Sir Alistair, confirmándose así su título de caballero británico. Finalmente en el recomendable e indispensable *"The Wedding of River Song"* (*"La boda de River Song"*, sin más), dentro de los capítulos de la línea del personaje principal de todo este universo inventado, sabremos de su muerte, tranquilo y en paz unos meses antes de ese episodio.

Al igual que otros apareció en *"The Five Doctors"* y en el especial *"Dimensions in Time"*, pero el cariño que los aficionados habían de-

décimo Doctor, Rose Tyler, con la que mantiene una divertida conversación sobre el protagonista, y además también regresaba K-9. El éxito que estaba teniendo esta nueva edad de oro junto a la muy buena recepción que tuvo la vuelta de Sarah Jane hizo que se diera luz verde a su propia serie bajo el título de *Las aventuras de Sarah Jane*, creada por el propio Russell T. Davies, lo que aseguraba su calidad además de que estaba dentro del canon y del respeto por los hechos de la continuidad.

Al igual que con *Torchwood*, *spin-off* protagonizado por Jack Harkness, el enfoque y el público que tendría era distinto del de Doctor Who y aquí se recuperaría la idea de serie infantil que con el paso del tiempo está cada vez menos presente en la original. A este fin servía la presencia de K-9, aunque dejará de aparecer por una cuestión de derechos, y del hijo de Sarah, además de un ordenador llamado Mr. Smith en referencia al nombre falso que en ocasiones usa el Doctor, quien aparecería en su undécima encarnación.

El fallecimiento el 19 de abril de 2011 de Elisabeth Sladen, víctima del cáncer, provocó la cancelación de la serie, además de varios rendidos homenajes hacia su persona.

K-9, el mejor amigo de un Señor del Tiempo

K-9 es uno de los compañeros del Doctor más inusuales de todos por dos motivos: el primero es que es un perro y el segundo, que además es un robot. Dos características que ya deberían bastar para que esté en este listado, pero es que al igual que los otros dos se convirtió en uno de los más queridos por los aficionados.

Este pequeño y canino personaje hizo aparición en la serie en 1977 con la intención de ser un secundario anecdótico sin más, pero la popularidad que logró entre el público más joven hizo que esta idea se desechara y comenzara a tomar parte habitual en las aventuras que sucedían dentro de una serie que cada vez se acercaba más al puro delirio. Conoceremos varias encarnaciones de este pequeño robot, las dos primeras acompañarán a Tom Baker, al que salvarán de algún apuro gracias al láser de su nariz.

La primera versión de este robot apareció en "*The Invisible Enemy*" creado en el año 5000, viajaría con el cuarto Doctor y Leela y decidirá quedarse junto a ella en Gallifrey. Llegará entonces el segundo K-9, en 1978, para estar junto al protagonista y a Romana, con la que permanecerá en un universo paralelo. K-9 III es el que apareció en la serie de la que él era el protagonista y de la que solo se hizo el capítulo piloto, aunque él es el que sale en "*The Five Doctors*", y finalmente en "*School Reunion*" con el décimo Doctor, sacrificando su vida para detener al villano de turno.

Pero realmente no morirá, ya que un nuevo modelo, el cuarto, será fabricado a partir de este con sus recuerdos y conocimientos, será este mismo el que salga en *Las aventuras de Sarah Jane* pero que por un tema de derechos no podrá seguir.

K-9 es una creación de Bob Baker que sigue teniéndolo bajo su propiedad intelectual, lo que conlleva que la BBC no puede disponer de él según quiera, algo que no ha terminado de ser de su agrado, y precisamente esto fue lo que impidió que apareciera en más ocasiones en la serie de Sarah Jane al estar desarrollando la suya propia. El primer capítulo se lanzó en Halloween de 2009 y ya de forma habitual en 2010, con un perro robot que lucía mucho más moderno que los anteriores vistos hasta el momento. Actualmente solo hay una temporada hecha, pero una segunda está en producción.

*«Cuando la Tierra necesita que la salven, la persona adecuada
para el trabajo es un perro»*
Frase promocional de la serie de televisión de K-9.

La última compañera
Ace

Personalmente, Ace no es un personaje que me guste o que me parezca especialmente interesante, pero fue la última compañera de la serie original y ese motivo hace que deba estar en esta lista.

Ace, los ochenta en estado puro

Sophie Aldred tenía veinticinco años cuando interpretó a este personaje con el que se llevaba nueve. Una joven con rostro angelical, camarera pero más interesada en los explosivos, capaz de hacer su propia nitroglicerina casera y empeñada en llamar al Doctor por Profesor, que tiene también su explicación en que ella lo considera un mentor y un guía.

Al igual que otros compañeros anteriores era de la época actual de nuestro planeta y por tanto debía parecerlo, así que realmente venía a ser un conjunto de tópicos que han envejecido bastante mal al igual que otras tantas cosas de los años ochenta, pero quizá lo que peor lo ha hecho ha sido la enorme cazadora llena de parches que siempre llevaba (que además era una bomber). Como dato comento que todos los símbolos que lleva pegados tienen un sentido, es bastante rastreable por Internet si alguno tiene curiosidad (yo he llegado a encontrar unas treinta explicaciones en total).

Como otros actores que ya habían pasado por la cabecera, esta intérprete había sido fan de la serie, según ella misma cuenta la veía de pequeña llegando a esconderse detrás del sofá e incluso teniendo pesadillas con los Cybermen, con lo que su madre le prohibía que se lo pusiera por la noche a fin de evitar malos sueños.

Pero lo que más llama la atención es la casua-lidad de la fecha del cumpleaños de esta actriz, que es precisamente la misma que la de Sylvester McCoy, un curioso detalle que hizo que ambos compartieran bromas y tuvieran una buena química de trabajo, no tanto los personajes, ya que el de ella se mostraba más independiente que otras asistentes que había tenido en el pasado.

Ace fue un producto muy concreto, con intenciones muy concretas y de una época muy concreta que hoy solo podemos mirar con la distancia que marca el propio tiempo y esbozar una sonrisa.

Cierre

Que el Doctor siente un especial apego por los humanos es algo que se deja patente en muchas ocasiones, e incluso él mismo es el que lo dice. Siempre con compañeros en sus viajes, algunos es cierto que son extraterrestres, con los que compartir sus aventuras y disfrutar del espacio pero hay otra idea que dice que quizá la función real de estos (y el motivo por el que los lleva consigo) es para que sirvan en parte de control externo para él mismo, ya que los peligros que podría desencadenar un Señor del Tiempo renegado en constante soledad son infinitos.

VILLANOS DE LEYENDA

Para que una producción del estilo que tiene *Doctor Who*, que es único por otro lado, e inimitable (aunque se ha intentado), no habría llegado a ser lo que era de haber cumplido realmente la pretensión inicial de no caer en los monstruos y los extraterrestres de ojos enormes. Si se hubiera quedado en una familia (a fin de cuentas teníamos un abuelo, una niña y una pareja que hacía de padres) que viajaba por el tiempo conociendo periodos de la historia, es probable que hubiera durado una o dos temporadas, para caer en un rápido olvido.

El acierto de los guionistas fue dotar de enemigos interesantes, de saltarse los tópicos habituales en la época y además hacer que algunos de estos malvados se convirtieran en recurrentes, pasando a formar parte indisoluble de las aventuras del protagonista y una base para la mitología que se creó alrededor del mismo.

Por supuesto no todos tienen la misma relevancia, y muchos pasan sin pena ni gloria o son una anécdota divertida que recordamos con agrado. Pero hay otros que se han convertido en auténticas y peligrosas amenazas que no dudarían en hacer arder el universo, temibles personajes que responden al nombre del Amo y los Dalek.

el Amo, la otra cara de la moneda

el Amo o El Maestro, ya que su nombre original es *The Master*, cumple a la perfección con la idea de némesis del protagonista al ser igual que él, pero reflejado en un espejo. Una aterradora idea que muestra lo que podría ser de no tener control, lo que ya se ha comentado que igual es la función que tienen los compañeros, y tampoco la bondad que siempre muestra nuestro Doctor.

La mejor forma de explicar este concepto es citar a la película *El protegido*[39] con una frase que dice el personaje de Samuel L. Jackson:

¿En un cómic sabes cómo se nota quién va ser el villano más malvado?, es justamente el opuesto al héroe, y la mayoría de las veces son amigos como tú y yo.

Esta sentencia puede aplicarse a muchos personajes que conocemos, podemos citar a Mr. Fantástico y Víctor von Muerte, además, no podía ser de otra forma, a Sherlock Holmes y el profesor James Moriarty ya que el Amo fue precisamente concebido con él en mente para ser el enemigo del Doctor de Jon Pertwee.

La primera vez que el Amo aparece en la serie fue con el rostro de Roger Delgado en el episodio de 1971 "*Terror of the Autons*", que también están presentes en esta sección y se tratarán algo más adelante, con un nombre que provenía de la mente de Barry Letts y Terrance Dicks con no pocas similitudes con los que ya habían tenido otros villanos de la ciencia ficción y por lo categórico del mismo, cargado de la misma fuerza que el Doctor (y que además

es elegido por ellos mismos, dejando atrás su verdadera identidad o llegando realmente hasta esta, todo depende del punto de vista).

Pero para crear un papel de este calibre, un malvado que debe imponer respeto y además competir con otro que lleva varios años en activo con tres rostros ya, para el que se haya perdido esta ya es la época en que Jon Pertwee está al cargo del protagonista, el elegido fue Roger Delgado, cuya penetrante mirada y elegancia marcaron para siempre a este nuevo enemigo. Su influencia fue tal que tras su muerte, cuando llegó el turno de Anthony Ainley para coger la antorcha, parecía una versión más joven, con el mismo peinado, las mismas entradas, la perilla y traje todo negro tan típico en este tipo de malvados.

¿Qué quiere el Amo? La respuesta debería ser muy sencilla ante alguien que decide llamarse así mismo de esta forma, el control total del universo, tener a todos y a todo bajo su implacable puño de hierro. No hay que dejar de lado su intención de terminar con la vida de su antagonista, en parte por tener odio hacia él mismo y por otro lado para que no pueda entrometerse en sus planes o incluso terminar con ellos.

Este afán de dominación es algo que acompaña a su figura ya que aunque no duda en mancharse las manos si es preciso, también es cierto que si hace falta usar a otros para

parecer un elegante hombre de cierta edad a ser casi un esqueleto oculto entre los pliegues de una capa. La explicación es que había llegado ya al final de sus regeneraciones y se estaba pudriendo metafórica y literalmente. En 1981 volverá, en esta ocasión con Peter Pratt bajo el mismo maquillaje que el anterior, pero logrará volver a ser de nuevo él mismo al tomar posesión de un científico llamado Tremas[40] y quedándose así con su cuerpo.

En la película de televisión fue interpretado por Gordon Tipple al principio de la misma, solo para morir y volver con el rostro de Eric Roberts, con el aspecto más duro que nunca ha tenido, completando el *look* unas enormes gafas de sol y una gran cazadora de cuero, algo que ha envejecido terriblemente mal y peor el hecho de que, a saber el porqué, fuera capaz de escupir veneno.

En la época actual ha sido interpretado por el veterano, y siempre apuesta segura, Derek Jacobi y John Simm, que ya era un habitual rostro de la televisión gracias a la serie *Life on Mars* de la que era el protagonista, y de la que vimos un refrito en nuestro país bajo el nombre de *La chica de ayer*. Aunque me supongo que en estos momentos está muerto es un personaje muy interesante, el único que realmente puede darle la réplica al Doctor, y terminará volviendo antes o después.

sus fines así se hará, por ejemplo a los ya citados Autons o a los Dalek, aunque esta raza ha mostrado no ser fácilmente controlable ya que incluso se volvieron en contra de su propio creador. El carácter de la interpretación de Delgado es la misma que la de Moriarty, que a ojos de la sociedad era un educado profesor digno de toda confianza, con su amabilidad y afabilidad que esconden un corazón despiadado y a todo un asesino dentro de un mismo cuerpo.

En 1976 el personaje volvió, dado que Roger Delgado había fallecido, se buscó otra forma de enfocar a este Señor del Tiempo. Además del necesario cambio de actor, Peter Pratt fue el sustituto, lo fue del aspecto que lucía y pasó de

> *«Terrence y yo habíamos hablado de dar al Doctor un Moriarty, igual que el eterno enemigo de Sherlock Holmes»*
> **Barry Letts.**

Los Dalek, eternos enemigos

Si el Amo es la antítesis del Doctor, un igual a él, un hermano de raza que además también es un renegado, viaja por el tiempo y el espacio con sus propios intereses, los Dalek son directamente unos monstruos en el sentido más literal del término, de hecho según la RAE tenemos tres sentidos muy concretos que cuadran con estos terribles seres:

1) Ser fantástico que causa espanto.
2) Persona o cosa muy fea.
3) Persona muy cruel y perversa.

Es innegable que son fantásticos y que espanto causan, feos son y más fuera de la carcasa metálica en la que se encuentran siempre a resguardo, y no hace falta decir que crueles y perversos son ya desde la primera vez que aparecieron en la serie en 1963. Todavía faltaba mucho para ser los personajes de vital importancia y de hecho nadie se imaginaba lo que llegarían a ser.

«Yo no sabía ese día el enorme atractivo que los Dalek tenían,
pero tenían algo mágico»
Terry Nation

No se puede hablar de estos seres sin nombrar a Terry Nation, uno de los guionistas de *Doctor Who* y responsable directo de la creación de estos malvados enemigos, con el diseño de Raymond Cusick. La fama que lograron en esta primera aparición, en la historia que se conoce habitualmente con el nombre de estos monstruos y en el episodio titulado *"The Mutants"*, fue tal que puede decirse que se desencadenó una auténtica Dalekmanía y de hecho fueron estos personajes (y los capítulos en los que se presentaron) los elegidos para llegar a la pantalla grande en las producciones *Dr. Who and the Daleks* y *Daleks' Invasion Earth 2150 A.D.*[41] que protagonizó Peter Cushing en el papel de una versión humana del Doctor; realmente ambas películas no dejaban de ser un refrito de algo ya visto en televisión, pero tienen su encanto.

El origen, según se cuenta en la serie, de estos malvados seres lo encontramos en el planeta Skaro en el que se libró una terrible guerra entre los Thal y los Kaled (nombre posterior ajustado retroactivamente, al principio se les llamó los Dal) que prácticamente devastó el planeta y lo llenó de radiación, lo que hizo que ambas razas mutaran. Los primeros pasaron a ser un ejemplo de perfección física, bondad y belleza mientras que los segundos se convirtieron en una burla de lo que habían sido precisando el complejo armazón que tan conocido es para lograr sobrevivir, además de volverse locos en el proceso.

Si hay que culpar a alguien sería a Davros, responsable director de la creación de estas aberraciones. Según descubrimos en 1975 en *"Genesis of the Daleks"* engañó a los Kaled para cumplir sus propios fines, además de crear el armazón robótico y convertirse él mismo en ser cibernético[42]. Aunque la misión encomendada al Doctor por los Señores del Tiempo, al cuarto de Tom Baker, es impedir su creación, parece algo realmente imposible puesto que por lo que se muestra los Dalek siempre logran cumplir su directiva principal de sobrevivir, compartida con la otra de ¡EXTERMINAR! Y será esta precisamente la que marque el final (pero ya sabemos que siempre vuelven) de Davros cuando los Dalek se vuelvan en su contra al no ser realmente uno de ellos, y por tanto deban terminar con su vida.

Aunque la apariencia que tengan recuerde a un cubo de basura o (esto es así), a un salero, son casi indestructibles y terriblemente mortales con una muy elevada capacidad letal. El mayor punto débil que tienen es el único ojo del que disponen y que si se inutiliza se quedan literalmente ciegos, lo que no quiere decir indefenso ya que quizá al encontrarse en esa situación se vuelva más peligroso que nunca al no controlar lo que sucede alrededor y empezar a disparar a todas partes. El aspecto real, no hay que olvidar que en todo momento lo que se ve es solamente la carcasa, ha ido cambiando con el paso del tiempo o sería más correcto decir

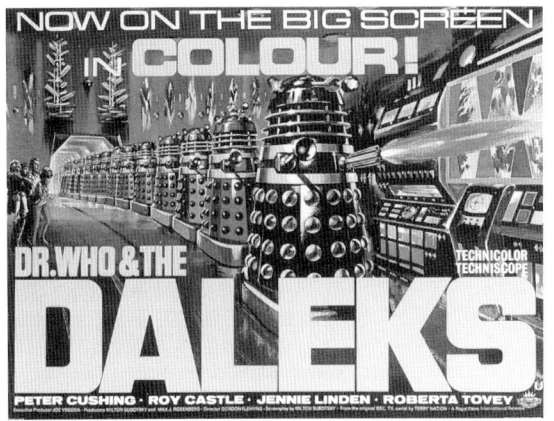

que se ha ido concretando hacia un punto específico. Lo primero que se pudo ver fue una especie de garra a través de un manto, aunque actualmente el canon establecido sea el de una criatura amorfa, terriblemente desfigurada, con un solo ojo e incapaz de valerse por sí mismo si está fuera de su exoesqueleto metálico.

Parte de la decisión de la forma que tiene fue por la intención de Sydney Newman, de quien ya se ha hablado anteriormente, de no caer en la ciencia ficción más tradicional y tópica con monstruos de ojos saltones (esto es literal), quería evitarlo de todas las maneras posibles pero también la impresión de ser un hombre con un traje, algo que se logró con el inhumano diseño de los Dalek y su robótica voz desprovista de emoción alguna (salvo el odio y la ira), aunque en ocasiones esto hace que se piense que son máquinas y no seres vivos.

Aunque para los espectadores de otras partes del mundo estos personajes no dejan de ser unos villanos fantásticos pero nada más, en su país de origen han llegado a tener su propio sello, estar en el diccionario e incluso pasar a ser una palabra que se usa coloquialmente.

Los Señores del Tiempo, hermanos de raza

«-Pero todas las leyendas de Gallifrey lo hacían parecer perfecto.
-Perfecto para mirarlo, y lo era, era precioso.»
Jack Harkness y el Doctor.

Quizá pueda parecer extraño el meter en este apartado de enemigos a los Señores del Tiempo y más si, lo que se ha dejado ya más que claro, el propio Doctor es uno de ellos. Pero lejos de ser una raza amable son interesados y egoístas, cierto es que se juraron no interferir en los asuntos del resto de especies del universo pero no es algo que hayan respetado, tomando acciones en numerosas ocasiones entre las que se cuenta su intención de impedir la creación de los Dalek o intentar resucitar Gallifrey a costa de la vida de nuestro planeta.

A pesar de ser, así son descritos por el hombre loco de la caja azul, como la raza más anciana y poderosa del universo, se sabe poco más de ellos, tanto dentro de la cronología de la propia serie como fuera de ella y aunque con el paso de los años se ha visto a varios de ellos, tampoco han sido tantos en profundidad como querríamos y todavía queda mucho por contar.

El primer viso de que existen fue en 1965 en *"The Meddling Monk"*, episodio en el que la encarnación de William Hartnell se encontrará con un miembro de su misma raza, poseedor también de una TARDIS y con el que se volverá a cruzar posteriormente. Pero realmente 1969 fue el año que marcó la importancia de los Señores del Tiempo en *"The War Games"*, capítulo de transición entre Patrick Troughton y Jon Pertwee en el que el segundo Doctor será obligado a regenerarse en el tercero, y tomaron más importancia con el cuarto siendo tanto aliados como enemigos. Se supone, según lo indicado en la época actual, que todos murieron en la Guerra del Tiempo entre ellos y los Dalek siendo nuestro protagonista el último hijo de Gallifrey, aunque en los últimos coletazos de vida del décimo se supo que estaban escondidos a salvo de la propia línea del tiempo.

Varias cosas hacen únicos a estos seres, además de una cierta perversidad en muchos casos. La primera de ellas sería el hecho de ser la especie más antigua del universo, a la que muchas se parecerán físicamente, teniendo dos corazones y algunas sorprendentes habilidades que son en parte producto de su propia evolución, al igual que de su avanzado conocimiento tecnológico, en este punto brillaría su capacidad de viajar a través del tiempo y el espacio. Tienen un cierto nivel de poder mental que hace que puedan comunicarse entre ellos e incluso con sus TARDIS, pero también influir o leer las de otros, se ha visto a el Amo hipnotizar con su penetrante mirada (en este caso la importancia y capacidad del actor se vuelve indispensable). Pero lo más característico de todos ellos es su capacidad de regenerarse, de escapar de la muerte convirtiéndose en otra persona pero siendo siempre ellos mismos, aunque esto no siempre funciona ya que tienen un número limitado que parece que puede ampliarse e incluso ser infinitas llegado el caso.

No son demasiados los que hacen aparición en la serie, además del Doctor y el Amo, pero tienen su importancia destacando Romana, Rassilon y Susan, que si bien no la veremos actuar nunca como debería alguien de su especie, es la primera a la que conocemos y algunos rumores apuntan que puede aguardar una sorpresa para este personaje que desapareció hace décadas.

Los Autons, maniquíes de pesadilla

Aunque estos sean unos villanos que no terminan de ser populares entre los seguidores, ya de base el concepto de unos muñecos de plástico que hacen el mal me resulta algo flojo, pero han sobrevivido al paso de los años e incluso fueron los elegidos para el primer capítulo de 2005 con el noveno Doctor, con lo que tienen su importancia y hay que hablar de ellos.

Fue la encarnación de Jon Pertwee el primero que luchó contra estos personajes en *"Spearhead from Space"* en un mano a mano con UNIT, que fue además la primera vez que veíamos en color la serie, las temporadas anteriores habían sido en blanco y negro, y también la primera actuación del tercer Doctor al que habíamos visto fugazmente en la regeneración forzosa del segundo. Aquí estaban claramente diferenciados de los humanos pareciendo sencillamente maniquíes, algo que se respetó a la vez que se homenajeaba en ese 2005 en *"Rose"*, que servía tanto de presentación de la novena encarnación del Doctor como de su compañera y del estilo que se iba a seguir. El paso de las apariciones y las mejores técnicas hicieron que cada vez pudieran asemejarse más a los hombres, algo que llegó a su máxima expresión en el arco argumental de Pandorica en donde son totalmente iguales (y

de hecho uno de los protagonistas pasa a ser uno de ellos).

Estos seres son una representación física de la llamada consciencia Nestene, un ser de pura energía psíquica que puede habitar en el plástico, lo que hace que hoy en día pueda tomar poder sobre un gran número de elementos del mundo cotidiano. Esta mente tiene ya su aparición en el citado *"Spearhead from Space"* cuando sus tentáculos (se supone que su forma real es similar a un pulpo, aunque en la nueva época dorada se optó por que fuera más bien un rostro gigante de plasma) intentan terminar con la recién estrenada vida de su encarnación regenerada.

Una de las características de estos personajes de plástico viviente es que una de sus manos, habitualmente la derecha, se separa del cuerpo para dejar ver una pistola que no dudarán en usar. Aunque tienen una mente, esta es colectiva y solo responde a los intereses de Nestene, pero esto es algo que según la época nueva entra en duda ya que los Autons no parecían saber que lo eran y llegaron a sorprenderse al ver aparecer el arma.

A pesar de lo sencillo del planteamiento de estos villanos, que queda en poco al lado de otros como el Amo, que cruzó su camino con ellos, han traspasado las barreras de la propia serie siendo citados en otras franquicias.

Cybermen, la pérdida de la humanidad

El que unos robots sean malvados y pretendan conquistar el poder es algo muy habitual en el universo de la ciencia ficción. De memoria se vienen nombres de robots que han pasado a la posteridad como Robbie o HAL, la super-computadora de 2001 con aviesas y malvadas intenciones. Así que en

una serie de las características que es Doctor Who era lógico que antes o después llegaría el momento de unos personajes en esta línea, en concreto octubre de 1966 en "*The Tenth Planet*". En cuatro capítulos, lo habitual en las historias de la época, conoceremos a estos seres, el planeta Mondas (gemelo del nuestro) y será la primera aparición de Patrick Troughton como el segundo Doctor tras el fallecimiento del interpretado por William Hartnell[44].

Estos personajes son de los que más cambian según pasan los años y sus combates con el protagonista. Aunque la línea básica del diseño, que es autoría del doctor Kit Pedler y Gerry Davis con Sandra Reid para la creación de los trajes, ya está creada es bastante más tosca que en apariciones posteriores, además de que en esta ocasión tienen manos humanas y no robóticas, algo que posteriormente es explicado y ajustado pero que sencillamente es que a nadie se le ocurrió que no fuera así. En "*The Moon Base*", de 1967, mejorarán pero todavía no dejan de parecer unos actores con un pijama plateado, además de tener unas manos más cercanas a garras que a otra cosa en un intento de darles un toque de inhumanidad que será más fuerte cada vez.

En "*The Tomb of the Cybermen*", "*The Wheel in Space*" (aquí conoceremos a Zoe), en el que aparecerá el *Cyber Planner* que manda sobre ellos, y "*The Invasion*" se irá perfeccionando su aspecto, tendrán la lágrima en la cuenca de sus ojos que tan característica es, además de empezar a tener una cabeza mucho más cer-

cana a la actual y siendo cada vez más amenazadores. Se descubrirán también otros tipos de Cybermen además de los soldados, como el Controlador, algo que se irá explotando en el futuro. Con estas tres tramas se terminan los años sesenta para estos villanos (en concreto en 1968) y no será hasta 1975 que volverán en la que será su única aventura de esa década, en la que conoceremos su debilidad ante el oro. Más prolíficos serán los ochenta donde destacará "*The Five Doctors*" manteniendo prácticamente el mismo diseño de los setenta.

En ocasiones son comparados con los Dalek por lo amenazador de su aspecto y por la conversión robótica que llevan a cabo unos y otros, perdiendo las emociones por el camino, volviéndose cada vez más fríos y calculadores. Pero más allá de esto no tienen similitudes ya que las intenciones que tienen son muy distintas, además de que la evolución visual de los que nos ocupan ahora es mucho mayor.

Lo que sí tienen ambos es parte de su ser original, por parte de los Dalek en el deforme monstruo que vive dentro de la carcasa metálica y en el caso de los Cybermen el cerebro, lo que hace que en casos tengan emociones, sufran locura o que recuerden quiénes eran antes de pasar por la reconstrucción cibernética (o actualización). Otro rasgo compartido es la ausencia de nombres, aunque en ambos casos es algo que en ocasiones no ha sido así, dando personalidad a estas mentes casi colectivas (o sin el casi).

A pesar de la gran cantidad de villanos con los que se enfrenta el Doctor estos son de los más inquietantes por lo inhumano de los mismos y como ejemplo de lo terrible que puede ser la tecnología si dejamos que nos domine, algo que por otra parte comienza a no ser tan de ciencia ficción como en los años sesenta.

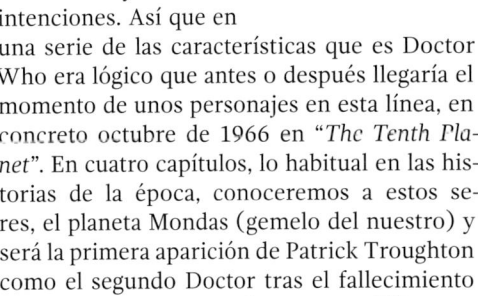

Los Sontaran, el velado homenaje a Humpty Dumpty

No son muchos los villanos que pasan por la serie principal de *Doctor Who* y también por alguna de sus subsidiarias, algo que en ocasiones está motivado sencillamente por los distintos enfoques de cada una y en otras entran en juego temas de derechos de propiedad lo que hace que todo se complique. Los Sontaran son una de estas honrosas excepciones, y han salido también en *Las aventuras de Sarah Jane Smith*, completando así el círculo de enfrentarse al protagonista y a su familia.

Lo más característico de estos seres creados por Robert Holmes es la forma de su cabeza cercana a un huevo, algo que hace ver la referencia clara y directa con Humpty Dumpty, Zanco Panco como se ha podido ver en nuestro idioma, huevo de forma humanoide que aparece en el poema infantil *Mamá Ganso*, posteriormente en *Alicia a través del espejo* de Lewis Carroll y recientemente recuperado en la saga de cómic *Fábulas*. El segundo atributo que les define es el militarismo ya que son una especie dedicada a la guerra, de hecho han estado en lucha por centurias con los Rutans, algo que se ve favorecido por su fuerza y el que en realidad no sean más que carne de cañón que es clonada de forma incesante (sí, todos son clones hasta lo que se sabe). A tal nivel llega este amor por la guerra que para ellos la forma ideal de morir es precisamente en el campo de batalla, tanto que en *"The Sontaran"* se llega a decir que nunca hacen nada «sin una razón militar».

Estos hermanos malvados de los *Coneheads*, la divertida película de 1993 escrita y protagonizada por Dan Aykroyd, aparecieron por primera vez en 1973 en una aventura del tercer Doctor llamada *"The Time Warrior"*, con ese título ya se adelantan bastantes detalles. Primero el hecho de ser guerreros, en este caso uno, que es al único que conoceremos, además del hecho del viaje en el tiempo ya que es algo que también formará parte de ellos. Linx será el nombre del Sontaran que se presentará en este capítulo ambientado en la Edad Media, y el espectador no conocerá su verdadero aspecto al principio ya que llevará un enorme casco que ocultará su cabeza.

A pesar de ser un ejército, les iremos viendo de uno en uno, algo que cambiará totalmente con el paso del tiempo y se terminará mostrando lo impresionante de su legión. En *"The Sontaran Experiment"*, contando ya con Tom Baker de protagonista, estará solo Styre, el de *"The Time Warrior"* es Linx, experimentando con astronautas de nuestro futuro. De nuevo tendrá su relevancia en *"The Invasion of Time"* capítulo en que el Doctor regresa a su perdido Gallifrey, se llevará a cabo un intento de invasión que será frustrado. Por última vez, dentro de esta serie original, aparecerán en *"The Two Doctors"* junto al segundo y tercer Doctor.

Esta ruda y áspera especie alienígena vive por y para la guerra, aunque según parece también tienen una gran vena artística que han dejado parada mientras existan batallas que hacer, pero no han mostrado en ningún momento una gran inteligencia, y más bien lo contrario. Este punto es totalmente explicable por la clonación y el posible desgaste del material genético original, además de por estar acostumbrados a dar y recibir órdenes, lo que hace que su imaginación (al menos actualmente) esté bastante mermada.

LA ACTUALIZACIÓN, EL DOCTOR NUNCA MUERE

Cuando la película televisiva se quedó solo en eso y no fue el pie para toda una nueva serie, muchas ideas se quedaron en el aire, como la de los Dalek con forma de araña (por suerte), pero también el poder ver a Paul McGann protagonizando aventuras, y digo ver ya que leer y escuchar sí que ha sido posible, pero nunca en una serie para la pequeña pantalla.

Muchos años tuvieron que pasar hasta que llegara la mano dc un guionista llamado Russell T. Davies, un hombre que se ha declarado fan total de este personaje desde sus lejanos comienzos. El realizador quería sacar a tan genial creación de ese cierre no reconocido que tenía ya que se suponía que solamente estaba suspendida. Tras tanto tiempo y a efectos prácticos, era lo mismo que decir que estaba realmente cancelada, aunque no se asumiera de forma pública.

El escritor propuso en diferentes ocasiones a la BBC que diera luz verde a una nueva producción, logrando llegar a una fase previa (la de discusión, que es cuando se habla con los directivos y se presenta formalmente la propuesta) en dos ocasiones, la última en 2002, logrando un apoyo positivo para la actualización de la cabecera que pasaba por varios puntos como la duración de los episodios (algo que cualquier fan se habrá dado cuenta solo), dejar de lado toda la mitología preexistente o más bien jugar con que el nuevo espectador la desconoce e irla revelando poco a poco (aunque eso no impidió hacer desaparecer de un plumazo Gallifrey y quitarse así de problemas). Por otro lado se mantenían otros detalles que ya eran tópicos bien conocidos, como los habituales compañeros que le acompañan en sus viajes o la presencia de villanos clásicos, como el Amo y por supuesto los Dalek, que se volvieron más temibles e inmortales que nunca.

Otros elementos indispensables como la TARDIS, además de que por siempre estará unido al personaje de Doctor Who, estaban presentes y se tomó la decisión de recuperar el destornillador sónico que había quedado destruido y que tomaría una importancia mayor que nunca antes, además de convertirse en uno de los elementos de *merchandising* más demandados. Se optó por alejarse también de ese personaje algo huraño y de dudosa moral para convertirlo en más humano que nunca, con sus debilidades y fortalezas, además de romper totalmente con esa norma de que no pudiera tener relaciones amorosas, se creó el personaje de Rose Tyler para ser su ayudante y amiga pero también la mujer de la que se enamorará.

Así de la mano de Russell T. Davies y la productora Julie Gardner se lanzó una primera temporada compuesta por 13 episodios, siendo el primero de ellos "*Rose*", que dejaba más que clara la importancia y relevancia que tendría esta joven a la que ponía su rostro la cantante y actriz británica Billie Piper. Con casi una decena de capítulos saliendo de la mano de Davies junto con otros guionistas que aportaron su granito de arena, el más destacable fue Steven Moffat, que tomaría las riendas posteriormente, pero sin contar con ninguno de los que trabajó en la anterior etapa para así desvincularse de la misma, y aunque seguía la misma cronología, poder hacerlo prácticamente desde cero.

Julio de 2004 fue testigo de la primera grabación de esta serie recién vuelta a la vida pero no todo fue bueno, los imprevistos, fallos y problemas inesperados hicieron su aparición, además de no tener todavía un acuerdo sobre los derechos de Terry Nation por la creación de los Dalek, lo que hizo se creara una nueva especie para sustituirlos (que se usará posteriormente) temiendo que no se lograra llegar a un acuerdo y que no pudiera usarse a los más peligrosos enemigos del Doctor en esta nueva época. Solventado todo se emitió el episodio piloto el 26 de marzo de 2005 con una muy buena audiencia y un voto de confianza por parte de la crítica, pero no todo era de color de rosa y el actor protagonista, Christopher Eccleston decidió que solamente estaría una temporada, pero lo que bien pudo ser un problema conllevó la llegada de David Tennant para hacerse con el papel y lanzar de forma definitiva la serie, además de atreverse con tres *spin-offs*: *Torchwood*, *The Sarah Jane Adventures* y *K9*, la primera con un carácter más oscuro que la original y las otras dos con un marcado tono infantil.

Uno de los aciertos han sido los actores elegidos para hacer del Doctor, además del carácter distinto que han tenido cada uno de ellos, destacando a David Tennant, quien para muchos está al mismo nivel que Tom Baker en el marcador de muchos fans de la serie.

El noveno Doctor es Christopher Eccleston, al que poco después veremos como Destro en la primera incursión cinematográfica de los G.I. Joe, que se aleja totalmente de la imagen clásica del personaje, presentando a un hombre con el pelo casi rapado, camiseta y cazadora de cuero, lo que curiosamente fue una de las propuestas de Paul McGann para su encarnación (y que sirvió de base para el cómo sería en el universo expandido de la serie). Hasta lo que se sabe de él, es el único superviviente de la Guerra del Tiempo entre su especie y los Dalek, aunque luego veremos que realmente esto no es así. Le conocemos nada más regenerarse y apenas tiene tiempo para superar lo que acaba de pasarle (se supone que es justo después de esa guerra), con lo que carga con cierta culpa, y antes de que podamos cogerle cariño llega el momento de su muerte...

Llegó así el turno de David Tennant que para muchos es el Doctor definitivo, con todo respeto a Tom Baker que sigue siendo el que popularmente se asocia siempre a este nombre. Este joven y atractivo actor sonaba desconocido para muchos, pero en su trayectoria ya estaba el personaje Giacomo Casanova en la miniserie *Casanova* o Barty Crouch Jr. en *Harry Potter y el cáliz de fuego*, pero su pasaporte a la fama fue con este galáctico personaje y sus correrías espaciales.

Al igual que con cada regeneración, su personalidad cambió, y aunque en su noveno rostro le habíamos visto disfrutar con su vida, el caso de este será todavía mayor, casi empujado por la culpa de ser (así lo creé él) el último de su raza, lo que le lleva a seguir huyendo de algo que solamente está dentro de él. En apariencia es menos temible de lo que parece, ya que su rostro jovial y casi aniñado le hace parecer inofensivo, pero no da una segunda oportunidad a sus enemigos.

Con David Tennant es cuando realmente *Doctor Who* vuelve a ser una serie de gran éxito y fama, los inteligentes guiones, su fantástica actuación, unos compañeros pensados para encajar perfectamente, la sabia evolución de la historia de su amada Rose dando a los fans lo que querían pero sin romper de ninguna forma el personaje. Es en su etapa cuando se lleva de nuevo a la grandeza las historias, recuperando un pasado que de primeras se había preferido omitir pero dándole una nueva forma que respeta la emisión clásica y la actualiza de una forma inigualable.

Pero todo tiene su final y también esta décima encarnación, en uno de los capítulos más emotivos que se recuerdan. Mientras él siente que su final se acerca aprovecha sus últimos momentos para despedirse de todos los amigos que ha tenido, cerrándose así la puerta para poder empezar después desde cero. Finalmente, tras volver justo al inicio a momentos antes de su primer encuentro con Rose, entra en la

TARDIS para allí susurrar «No quiero morir» y entonces volver de nuevo a la vida.

Es interesante ver algo que se sabía pero no se había terminado de dejar claro y es que realmente el Doctor muere, todo lo que ha sido queda en el pasado, conserva sus recuerdos pero es una persona completamente nueva y solo es con David Tennant cuando empezamos a entender lo terrible de esta forma de esquivar a la muerte.

Si este último hemos dicho que para muchos era un desconocido, todavía más Matt Smith que fue el encargado de recoger la estela y dar comienzo a una nueva época en que Russell T. Davies dejaba todo en manos de Steven Moffat,

guionista que ya había tomado parte en los últimos años y al que hemos visto más recientemente también a los mandos de Sherlock Holmes o *Las aventuras de Tintín* de Steven Spielberg.

De nuevo cambios en la personalidad, compañeros y formas de ser, además de explorar más la relación que tiene el protagonista con la enigmática River Song, una viajera del tiempo que comparte con el protagonista algo más que aventuras. Las historias cambian y el estilo de las mismas, pero se mantiene la locura que ha caracterizado a los capítulos anteriores, el gusto por los encuentros cómicos y un nivel de épica que no deja de crecer a cada momento.

Originalmente escribí este párrafo a un día de ver el último episodio de este 2012, cuando se estaba emitiendo la séptima temporada de esta época que comenzó en el año 2005 y que parecía tener un prometedor futuro por delante. Ahora, mientras reviso algunos cambios, ya se ha hecho el anuncio oficial de que tendremos a un duodécimo Doctor con el rostro de Peter Capaldi. Además de un enigmático Doctor que se presentó en el episodio "The Name of the Doctor", al que da vida el veterano John Hurt (antesala del especial 50 aniversario).

CAMBIANDO PARA QUE NADA CAMBIE

Estos apartados que acabas de leer no son más que una simple pincelada, son muchos, muchísimos, años de historia y realmente es imposible contarlo todo. Hay mucho material disponible, desde libros a discos pasando por cómics y por supuesto el preciado *merchandising* que a todos nos gusta tanto (¿ya tienes tu destornillador sónico?); claro que otra gran cantidad de cosas que se han perdido para siempre sin tener posibilidad de recuperarlas o al menos no más allá de hacerlo a través del recuerdo de todos los que es-

tuvieron implicados.

Doctor Who apareció, y pasado un tiempo descubrimos que el protagonista, ese anciano que tanto se quejaba, en realidad era virtualmente inmortal pero cambiaría cada vez. Esto se convirtió en una de las características de la serie, pero también sirve totalmente para definirla ya que cada época, cada temporada y si somos atrevidos podríamos decir que cada episodio sigue esta máxima de constante reinvención, nunca es nada igual y el que es seguidor sabe bien que el siguiente capítulo puede dar la vuelta a todo lo anterior y dejar por los suelos todo lo que sabía o elevarlo a cotas de ser épico.

Desde principios de los sesenta ya se pudo intuir que esta serie iba a marcar un profundo antes y después en la historia de la televisión británica, luego con el salto hacia América y actualmente siendo un fenómeno mundial. Quizá en parte fue por no haber respetado la intención de no meter monstruos, otro tanto el ser cada vez más aventurera, pero sin duda influyó la gran capacidad de reírse de sí misma y de dejar claro que todo puede ser distinto de un segundo a otro. Este es uno de los puntos de más relevancia de la serie y que por algún motivo es precisamente lo que más gusta a los seguidores y uno de los motivos por los que se engancha, sencillamente todo puede pasar y no hay nada que sea realmente imposible.

Decir que esto es todo no tiene sentido, ya que se han repasado partes de la serie clásica, lo que he considerado de mayor interés y también indispensable para poder tener un cierto fondo (una base si así lo preferís) desde la que poder conocer tantos y tantos años de historia, se ha terminado con un breve comentario de la nueva etapa, que espero sea posible explorar detenidamente en otro libro, hablando del cómo empezó y quiénes han sido los protagonistas hasta el momento de terminar estas líneas (en las que el último episodio ha sido en el que Rory Williams y Amy Pond dejan de ser habituales por culpa de los ángeles, los *Weeping Angels*).

Doctor Who tiene mucha historia en su pasado, más de la que conocemos por la serie o por las otras historias, algunas son todavía desconocidas y todavía queda mucho por contar. Algunas cosas están explicadas, otras solo a medias o con una explicación que no ha sido del todo satisfactoria, algunas siguen siendo incógnitas de las que quizá nunca tengamos respuesta o sí la han tenido pero no de la forma en que nos gustaría.

Lo mejor es dejarse seducir por los viajes espaciales de este extraño personaje y aceptar que no hay reglas o límites que no puedan ser rotos.

Quizá en algún momento descubramos la respuesta a esa primera pregunta a ese «*Doctor who?*» que salió de boca del propio protagonista.

Quizá.

APÉNDICES DE DOCTOR WHO

THE THREE DOCTORS

Para el que no sea habitual de la ciencia ficción, la fantasía y los viajes en el tiempo es realmente complicado explicar el cómo el mismo hombre se encuentra a la vez siendo además distinto, pero por fortuna se juega con la baza de que a estas alturas ciertos conceptos tienen que estar bastante claros (además de que probablemente el lector ya conozca este tipo de historias de antes).

"The Three Doctors" se emitió por un único motivo, celebrar el décimo aniversario de la serie haciendo que las tres encarnaciones que se habían visto hasta el momento (William Hartnell, Patrick Troughton y Jon Pertwee que además lo estaba interpretando en ese momento) se unieran por primera y última vez, ya que aunque en "The Five Doctors", de la que se hablará luego, volvieron, no fue con William Hartnell, que tuvo que ser sustituido.

La trama es algo más compleja de lo habitual, lógico por todo lo que tiene que tener un cierto sentido para que avance, ya que además se tiene que romper el que un mismo viajero se encuentre con sí mismo, pero es justo lo que el primer Doctor debe hacer para ayudar a sus dos contrapartidas. Pero nada es tan sencillo como parece, ya que los tres están con sus propios problemas y antes de trabajar juntos deberán poder solucionar las situaciones que se lo impiden. Claro que no estarán solos y veremos también a algunos de sus secundarios como Jo Grant, Benton y el muy querido brigadier Lethbridge-Stewart, todos ellos reunidos en un universo de bolsillo obra de Omega, uno de los primeros Señores del Tiempo, creador del guantelete que lleva su nombre, en busca de lo que él considera una justa venganza por encontrarse en el exilio (algo que no ayuda a que nadie sea precisamente mentalmente estable; pues ahora sumad el ser un Señor del Tiempo enfadado).

Aunque bien puede ser que ya lo hayáis visto creo que en este caso, y los siguientes, no se va a desvelar realmente mucho ya que lo mejor es verlos (o leerlos, ya que tiene su propia novelización) para que sea el propio espectador el que disfrute y saque sus conclusiones. Pero sí puede decirse que Omega quedará establecido en continuidad y posteriormente haría otra vez aparición, con ese diseño de casco que veremos años más tarde en el Sauron de la trilogía cinematográfica de El señor de los anillos.

El porqué de la importancia de este episodio viene principalmente dado por dos hechos: el primero es ese imposible encuentro que tardará otros 10 años en volver a darse, ya con dos encarnaciones más, y el segundo por ser esa última vez que William Hartnell dará vida al papel que lo empezó todo. Hay que verlo, sencillamente es así.

THE FIVE DOCTORS

Y entonces pasaron otros diez años. La serie llevaba dos décadas de emisión, cinco encarnaciones y otros tantos compañeros, secundarios, aventuras y un largo etcétera. Había que celebrarlo, y si para el décimo aniversario se juntó a los tres actores que hasta el momento habían sido el Doctor, ¿había algo mejor que hacerlo de nuevo pero ahora con cinco?

Un personaje que no identificamos comienza a "secuestrar" a las encarnaciones del Doctor y sus amigos, no lográndolo con el cuarto de Tom Baker que se queda atrapado en un vórtice (debido a la negativa del actor a participar en este especial) y el quinto que empieza a notar que algo va mal. Por supuesto detrás de algo de estas características solo pueden estar las intenciones de los Señores del Tiempo, que incluso traen de vuelta al Amo con el añadido de darle nuevas regeneraciones, puesto que había agotado las suyas (sí, parece que además de forzar una regeneración pueden otorgar más). Todo es un plan del señor presidente Borusa para alcanzar la inmortalidad y para ello debe llegar hasta la tumba de Rassilon, al que veremos en la época actual interpretado por Timothy Dalton y en aquel entonces por Richard Mathews.

Fue en esta ocasión la primera, y única, que Richard Hurndall tomó el papel del fallecido William Hartnell, en 1975, para que así realmente fuera una reunión de los cinco Doctores que habían aparecido hasta el momento.

Existe una versión alternativa de este especial con material añadido que data de 1995, recordemos que la película es de 1996 y las ansias por más Doctor Who nunca se han apagado. Esta edición cuenta además con una mejora en los efectos especiales, sonido y color.

THE TWO DOCTORS

En esta ocasión serán el segundo y el sexto Doctor los que se encontrarán en una aventura, la última que veremos en que se encuentren varias encarnaciones al menos dentro de la serie ya que en otros medios sí que ha pasado (además de las muchas versiones de fans que pululan por Internet y que os recomiendo buscar, pasaréis un buen rato). El primero de estos se encuentra trabajando en una misión para los Señores del Tiempo, mientras el otro junto a su compañera Peri Brown tienen un momento de relax aunque esto deja de ser así cuando el alienígena se derrumbe dentro de la fascinante TARDIS, lo que pensará que es porque su anterior encarnación ha muerto y el tiempo intenta acabar con lo que ahora es una anomalía.

Si hay que ser sinceros no se logra aquí el nivel de épica y de convertirse en algo mítico al que se llegó en "The Three Doctors" y "The Five Doctors", algo comprensible ya que las encarnaciones solo son dos además de no haberse rodado por ningún aniversario. Pero a cambio la relación entre ambos es más fluida y los personajes más trabajados precisamente por eso, por no tener que cargar con un reparto coral de respetables dimensiones.

¿Por qué hay que ver este episodio? Lo primero y más evidente es por el cruce del segundo y el sexto Doctor, un evento así siempre es de agradecer, además de que será la última vez que Patrick Troughton dé vida al personaje. Tenemos en segundo lugar que es la última aparición de los Sontaran hasta que lleguemos a la época actual (a excepción del *spin-off Shakedown: Return of the Sontarans* del que hablamos justo al término de estos párrafos tras mencionar *Time Crash*). En tercer puesto que aparece Sevilla, aunque esto no tiene más que el hecho de que despierta nuestra curiosidad por la cercanía, pero ahí es nada, ¿no?

TIME CRASH

Realmente este minicapítulo no tendría que estar mentado ya que es de la serie nueva, en concreto de las temporadas de David Tennant, además que bien puede considerarse fuera de continuidad si consideramos que esta solo está establecida de forma firme, lo que sucede dentro de la propia serie, dado que todo lo demás bien puede cambiar ya sea radio, libros, cómics y demás. De momento no hay nada que diga que lo que sucede en este pequeño episodio no sea tan válido como todo lo que vemos de forma habitual pero ciertamente *Doctor Who* no se caracteriza por tener un riguroso control de los acontecimientos, lo que precisamente le da ese toque tan característico y personal.

Este *Time Crash* estaría dentro del maratón de caridad Children in Need de la BBC de 2007, escrito por Steven Moffat, y narra un encuentro entre el Doctor del ya citado David Tennant y la quinta encarnación de Peter Davison con un tono totalmente de comedia, a la vez que de respeto y homenaje.

El décimo Doctor acaba de dejar a su compañera Martha Jones (de hecho la vemos saliendo de la TARDIS) y entonces de pronto dentro de la nave hace su aparición sin más el quinto Doctor, se cruza con el anterior y de pronto ambos se dan cuenta de lo que pasa. O no del todo, ya que Davison piensa que Tennant es un fan con el momento de humor que eso conllevaba.

La solución final es que ambas TARDIS se están materializando en el mismo espacio tiempo, algo que el décimo resuelve rápidamente ya que realmente ya estuvo allí (cuando fue el quinto).

Pero el mejor momento de todos, en que el homenaje es más bonito, es cuando Tennant dice:

You know, I loved being you. Back when I first started, at the very beginning, I was always trying to be old and grumpy and important —like you do, when you're young. And then I was you, and it was all dashing about and playing cricket and my voice going all squeaky when I shouted. I still do that, the voice thing, I got that from you. Oh, and the trainers. And... snap! (putting his glasses on) 'Cos you know what, Doctor? You were my Doctor.

O traducido (no hay realmente una versión en nuestro idioma, ya que no está doblado):

Sabes, me encantó ser tú. Volver a cuando empezaba, muy al principio. Siempre estaba tratando de hacerme el viejo y gruñón y el importante, igual que haces al ser joven. Y entonces fui tú, y todo era prestancia y jugar al cricket y mi voz se volvía muy chillona cuando gritaba. Todavía lo hago, la cosa esa de la voz, me vino de ti. Oh, y las playeras. Y... ¡mira! (se pone las gafas). ¿Sabes por qué, Doctor? Tú fuiste mi Doctor.

Este especial fue tremendamente bien recibido por los aficionados y seguidores, el tratamiento fue realmente encantador y adecuado. Con un guión rápido e ingenioso que refleja de forma perfecta la personalidad de ambas encarnaciones y que nos quitó las ganas que se acumulaban desde hacía cosa de dos décadas de ver de nuevo a este mismo hombre compartiendo una aventura con otra versión de sí mismo.

DIMENSIONS IN TIME

Si el cruce entre un Doctor y otro siempre es motivo de alegría, quizá no tanto cuando no se hace correctamente. Sí, ver *Dimensions in Time* es una experiencia divertida y que anecdóticamente nos hará pasar un muy buen rato pero si lo que pretendemos es un capítulo a la altura de lo mejor de esta serie, bueno, entonces mejor que no lo hagamos.

Aunque al igual que en *"The Three Doctors"* y *"The Five Doctors"*, este especial se hizo con motivo del trigésimo aniversario de la serie que sucedía en 1993, para emitirse como parte del Children in Need siendo la primera vez que había una aventura de esta serie desde que quedó en suspenso en 1989 y hasta que en 1996 se haría la película de televisión que casi fue el piloto de una serie.

La historia nos cuenta cómo Rani abre un agujero de gusano temporal para entrar en la línea del Doctor, es una trampa para acabar con él, y como consecuencia el pasado, el presente y el futuro empiezan a cruzarse haciendo que las distintas encarnaciones y los acompañantes que tenían se intercambien, se vean y compartan esta extraña aventura.

Realmente si pasamos por alto la poca calidad y el paso de los años de los actores (algunos han envejecido muy mal), es de agradecer esta producción aunque solo sea por ver a todos los intérpretes volviendo a sus personajes, incluyendo a Tom Baker del que no se pudo disfrutar en *"The Five Doctors"* pero que retorna aquí a su cuarto Doctor, algo que fue para muchos fans todo un regalo ya que, no hay que olvidarlo, ha sido por

mucho tiempo la versión definitiva solo en competición ahora mismo con David Tennant. Pero también es la última vez que veremos a la gran mayoría de intérpretes dando vida a los personajes que interpretaron en la franquicia, aunque como ya se ha dicho, Peter Davison sí volverá, al igual que Elisabeth Sladen como Sara Jane Smith y Nicholas Courtney en la serie de esta como el brigadier Lethbridge-Stewart. Aunque no veremos a los Dalek en nuevas imágenes por problemas de derechos con su creador, Terry Nation, en la misma disputa que se mantuvo durante tanto tiempo que hizo que por poco no salieran en la nueva época.

Dimensions in Time es el *The Star Wars Holiday Special* de esta serie. Solo apto para los muy, muy, pero que muy, seguidores.

DOCTOR WHO AND THE CURSE OF FATAL DEATH

¿Si os dijeran que en realidad el noveno Doctor lo interpretó Rowan Atkinson, al décimo Richard E. Grant, y al undécimo Jim Broadbent? Esto pasó, de verdad que sí. Además de ver a Hugh Grant y Joanna Lumley como los duodécimo y décimotercero, junto al siempre agradecido de ver Jonathan Pryce como el Amo. En concreto sucedió en 1999 en el paródico *The Curse of Fatal Death*, dentro del maratón de caridad Red Nose Day, en el que se homenajeaba a la vez que ridiculizaba de esa forma que solo son capaces de hacer los ingleses, dejando además claro el gran amor que tenían por esta creación y avivando de forma definitiva las llamas que llevarían a la producción final para la nueva serie de la década de los 2000.

No hay que confundirse y pensar que este programa sirve como hilo conductor y explicativo de lo que sucede entre un momento y otro, no es así ya que narrativamente no tiene esa validez dentro de la continuidad, pero sí es una especie de tránsito entre una época y otra aunque no pueda ser tomado en serio, tampoco es que lo pretenda.

Realmente no tiene mucho sentido intentar explicar la trama, ya que el carácter humorístico de la misma requiere que sea vista y disfrutada, con las continuas regeneraciones en que cada actor le da un toque de sí mismo y hace que sean únicas, además porque jamás las volveremos a ver y quedarán solo como parte de una historia imaginaria (¿pero acaso no lo son todas?, igual que se decía en ese mítico tomo de Superman: ¿qué le pasó al hombre del mañana?), una oportunidad de ver al Doctor regenerarse en mujer lo que hasta el momento es un deseo de muchos de los que somos seguidores pero que no termina de pasar.

Se nota aquí la mano de aficionado al programa de Steven Moffat, tanto por el tratamiento que da a los personajes como las referencias y guiños a la serie original, además de ser este un motivo por el que cualquier espectador actual debería ver *The Curse of Fatal Death*, ya que es la primera vez que el realizador estará a los mandos.

SHAKEDOWN: RETURN OF THE SONTARANS

Habitualmente se considera que *Doctor Who* es solo la línea central, es decir la serie principal que ya tan bien conocemos, además del par de productos derivados que ha tenido en la época actual. También están los libros, cómics, radio y demás, pero centrándonos en el aspecto audiovisual como ya se ha dejado claro desde el principio son esos tres productos que hemos comentado. Pero, y quizá alguno se asuste, en 1994 (o 1995, dependiendo de la fuente: producido en 1994 y lanzado en 1995, una confusión muy simple) hubo un piloto/telefilme (más lo uno que lo otro, pero lanzarse di-

rectamente en vídeo y ser de carácter unitario bien puede entenderse también como lo segundo).

Shakedown: Return of the Sontarans. Ese era el nombre. Entonces ahora quizá alguno esté pensado que me he confundido ya que he dicho en uno de los apartados anteriores que "*The Two Doctors*" fue la última vez que se vio a estos personajes hasta su regreso bajo el mando de Russell T. Davies. Es cierto, esa frase quizá no era del todo exacta ya que en esta producción hacen de nuevo aparición pero la cuestión es que no es realmente dentro de la serie, es una historia que bien podemos considerar dentro del universo del personaje o en una línea alternativa (lo que cada uno prefiera) con lo que dentro de la cronología realmente establecida (y siempre considerando a esta solo la referencia a la serie) queda fuera de lugar.

La historia es bastante sencilla de explicar en sus premisas básicas. Una nave espacial, más bien una estación, está surcando el espacio con su tripulación dentro (en una mezcla de vestuario ochentero y noventero muy mal llevados que nos hace asustarnos) cuando se encuentran con otro buque que por supuesto lleva a los personajes que dan título al filme (por llamarlo así) y que entrarán disparando al primero que se encuentren. Lo común en ellos y que no presenta ninguna novedad.

Este *spin-off* trae de vuelta a estos conocidos personajes con cabeza de huevo que tantas veces se han enfrentado con el Doctor. Claro que no serán exactamente según los recordamos con esa cabeza que tanto recuerda a Humpty Dumpty, su aspecto es algo más aterrador y con unos tintes que recuerdan a un lagarto. Este cambio de nuevo responde al tan terrible tema de los derechos y pertenencia de las creaciones, con lo que se modificó ligeramente su aspecto, el cual dejarían de lado por el de siempre en la etapa actual, lo que hace que este sea otro motivo por el que puede dejarse de lado dentro de la continuidad.

No solo los Sontaran están por aquí, también hacen su aparición los Rutan. Bien puede ser que este nombre no resulte a nadie muy conocido, algo muy entendible ya que no han tenido una vida tan rica como los otros aunque sí han sido mencionados (en concreto en "*The Time Warrior*" con el tercer Doctor) y se les ha visto (en "*Horror of Fang Rock*" del cuarto Doctor), pero no deja de ser algo anecdótico en lo que a una serie de tantas décadas se refiere.

La sorpresa es que tendremos de nuevo a Carole Ann Ford en una historia de *Doctor Who* pero que nadie se emocione antes de tiempo, no será con el personaje de Susan Foreman reencontrándose con los seguidores ya que da vida a una mujer llamada Zorelle que no tiene relación real con su anterior interpretación. Otros actores de la saga se dan cita aquí, pero ninguno siendo la misma persona que había sido en los capítulos originales.

Si he comentado lo terrible de alguno de los títulos anteriores hay que decir que este se lleva la palma. No ya por la ausencia del Doctor, los cambios en los Sontaran o lo muy sencillo de su trama pero es que otro tanto se lo lleva el muy bajo presupuesto que se nota en cada plano que pasa ante nuestros ojos, además de que más que algo de carácter profesional (lo que se supone que es) parece un vídeo hecho por unos fans, o no, ya que en los últimos tiempos hemos visto auténticas maravillas hechas por aficionados.

No os recomiendo verlo, pero si os pica la curiosidad podéis encontrarlo fácilmente por Internet. Allá cada uno.

THE DAY OF THE DOCTOR

También conocido como el especial del 50 aniversario. Este episodio, del que apenas se sabe nada mientras tecleo, marcará el regreso de David Tennant a la serie (por supuesto con Billie Piper con su Rose Tyler) además de ser el primer cruce entre distintas encarnaciones en la época nueva. El undécimo, Matt Smith, vivirá su última aventura antes de convertirse en Peter Capaldi en el siguiente episodio, junto al décimo y al enigmático Doctor (que corrompió el nombre) interpretado por John Hurt.

¿Qué tiene preparado Steven Moffat? No lo sabremos hasta el 23 de noviembre del 2013.

BIOGRAFÍAS DE DOCTOR WHO

Aunque esta lista no podría terminarse si nos atenemos al sencillo pero importante hecho de que la serie sigue en activo, por fortuna (o no ya que la calidad de la época actual es realmente potente) nos centramos solo en los primeros años y eso logra limitar a las personas que deben estar aquí. O quizá no tanto ya que al decir «primeros años» hablamos de un cuarto de siglo y el número de actores que pasó por la producción es realmente alto. Lógicamente no tendría sentido entrar en todos ellos pero sí hay bastantes que merecen un poco de atención, al igual que no solo intérpretes, ya que hubo otros implicados que aportaron su granito de arena pero han quedado más olvidados, puesto que su rostro no era el que veíamos encarnando al Doctor.

Y es precisamente así, con las encarnaciones del Doctor en estas temporadas que fueron desde principios de los sesenta hasta finales de los ochenta (y el regalo, envenenado para algunos, que vino a mitad de los noventa), con lo que comienza este repaso.

Aunque he hablado de ellos, en esta biografías he omitido a John Hurt y Peter Capaldi ya que en este momento se desconoce realmente la importancia del primero, y el segundo no ha llegado siquiera a ser visto (puede ser que cuando esté publicado ya sepamos ambas respuestas).

William Hartnell, primer Doctor

La inclusión de William Hartnell en este libro era obligatoria ya que fue el primer Doctor Who, mismo motivo por el que estos apéndices (y biografías) debían empezar por él ya que es el responsable de parte de que todavía hoy conozcamos esta serie, o sería más correcto decir que gracias a él empezó todo y es por el que el serial continuó.

Este actor nació el 8 de enero de 1908 en St. Pancras, cerca de Londres, con el nombre completo de William Henry Hartnell pero cariñosamente llamado Billy por su familia, o por la familia que conocía ya que en este aspecto su infancia fue algo complicada. Igual de problemática fue su relación con los estudios, aun-

que al conocer Hugh Blaker, rico coleccionista de arte, su vida fue cambiando y enfocándose hacia el mundo del teatro más por empeño de este que por él mismo, pero parece que la decisión fue acertada. Aunque su carrera profesional en este mundillo comenzó por ser tramoyista.

En 1928 actuó en *Elizabeth´s Prisoner* junto a la joven actriz Heather McIntyre que un año más tarde se convertiría en la señora de William Hartnell. A principios de la década siguiente comenzó sus primeros pasos en el cine pero con un parón, debido a la segunda Guerra Mundial; al igual que otros muchos hombres dejó todo de lado para combatir como mandaban sus gobernantes. Tras más de un año de servicio fue licenciado debido a una crisis nerviosa, algo que por otro lado le acompañaría toda su vida, pudiendo volver así al mundo de los escenarios.

De forma general entraba en papeles más de tono humorístico, comedia y demás, pero en un momento dado su carrera dio un giro para encarnar a Ned Fletcher, un sargento, en *The Way Ahead*. Esto fue algo que le marcó y le hizo salir de lo que había sido habitual en sus actuaciones para decantarse más por soldados, policías y similares, una muestra de esto fue en 1958 en *Carry on, Sergeant* de la que fue protagonista.

Pasó por varias producciones más pero sería en 1963, pasando ya los cincuenta años, que le llegaría el papel que marcó por siempre lo que le restaba de su vida y le convertiría en un icono de la televisión de su época y de la ciencia ficción hasta hoy. *Doctor Who*, una serie que comenzó con pocas esperanzas y que sigue más viva que nunca.

Sin entrar en los detalles que ya se han dado en la parte anterior del libro, no tendría sentido hacerlo, este actor fue contratado directamente por Verity Lambert tras ver su actuación en *This Sporting Life*. Aunque Hartnell dudó en un principio por temor a verse encasillado, aunque fue precisamente esto mismo lo que le hizo aceptarlo, ya que así también lograba salir del círculo de policías y soldados que se habían convertido en sus personajes habituales.

Tras estos años de éxito, en los que algunos compañeros dicen que fue complicado trabajar con él (y otros son todo elogios) se vio obligado a dejarlo por el avance de su arterioesclerosis, a lo que no ayudó el hecho de que no terminaba de entenderse con el nuevo equipo, así que se tomó la decisión de que se regenerara y otro actor tomara su lugar. En concreto, y a propuesta del propio Hartnell, fue Patrick Troughton.

Como ya se ha explicado en "*The Three Doctors*" el actor regresó al personaje, no así en "*The Five Doctors*", pero su estado de salud había empeorado mucho con lo que este se convirtió en el último trabajo que hizo. En 1974 sería hospitalizado y en 1975 con solo 67 años, fallecería, el 23 de abril de 1975, dejando atrás a su esposa Heather, la actriz con la que contrajo matrimonio en 1929, una hija de mismo nombre y dos nietos.

Patrick Troughton, segundo Doctor

Patrick George Troughton nació el 25 de marzo de 1920 mostrando un interés por el teatro ya desde pequeño, además de en el Theater John Drew Memorial de Long Island de Nueva York, saltando así el charco desde su Inglaterra de origen hasta los Estados Unidos de América, pero tuvo que dejarlos al comenzar la segunda Guerra Mundial y tener que servir en la Royal Navy durante el conflicto bélico.

En 1945, ya con el fin de las acciones armadas, regresó al teatro como había hecho también William Hartnell, pero la televisión era ya una realidad cada vez más y más impuesta así que el salto a la misma era algo lógico, también el hacerlo al cine. Será precisamente en este medio

cuando ambos actores se conocerán en la shakesperiana *Hamlet*, comenzando una relación y amistad por la que Patrick Troughton llegará a *Doctor Who*.

Su paso por la pequeña pantalla fue ciertamente fructífero, en parte por el Amor que siempre profesó por la misma, pasando por *Robin Hood*, *La pimpinela escarlata*, *El conde de Montecristo*, *Danger Man*, *Sherlock Holmes* o *The Saint* entre un listado realmente largo que no se reproduce al completo para no aburrir al lector.

En 1966 llegó su momento de dar vida al protagonista de *Doctor Who* como sustituto del malogrado William Hartnell. Las dudas sobre si sería bien recibido este cambio por el público estuvieron presentes en todo momento pero al recibir las primeras críticas el miedo pasó, además de incorporarse así la regeneración que se convirtió en esencial para la serie. Es curioso que las entrevistas y comentarios sobre su época en la serie hayan sido más bien después de dejarla ya que tenía cierta aprensión a que de hacerlo se le encasillara y por eso decidió dejar su papel únicamente en la ficción. En parte este mismo motivo fue el que le hizo abandonar el proyecto.

Posteriormente regresó en "*The Three Doctors*", "*The Five Doctors*" y por última vez en 1985 en "*The Two Doctors*".

Lógicamente el abandonar la serie no significó que lo hiciera con su carrera o con la televisión, así que 1969 marcó su regreso en distintas producciones y también en el teatro y en el cine. En este último medio destaco de forma personal el papel del padre Brennan en *The Omen* (o *La profecía*), la inquietante película sobre ese niño llamado Damien que dio origen a una saga y a un refrito que no era gran cosa en comparación con la original.

Desde 1984 estuvo alejado de su mundo profesional por lo delicado de su salud, tenía una enfermedad cardíaca crónica que requería atención pero por lo visto él no seguía los avisos de los médicos y falleció en 1987 en el transcurso de una convención de ciencia ficción a la que había sido invitado.

Jon Pertwee, tercer Doctor

Jon Pertwee fue el hombre que dio vida a la tercera encarnación del Doctor, nació en 1919 y falleció en 1996, el mismo año en que se lanzó la *TV Movie* del personaje.

Al igual que los anteriores actores solo hemos conocido su nombre profesional siendo el completo John Devon Roland Pertwee, lo que rápidamente nos hace pensar en su parentesco con el guionista y director (cinematográfico y televisivo) Roland Pertwee, quien era su padre y, al igual que su hijo, de origen inglés, habiendo nacido en Londres.

Según parece tuvo ciertos problemas con el mundo académico, lo que le valió la expulsión de varios centros y finalmente entrando, como tantos otros, al servicio de la reina en el campo naval, aunque al terminar la guerra iría entrando poco a poco en el mundo de la comedia tanto en el panorama audiovisual como en el de radio (no hay que olvidar los años en los que estamos, además del hecho de que la pasión por las ondas radiofónicas siempre ha sido mayor allí de lo que conocemos en nuestro país).

Por supuesto, esto es el Londres del siglo pasado, el teatro no podía estar lejos de sus intereses, lo que fue compaginando con otras producciones de distinto calado y pasando por la mítica serie de *Los vengadores* en *From Venus with Love* como el brigadier Whitehead. Su mayor momento de fama llegó con *Doctor Who*, pero mientras trabajaba en este serial rodó *The House that Dripped Blood* (*La mansión de los crímenes* para nosotros), en el que para muchos es su mejor papel, compartiendo la cabecera con los inmortales Christopher Lee y Peter Cushing.

La marcha de Patrick Troughton, en una regeneración obligada por los propios Señores del Tiempo (uno de los muchos poderes que parecen poseer sería este, y lo que no sabemos), dio paso a las cinco temporadas en que Jon Pertwee le daría vida en un papel que se alejaba del más cómico aspecto que era habitual en su carrera y trabajo, solo le superaría Tom Baker que sería su sucesor cuando anunció que dejaba al personaje y que regresaba al teatro, además de tener otros trabajos en la televisión como el de presentador en *Whodunnit!* de Thames Television (a la que muchos conocemos por el divertido programa de *El Show de Benny Hill*), además de dar vida al protagonista de *Worzel Gummidge* en un papel que sería tan significativo en su carrera (probablemente más) como lo fue el del renegado Señor del Tiempo, al que regresó en "*The Five Doctors*" (en imágenes de archivo) e incluso le dio vida encima del escenario, algo que nunca se ha visto en nuestro país, pero además de la serie televisiva (y las dos películas de los sesenta con Peter Cushing), se han hecho varias obras de teatro con el personaje.

Al igual que otros muchos actores, tiene un antes y un después en su carrera con el personaje que más le marcó, y en parte encasilló, lo que se refleja en sus dos autobiografías. La primera con su vida antes de *Doctor Who* y la segunda con el título *I Am The Doctor: Jon Pertwee´s Final Memoir*, que nos recuerda a lo sucedido con Leonard Nimoy con *I Am Not Spock* y *I Am Spock*.

Tom Baker, cuarto Doctor

Como ya se ha dicho anteriormente la interpretación de este actor es la versión definitiva del Doctor, no en vano fueron siete temporadas en el personaje, lo que le ha hecho ser el que más tiempo ha estado su piel y lógicamente el que más suyo lo ha hecho. *Doctor Who* ya era una serie conocida y que gozaba de fama, pero con Tom Baker se convirtió en el fenómeno que todavía sigue siendo, traspasando fronteras, edades y el tiempo mismo, como no podía ser de otra forma.

Al igual que los Beatles nació en Liverpool, en 1934 y sigue todavía en activo en el mundo del doblaje en el que lleva bastantes años, y es que lo que para él comenzó como un pasatiempo terminó siendo su carrera profesional y su vida, habiendo antes tenido una crisis de fe cuando estaba pensando en ordenarse monje (cosas de la vida).

Tuvo la suerte y fortuna de formar parte de la Laurence Olivier´s National Theatre y de que su primer gran papel en una película fuera el del carismático Rasputín, el llamado monje loco (que, y siento el inciso, tuvo una impresionante vida y muerte que supera en gran parte a la ficción), gracias a una recomendación del propio Laurence Olivier. Pero, al igual que los que le precedieron y los que le sucedieron, su gran momento y que por siempre le marcaría fue con su llegada a la serie de *Doctor Who* (aunque también es justo decir que tiene una fructífera carrera antes y después de este personaje).

Su llegada a la serie fue propiciada por el director Bill Slater que había trabajado con él, se lo presentó a Barry Letts (productor) que confió en él para que encarnara al personaje en la que se convertiría la actuación más larga de este, durante más años (siete en total que fueron de 1974 a 1981). Su excéntrica imagen es bien conocida, con su característica voz (en versión original, claro), las gominolas que tanto le gustaban y por supuesto esa larga bufanda de colores que ha pasado al imaginario colectivo como una de las prendas que mejor definen a este ficticio aventurero espacial, prenda que por otro lado fue más producto de la casualidad que de una orquestada planificación (pero salió bien). A tal punto llega esta identificación del personaje con su ropa que son muchas las veces en que en otras series se ve, como por ejemplo en *The Big Bang Theory* cuando Kevin Sussman que interpreta a Stuart, el dueño de la tienda de cómics, va de esta guisa en el episodio undécimo de la cuarta temporada titulado *The Justice League Recombination*.

Actualmente hay rumores sobre que volverá a la serie en la séptima temporada que está actualmente en emisión, realmente se desconoce el cómo y el porqué aunque por Internet se comenta que ha mostrado interés por dar vida al Amo, lo que hace que a cualquiera que sea seguidor y fan de esta producción le tiemblen las rodillas de pura emoción.

Little Britain (en radio y televisión), *Crónicas de Narnia*, Sherlock Holmes (curiosamente hemos visto a su Doctor Who vestido como el legendario detective británico), *La víbora negra* (excelente programa con Rowan Atkinson a la cabeza, quien alcanzaría fama internacional gracias a su cómico personaje de Mr. Bean). Le hemos visto también en *Dragones y mazmorras*, fallida adaptación cinematográfica en tono de comedia (quizá más por exceso que por defecto) del juego de rol creado por el fallecido Gary Gigax, lanzado en los años setenta y considerado el primero de todos.

Peter Davison, quinto Doctor

Quinto Doctor y el preferido por David Tennant, décimo e icono de la nueva etapa, al que me uno aunque quizá no tanto por su interpretación (al nivel de los anteriores, eso no es un problema) y más por su estilo de vestir que en parte se asemeja al que muchas veces es característico de mí.

Su nombre de nacimiento es Peter M.G Moffett, nació en 1951 y es padre de la actriz Georgia Moffett que interpretó a la hija del Doctor, Jenny (realmente sería más un clon) en la etapa del ya nombrado David Tennant con el que empezó una relación y finalmente se casó en diciembre de 2011, una hija de un Doctor que

interpreta a la hija de otro y se enamora de este último. Casi parece un argumento sacado de la propia serie de alguno de esos capítulos enrevesados y delirantes.

Sin duda si hay que nombrar su carrera antes del serial que nos ocupa hay que hablar de *All Creatures Great and Small*, que se inspiraba en la obra literaria del mismo nombre de James Herriot (pseudónimo usado por el veterinario James Alfred Wight) llena de anécdotas sobre el día a día de su profesión como médico de animales. En esta producción Peter Davison interpretó el papel de Tristan Farnon hasta que *Doctor Who* se cruzó en su camino a principios de los ochenta, aunque volvería a darle vida posteriormente. Tuvo también su momento en la adaptación del genial libro, que si no habéis leído os lo recomiendo desde ya, *La guía del autoestopista galáctico* (la versión televisiva de los ochenta y no la película cinematográfica de hace algunos años).

Llegó a *Doctor Who* en 1981 siendo el actor de menor edad que lo había interpretado hasta el momento, además de haber declarado que veía la serie cuando era más joven, y su rostro es el que veríamos hasta 1984 cuando abandonó la producción, aunque al igual que a otros se le ha visto volviendo a dar vida al personaje, la más relevante sería "*Time Crash*" en la que su Doctor se cruza con el de Tennant que siempre declara que él fue su versión preferida. Impagable la escena e inolvidable el momento.

Aunque posteriormente ha tenido una carrera bastante fructífera, y que sigue hoy en activo, cabe destacar la película *Un caballo llamado Furia*, *Black Beauty* en su título original, en la que comparte actuación con Sean Bean (Boromir en *El señor de los anillos*) y Alan Cumming dando la voz al equino (y siendo el Rondador Nocturno en *X-Men 2*).

En años más recientes se le ha visto en *Unforgiven* como el abogado John Ingram (dato que en parte debo a mi amigo Javi Rod, aficionado a esa serie) y en *Law and Order: UK*, *Londres: distrito criminal* por nuestras tierras, como Henry Sharpe. Como curiosidad hay que comentar que en esta misma producción está Freema Agyeman como Alesha Phillips, actriz que fue Martha Jones en la época nueva de *Doctor Who* durante la etapa del décimo Doctor de David Tennant.

Para el 2014 tiene prevista la película *Artful Dodgers* como Gideon Grant.

Colin Baker, sexto Doctor

Como ya se ha dejado claro antes no tiene relación alguna con Tom Baker, no al menos más allá de la casualidad de compartir apellido, algo que no tiene tampoco nada de extraordinario si uno lo piensa por un segundo.

Al igual que otros de los que ya hemos visto nació en Londres (en Waterloo para ser más exactos), Inglaterra, en 1943 (hoy con 69 años) y realmente no tenía en mente dedicarse al mundo de la actuación hasta poco más de tener veinte años cuando tomó la decisión y entró en la London Academy of Music and Dramatic Art (la Academia de Música y Arte Dramático de Londres) comenzando así una carrera que le llevó a ser el villanesco Paul Merroney en *The Brothers* desde 1974 y hasta 1976, aunque previamente había estado en varios trabajos como la adaptación televisiva de *Guerra y Paz*, basada en la obra literaria de mismo nombre de León Tolstói, entre otras apariciones.

Al contrario que los demás, él ya había estado implicado en Doctor Who aunque en un papel secundario durante el serial *Arc of Infinity* como el comandante Maxil en 1983, lo que le hizo tener algún comentario en contra por parte de los fans (¿cómo podía haber sido un personaje y luego otro? Cosas que pensándolas con el punto de vista que da el tiempo chocan y mucho). También tuvo que enfrentarse a las críticas por lo errático del comportamiento de su encarnación, algo que dependía de los guionistas y no de su decisión, además de parón de año y medio que tuvo la serie, lo que fue el primer puñal que llevaría al personaje a una larga suspensión sin dejar de lado que al poco de aceptar el papel tuvo el doloroso lance personal de perder a su hijo en 1984.

Después de esta aventura galáctica ha sido visto frecuentemente en la televisión y teatro británicos, algo que desgraciadamente nos queda muy lejos, además de escribir en el periódico Bucks Free Press una columna semanal desde 1995, algunas de las cuales se recopilaron en el libro *Look Who´s Talking*.

Para 2013 se espera el estreno de *Shadows of a Stranger*, *thriller* de misterio en el que interpreta a William Fallon.

Sylvester McCoy, séptimo Doctor

Si es habitual que un actor elija un nombre profesional que no es el suyo también lo es que siga teniendo algún nexo de unión con este, claro que no siempre es así y sería este uno de esos casos en que pasamos de Percy James Patrick Kent-Smith al más sencillo y sonoro Sylvester McCoy. El porqué de ese cambio de nombre viene precisamente por un hecho profesional pero más debido a una casualidad que a la decisión del propio actor cuando formaba parte de The Ken Campbell Roadshow entre cuyos papeles estaba el de un hombre llamado Sylveste McCoy, esto tuvo una confusión por parte de un crítico que pensó que ese realmente era su nombre y él terminó adoptándolo tras ponerle una «r» final.

Al igual que Colin Baker nació en 1943, aunque este sea escocés, criado en Dublín y desde hace décadas residiendo de forma habitual en Londres, y siendo Inglaterra el país donde ha desarrollado gran parte de su carrera. Ha he-

cho de otros actores, ha cantado en la ópera, ha estado en televisión y teatro demostrando ser un intérprete de grandes dotes y con una capacidad de ser totalmente ecléctico, habiendo muy poco a lo que no se pueda enfrentar.

Fue el Doctor entre 1987 y 1989 tras Colin Baker (que no quiso estar en la escena de la regeneración y fue el propio Sylvester McCoy con una peluca) en los que serían los últimos años de la primera etapa de *Doctor Who*, ya golpeada de muerte y mostrando bastante cansancio en la creación de historias (llevaba más de dos décadas en emisión, es algo más que entendible). Su interpretación del personaje pasó de ser algo bromista al más oscuro de todos y manipulador, lo que no deja de ser una de las características habituales (¿alguna vez dice toda la verdad?), que dejó un final totalmente abierto ya que realmente no se canceló la serie y solo quedó en suspenso.

Aunque en 1993 se hizo el especial televisivo llamado *"Dimensions in Time"* está totalmente fuera de continuidad, pero su buena recepción hizo que finalmente se diera luz verde a una nueva intentona, la película de 1996 en la que aparecería al principio de la misma solo para morir y dar paso al nuevo hombre que tomaría el manto del longevo extraterrestre.

Posteriormente ha tenido una larga trayectoria en la televisión, el teatro y en el cine, en este último medio le veremos en la adaptación de *El Hobbit* que ha llevado a cabo Peter Jackson dando vida a Radagast the Brown (un mago, esto es la Tierra Media). Curiosamente estuvo también implicado en *El señor de los anillos*, siendo la segunda opción para Bilbo Bolsón, y lo cierto es que el parecido entre él e Ian Holmes es innegable.

Paul McGann, octavo Doctor

Al breve y octavo Doctor, aunque en los seriales de radio tendría un vida mucho más rica, solo lo vimos en la película de 1996, y que de haber ido todo bien hubiera dado pie a un nuevo comienzo en el que él habría desarrollado a un personaje más acorde con las tendencias del momento, aunque igual fue lo mejor ya que los noventa tuvieron ese extraño momento de querer modernizar y reiniciar todo con las nefastas consecuencias para muchas franquicias que todos sabemos y conocemos.

Nació en 1959 en Liverpool y gracias al ánimo de sus padres él y tres de sus hermanos se han labrado una carrera como actores; de hecho trabajaron juntos en 1995 interpretando a cuatro hermanos (lo que no debió serles muy complejo dada su relación familiar real), en su caso además gracias a la recomendación de un profesor para que entrara en la Royal Academy of Dramatic Arts.

Aunque tuvo alguna experiencia previa, el primer papel que hay que destacar es el de Percy Toplis en *The Monocled Mutineer*, adaptación del libro de William Allison y John Fairley de mismo nombre. Este personaje era un desertor y un criminal en 1919 que le valió muy buenas críticas y el aplauso del público pero la queja por parte del Partido Conservador hizo que se quitara de la pequeña pantalla.

Pasó por el cine con *The Monk, Three Hands* y la muy recomendable *El Imperio del sol* aunque su ámbito natural es la televisión donde ha estado en la comedia *Withnail and I*, también en *Nice Town* o *The One That Got Away*. También fue protagonista en *Sharpe* en 1993 como Richard Sharpe o lo iba a ser pero un problema médico provocó que otro actor tomara su lugar, en concreto Sean Bean al que todos conocemos gracias a su aparición en *El señor de los anillos*.

1996 fue el año en que su encarnación del octavo Doctor cobró vida, gracias a un casting en el que también estaba su hermano Mark. Así junto con Sylvester McCoy sería el Doctor más

breve de la historia (de nuevo recalcando que solo en su parte audiovisual ya que en radio sí ha tenido más aventuras). Quizá este actor retorne a la serie, o más bien llegue por primera vez a la misma, en un teórico y muy rumoreado encuentro entre Eccleston, Tennant y Smith en el que él también estaría como el octavo Doctor, pero de momento no hay nada confirmado y está por ver si esto llega a suceder o se queda solo en un bonito sueño.

Al contrario que sus compañeros solo ha estado de forma muy breve en la franquicia lo que ha evitado el encasillamiento que han sufrido algunos de ellos, así, al poco de terminar este trabajo ya había vuelto a la televisión y posteriormente al cine, puede ser que el lector le recuerde como David Talbot en "La reina de los condenados" (parte de las *Crónicas vampíricas* que adaptan las historias de Anna Rice, siendo "Entrevista con el vampiro" la más conocida y mediática de todas), además de aparecer en *Lesbian Vampire Killers* y la conocida serie *Caso cerrado*.

Christopher Eccleston, noveno Doctor

Actor nacido en 1964 y noveno en encarnar al Doctor dentro de la cronología de la serie británica *Doctor Who*. Aunque para otros será más conocido por el papel de Destro en *G.I. Joe: The Rise of Cobra*, el malvado y elegante villano que lleva una máscara plateada que oculta su rostro (aunque en esta película es su cabeza la que se torna así por culpa de un experimento).

Con solo 19 años sintió la llamada de este mundillo y a los 25 debutó en *Un tranvía llamado Deseo*, obra que no hace precisa ninguna presentación y que es de sobra conocida por todos; desde ese momento la llama estaba encendida y ya no había posibilidad de dar marcha atrás.

El reconocimiento a nivel nacional llegó con la serie *Cracker* en la que tuvo un personaje regular, aunque este moriría a manos del que interpretaba el gran Robert Carlyle, ya que que-

ría dejar ese trabajo (y en la televisión se solucionan así las cosas). Participó en *Shallow Grave* de Danny Boyle con Ewan McGregor en una ecléctica carrera cinematográfica que ha ido desde *Elizabeth* a *28 Days Later*, gran y recomendable película de zombies de antes de que el género perdiera el sentido común, o *The Invisible Circus*. Ha dado vida a Iago en una versión más joven del conocido personaje de Othelo, además de aparecer en *The League of Gentlemen* (no confundir con *La liga de los hombres extraordinarios*, que en su versión original se titula de forma similar) y el gran personaje de William Shakespeare, el inmortal Hamlet en 2002.

En 2005 llegaría el que ha sido uno de sus grandes papeles, aunque él mismo lo dejaría por considerar que su camino no era ese, el noveno Doctor en la temporada que daría el pistoletazo de salida a la nueva época dorada del personaje pero que no continuó con este actor por temor a quedarse encasillado, aunque por este mismo papel fue votado como el «Actor más popular» en ese 2005 en los National Television Awards.

Ese mismo año regresó a los escenarios teatrales en el Old Vic de Londres, en 2006 fue el narrador para la versión de *Romeo y Julieta* interpretada por los Teleñecos y ese mismo año estuvo en *Perfect Parents*. Un año más tarde en *Godsend* (literalmente *Enviado de Dios*) de la serie *Heroes* fue Claude, un hombre capaz de volverse invisible. En este 2012 se anunció que será el malvado Malekith en *Thor: the Dark World*, dando vida al villano que se alió con Loki y el demonio de fuego Surtur.

David Tennant, décimo Doctor

Ver a este hombre haciendo de Giacomo Girolamo Casanova es una delicia, la teleserie de *Casanova* le hizo ser un rostro muy conocido en toda Inglaterra además de que era una creación de Russell T. Davies, responsable de esta época de oro moderna de *Doctor Who*, con lo que ambos ya se conocían y eso explica la genial química que tuvo con el personaje.

Nació en 1971 en Escocia, al igual que Sylvester McCoy, hijo de un ministro de la Iglesia de Escocia. Su amor por la actuación, según parece, es precisamente a que de pequeño veía *Doctor Who* y le apasionaba la serie. Ya desde niño quiso esta profesión y por eso actuó en varias obras escolares durante primaria y secundaria. Comenzó a acudir a la Royal Scottish Academy of Music and Drama lo que le ayudó a potenciar sus capacidades y definir su forma de actuar. Con 16 años tuvo su primera experiencia profesional en un anuncio televisivo en contra del tabaco que se puso en las escuelas. Fue teniendo varios papeles, destaca *The Resistible Rise of Arturo* y *Rab C Nesbitt* con el personaje de una transexual llamado Davina.

Pero su primer gran papel televisivo llegó en 1994 en *Takin´Over the Asylum*, en 1996 llegó a la gran pantalla con *Jude* compartiendo una escena con Christopher Eccleston (al que le puedan las ganas que lo vea y se imagine que son el noveno y décimo Doctor compartiendo un momento). Como otros muchos actores británicos ha tenido sus momentos shakespe-

rianos en *The Comedy of Errors* o *Romeo and Juliet,* siendo en esta última el actor principal, algo que ya debería dejar claro la camaleónica capacidad de actuación que tiene este hombre. Como dato curioso está el comentar que para algunos de estos papeles, que son típicamente británicos, destacaba su acento natural, que es escocés. En 2005, justo cuando se acercaba el momento de que fuera el nuevo rostro del Doctor participó en *The Quatermass Experiment, remake* televisivo de la producción de 1953 de mismo nombre.

La segunda temporada de *Doctor Who* comenzó con el reinado de David Tennant (que apareció en el último episodio de la primera con la ya acostumbrada escena de la regeneración de una a otra encarnación) como el segundo definitivo Doctor, el anterior era Tom Baker, siendo para muchos el perfecto intérprete para este excéntrico y aventurero personaje. Además cumpliendo de paso una especie de sueño de la infancia al ser el principal actor de la misma serie que de pequeño admiraba.

Tras esta gloriosa etapa en que devolvió el brillo al oro de la TARDIS (por así decirlo) ha sido Sir Arthur Eddington en la biopic televisiva de la BBC *Einstein and Eddington*, de nuevo en *Hamlet* o a Rex, un abogado de Chicago que protagoniza *Rex Is Not Your Lawyer* o casi en este último caso ya que aunque sí se grabó el piloto no llegó a emitirse y el proyecto se canceló.

Además de al mismo Doctor, y otros personajes, ha trabajado en el mundo del doblaje en publicidad, comerciales y anuncios, algo que también suele ser habitual en los actores de nuestro país. Ha pasado también en varias ocasiones por la radio y ha formado parte del elenco actoril en la célebre Shakespeare Company como Hamlet, entre otros papeles.

Terminamos este breve repaso con la película *Noche de miedo, Fright Night* en su inglés original, cinta de vampiros protagonizada por Colin Farrell y con David Tennant en el papel del místico cazador de leyendas, y el fraude amante de la fama, Peter David. Un filme de pura y descacharrante comedia que todos debéis ver.

Matt Smith, undécimo Doctor

Matthew Robert Smith nació en 1982 y es el rostro que da vida a la undécima encarnación del Doctor, si bien el cambio de David Tennant y la elección de este actor no fue de primeras bien visto por los fans y seguidores de la serie, el miedo pasó en el primer capítulo en el que hizo aparición cuando dijo la gran frase «Soy el Doctor, básicamente... ¡Corred!» a los malos de turno.

Aunque su carrera comenzó en 2002 le vemos por primera vez cuatro años después, en 2006, en televisión como Jim Taylor en *The Ruby in the Smoke*, pero fue con Danny en *Party Animals* que realmente llegó a ser conocido y querido por el público. Curiosamente él nunca quiso ser actor y más bien fue debido a que no podía ser jugador de fútbol, además de al empeño de un profesor que le convenció para ser parte del National Youth Theatre de Londres, donde interpretó a Thomas Becket en *Murder in the Cathedral* y a Basoon en *The Master and Margarita*, y a consecuencia de este último logró su primer papel profesional.

Gracias a la ya citada *Party Animals* tuvo su primer momento de gloria como Danny Foster, un investigador del Parlamento que trabaja para una ministra del partido laborista. Este joven sigue anclado en el mismo puesto que ya debería haber dejado atrás además de lidiar con el habitual enredo de sentimientos y amor entre una compañera y su jefa. Lo cierto es que sorprende que con otros nombres de más empaque, y más conocidos por el público (por ejemplo el magistral Robert Carlyle) que se habían barajado, se le eligiera para ser el nuevo Doctor, pero claro está que precisamente esto mismo le hacía tener el campo totalmente libre para crear desde cero al personaje sin que el público se hiciera ideas preconcebidas sobre cómo debía hacerlo o si era errado.

Con solo 26 años Matt Smith se hizo con el honor de ser el actor más joven en encarnarlo, algo que hasta el momento era de Peter Davison. Curiosamente Moffat, en ese momento ya responsable del destino de la serie, le descartó como James Watson en su producción de Holmes por considerar que era demasiado excéntrico en su interpretación, lo que por otro parte le hacía ser perfecto para dar vida al undécimo Doctor.

Richard Hurndall, segundo primer Doctor

Si de casualidad estás mirando esta parte antes de leer lo anterior o usarlo solo de consulta, que me extrañaría pero de todo hay en el mundo, te extrañará ver este nombre que probablemente no conozcas o al menos no sepas dónde situar en esta serie. Esto es algo muy normal ya que realmente solo apareció en una ocasión, en el serial "The Five Doctors" como el primer Doctor en sustitución de William Hartnell pero logrando una actuación muy cercana a la de este, lo que junto al hecho de ir (lógico) vestido igual hace que en algunas partes se confundan y omitan este hecho considerando que en esa ocasión también fue el propio Hartnell el que le dio vida.

Richard Hurndall, Richard Gibbon Hurndall de nombre completo, nació en 1910 y falleció en Londres a la edad de 73 años en 1984, murió con las botas puestas ya que su última actuación fue en 1983 en la serie televisiva *Bergerac* como Maxwell Flagg.

Comenzó en la televisión en los años cuarenta y, de forma literal, prácticamente hasta el día de su muerte. Pasó por muchas series que ya hemos ido nombrando como *Z Cars*, *Los vengadores*, por supuesto *Doctor Who* aunque en su caso no fue hasta 1983. Pasó por la BBC radio entre 1949 y 1952 y posteriormente regresó a las ondas en 1958 pero en Radio Luxembourg.

Falleció en 1983 a consecuencia de un ataque al corazón muy poco después de haber dado nueva vida al primer Doctor de William Hartnell.

Sydney Newman

Sydney Newman es un nombre que ha salido muchas y repetidas veces en este libro, reputado productor televisivo que estuvo varias décadas en activo, comenzó en Canadá (de donde era originario) pero es bien conocido por su trabajo en Inglaterra al frente de *Los vengadores* y *Doctor Who*, dos de las series más británicas de todos los tiempos y ejemplos puros de cómo se entiende la creación en la pequeña pantalla al otro lado del charco, lo que posiblemente le convierte en el productor más importante de su época y más que quizá en el que ha tenido la industria televisiva de Gran Bretaña en las últimas décadas.

Nació en 1917 en Toronto (falleció en octubre de 1997) bajo el nombre de Sydney Cecil Newman, aunque de forma general el segundo nombre quedaba en el olvido, es cierto que dependiendo de las fuentes consultadas puede aparecer como Sidney C. Newman (algo que puede causar confusión y hacer pensar que es otra persona, no lo es). Tras una no muy digna carrera académica y unos titubeantes comienzos profesionales decidió marcharse a Hollywood a finales de la década de los años treinta, en 1938 para ser exactos, para probar fortuna allí pero por problemas legales (referentes a su permiso de trabajo) tuvo que volver a su tierra a principios de los cuarenta, 1941, y comenzó a trabajar en la National Film Board of Canada como editor (cientos de películas pasaron por su manos, lo que en gran medida explica su buen ojo y capacidad para la producción audiovisual), algo que siguió haciendo durante la guerra más en el campo de documentales y propaganda (él y todo el mundo, cualquiera que lea algo de la época tendrá esto claro).

Fue pocos años después de terminar el conflicto, en 1949, cuando realmente comenzó su andadura en el mundo de la televisión en Canadá y en 1952 pasó a formar parte de la CBC, la Canadian Broadcasting Corporation. Allí se encargó de películas, deportes, teatro, entre otros temas y géneros. La fama y el buen hacer que se iba sabiendo que él tenía dentro de este mundo tuvo la feliz consecuencia de que en 1958 se marchara hasta Inglaterra seducido por una oferta de trabajo de la ABC, Associated British Corporation. El destino quiso que al poco de llegar quedara vacante el puesto que le haría ser la persona que fue en la industria, su nueva posición de Director en el apartado de drama (entendido como hecho y no de género) le permitió introducir cambios en la tradicional forma de hacer cosas además de buscar sus propias líneas de creación y de libertad de contenidos.

Así llegamos hasta *Police Surgeon*, la serie creada en 1960 que protagonizó Ian Hendry y de cuya cancelación vendría el hecho de meterse a realizar *Los vengadores*, y el mundo sería un lugar mucho mejor desde entonces. No hace falta entrar de nuevo en este terreno ya que es un campo que hemos explorado con calma en su momento. Hasta 1962 estuvo en la ABC y cuando su contrato expiró pasó a ser el Jefe de Drama de la BBC (la British Broadcasting Corporation), aprovechando en esta nueva empresa para dividir su departamento en tres partes y que así fuera todo más fluido.

Unos meses después de su llegada creó la que fue la otra gran serie de su vida, *Doctor Who*. Intentar expresar en una sola línea lo que esta serie es resulta totalmente imposible y además innecesaria, cuando ya se ha hablado largamente de ella. Lo interesante es que realmente todo vino por la necesidad de cubrir un hueco en la programación, se pensó en una serie más dirigida a un público infantil pero que toda la familia pudiera ver, lo que nadie imaginó es el gran éxito que llegaría a tener y que sobreviviría durante décadas (más que alguno de sus implicados).

Al terminar su contrato por un lustro, cinco años, con la BBC, decidió no renovar el mismo, dejó de lado la televisión en favor del cine como productor de la Associated British Picture con la intención de volver a algo más creativo que el cada vez más tedioso y encorsetado cargo de ejecutivo que tenía y que (para él) comenzaba a ser más un lastre que otra cosa. Claro que no siempre conseguimos lo que deseamos y tras no tener éxito en este camino regresó a su Canadá natal. Allí pasó por varios puestos en el mundo de la pequeña pantalla, desde asesorar a la Comisión de Radio y Televisión, pasó por ser delegado del gobierno (en cine), aunque tampoco fue algo sencillo y tuvo ciertos enfrentamientos con la industria francesa, problemas políticos, se vio obligado a ejercer de censor para algunas películas, además de tener conflictos con la industria textil que lanzó un ataque directo contra él. Con todo esto presente es lógico que al llegar el momento de finalización de su contrato en este puesto no hubiera renovación del mismo, así que entre 1978 y 1984 fue Consultor Jefe Creativo de la Corporación de Cine Canadiense y entre medias de ese período (en 1981) se le otorgó la Orden de Canadá, además regresó a Inglaterra una temporada.

Y aunque llevaba años alejado de *Doctor Who* tuvo un breve encuentro en la segunda mitad de los ochenta cuando el actual gestor, de ese momento, contactó con él para ver si tenía alguna idea que pudiera hacer que la serie levantara el vuelo, pero todos sabemos lo que pasó. Pasó sus últimos años en Canadá y en 1997 murió en Toronto.

Verity Lambert

Los que sean seguidores de la nueva época de la serie de *Doctor Who* es probable que no terminen de situar a esta productora, pero sí su nombre ya que ha sido usado en algunos episodios. En "Naturaleza humana", "*Human Nature*", la versión humanizada del Doctor (con el habitual nombre de John Smith) comenta que su madre se llama Verity, esta jugada se repite en el capítulo final del décimo Doctor de David Tennant, "*The End of Time*" o "El fin del tiempo", cuando este va a visitar a la nieta de la mujer a la que amó siendo humano y que lleva por nombre Verity Newman, además de en un curioso uso del metalenguaje es la autora del libro *A Journal of Imposible Things* (*Un diario de cosas imposibles*) siendo así ella misma la creadora del personaje en el mundo real de la cronología ficticia de la serie.

Como ya os imaginaréis nació en Londres y aunque si uno da un vistazo a su vida pare-

ce que desde peque-
ña ya se interesaba por
las letras no podemos
decir que realmente
su carrera comenzara
hasta 1956; fue en ese
año cuando entró en
la televisión aunque
fue de secretaria en
un empleo que le duró
bastante poco. Tras
esto llegó el momento
de la ABC y ahí empie-
za nuestra historia.

En la ABC Television Studios primero fue
mecanógrafa, de allí pasó a secretaria jefe, secretaria de producción y escalando poco a
poco hasta que llegó un momento en que su camino se cruzó con el de Sydney Newman, por
supuesto antes de trabajar realmente codo con
codo con él pasó por otros sitios e incluso fue
asistente de David Susskind (os recomiendo
fisgar la biografía de este hombre, realmente
interesante pero que se escapa de las intenciones de este libro). No contenta con las posibilidades que le ofertaba la ABC dejó la compañía
al poco de hacerlo Newman y pasó a trabajar
en el mismo sitio que él, en la BBC para la que
él estaba dando los primeros palos para realizar un programa que se llamaría *Doctor Who*.

Aunque hoy en día sabemos que ella fue uno
de los auténticos pilares de la serie no hay que
pensar que fue la primera opción o que de primeras la dejaron libre, de hecho más bien fue
la tercera y en un primer momento la "vigila-
ba" otro productor de más experiencia, aunque
ella pronto demostró sus capacidades y fortaleza por luchar por sus ideas si consideraba que
estas ayudarían a mejorar la producción. Durante los dos primeros años se encargó de supervisar todo pero en 1965 decidió que ya había pasado el momento y que poco más podía
aportar, así que prefirió dejar el camino libre
para que fueran otros los que aportaran su visión al personaje y las fantásticas historias que
vivía a través del tiempo y el espacio.

Posteriormente pasó por otros trabajos para
la BBC como *Adam Adamant Lives!* y aunque
regresó en varias ocasiones a esta compañía
pasó también por Thames Television e hizo

sus pinitos en el mun-
do del cine, aunque
ella misma no recuer-
da esta época con mu-
cha alegría y la consi-
dera una etapa com-
plicada. Pero su expe-
riencia le valió para
ser entre 1981 y 1982
la presidenta del Con-
sejo de Producción en
el British Film Institu-
te (vendría a ser, sal-
vando distancias, lo
que para nosotros es la Academia del Cine).

A mediados de la década de los ochenta, mediados exactos ya que fue en 1985, creó su propia compañía y en su primera incursión tuvo la
suerte de contar con Sam Neill y Meryl Streep,
dos actores de los grandes y que enriquecen
cualquier película en la que aparezcan. Lo cierto es que tuvo problemas en esta empresa y a
comienzos de los años noventa intentó hacerse con los derechos de producción de *Doctor
Who*, pero aunque la BBC tenía la serie en suspenso su plan no prosperó ya que por su parte la compañía estaba ya entrando en lo que sería la película de 1996. Siguió activa y trabajando como productora de forma independiente.

Falleció pocos días antes de cumplir los 72
años de edad, habiendo su último trabajo *Love
Soup*.

En el DVD *Doctor Who: The Time Meddler* vienen dos extras sobre ella: "*Verity Lambert Obituary*" y "*Verity Lambert Gallery*", además de tener el serial de este disco comentarios suyos.

Donald Wilson

Este escocés nacido en 1910, fue uno de los
responsables de la producción original de *Doctor Who*, aunque antes había pasado por el cine
pero desarrolló la gran mayor parte de su carrera en la televisión.

Empezó en la MGM durante los años treinta y cuarenta, y al igual que todos hizo mucho
documental y película de propaganda durante
la guerra, es lo que tocaba, pero llegada la década de los cincuenta pasó a engrosar las filas
de la BBC con un cargo que venía a ser el de

responsable de aprobar o no los guiones que debían salir por televisión (en las producciones de las que él se ocupaba, claro). A la llegada de Newman cambió de puesto a una posición más elevada y fue el responsable directo de supervisar la creación y el posterior desarrollo de la propuesta de este, un serial de aventuras y ciencia ficción que respondería al nombre de *Doctor Who*. Aquí hay que resaltar que tuvo un enfrentamiento con Verity Lambert al respecto de los Dalek, la genial creación de Terry Nation, que por fortuna ganó ella ya que con el paso del tiempo se convertirían en los más grandes enemigos del protagonista.

En 1965 tomaría las riendas de *La saga de los Forsyte* (que viene de la producción del mismo nombre de los cuarenta y que tuvo una revisión en el 2002), al poco también se ocuparía de la biopic sobre Winston Churchill de 1969 y en la década siguiente, en 1977, con Anna Karenina.

Falleció en Inglaterra a los 91 años de edad en 2002.

Dennis Spooner

Aunque tuvo antes otros trabajos, algunos nada relacionados con la industria televisiva, comenzó a vender sus guiones en 1960 a la BBC para la que trabajó en distintos programas. Fue justo por este motivo que en 1963 conocería a Brian Clemens, responsable de *Los vengadores*, que le ofreció formar parte del equipo de la tan británica serie convirtiéndose en un pilar de importancia en la primera época del programa cuando todavía era un producto hecho para el lucimiento de Ian Hendry.

Spooner fue un escritor bastante importante durante la primera temporada del programa, pero en esos tiempos también aportó su granito de arena a *Doctor Who* y al trabajo de Gerry Anderson. Se hizo amigo del matrimonio Anderson, Gerry y Sylvia, participando en *Supercar*, *Fireball XLR*, *Stingray* y por supuesto en *Thunderbirds*, la exitosa y más reconocida serie de ellos, continuó con ellos en *UFO* y *Space 1999*. Su compañerismo y amistad se convirtió en una muy buena química.

Si se habla un poco de los Anderson es de justicia hacer lo propio con *Doctor Who*, producción de la que él formó parte al comienzo de la misma en la época de William Hartnell, pero también cuando de los primeros intérpretes solo permanecía este y en sus manos quedó el que todo siguiera, en parte es responsable del tono más jovial que fue adquiriendo, además del uso de la Historia como telón de fondo para tramas en que realmente lo que sucedía era algo mucho más oscuro, como en la ya citada *The Time Meddler* (en el repaso a la biografía de Verity Lambert). Sus últimos coletazos fueron con el paso de William Hartnell como primer Doctor a Patrick Troughton como el segundo.

Tras esto estuvo junto a Terry Nation, responsable de la creación de los Dalek, en *The Baron* para ITC, empezó aquí a ser *freelance* pero con ciertas obligaciones para la empresa. No tuvo realmente éxito y se juntó en años posteriores con Richard Harris y con Monty Berman, junto a este último formó su propia productora llamada Scoton. No dejó de trabajar para otras compañías como ITV y por supuesto la BBC, en concreto para *Los vengadores* de John Steed y Tara King, su estatus de independiente se lo permitía. En *Los nuevos vengadores* junto a Clemens tendría una labor más relevante y fue responsable directo de varias de las historias que protagonizó el trío (con Purdley y Gambit, más el veterano agente secreto del bombín y el paraguas).

Uno de sus intereses siempre fue entrar de lleno en el mercado americano, la gallina de los huevos de oro, pero es algo que no llegó a ver cumplido cuando murió en 1986.

Terry Nation

Terry Nation es un nombre que conozco desde pequeño, nunca he sabido bien el porqué y tampoco me preocupaba hasta que mi afición por *Doctor Who* nació y fue yendo a peor. Dando vueltas llegué a la conclusión de que fue dado a que mi padre era un habitual de la ciencia ficción o por los libros que tenía sobre el tema. Con el tiempo descubres que además de en *Doctor Who*, estuvo implicado en *Los siete de Blake* o en *MacGyver* y te preguntas: ¿cómo no iba a conocer a este hombre?

Su paseo por el mundo televisivo comenzó en la década de 1950 trabajando como autor de *scripts* para la Associated London, agencia que estaba al servicio de radio y de la pequeña pantalla. Fue aquí cuando tuvo que escribir material para el cómico Tony Hancock que se lo llevó de gira en los sesenta, pero tuvieron enfrentamientos y la relación laboral terminó de forma bastante poco amable. Por este puesto había rechazado participar en una serie de ciencia ficción pero las circunstancias obligan y así contactó con la BBC, preparando el segundo serial del primer Doctor de William Hartnell, ese que se llamaría "*The Daleks*" o "*The Mutants*" («Dalek» por ser la especie que se presenta y «mutantes» por ser una desviación de la raza original del planeta que se nos presenta en ese episodio). Llegar y triunfar, no hay ninguna forma mejor de definir lo que sucedió, además del hecho de que es propietario de los derechos de su creación (hoy sus herederos), lo que le permitió ciertas posibilidades que estaban totalmente alejadas de las que tenían otros guionistas.

Comenzó ciertas negociaciones para intentar lanzar a estos seres, los Dalek, con una serie propia en América donde ya eran conocidos y funcionaban bien en otros modos (el *merchandising* derivado), y mientras tanto colaboró en *El Santo* y *Los vengadores* entre otras series. Finalmente su intento no llegó a buen puerto y las aventuras en solitario de sus monstruosas creaciones se quedaron en un sueño.

Su otro gran trabajo fue en *Los siete de Blake*, otra saga del espacio con un grupo de fugitivos como protagonistas que se emitió de 1978 a 1981. Una serie que tuvo un gran éxito, al principio más controlada por Terry Nation pero posteriormente cayendo en las manos del guionista Chris Boucher y finalmente con la marcha del primero que no participó en la cuarta temporada, aunque sí intentó financiar una quinta. Justo antes de este título creó *Survivors* que estaba ambientada en un futuro postapocalíptico en el que una temible plaga (sencillamente llamada *The Death* o la Muerte, ahí es nada) que ha diezmado prácticamente a la población humana.

En esa misma época, en 1980, se marchó a vivir a Los Ángeles donde permanecería hasta su muerte en 1997. Aunque nada puede igualar lo que logró en *Doctor Who* hay que ser honrados y reconocer su implicación en esa gran serie que era *MacGyver*, aunque no haya envejecido precisamente bien.

Su legado sigue vivo ya sea por el sencillo hecho de recordarlo y por las ediciones en DVD, como otro tanto por el *remake* de *Survivors* del 2008 (al 2010) que se basa en su creación o la importancia de los Dalek en la nueva etapa de *Doctor Who*.

Waris Hussein

El porqué hablar brevemente de este director de ascendencia India es que fue el responsable de hacer ese trabajo en los primeros capítulos de *Doctor Who*, que aunque está muy lejos del ingenio visual que es hoy en día la serie, hay que honrar el valor que tuvo y lo que significa en este momento su labor.

"*An Unearthly Child*" fue ese primer gran momento y volvería para ocuparse de otros, el más mítico el que popularmente conocemos como "*Marco Polo*". Fue en la misma BBC donde desarrolló gran parte de su trabajo como *A Passage to India* o *Edward and Mrs. Simpson*, conocida serie que nos narra la decisión de abdicar del rey Edward VIII por su amor por Wallis Warfield Simpson, siendo este el paso que le llevará a convertirse en el duque de Windsor.

Aunque gran parte de su carrera ha sido como director, también ha hecho algún pinito en el guión e incluso en la actuación; la última de ellas como Mohammed Durrani en *Mr. Nice* de Bernard Rose.

Carole Ann Ford, Susan Foreman

La muy joven nieta del Doctor, que aunque sin duda es una adolescente todavía muy niña en muchos aspectos (de forma retroactiva se entiende que todavía es una cría según lo que es un Señor del Tiempo), contó con la actriz Carole Ann Ford para darle vida y que hoy cuenta ya con 72 años.

Decir que ha tenido una carrera ecléctica quizá es no hacer realmente justicia pero pocas cosas han quedado fuera de sus interpretaciones, desde haber sido la gran Sarah Bernhardt en la película *Sarah* hasta trabajar en el musical de *El libro de la selva*, pero sin que realmente haya tenido un impacto mayor en la televisión; aunque pasó por varias series, se alejó de ella durante los setenta con algún pequeño regreso. Y el *Day of the Triffids*, película de 1962 basada en la novela del mismo nombre y que conviene tener vista, de verdad que no os arrepentiréis.

Este abandono fue algo decidido por ella para poder tener una vida propia, aunque en algún momento ha vuelto a la producción y también a la franquicia de *Doctor Who* como en el especial "The Five Doctors", en "Dimensions in Time" o en *Shakedown: Return of the Sontarans*, una película directamente al vídeo en la que no hace de Susan Foreman, a pesar de estar ambientando en el mismo universo (o se supone).

Como detalle curioso comentar que su última incursión fue en 1999 en la cinta *Soul´s Ark*, también para vídeo, en la que compartía protagonismo también con Colin Baker, el que fuera el Doctor en su sexta encarnación.

Jacqueline Hill, Barbara Wright

Modelo y actriz británica que nació en 1929 y falleció en 1993 a la edad de 63 años, ella fue la encargada de darle vida a Barbara Wright la elegante profesora que va en busca de la joven llamada Susan Foreman y que termina siendo su compañera de aventuras a bordo de esa extraordinaria nave llamada TARDIS durante dos años (de hecho estuvo más tiempo, de serie que no de la cronología ficticia) viajando con el Doctor y viviendo asombrosas historias, además de que posteriormente regresó a la producción dando vida a otro personaje pero esto es algo que ya se ha comentado en su momento.

Igual que otros que ya hemos mencionado, tuvo la fortuna de estudiar en la Royal Academy of Dramatic Art y con su debut profesional en el famoso West End de Londres con la obra *The Shrike*. Un apunte y un paréntesis, igual algún lector se está extrañando de que muchos de los nombres que estamos dando empezaron en el mundo del teatro y solo posteriormente una carrera en televisión que en muchos casos no fue buscada, la explicación es bien sencilla y es que aunque la pequeña pantalla ya estaba viviendo una edad de oro no tenía la terrible y absurda repercusión que tiene en nuestros días siendo en muchos casos una segunda opción e incluso (como hay que recordar le sucedió a Diana Rigg en su ámbito más cercano) un paso atrás para la concepción de algunos.

Su paso tanto por teatro como por televisión ha sido bastante fructífero, en esta última siguió actuando hasta bien entrados los años ochenta habiendo pasado por un gran número de series y producciones sin dejar realmente de estar vinculada con este universo en ningún momento aunque desde finales de los setenta con mucha más calma y dedicando su tiempo a tener su familia junto al director Alvin Rakoff, a sus órdenes trabajó en la película *The Comedy Man* como Sandy Lavery.

Jaqueline Hill murió joven, con poco más de sesenta años tras luchar y perder contra el cáncer.

William Russell, Ian Chesterton

El porqué el personaje de Ian Chesterton al que dio vida William Russell es más recordado que el del resto de acompañantes de este primer Doctor de William Hartnell, Susan Foreman y su profesora Barbara, es sencillamente por el motivo de que aunque estas tres series que se tratan de forma principal (*Doctor Who, Los vengadores* y *El prisionero*) son unas adelantadas a su época hay cosas que todavía se arrastran. En este caso el que las mujeres apenas sirven de ayuda y son poco más que una comparsa, pero no era ese el único tópico, ya que realmente Chesterton llega a tener más importancia que el protagonista en más de una ocasión; era joven y él no, con lo que los patrones televisivos habituales marcaron la pauta a seguir, se romperían en el futuro pero todavía estamos a principios de los sesenta y quedaba mucho camino por delante.

William Russell nació en 1924 y cuenta ya con 87 años, sigue vivo a la hora de escribir estas líneas. La primera vez que apareció como protagonista en televisión fue con el guapo Sir Lancelot (Lanzarote del Lago para los muy castizos) en *The Adventures of Sir Lancelot*, curiosamente en *Doctor Who* sería nombrado caballero en uno de los habituales viajes a épocas pasadas pero conservando el título en la actualidad, cosas de la ficción que es mejor aceptar y disfrutar que hacer en reflexión ya que caerían un gran número.

Su carrera se remonta a principios de la década de los años cuarenta con el no acreditado papel que interpretó en *The Biscuit Eater*, trabajando desde ese momento y hasta 1955 en diversas producciones audiovisuales para dar el salto al mundo de los seriales televisivos en papeles de más o menos relevancia llegando a ser el primer rostro en la ya mencionada *The Adventures of Sir Lancelot*, *Hamlet* y por supuesto su mayor momento de popularidad como Ian Chesterton en *Doctor Who*.

Aunque su personaje abandonó los viajes por el espacio y el tiempo, sería recuperado en la edición en VHS de *The Crusade*, además de nombrado en uno de los *spin-off* y puso su voz en varios de los audiolibros y varias novelizaciones de las aventuras.

No dejó de lado la cinematografía y se le pudo ver en la exquisita *La gran evasión* como Sorren, el elegante oficial que fumaba en pipa, además de en *Superman,* siendo uno de los miembros del consejo a los que solamente vemos al comienzo de la película.

Actualmente sigue en activo, mucho más tranquilo que antes y con una producción muy puntual.

Nicholas Courtney, brigadier Alistair Gordon Lethbridge-Stewart

En el capítulo de la época nueva de *Doctor Who* llamado "La boda de River Song" hay un momento en que el Doctor llama a su viejo amigo y compañero el brigadier Alistair Gordon Lethbridge-Stewart solo para que le comuniquen que ha fallecido. Esto es tanto un guiño a la realidad como una forma de rendir homenaje a uno de los grandes actores que han pasado por la serie, realmente murió en 2011 a la edad de 81 años. De esta manera se reflejaba una de las grandes losas que sufre el protagonista, él sigue viviendo, y por otro lado se decía un muy elegante adiós.

La opinión sobre este hombre que nació en El Cairo, Egipto, en 1929 era unánime y siempre que se le recuerda lo que se oye (o más bien lo que leemos) es sobre su amabilidad, educación y que era «el más dulce de los caba-

lleros», en palabras del escritor Mark Gatiss. El motivo de su origen natal es bien similar al de Diana Rigg, Emma Peel en *Los vengadores*, su padre era diplomático allí aunque realmente él se crió en distintos lugares y como a otros muchos, le llamaba el teatro aunque no era su primera opción, pero sí fue la última.

Su carrera comenzó en 1957 con la serie *Escape* y pasaría por bastante otras como *El Santo*, *Los vengadores* o *The Champions*, nombres que ya se han mentado y que están entre los más míticos de la historia de la pequeña pantalla. Pero el motivo de estar en este libro es *Doctor Who* y por tanto ya toca hablar de ello. Fue en 1965, mismo año en que estuvo en *Riviera Police*, en *The Crusade* (el serial que años más tarde recuperaría a un Ian Chesterton ya anciano en su edición en VHS) y en *The Dalek´s Master Plan*, uno de los mejores episodios de estos malvados seres, pero su momento de éxito en esta cabecera sería al dar vida al brigadier Lethbridge-Stewart, aunque al principio sería coronel y más tarde tendría el rango con el que pasaría a la historia. La fama que ganó le hizo ser un habitual y regresar varias veces e incluso ser nombrado en otras (incluyendo la ocasión por la que conoceremos que ha fallecido).

El febrero de 2011 moriría y también su personaje, una total muestra de respeto y de cariño.

Elisabeth Sladen, Sarah Jane Smith

Guapa, sonriente, inteligente, astuta y encantadora, todos estos adjetivos sirven para definir perfectamente a Sarah Jane, una de las más conocidas compañeras del Doctor, pero también para hacer lo propio con Elisabeth Sladen que falleció en 2011, al igual que su querido amigo Nicholas Courtney que interpretó al brigadier Alistair Gordon Lethbridge-Stewart.

Desde pequeña recibió clases de danza para posteriormente comenzar una carrera teatral, aunque más en el mundo de la dirección, ayudante en concreto, que de actriz ya que no logró realmente papeles de relevancia, hecho que cambiaría con el tiempo siendo Desdemona, recorriendo el país en gira y siendo parte de series televisivas como *Z Cars*, esto último ya en la década de los setenta, que sería el momento en que su vida quedaría unida para siempre a *Doctor Who*, más al de Tom Baker, aunque compartió aventuras con varias de sus encarnaciones.

El primero con el que trabajó fue con Jon Pertwee, tercer Doctor, tras un casting en el que no tenía muy claro para qué era (aunque es de suponer que cuando empezó su prueba ya sabría de qué iba la cosa) y finalmente recayó en ella ser Sarah Jane Smith, una periodista que estuvo durante tres temporadas, dejaría la serie finalmente en 1976, pero tras haber logrado construir un personaje que jamás sería olvidado por los seguidores. De hecho, como se ha comentado ya en su apartado y solo se retoma aquí para completar, estuvo a punto de comenzar sus propias aventuras junto a K-9, que no llegarían a buen fin y sería años más tarde que todo saldría adelante, pero que se cancelaría tras su muerte.

Lo cierto es que su marcha de la serie también estuvo ligada al mundo de la actuación, ya que al nacer su hija se apartó para poder estar con su familia y pasarían años hasta que se la volviera a ver. Su muerte fue un golpe para sus seguidores y amigos, momento en el que se hizo un programa en su honor que se llamaría sencillamente *My Sarah Jane Smith*.

Sophie Aldred, Ace

Al igual que dudé sobre el hecho de incluirla o no en el libro en la parte de compañeros, me ha pasado lo mismo en este punto, pero el ser la última compañero del Doctor en la primera etapa de la serie es motivo más que suficiente para justificar su presencia en ambos casos.

Nació en 1962 y sigue todavía con vida hoy en día. Cuando participó en la serie tenía poco más de veinte años, poco antes se había graduado en la Universidad de Manchester con la intención de dedicarse al teatro infantil ya que había dirigido sus estudios hacia la actuación. Fue presentadora en *Corners*, *Melvin and Maureen´s Music-a-grams* y en *Tiny and Crew* (ambas en la década de los noventa) entre otras producciones. En los años siguientes ha participado dando su voz en anuncios y series de animación.

Al igual que otros muchos es una habitual en convenciones y otros eventos de ciencia ficción (que poco tienen que ver con la concepción que de ellos hay en España o en la forma de realizarlos que suele ser habitual).

Roger Delgado, el Amo

En muchas ocasiones el triunfo y el olvido de un personaje depende casi prácticamente del actor que le dé vida. Por ejemplo es imposible que pensemos hoy en día en Saruman y no nos venga el gran Christopher Lee a la cabeza o en el Acertijo y que el enérgico Frank Gorshin no llene por completo nuestra mente. Esto se aplica también a *Doctor Who* y al más grande de sus villanos, el Amo (*The Master*) que contó con el rostro de Roger Delgado, y aunque murió su imagen permanecerá por siempre como ese elegante Señor del Tiempo que es la cara oculta del bondadoso, es un decir, Doctor.

Su nombre de nacimiento, preparaos, era Roger Caesar Marius Bernard de Delgado Torres Castillo Roberto, aunque el mundo de la actuación le conocería como Roger Delgado, dejando así claro su origen. Aunque por otro lado era un hombre que muy bien podría haber representado el más puro estilo británico con su exquisita forma de hablar y sus muy cuidadosos ademanes, aunque lógicamente ese mismo origen le hizo dar vida en muchas ocasiones a españoles y personajes similares como Mendoza en *Sir Francis Drake*, producción de la ITC Entertainment que fue en gran parte responsable de que fuera conocido por el público.

Al igual que el listado de grandes nombres que llevamos hasta el momento pasó por muchas de las series inglesas más míticas, aunque en su caso concreto no fue *Doctor Who* la que le lanzó a la fama ya que era un actor querido y respetado antes de su paso por ella. *Quatermass II*, *El Santo* (por supuesto), *Danger Man* (no podía faltar), *Los vengadores* (indispensable) o *The Champions* por citar algunas que ya han tenido su aparición en este libro y así de paso recalcamos la importancia de las mismas.

En el apartado específico sobre el Amo ya se ha detallado su paso por este personaje y el cómo su inesperada muerte en Turquía provocó el cambio de intérprete con una lista que empezó Peter Pratt y ha continuado con Geoffrey Beevers, Anthony Ainley, Eric Roberts, Derek Jacobi y John Simm.

Eric Roberts, el Amo (1996)

Es cierto que Eric Roberts apenas ha tenido repercusión en la serie de *Doctor Who* ya que solamente fue el Amo en la película de los años noventa, ese fallido piloto que a muchos nos hubiera gustado que solo fuera la antesala de toda una producción en la época aunque muy posiblemente de haber sucedido así no estaríamos viviendo hoy la presente segunda edad de oro. Aunque él cumple con creces lo esperado no fue realmente un acierto, ya que su aspecto duro además de esa ropa con cuero y que más que al mortal enemigo del Doctor recordaba a Terminator no terminaba de cuajar, cuadra para ser la contrapartida del *look* victoriano que lleva el protagonista pero visto ahora mismo ha envejecido terriblemente mal, además de que lo de verle escupir ácido tal cual lo haría un xenomorfo (la especie alien de *Alien*) no tiene precio. Los noventa, qué época (referencia a *Los cazafantasmas*).

Este actor comenzó a dar guerra en los años setenta y no ha parado con un listado de papeles realmente largo, con sus altibajos que le hacen ir desde producciones de bastante bajo calado a grandes producciones entre las que hay que destacar *Batman: The Dark Knight* que será bien conocida por todos y en la que puso su rostro para ser el mafioso Sal Maroni, lo que además le pega mucho. Su primera vez fue en la serie *How to Survive a Marriage* seguida de *Another World* de la NBC, pasando también por *King of the Gypsies* (o *Estirpe indomable*), *American Playhouse* o *El tren del infierno* por citar algunas, ya que nos llevaría varias páginas meternos de lleno solo en nombrar su muy larga (y todavía sigue) trayectoria que fue especialmente prolífica en los años noventa. En esos años se le pudo ver en *Un loco a domicilio* (película con Jim Carrey haciendo de Jim Carrey), *The Immortals* (nada que ver con *Los inmorta-*

les que realmente se llama *Highlander*, en referencia directa al personaje de Connor MacLeod de Christopher Lambert), la gran obra de arte que es *Frasier* o en la segunda parte de *The Prophecy* que se llamó en España *Ángeles y demonios* (que no viene de lo que conocemos por *La profecía* que en realidad es *The Omen*).

La pasada década de principios de los 2000 no tiene nada que envidiar y ha seguido trabajando en series, filmes (de televisión y cine) además de en el mundo del doblaje, muchas veces haciendo de gángster o de duro (o algún personaje que sin serlo siga en mucho las líneas como exmilitar retirado) algo que es debido a su fornido cuerpo y su mandíbula cuadrada que le hacen ser ideal para este tipo de personajes por el estereotipo visual al que estamos acostumbrados. Además de que en la vida real ha tenido algún problema con la justicia, como el arresto por posesión de cocaína, aunque actualmente está rehabilitado de esta adicción.

Terminamos con este actor pero haciendo un apunte del porqué se le incluyó en la versión de *Doctor Who* de 1996, más para dar vida al Amo siendo el único no inglés que lo ha hecho y este es precisamente el motivo, de alguna forma había que dejar clara la implicación americana, y lógicamente no podía ser en el protagonista (aunque esto es algo que casi sucede en realidad).

Para 2013 está ya dentro de varias producciones, en algunas rodando y otras estando ya anunciadas como la serie *Eric´s Place* en la que da vida (claro) a Eric y que muy probablemente se haya estrenado cuando este libro esté a la venta.

Kit Pedler

Este nombre lo revisamos de forma muy breve, en unas pocas líneas, ya que realmente no entra en las líneas marcadas para este libro, puesto que de hecho no es actor, director ni similar, pero tuvo una importante implicación en *Doctor Who* como asesor científico, aunque primero prestó sus servicios en el *Tomorrow´s World* de la BBC.

Nació en 1927 como Christopher Magnus Howard Pedler, apodado Kit, y falleció bastante joven en 1981. Científico, escritor (ciencia y ciencia ficción) con una carrera al margen de la industria audiovisual. El trabajo en *Doctor Who* junto a su propio interés sobre los trasplantes y la vida le hicieron ser la mente detrás de la creación de los Cybermen y el responsable de las historias de los mismos, que como ya se ha detallado en su momento van cambiando según pasan los episodios. En los setenta trabajó en el proyecto *Doomwatch*, también de la BBC y es el autor del conocido libro *The Quest for Gaia*.

Robert Holmes

Dentro del laberinto, *Los siete de Blake*, *Spyder´s Web*, *Doctor Who*, *El Santo*... Un suma y sigue es la mejor forma de explicar el trabajo que este hombre tuvo durante más de dos décadas y que le llevó a ser parte de algunas de las más importantes series británicas de la época de las cuales muchas son hoy en día auténticos mitos.

Al igual que otros muchos sirvió en el ejército, él con solo 16 años (nació en 1928) y posteriormente ingresó en el cuerpo de policía pero poco a poco se fue adueñando de él un claro interés por la letra, la escritura dejando este trabajo, comenzando en el mundo del periodismo y en 1957 en *Emergency-Ward 10* que fue su primer peldaño en el mundo de la televisión. A partir de este momento estuvo presente durante años pasando por *El Santo* (esta parece la serie por defecto de todos), *Ghost Squad* y por supuesto *Doctor Who*, en la que destaca el haber sido el creador de los Autons, parte de su legendaria galería de villanos y que siguen en la nueva época siendo usados aunque evolucionando del burdo aspecto que tenían en aquel entonces.

Compaginó durante este tiempo con la escritura de *Los siete de Blake*, *Shoestring*, además de hacer historias para varias encarnaciones del Doctor, incluyendo "*The Trial of a Time Lord*" justo en 1986, año en el que fallecería, aunque sigue apareciendo en ocasiones en los títulos de créditos de la serie ya que sus creaciones todavía son usadas.

EL PRISIONERO

No soy un número, soy un hombre libre

¿QUIÉN ES EL Número 1?
Patrick McGoohan

NO SOY UN NÚMERO, SOY UN HOMBRE LIBRE

Antes de pasar a decir que *El prisionero* es una serie de culto, lo más adecuado sería explicar qué quiere decir el término. Puede decirse que cumple esto cuando no está orientado a un público masivo o generalista, va a un sector muy concreto que sigue el programa con fuerza por la calidad o historias del mismo, en muchos casos por encima de lo que es habitual en algo dirigido a un espectador más amplio.

Existe un gran número de ocasiones en que se intenta asociar este término a algo que poca gente ha visto o conoce pero únicamente por el hecho de no ser de calidad o tener una muy mala puesta en escena. Es lógico ya que indicar que algo es de culto conlleva a darle un toque de mayor presencia y casi a decir que no está al alcance de la comprensión de todos. Es por ello que en nuestra sociedad hay tantos productos que llevan esto por delante cuando no es realmente cierto.

Con esto presente no queda otro remedio que decir que la creación de Patrick McGoohan[45] es sin ningún atisbo de duda un producto de culto, destinado a un público muy minoritario con ganas de pensar y no de ver la televisión para desconectar. Un producto que fue totalmente adelantando a su tiempo, todavía hoy lo es, que pretendía hacer reflexionar y que logró además convertirse en algo intemporal con una validez que permanecerá por mucho tiempo.

¿Y cómo logró esto? Sencillamente expresando ideas que preocupaban a la gente, dando salida a las inquietudes de su época y no haciendo una serie de consumo rápido para ver y olvidar. Es cierto que no siempre será sencilla de entender o más que tras ver el mismo episodio varias veces podremos encontrar distintos significados e intenciones. El tratamiento de los personajes, ese hecho de que nadie está realmente libre de culpa (ni el propio protagonista que siempre va en una constante cuerda floja), que vivimos en una prisión que nosotros mismos hemos fabricado además de ese claro mensaje de que en realidad creemos lo que nosotros queremos creer.

¿Vivimos acaso en una mentira? La respuesta sería que sí, vivimos en la mayor mentira de todas, en la mentira que nosotros mismos nos creamos para no caer ante la dura realidad.

Cualquiera que se haya acercado a esta serie sabrá que hay mucho más de lo que a simple vista parece. Cada capítulo requeriría un solo libro para él solo y quizá con eso no sería suficiente. Las referencias y el sentido cambia según nosotros mismos crecemos y evolucionamos, es inquietante que algunas ideas que se lanzaron hace tantas décadas, como el hecho de la autenticidad (o la ausencia de la misma) del proceso electoral, sigan hoy más válidas que nunca, y quizá con una veracidad mucho más aterradora que en el momento de realizar la serie. Aunque aquí trataremos algunos puntos, lo recomendable es tener los episodios recientes, además de verlos de cuando en cuando, por el sencillo motivo de que los tendréis más frescos en la cabeza cuando se hable de ellos, con lo que la comprensión de lo que aquí se explica será más sencilla.

Y al llegar al último de ellos, pensar si somos realmente hombres libres o solamente números.

EL ORIGEN DE LA SERIE, EL CÓMO Y EL PORQUÉ

El prisionero siempre ha sido el niño mimado de Patrick McGoohan, la idea partió de él y lo mismo sucedió con el resultado final. Es una obra de arte de la televisión que trata temas profundos, hace reflexionar sobre la libertad o la falta de esta, se adentra por los caminos de las drogas y la psicología (no hay que olvidar que estamos en los años sesenta) además de ser todo un precedente, inspiración y referencia para muchas series de la actualidad desde *Expediente X*[46] a *La habitación perdida*, una miniserie de seis capítulos que debería ser de visión obligada, pasando por *Perdidos* (que tiene más de una deuda con la que nos ocupa).

Con tan solo 17 episodios grabados y emitidos por la ITC Entertainment de Sir Lew Grade para su paso por la ITV, aunque esto último puede variar dependiendo de las cadenas y las decisiones de los programadores (curiosamente la serie funciona igual de bien, es uno de los aciertos de la misma), esta serie marcó todo un hito en la historia de la televisión que sigue sin ser alcanzado todavía hoy. La idea original de su creador era limitarlo más, no llegaba ni a una decena, y la de la compañía más bien lo contrario; finalmente se llegó a un acuerdo intermedio fijándose ese número de capítulos en los que conoceremos al enigmático hombre únicamente llamado 6, la extraña prisión en la que se encuentra y una gran cantidad de preguntas que solo nosotros mismos podemos resolver.

El 29 de septiembre, día de San Gabriel y otros arcángeles, de 1967 se lanzó por primera vez en Reino Unido (aunque sería, de hecho, la segunda emisión del primer capítulo, habiendo sido la primera el 5 de septiembre en Canadá) la que un día sería una de las series más estudiadas de los últimos años y que combinaba la acción con el espionaje y algo de ciencia ficción, además de los toques de engaño y psico-

logía que la hicieron ser lo que es sin dejar de lado el aprovechar la fama que McGoohan tenía gracias a *Danger Man* con la que hay ciertos elementos en común, pero ya se tratará este punto más adelante.

Fue precisamente mientras todavía estaba trabajando en esa serie que comenzó a dar vueltas a la idea de *El prisionero*, a raíz de querer dejar su trabajo en la primera, lo que lógicamente no fue precisamente del agrado de la productora. Al insistir además ofreció la idea del nuevo serial que finalmente fue aprobado. Lo cierto es que hay diferentes historias sobre cómo sucedió esto, luego se entrará en ello, y no hay un acuerdo común. Algunas ponen al protagonista como único creador, otras dicen que fue un concepto original de George Markstein, editor en *Danger Man*, o quizá solo ayudó. Muy probablemente al igual que nunca sabremos la auténtica identidad del número 6 tampoco se llegue a conocer qué pasó realmente. Lo que sí es seguro es que en 1960 se filmó un episodio llamado *"View from the Villa"*[47] cuyos exteriores se rodaron en Portmeirion[48] que será la Villa para *El prisionero*, lo que puede considerarse un precedente (al menos por parte de McGoohan que lo consideró un buen emplazamiento para futuros proyectos).

También es cierto que fue él quien escribió la Biblia de la serie. Un documento de cuarenta páginas en el que se dan todos los detalles desde una descripción del lugar, teléfonos y en esencia todos los datos que eran necesarios para el buen camino de la producción. Esto es algo que se respetó en gran medida, más teniendo en cuenta que el propio McGoohan dirigió y se ocupó de guiones; no fue solo el protagonista, y por lo visto se llegó a plantear que no fuera él: se convirtió en icono de la libertad individual.

Con una idea inicial para siete episodios, se encontró con la oposición de la productora al considerarlos muy pocos y que para poder venderla sería necesario ofrecer más, en concreto querían que fueran 26, lo que para el actor era excesivo. Tras negociaciones se llegó al acuerdo de hacer 17, lo que ya era un aumento radical del deseado en un principio. Al igual que otros muchos hechos esto no está claro del todo y en algunos sitios puede leerse que se pretendían 36 capítulos o que finalmente McGoohan sí hubiera estado dispuesto a hacer más, pero lo único cierto es que se rodaron los que se rodaron y que el concepto inicial consistía solamente en seis, con uno a mayores para ser el cierre y la conclusión. Más tarde se indicarán cuáles son estos, ya que existe una selección detallada por el protagonista con lo que podemos ver, más o menos, la serie según se concibió en su propia cabeza.

Tampoco hay que olvidar que estamos en una época en que los agentes secretos comienzan una edad de oro. De primeras citamos *Danger Man* con el propio Patrick McGoohan haciendo de John Drake, de quien se plantea que puede ser el número 6; la serie *Los vengadores* con John Steed y Emma Peel, de la que se hablará en su propio capítulo; y por supuesto *James Bond*[49]. Con todo esto presente, y ya habiendo explicado la renuncia de McGoohan del papel (lo que se relaciona por otro lado con la propia trama de *El prisionero*) que estaba interpretan-

do, se puede entender que la serie que nos ocupa es una vuelta de tuerca de la idea del superespía, un paso más allá del verle en acción y pensar «¿qué pasa después?». Pero la respuesta es ciertamente aterradora.

De forma rápida, ya que en el punto «¿Quién es el número 6?» se hablará de ello, la trama de la serie nos lleva a conocer a un agente secreto que por algún motivo renuncia a su puesto de trabajo; tras esto es secuestrado y despertará en un maravilloso lugar, la Villa, que esconde tras sus preciosas fachadas una prisión en la que parece que todos son a la vez carceleros y víctimas[50]. Una claustrofobia constante salpicada por grandes dosis de paranoia que no fueron entendidas por el público mayoritario en su época, tampoco lo serían hoy, pero que la convirtieron de forma instantánea en una obra de culto por la que el tiempo no ha pasado más que para hacerla mejorar.

EL OPENING O LA IMPORTANCIA DE EXPLICARSE DESDE EL PRINCIPIO

Aunque todo lo que se ve en *El prisionero* «es susceptible de ser una mentira, una orquestación preparada para el engaño o directamente una manipulación hecha para engañar a los personajes y al propio espectador, hay que prestar especial atención a la apertura que tienen los episodios. En este breve espacio de tiempo que antecede a la trama de cada capítulo se nos dan importantes pistas sobre quién es el misterioso número 6 y porqué está en esa prisión digna de ser un parque turístico. No es siempre igual, hay unos pequeños cambios que aunque insignificantes tienen una importancia bastante mayor de lo que el espectador primerizo podría suponer.

Los elementos visuales

Claro que hay hechos que siempre permanecen inalterables. Empieza con un plano del cielo y nubes moviéndose mientras se escucha el sonido de un trueno, lo que realmente no tiene más que un sentido dramático, y entonces comienza la sintonía del programa. La cámara cambia y vemos a Patrick McGoohan conduciendo su deportivo Lotus Seven[51] (en teoría construido con sus propias manos) con aire decidido a través de las calles de Londres. Atraviesa caminando un oscuro túnel y llega entonces al despacho de su jefe, o un superior ya que no se llega a saber nunca con exactitud y bien podría ser un compañero, con el que grita y discute (aunque nunca llegamos a escuchar nada más que la música) para terminar con su dimisión[52]. Su ficha es metida dentro de un archivo (en el que pone «Resigned») en un gran almacén automatizado. Llega a su casa y allí prepara un equipaje, entre el que hay una foto de una playa que podemos asumir como el destino planeado, mientras un coche funerario para justo enfrente y un hombre se acerca a la puerta. Un gas blanquecino llena la estancia que hace que nuestro protagonista se desmaye y que cuando despierte se encuentre ya en la Villa.

Una gran sala aparece, en ella hay una mesa y una silla ovalada que va girando lentamente. El protagonista atravesará un parque y se internará en un desierto para llegar después hasta el mar, así de desquiciante es el lugar en el que se encuentra, cuando de entre las aguas saldrá una enorme bola blanca que impedirá su marcha. Mientras esto sucede regresamos a la sala, vemos al actual número 2 (no siempre es así) que está vigilando a través de una enorme pantalla de televisión y a su lado otras personas están controlando un gran mapa del mundo.

El diálogo

Mientras vemos estas imágenes llega el que sea posiblemente el momento más importante, la única parte dialogada de la apertura, una conversación entre el número 6 y el número 2, el mandatario de la Villa, que podemos asumir como la primera que mantienen estos personajes (aunque el último de ellos cambie ya que dentro de la cronología de la serie es un cargo que llevarán distintas personas). La charla es la siguiente (se reproduce en castellano y en inglés, ya que los cambios idiomáticos conllevan que para explicar algunas cosas sea preciso verlo en su forma original).

Castellano

número 6: *¿Dónde estoy?*
número 2: *En la Villa.*
número 6: *¿Qué quieren de mí?*
número 2: *Información.*
número 6: *¿De qué lado están?*
número 2: *Eso no puedo decírselo... Queremos información. ¡Información! ¡Información!*
número 6: *No la tendrán.*
número 2: *De algún modo, la obtendremos.*
número 6: *¿Quién es usted?*
número 2: *Soy el nuevo número 2.*
número 6: *¿Quién es el número 1?*
número 2: *Usted es el número 6.*
número 6: *No soy un número. ¡Soy un hombre libre!*
(Risas del número 2, aunque bien podrían ser del 1 en caso de existir).

Inglés

número 6: *Where am I?*
número 2: *In the Village.*
número 6: *What do you want?*
número 2: *Information.*
número 6: *Whose side are you on?*
número 2: *That would be telling.... We want information...information...information!*
número 6: *You won't get it!*
número 2: *By hook or by crook, we will.*
número 6: *Who are you?*
número 2: *The new Number Two.*
número 6: *Who is Number One?*
número 2: *You are Number Six.*
número 6: *I am not a number; I am a free man!*
(La risa malvada del que asumimos que es el número 2)

Y tras esto daba comienzo el episodio que nos llevaba de nuevo a la Villa y al encarcelamiento del hombre al que conoceremos por número 6.

El sentido y la interpretación

En estas breves escenas se nos cuenta prácticamente todo lo que necesitamos saber para entender qué sucede en esta serie. El protagonista se presenta como un hombre enérgico y decidido, capaz de ser casi una fiera sin control cuando debe defender sus principios y aquello por lo que cree, algo que se verá en los primeros episodios en que parece más un animal salvaje luchando por escapar de su jaula.

Se descubre la diferencia de opinión con sus superiores y el acalorado debate que mantiene con ellos, con uno en concreto, lo que termina con la renuncia de su puesto y pasar a convertirse de un agente a una simple cifra, un archivo dentro de un cajón y una información que sus jefes ignoran, el qué le ha llevado a tomar la decisión de dimitir.

La casa en la que vive también hará aparición, y de hecho en un episodio será el elemento central, con unas puertas que se abren solas y que hacen pensar en la tecnología de un agente secreto, aunque otra teoría dice que al ser lo mismo que sucede en la Villa sería una clara explicación de que realmente en ningún momento se es libre y que todo el mundo está bajo control. Una idea aterradora, ¿verdad?

El gas y el desmayo consecuente de Patrick McGoohan sitúan otro de los elementos que serán un pilar básico dentro de la serie, el hecho de jugar con los prisioneros y sus mentes. El auge de las drogas, LSD y otros, además del interés del actor por la psicología y la posibilidad de vivir en un universo en el que nada sucede por azar, se dan de la mano en estas dos sencillas tomas que dejan ver algo que será de gran importancia en esta producción.

Tenemos después la llegada a la Villa, la que será el escenario central durante toda la serie. Un extraño lugar en el que se dan cita distintas arquitecturas y una geografía que parece ciertamente sacada de un cuento, pasando de ver un desierto a un océano y precisamente por esto mismo es imposible situar su localización exacta, aunque en algún momento se indiquen algunos datos de la misma (que por otro lado pueden ser una invención y que nunca estemos cerca de saber nada).

El gran y futurista despacho, o al menos en los sesenta lo era ya que ahora mismo es más retro que otra cosa, que aparece es el que ocupará siempre el número 2, que ya se ha comentado que es un cargo y no un personaje fijo lo que hace que el actor vaya cambiando, y se nos muestra en estas imágenes. Un punto importante es que en ocasiones es una mujer, un paso adelante en la idea de damisela en apuros que cada vez es más abandonada y que aparecen aquí de forma enérgica y en igualdad de condiciones que sus contrapartidas masculinas. En esta misma secuencia se ve una sala tecnológica que está vigilando un gran mapa del mundo, lo que hace pensar que quizá el control y el poder que tienen (¿Quiénes? Eso es algo que siempre queda en duda pero se entrará con más detalle en el apartado destinado al número 1). En algunos episodios dice «Soy

el número 2» y en otros «Soy el nuevo número 2» lo que hace que entendamos que es algo impuesto y variable, aunque en un capítulo se hagan elecciones para el puesto, aunque sepa- mos que realmente no llegarán a nada (y se esconda una no muy sutil crítica de lo falso de la democracia en la que vivimos).

Análisis del diálogo

Analicemos esa conversación, interrogatorio más bien, ya que es lo que fácilmente podemos visualizar en la mente mientras escuchamos el diálogo entre los dos personajes.

La primera pregunta obtiene una respuesta clara y concisa, está en la Villa. La segunda solo obtiene un «Información» sobre qué no se sabe, aunque posteriormente será acerca de sus motivaciones para renunciar. Otra teoría indica que, esto en inglés, lo que realmente dicen es «In formation», lo que podría ser un comando en espera de una orden, lo que conllevaría que en realidad el número 1 es el número 6. Algo más adelante precisamente se plantea este interrogante.

> número 6: ¿Quién es el número 1?
> número 2: Usted es el número 6.
> número 6: *Who is Number One?*
> número 2: *You are Number Six.*

En estas dos sencillas líneas de diálogo está la mayor pregunta de todas, ¿quién es el número 1? La respuesta que encuentra el personaje de Patrick McGoohan es la identificación de él mismo pero aquí cabe una razonable duda sobre si le está marcando a él o refiriéndose a que él es el número 1. La sentencia es «You are Number Six» que también puede ser leído «You are, Number Six», o traducido «Es usted, número 6» con lo que realmente sería él la persona que dirija la Villa y todo lo que suceda en la misma. Esta idca se extenderá en el siguiente apartado «¿Quién es el número 6?».

Y llegamos al final con la pregunta sobre de qué lado están, algo que tampoco sabemos realmente sobre el protagonista y que por la época en la que estamos es evidente que (sin decirlo directamente) se refieren a los bloques comunista y capitalista, aunque también llega a plantearse que todo esté organizado por un único ente y que sea este el que controle a todo el mundo. Termina el diálogo con la frase que se convertirá en la base de todo el programa y que resume perfectamente la esencia del mismo:

No soy un número. ¡Soy un hombre libre!

Dos de los cambios más importantes suceden en *"Living in Harmony"*, que se ambienta en el *western* y por tanto el *opening* se hizo en ese estilo, y en *"Fall Out"*[53], que se dan varias tomas de la Villa y se revela que no es un plató según se creía y que es un lugar real, Portmeirion (algo que se mantuvo oculto hasta ese momento).

Igual de relevante es el cierre que se da en cada episodio. La cara de Patrick McGoohan aparece cada vez más grande con la Villa de fondo, para llegar a estar en primer plano y de pronto caen unos barrotes iguales que los de cualquier prisión. Aquí es innecesario entrar en la significación que tiene, ya que es bastante más explícita que la apertura.

¿QUIÉN ES EL NÚMERO 6?

Al igual que pasaba con *Doctor Who*, que tiene un protagonista misterioso y del que muy poco llegaremos a descubrir (aunque el paso de los años hace que la información fluya y poco a poco conozcamos más de ese Señor del Tiempo renegado), sucede en *El prisionero*. Aunque desde el principio se nos den algunos datos sobre él, nunca son suficientes para poder hacer el cuadro completo.

número 6 vs John Drake

Primero aclaremos: ¿qué sabemos de este personaje? En el *opening* se dan ciertos detalles que ya nos hacen conocer más sobre él. Nunca se llegará a conocer el nombre, que bien puede ser John Drake, aunque esto es algo que siempre ha negado el propio Patrick McGoohan:

— ¿Es el prisionero John Drake, Secret Agent?
— ¡No! Yo quería crear una serie de acción por la popularidad de *Danger Man* y *Secret Agent*.
   Extracto de la entrevista realizada por Barrington Calia a Patrick McGoohan en el número de verano de 1985 de *New Video Magazine*.

Aunque esta negación es totalmente categórica existe una muy plausible incertidumbre al respecto y más si se tienen en cuenta las declaraciones de George Markstein, la otra mente detrás de esta mítica serie, que dice que sí es así y que el protagonista de *Danger Man* y de *El prisionero* es el mismo, es John Drake «sin lugar a dudas», en sus propias palabras. Por otro lado está Jack Shampan, que fue el director de arte de la serie, que comenta que cuando se reunió con Patrick McGoohan y el productor David Tomblin era para «hablar acerca de hacer una continuación de *Danger Man*[54], pero estaban con la idea de llamarlo *El prisionero*».

Pero realmente dentro de la serie no se observa en ningún momento que el personaje sea llamado por ningún nombre más que número 6 y de hecho McGoohan llegó a decir que únicamente se parecen. Pero entonces ¿porqué en el episodio *"The Girl Who Was Death"* aparece alguien llamado Potter?[55] Esto que a primera vista carece de importancia puede ser uno de los puntos más importantes y la conexión final entre ambas historias, ya que un personaje con el mismo nombre estuvo en *Danger Man*, algo que bien puede ser una casualidad, pero que es una idea que será rápidamente descartada por el lector, al saber que en ambos casos estaba interpretado por el mismo actor, Christopher Benjamin. Entonces tenemos a un actor interpretando un mismo nombre en dos seriales diferentes en teoría, algo que resulta extraño cuanto menos y que hace pensar que la una es continuación de la otra.

El misterio tras la dimisión

Volviendo a la figura del protagonista sabemos que reside en Londres, así nos lo indican las imágenes en las que le vemos con su deportivo por la citada ciudad, y que tiene un carácter colérico, casi agresivo se podría decir, que será algo que se explotará en la serie en los primeros episodios principalmente. No se puede decir con exactitud que sea un agente secreto, o más bien es algo que se intuye, pero tampoco termina de especificarse a lo largo de los episodios en qué consistía su trabajo en concreto, no más allá de saber que tiene una información que "ellos"[56] desconocen y que se refiere en concreto al motivo de su renuncia.

¿Por qué decide 6 abandonar su puesto de trabajo? Lo único que hay es un sobre cerrado que tira sobre la mesa de su superior, en el que pone que es privado y personal, y él no dirá más que lo hizo por motivos personales. ¿Acaso decía algo más en esa carta? Se puede suponer que ni siquiera se haya leído, ya que en la escena de la discusión solo vemos en tensión a Patrick McGoohan y su antagonista casi parece que conozca la situación de antemano, por lo que no le da importancia. ¿Fue todo una medida jugada para lograr su marcha? Como se ha comentado ya, esta serie plantea incógnitas, más que despejarlas, y según se ve la misma se pueden tender un gran número de teorías, ideas y posibilidades.

El carcelero encarcelado

Una de estas posibilidades es que en realidad no dimitiera y todo sea un montaje. ¿Acaso número 6 es un carcelero dentro de la cárcel? Bien puede ser que esté dentro de la Villa para comprobar su funcionamiento y si las líneas que los superiores, sean quienes sean, mandan se están siguiendo. No es tan descabellado pensar que no todos dentro de esa prisión son realmente víctimas, tenemos el caso del número 2 que está allí como jefe, o de los secuaces que tiene, que son totalmente conscientes de lo que sucede o al menos de parte.

Esta situación cobra una mayor relevancia en el episodio "Hammer Into Anvil". Aquí el personaje de McGoohan logra hacer creer al número 2, que interpreta Patrick Cargill[57], que realmente es D-6, un agente enviado por XO4 para comprobar la seguridad de la Villa. La tensión llega a ser tal que la paranoia y la conspiración invade por completo a su personaje que acepta la derrota y llama al número 1 para decirle que ha fracasado y que sea sustituido. Aquí entra un peligroso juego y es que el creador nos deja muy claro que nada está seguro y que todo lo que sabemos puede ser una mentira. Bien puede ser todo una jugada inteligente por parte del número 6, pero por otro lado la llamada que se efectúa al número 1 se tomará en cuenta y será la última vez que veamos al número 2 con el rostro de Cargill. ¿Era todo una treta o realmente el protagonista de la serie es más de lo que parece?

Lo que sí es seguro más allá de todo tipo de planteamientos y debates es que una de las intenciones que tenía Patrick McGoohan es que el público pudiera identificarse con su personaje. Esto conlleva con que la elección de dejarle sin nombre y no relacionarle con John Drake sea acertada ya que de haber sido lo contrario nunca habría logrado más que ser una continuación de *Danger Man*.

En esencia, número 6 es todos nosotros y cualquiera. Una persona a la que de pronto se le es arrebatada su intimidad, desprovista de identidad y marcada por un número (lo que todos tenemos, y si el lector no lo piensa así mejor que mire su DNI). Una persona de la calle que lucha por su libertad y es que lo dice bien claro en la frase que es la esencia de toda la serie:

«No soy un número, soy un hombre libre.»

EL NÚMERO 2, EL HOMBRE (O MUJER) A CARGO DE LA VILLA

Algo que nos queda claro desde el primero de los episodios es que la prisión a la que solo conoceremos por la Villa está comandada por una figura de autoridad llamada número 2, o al menos vigilada, ya que nunca se llega a saber el punto de decisión que tiene o si solamente es una marioneta más en manos de los que han creado esa cárcel.

Listado de actores tras el número 2

Antes de pasar más en detalle conviene hacer un listado con los actores que han dado rostro a este rol y los episodios en que han hecho aparición. Se indica el episodio con su fecha de emisión y quién lo interpretó, en algunos casos la voz del *opening* era de otra persona para mantener en el secreto la verdadera identidad del elegido para ser el número 2, en caso de ser así se han mantenido ambos nombres.

- *Arrival* (5 de septiembre de 1967) / **Guy Doleman** y **George Baker**
- *The Chimes of Big Ben* (8 de octubre de 1967) / **Leo McKern**
- *A. B. and C.* (15 de octubre de 1967) / **Colin Gordon**
- *Free for All* (22 de octubre de 1967) / **Eric Portman**
- *The Schizoid Man* (29 de octubre de 1967) / **Anton Rodgers**
- *The General* (5 de noviembre de 1967) / **Colin Gordon**
- *Many Happy Returns* (12 de noviembre de 1967) / **Robert Rietty** y **Georgina Cookson**
- *Dance of the Dead* (26 de noviembre de 1967) / **Mary Morris**
- *Checkmate* (3 de diciembre de 1967) / **Peter Wyngarde**
- *Hammer Into Anvil* (10 de diciembre de 1967) / **Patrick Cargill**
- *It's Your Funeral* (17 de diciembre de 1967) / **Derren Nesbitt**
- *A Change of Mind* (31 de diciembre de 1967) / **John Sharp**
- *Do Not Forsake Me, Oh My Darling* (7 de enero de 1968) / **Clifford Evans**
- *Living in Harmony* (14 de enero de 1968) / **David Bauer**
- *The Girl Who Was Death* (21 de enero de 1968) / **Frank Maher** y **Kenneth Griffith**
- *Once Upon a Time* (28 de enero de 1968) / **Leo McKern**
- *Fall Out* (4 de febrero de 1968) / **Leo McKern**

¿El porqué del cambio de actores? Realmente no se llega a dar una explicación al respecto. Se supone que este es un cargo que va pasando de un personaje a otro, pero como todo en esta serie bien podría ser una mentira o una manipulación.

El poder y la esclavitud del mismo

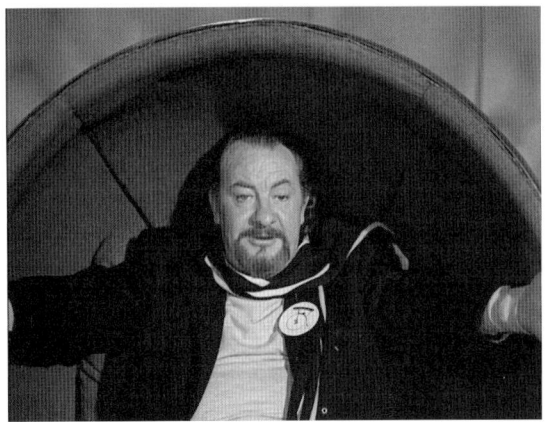

Ya en el primer episodio, "*Arrival*", hacen aparición dos actores para dar vida a número 2, lo que establece uno de los puntos fuertes de la serie, el continuado cambio para este rol y además el contar para él con distintas estrellas invitadas, algo que pasó también en *Batman* con los villanos, siendo una de sus mejores características. El lector observador habrá notado que hay un nombre que se repite tres veces en este listado, Leo McKern, con un total de tres veces, lo le convierte en el rostro más conocido para el temible número 2, seguido de Colin Gordon

que le dio vida en dos ocasiones.

Es precisamente este último el que más sentirá el peso del poder ya que a lo largo de su aparición en "*A. B. and C.*" recibirá varias llamadas de teléfono que le avisarán de las posibles consecuencias de su fracaso. Está también el caso de Patrick Cargill, que llega a creer que 6 está al mismo servicio que él, siendo manipulado por este para hacer informes en contra de sí mismo hablando de su incompetencia y haciendo que finalmente decida abandonar el cargo. Esto parece algo excepcional ya que según se había indicado el puesto va rotando de forma regular, pero quizá no sea cierto y todo sea solo uno más de los juegos que nos propone Patrick McGoohan en *El prisionero*.

Leo McKern[58] fue el elegido para darle voz y rostro en el piloto, "*The Chimes of Big Ben*", y en los dos últimos capítulos de cierre. En "*Fall Out*" se le verá por las calles de Londres dirigiéndose hasta el Parlamento lo que hace pensar que el propio gobierno británico está detrás de todo o al menos implicado en parte, lo que indicaría que 6 fue detenido por sus propios compatriotas. Hay otra línea que considera que el hecho de que se dirija allí es para jugar con la oposición de la dictadura que es la Villa y la democracia que hay entre los muros del palacio.

Otros intérpretes aparecieron algunas más veces pero con papeles distintos, lo que hace plantear que quizá son el mismo personaje que en un momento dado lleguen hasta ese puesto. Esto bien puede ser dentro de la cronología de la propia serie ya que, hasta lo que se sabe, el número 2 está a las órdenes de alguien al que jamás llegamos a ver pero perfectamente puede ser también un prisionero de la Villa, además de tener un final más terrible al fallar en su misión. Si en un momento dado se llega a pensar que 6 está dentro de esa cárcel para probar la seguridad de la misma no es un pensamiento extraño el que algo similar pueda pasar con otros personajes. Quizá incluso el hecho de servir a los ocultos intereses que tengan esos superiores sin rostro a cambio de reducir su condena o sencillamente por otras prebendas o sencillamente por el ansia de poder y control. Es mejor ser guardián que preso.

Un total de más de 17 actores se pondrán al servicio de esta cargo impuesto, aunque en un episodio se realizan elecciones al cargo y se presenta 6, un puesto que cambia de forma rápida y en el que parece que muy pocos son capaces de soportar la presión del mismo o de cumplir los objetivos que les son impuestos desde arriba (damos por hecho que por el número 1, aunque nunca está claro y bien pueden ser "ellos"). En algunos capítulos coinciden más de uno, el que entra y el que le sustituye, esto ya es algo que en ocasiones se contempla en el *opening* ya que en lugar de decir «Soy el número 2», lo que enuncia es «Soy el nuevo número 2».

Hay que decir que el que en ocasiones este

cargo esté ocupado por mujeres es una clara muestra de lo adelantada a su época que era esta serie, dando a una mujer una figura de total autoridad y no de simple comparsa. Las número 2 son igual de efectivas que sus contrapartidas masculinas o quizá más en ciertos casos. No están dentro de la serie para ser la damisela en apuros o ser el elemento de interés romántico del protagonista, son un personaje más con la misma importancia que los demás y más que capaces de hacerle la réplica a 6.

Los símbolos de autoridad

Nunca llegaremos a saber realmente para quién trabaja, aunque parece que están a cargo del bloque comunista y su intención es lograr la información de agentes enemigos. Pero en otros episodios, y más en "*Fall Out*" con esa visión final del Parlamento, bien puede entenderse que en realidad son dependientes del gobierno de Inglaterra. En el fondo no importa tanto, ya que la crítica es clara y se refiere a que unos y otros usan los mismos medios tan poco éticos y morales, además de que un número 2 llega a comentar que da igual para quién trabaje y que este es el futuro «una feliz Villa global» (en este caso «*Village*» podría traducirse por «aldea», con lo que la sentencia cobra más sentido todavía). En otros capítulos se deja entrever que no es ni una opción ni otra, y que realmente es un ente que está trabajando para sus propios fines, de nuevo la duda está sembrada y se deja al espectador que sea el decisor sobre qué está pasando.

Aunque no siempre los lucen, o no todos a la vez, hay ciertos elementos que llevan como símbolo de su cargo y de la autoridad que ostentan. Al igual que todos deben llevar la chapa con su número, 6 no, claro, ya que se niega, para conocer su identidad, es lógico que el rápido cambio de personal y el desconocimiento dentro de la propia Villa de quién es quién haga necesario que de alguna forma puedan distinguirse del resto de habitantes de la preciosa jaula de oro en la que se encuentran.

Algunos de estos elementos solo se ven en una ocasión, con lo que podemos entender que es decisión del propio número 2 si llevarlas o no. En primer lugar hay que hablar del medallón dorado, con un logotipo y el título del cargo. Uno más habitual es una bufanda de colores que casi les hace parecer más un profesor que otra cosa (¿alguien se acuerda de Tom Baker, cuarto Doctor Who, y la enorme prenda que lucía?). Pero el que quizá sea más conocido por el público es el paraguas multicolor que usan a modo de bastón (de nuevo aquí podemos recordar al Doctor Who pero esta vez en su séptima encarnación, lo que deja claro que *El prisionero* influyó a otras series y productos tanto de su época como del futuro).

En el episodio *"The Computer Wore Menace Shoes"* de *Los Simpson,* Homer es secuestrado y llevado a un misterioso lugar que resulta terriblemente familiar a los seguidores de esta serie. Un homenaje en toda regla en el que no faltan ni el número 2, con la voz del polifacético Hank Azaria, ni el número 6, contando además para la ocasión con el auténtico Patrick McGoohan para interpretarlo.

¿Es el número 2 un carcelero o un prisionero? Nunca sabremos la auténtica respuesta, solo suposiciones al respecto.

¿EXISTE EL NÚMERO 1?

¿Existe Dios? ¿O la creencia en su presencia hace que sea real? Quizá la metáfora sea exagerada y lo mismo alguno se está llevando las manos a la cabeza, espero que no y que se entienda, claro, que es un ejemplo. El planteamiento para entender quién o qué es el número 1 es exactamente el mismo. Aunque no llegamos a verle nunca sabemos que está ahí o al menos así lo asumimos. Es la idea de un ente que nos vigila y controla.

Patrick McGoohan era un hombre muy religioso, así lo aclara además Mary Morris que interpretó al número 2 en *"Dance of the Dead"* en unas declaraciones, con lo que es lógico que en cierta manera se pueda entender que el número 6 es una especie de profeta y más todavía por su empeño en la búsqueda de la verdad para darla a conocer al mundo. Esto queda patente en varias ocasiones, quizá de forma más evidente en *"Fall Out"*, último episodio, en el que se llega a citar la Biblia.

En la novela *1984* de George Orwell, con la que la serie tiene no pocas deudas, se nos presenta una sociedad en que la libertad no existe y todo está vigilado por el omnipresente Gran Hermano. Nunca se llega a saber, al menos no sin un gran recorrido de dudas por el camino pero la sola creencia en su existencia hace que cobre fuerza y sea más real que nada.

El engañoso juego de la numeración

En una situación similar a lo dicho del Gran Hermano se encuentra el número 1. Nunca jamás llegaremos a verle y quizá ni siquiera exista. Se plantea en la serie que alguien está detrás de todo y es ante el que responde número 2, pero por otro lado asumimos que el cargo superior a este tiene un

número menos por sencilla asociación y no por una lógica dentro de la propia serie. Si nada más llegar a la Villa el protagonista obtiene un 6 como única identificación, ¿quiere eso decir que está al mando de otros como el 7 o el 8? Esto es algo que nunca se muestra así, y siempre se deja claro que mientras que para todos ese número es el nombre y su identidad (o lo que hace servicio de ello en este enigmático lugar) no es así con 2, que es solo un cargo.

Teniendo esto claro ¿por qué el superior de este último debe seguir la numeración? No tiene sentido alguno y de hecho en más de un momento parece que solo es por empeño del personaje de Patrick McGoohan que esto sea así, su empeño por lograr conocer la identidad de este misterioso superior solo parece superada por la obsesión que tiene él, o ellos o quién sea, por descubrir el porqué de su renuncia que bien puede ser por «motivos personales», así lo dice el número 6, o que realmente haya algo más, e intereses más oscuros como la posible venta de secretos al otro lado (no olvidemos que estamos en plena Guerra Fría y aunque no se dice nada de forma directa solo hay que sumar dos y dos para ver que el resultado es 6).

Existe un apunte a este hecho en la miniserie de DC Comics *Shattered Visage*: aquí hace aparición un número 6 por el que han pasado los años, luce barba y plantea la siguiente cuestión:

Does the presence of Number Two require the existence of Number One? / ¿La presencia del número 2 precisa de la existencia del número 1?

Esto cerraría en parte las dudas o daría lugar a otras nuevas. Por otro lado, en este libro solo se toma en consideración las series que se tratan tomando las mismas como único canon existente, pero en este caso el introducir el comentario era necesario ya que plantea la posibilidad de la inexistencia de este teórico primer cargo.

El número 1 es el número 6, o no

Pero más aterrador que la idea de que no exista y sea todo una invención es la posibilidad de que en realidad sea el número 6, lo que haría que fuera él el mandamás y el decisor del futuro de todos los prisioneros de la Villa. Esto conllevaría que todo es una gran mentira y que lo que en realidad él quiere es únicamente controlar qué sucede dentro de la temible prisión. La idea de que esto sea posible puede verse en el propio *opening* de la serie, algo ya comentado pero que en este apartado toca recordar.

Una de las frases que intercambian el número 2 y el número 6 se da lugar a una duda más que razonable, todo dependiendo de la puntuación, cuando el protagonista pregunta quién es el número 1 y se le responde que él es el número 6. Exactamente lo que se escucha es «*You are Number* Six» pero si ponemos una sencilla coma en medio el sentido cambia por completo, siendo «*You are, Number Six*» con lo que la gran duda de toda la serie quedaría resuelta desde el primer episodio.

Esta idea se ve reforzada en *"The Chimes of Big Ben"* cuando el número 6 pide al 2, que interpreta Leo McKern, que libere a 8, una nueva prisionera, este le responde que si «¿Es una orden, número 6?». No llega a indagarse más en esto pero plantea el hecho de qué habría pasado de haber dicho el protagonista que sí era un mandato, ¿lo habría llevado a cabo el número 2?

Esta es una más de las incógnitas que quedarán sin responder, o al menos no de la forma en que a los espectadores les gustaría.

«Si hay algunas respuestas en El prisionero, están en el episodio final»
Patrick McGoohan.

EL ORDEN DE LOS EPISODIOS

Uno de los puntos que más marcaron la serie de *El prisionero* fue el hecho de contar solamente con 17 capítulos en total, algo que hoy también nos parece poco, acostumbrados a las enormes temporadas americanas y que más bien podría situarlo en el apartado de las miniseries. Lo cierto es que la idea original pretendía que fueran solamente siete, y finalmente se llegó a un número pactado que no llegó a rodarse y se quedó en una producción solo con el número que ya se ha indicado.

Aunque en este libro se está omitiendo el dar un listado de episodios, por ser innecesario y redundante, en este punto es necesario enumerarlos y proporcionar una breve descripción de los mismos, ya que según se vean en uno u otro orden el entendimiento y comprensión pueden cambiar.

Episodios y sinopsis

El listado indica el nombre y la fecha de emisión en Inglaterra, que si bien es una de las formas en que puede verse, no es la única, aunque sí la más sencilla para organizar el serial de forma entendible y rápida. Se aporta una muy breve sinopsis a fin de no desvelar al espectador la posibilidad de ver cada episodio y disfrutar del mismo.

- *Arrival* (29 de septiembre de 1967). Primer (y legendario) episodio de la serie en el que el título da toda la información que nos hace falta. Tras un explicativo *opening* el número 6 se despertará en la Villa, descubrirá que en realidad es una prisión y pensará que puede escapar gracias a la ayuda de un amigo del exterior (ya están sentadas todas las bases).
- *The Chimes of Big Ben* (8 de octubre de 1967). La llegada de una nueva reclusa, Nadia, con información respecto de la Villa plantea la posibilidad de que sí podrán escapar de allí. Existe una versión más larga de este episodio (el primero que se grabó) que nunca llegó a emitirse.
- *A.B. And C.* (15 de octubre de 1967). Ante la resistencia del número 6 a decir el porqué de su renuncia, el número 2

recurre a sus sueños para intentar descubrirlo. Este es uno de los capítulos en que más claro se ve la avanzada tecnología de la que dispone la Villa y también lo inmoral de sus métodos.
- *Free for All* (22 de octubre de 1967). Se organizan unas elecciones democráticas para ver quién será el nuevo número 2 y 6 no duda en hacer su propio cartel con su foto[59] y presentarse al cargo. Un episodio cargado de crítica a la sociedad y que sigue siendo totalmente válido hoy en día[60].
- *The Schizoid Man* (29 de octubre de 1967). Número 6 tendrá aquí una doble aparición, la de él y la de alguien que parece ser él. Uno viste de oscuro y otro de blanco, el que dice ser el auténtico, pero el espectador tendrá la duda durante todo el episodio.
- *The General* (5 de noviembre de 1967). En la Villa aparece un nuevo y fantástico invento que permite tomar toda una carrera en solo unos minutos, pero nada es lo que parece en este idílico lugar.
- *Many Happy Returns* (12 de noviembre de 1967). Al despertarse una mañana, 6 se encuentra la Villa completamente vacía, siendo él el único habitante de la misma. El destino de todos los demás le es desconocido. Logra comenzar, por fin, el camino de vuelta a casa con dirección a Londres.
- *Dance of the Dead* (26 de noviembre de 1967). Número 6 está siendo interrogado/torturado para descubrir sus secretos cuando despertará en su dormitorio sin saber si todo ha sido un sueño. Esa misma mañana recibirá una invitación para participar en la fiesta de carnaval que se realiza en la Villa.[61]
- *Checkmate* (3 de diciembre de 1967).

El juego del ajedrez[62] es de gran importancia en esta serie, precisamente hace aparición ya desde el primer momento y siempre existirá la incertidumbre sobre quiénes son peones y quiénes los reyes. El número 6 participará en una partida en que las piezas son los humanos y tendrá que descubrir quiénes son en realidad los prisioneros y quiénes los guardianes.

- *Hammer Into Anvil* (19 de diciembre de 1967). Uno de los más desquiciantes episodios en el que el número 6 hará creer a al número 2 que existe una conspiración en su contra. En esta ocasión podremos tener serias dudas sobre el papel que realmente tiene el protagonista en el serial.
- *It's Your Funeral* (17 de diciembre de 1967). El número 6 descubre la existencia de un complot para terminar con la vida del carcelero mayor, el número 2, pero este se niega a creer sus palabras.
- *A Change of Mind* (31 de diciembre de 1967). Episodio en el que toman de nuevo protagonismo las drogas y la manipulación, en esta ocasión como un intento del número 2 para cambiar la mente del número 6.
- *Do Not Forsake Me, Oh My Darling* (7 de enero de 1968). La ausencia de Patrick McGoohan por un rodaje hizo que se traspasara la mente de su personaje a otro cuerpo. Esta será la única ocasión en que veremos a 6 tener un interés romántico (aunque se respeta la esencia ya que realmente no es él mismo).
- *Living in Harmony* (14 de enero 1968).

Dejamos atrás la Villa para llegar hasta Harmony, un pequeño pueblo del antiguo Oeste al que él llega siendo un forastero.[63]

- *The Girl Who Was Death* (21 de enero de 1968). Un científico loco, el tópico del *mad doctor*, llamado Schnipps está fabricando un cohete que destruirá Londres y el número 6 deberá impedir que esto suceda, mientras va vestido de Napoleón Bonaparte.
- *Once Upon a Time*[64] (28 de enero de 1968). Empieza la traca final con uno de los episodios más extravagantes y lleno de simbolismo de la serie. Los únicos personajes serán el número 6, el número 2 (de nuevo con el rostro de Leo McKern) y el mayordomo. La mente y la vida de todos ellos estará en juego.
- *Fall Out* (4 de febrero de 1968). Episodio final en el que vemos el abandono de la Villa, quién la controla realmente y el escape del número 6. ¿O no?

Los tres básicos

Aunque se ha dicho que existen distintas formas de poder ver esta serie, y que el orden no termina de ser exacto, lo que sí está claro es la posición de tres de ellos que deben verse de una forma determinada para el correcto entendimiento de la serie. Estos tres episodios son "The Arrival", "Once Upon a Time" y "Fall Out", llegando a tal punto de importancia que en parte es casi suficiente ver solo estos para lograr un cierto entendimiento y que nos queden muy claras algunas de las pautas y líneas de actuación que seguirán todos los demás.

Este trío además revela ciertos datos que nos ayudan a dar un fondo mucho mayor al serial, aunque también hay que decir que muchas veces pasarán desapercibidos al espectador y solo cobrarán sentido tras varios visionados.

En el caso de "*Arrival*" se nos desvelará la fecha de nacimiento del número 6, 19 de marzo de 1928[65], se introducirá el juego del ajedrez (cuya importancia ya se ha comentado) además de ser el único episodio que tendrá completa la secuencia de apertura (lo que es totalmente lógico al ser el primero de todos).

"*Once Upon a Time*" es la antesala al final de la serie, que bien podría terminar aquí mismo[66], dejando más misterios sin resolver y preguntas sin respuesta, que lo cierto es que tampoco se hace en ningún momento de forma directa. Aquí toma más relevancia el odio, no sin cierto respeto, que hay entre el número 2 de Leo McKern y el número 6, siendo dos personajes que están destinados a ser enemigos y que en otras circunstancias bien podrían haber planeado escapar de la Villa juntos. Descubriremos aquí el motivo por el que nuestro protagonista decide dimitir, en concreto lo hace por «la paz de mi mente».

Llega ya el turno de "*Fall Out*", final de la serie en el que vemos el escape del número 6 y otros, como el número 2 de Leo McKern (que además ha resucitado[67]), y lo que parece la llegada de la tan ansiada libertad para el protagonista y los demás. Explicar la importancia de este capítulo y la cantidad de detalles que en el mismo se dan sería casi imposible, por un lado por la cantidad de ellos que se dan y por otro por su simbolismo. Aquí conoceremos, en cierta forma, el rostro del número 1, de los mandatarios de la Villa y que realmente existe la posibilidad de dejar atrás la prisión. Pero lo que más llama la atención es que durante los últimos 15 minutos no hay un solo diálogo, quedando a nuestra mente el suponer qué pueden estar pensando los personajes o qué se dicen en los momentos intermedios en que no están en pantalla.

Si existe o no la libertad, ya sea de acción o de pensamiento, es algo que solo queda en mano del espectador considerar y reflexionar sobre la misma.

Estos tres episodios son los únicos que realmente tienen un orden concreto, ya que están concebidos para ser el primero y los dos últimos, además de ser totalmente necesarios para lograr una cierta comprensión respecto de la serie.

Los siete indispensables (de Patrick McGoohan)

La concepción de esta serie es tan meticulosa y pensada que conlleva que no sea preciso seguir un orden concreto para poder entender qué está sucediendo, o más bien para intentar hacerlo, ya que ha quedado bien claro que se precisa una gran reflexión para llegar a comprenderlo todo (en el caso de que realmente sea posible hacerlo, ya que parte de su premisa es que muchas cosas pueden tener distintas explicaciones). Uno bien puede perderse un capítulo o dos, ponerlos después de otro que le ha gustado en mayor medida y seguir perfectamente el hilo conductor de la historia sin que esta deje de tener validez.

Cuando Patrick McGoohan concibió la que sería su obra maestra, en una vida repleta de personajes y actuaciones[68], la pensó para ser una miniserie de tan solo siete episodios aunque luego se vería obligado a ampliar esta cifra a bastantes más ya que la intención de la productora era haber llegado a los 26, aunque finalmente solo se alcanzaron 17. Esto es algo con lo que él siempre estuvo en contra y de hecho opinaba que «*Solo* quise hacer siete... De todos los guiones solo hay siete que yo cogería y salvaría, solamente guardaría esos y tiraría el resto».

Lo cierto es que esta versión de los hechos ha cambiado en ocasiones y bien podría ser que el actor solo tuviera pensados cinco o seis episodios, algo que (luego se cobrará más sentido con el listado) no es descabellado ya que ese final solo tenía por título "*Conclusion*" o más que el nombre sería correcto decir que es la intención del mismo. Lo que sí está claro, contrastado y totalmente seguro, es que la producción se llevó a cabo en dos partes diferenciadas: la primera fue la grabación de trece de ellos y tras un salto se empezó la segunda etapa para conformar los cuatro últimos entre los que se contaba "*Fall Out*".

Los capítulos y el orden de visionado, según el propio Patrick McGoohan, debía ser el siguiente

- Arrival
- Free for All
- Dance of the Dead
- Checkmate
- The Chimes of Big Ben
- Once Upon a Time
- Conclusion

(En este punto podemos dar cabida a "*Fall Out*" y hacer que sustituya a "*Conclusion*", aunque no sería del todo cierto, pero cumple con

la función de ser la conclusión de todo lo visto hasta el momento de su emisión).

Además de esos tres básicos que ya hemos explicado ("*Arrival*", "*Once Upon a Time*" y "*Fall Out*") hay que destacar de esta lista a "*The Chimes of Big Ben*" por varios motivos. El primero, quizá el más importante, es que es la primera aparición de Leo McKern encarnando al número 2. En el cómputo habitual de emisión este episodio se coloca en el segundo lugar, pudiendo considerarlo por tanto el auténtico comienzo de la serie ya que "*Arrival*" viene a ser una presentación del protagonista y las líneas que se seguirán a lo largo de los 17 capítulos que conformaron finalmente a *El prisionero*.

Por orden de grabación

Un tercer orden responde a la grabación que se hizo de los mismos, de la que se ha hablado muy brevemente hace unas líneas. Si bien la idea que se barajó fue de hacer algo más de veinte episodios, esto se vio truncado, para cierta alegría de Patrick McGoohan, quedando todo al final en los 17 que se han convertido en capítulos de culto.

Los primeros trece van desde septiembre de 1966 a octubre de 1967 y se rodaron en película de color de 35 milímetros, lo que no era muy habitual en ese momento y es otro de los puntos por los que esta serie es una adelantada a su época. Algunas cosas estaban claras, por ejemplo el hecho de que el protagonista no debía tener ningún interés romántico (lo que era un tópico de la época, y se mantiene hoy en día, se pretendía romper para lograr una diferenciación con otras producciones televisivas),

el protagonista debía ser un hombre serio y un *gentleman*, algo que se cumple, y es que el número 6 no pierde su estilo y elegancia por muy enfurecido que esté.

A lo largo de estas grabaciones se dieron cita diferentes directores entre los que destacan Don Chaffey que se ocupó, entre otros, de los dos primeros episodios ("*Arrival*" y "*The Chimes of Big Ben*") junto a Pat Jackson y Peter Graham Scott. El primero de ellos además era un viejo conocido de McGoohan con el que había trabajado en *The Three Lives of Thomasina*[69] y en *Danger Man* en varias ocasiones entre las que se cuenta el episodio "*Colony Three*" en el que se encuentra en parte una inspiración para lo que después sería *The Prisoner*. También hay que citar a Anthony Skene, Gerald Kelsey y Roger Parkes como responsables de los guiones de esta aventura.

No hay que olvidar a Paddy Fitz, autor que firma el capítulo de "*Free for All*", episodio del que ya se ha hablado y que es toda una reflexión acerca de nuestro sistema democrático, la libertad de voto y la validez de la política actual. Pero bajo ese nombre realmente se escondía el propio Patrick McGoohan con una variación del apellido de su madre, Fitzpatrick. Este capítulo es uno de los que más mensaje tiene con una muy poco sutil crítica a nuestro sistema democrático y la validez del voto ciudadano.

Kern al teñirse el pelo y recortarse la barba, dejándose solamente bigote. Pero el auténtico problema de estos últimos cuatro vino en "*Do Not Forsake Me, Oh My Darling*" ya que el compromiso de Patrick McGoohan con el rodaje de *Estación polar Cebra* lo tuvo apartado de su hijo predilecto (coincidía en el tiempo), con lo que hubo de buscarse una solución decantándose por el intercambio de su mente a otro cuerpo, lo que ayudó a saltarse algunas de las normas que marcaban la serie y de paso entrar un poco más en profundidad en el campo de la manipulación al que tan dada era esta producción.

El decimotercer episodio fue el penúltimo de todos, "*Once Upon a Time*", y esto tuvo el problema añadido del cambio estético de Leo Mc-

«Él quería hacer una nueva serie»
Angelo Muscat (en referencia a la intención de continuar la trama por parte de Patrick McGoohan pero con otro personaje, se hablará en los apéndices).

El tiempo cronológico

Esta sería otra forma de ver la serie y quizá la única que tiene lógica o alguna clase de sentido. "*Arrival*" es el primero de todos y vemos que el número 6 no sabe qué está pasando, está airado, furioso y solo le preocupa escapar de la forma más rápida posible pero en "*The Chimes of Big Ben*" que es el segundo, está mucho más relajado y tranquilo. Queda claro en este episodio que ya conoce a la perfección la Villa, mantiene una relación cercana con el número 2 de Leo McKern y de hecho también se pone a hablar tranquilamente con otros presos, e incluso hacer de guía a una nueva incorporación.

Si nos fijamos en "*Do Not For Sake, Oh My Darling*" vemos que hay referencia a "*Arrival*" y "*Free For All*", lo que haría que tengamos que situarlo detrás de esos dos. Hay otros datos temporales como en "*Many Happy Returns*", cuando se indica que llega a Londres el 18 de marzo tras haber estado navegando cerca de un mes, claro que en "*Dance of the Dead*" que se supone que es el octavo capítulo el personaje de Patrick McGoohan dice «Soy nuevo aquí», algo que se plantea extraño en vista de la actitud que ha tenido antes. Todo esto tendría que combinarse con el trato que mantiene con los respectivos número 2 y las conversaciones con ellos, además de otros personajes.

Es probable que cualquier orden sea correcto y ninguno exacto, pero a base de ver los episodios varias veces iremos haciendo conexiones, referencias y observando detalles que quedan ocultos a primera vista.

EL ESTILO DE *EL PRISIONERO*

Cualquier serie de televisión que se precie debe cuidar su estilo visual tanto en la forma de grabar, de entender a los personajes y del cómo se visten. Esto es algo que ejemplifica a la perfección *Los vengadores*, de la que se habla en su propio capítulo, pero no deja también de estar presente en *El prisionero* o en *Doctor Who*, como ya hemos visto.

En el caso concreto de esta obra de culto no se puede hablar de una forma exacta y específica de la moda que luce cada personaje ya que la Villa es a fin de cuentas una prisión, y como tal lo que en realidad llevan todos no es más que el uniforme, si queremos entenderlo de esa forma. Cierto que en ocasiones hay alguna pequeña diferencia como los símbolos de poder del número 2 o la ausencia de chapa en la solapa de la que hace gala el protagonista, uno de sus habituales actos de rebelión frente a las desconocidas fuerzas que lo mantienen secuestrado.

Lo primero que llama la atención es el surrealismo que plaga cada escena, ya no solo por lo intrincado de la trama, sino también por lo extraño de sus escenarios con ese aterrador toque que dan las lámparas de lava, todo con colores brillantes contrapuesto con el vestuario sobrio de chaqueta oscura[70] y pantalón claro. Es precisamente esta mezcla lo que hace que estemos ante un escenario con claras referencias a la cultura mod[71] pero con un toque realmente siniestro que cobra mucha más fuerza y llena de tensión al espectador ante lo idílico que es en apariencia. Pero nada es lo que parece en la Villa.

El sobrio aspecto del número 6

El número 6, y por ende muchos de los demás ciudadanos de este lugar, lleva una sencilla americana de color marrón oscuro (no negra) con una jersey de cuello vuelto o de cisne, esto ya según cada uno lo llame, azul marino. Este punto suele chocar, mucho más dentro del mundo de la moda y el estilo ya que la combinación de negro con azul marino es algo que siempre se ha evitado bajo la idea de que ambos no casaban, siendo una norma que se seguía a rajatabla pero que (ya iba tocando) de unos años a esta parte se ha ido saltando cada vez y ya no es ciertamente extraño verlo. Pero esto igualmente explica el que en realidad la chaqueta fuera marrón, ya que es muy habitual ver el juego de este con el tono de azul que se ha comentado. Se completa esta parte del *look* con las bandas de color blanco en las solapas de la americana, algo que recientemente se ha recuperado en las últimas tendencias de algunas colecciones de moda.

En el caso de los ya citados pantalones que bien pueden ser *beiges* o grises, dependiendo del capítulo, y también de la calidad de la emisión, pero lo que es seguro es que en ningún momento son blancos, en un intento de dejar claro que no existe la pureza en la Villa. Es curioso que a pesar de estar en lo que en apariencia es un complejo de vacaciones, y en la realidad así es pero no dentro de la cronología de la serie), no sea habitual el que alguien aparezca en bañador o disfrutando de una agradable velada en la playa; volviendo a citar a Angelo Muscat, «en la Villa hay mucha diversión pero está toda "manufacturada"».

Aunque por otro lado esta forma de vestir no varía en demasía de la que hemos conocido al protagonista en el *opening* de la serie, algo que de nuevo nos hace pensar que es muy posible (demasiado) que en la realidad el que controla todo lo que pasa sea él mismo, aunque bien puede ser pura paranoia y ganas de buscar líneas de conexión. En las primeras imágenes que vemos del que se convertirá en el número 6 aparece vestido totalmente de negro, con americana y pantalón del mismo color, además de una camisa con solo tres botones de color blanco que lleva abrochado hasta el cuello.

Este aspecto concuerda a la perfección con la forma de ser del personaje, totalmente decidido y serio sin lugar para las dudas, la inseguridad e incluso para la diversión según vemos en la serie. Igualmente es importante resaltar que en todo momento se nos muestra como un elegante caballero británico aunque muy alejado del que será el epítome de esta idea, John Steed, al que interpretó Patrick Macnee en *Los vengadores*.

El estilo de la Villa

Es curioso el cambio que hay entre la Villa clásica y la de la versión de la década del 2000. La primera es más bien un lugar en que se mezcla la cultura arquitectónica de distintas partes del mundo, todo con cierto toque marino en parte debido a estar bordeado por el mar (además de montañas, pero es parte del misterio geográfico de ese lugar) y con ese aspecto de ser un lugar vacacional más que otra cosa. Esto no es así en el caso de la actual serie, grabada en 2009[72], en la que se asemeja más a una urbanización de las que tan común es encontrar a las afueras de las ciudades.

Aunque muchos ciudadanos, si es que se les puede llamar así, visten con un estilo similar al del número 6, y de nuevo hay que recalcar el hecho obvio (aunque parece que pasa desapercibido a algunas personas) de que lo que llevan no es más que un uniforme de la prisión en la que viven, así que cualquier cambio que se dé es solo motivado por este hecho y no por una cuestión de elección de cada persona. Algunos de los personajes que vemos vestidos de forma distinta son el dependiente de la tienda, la única que parece existir, o los taxistas de los pequeños vehículos que no sirven realmente para nada que no sea pasear por un campo de golf.

Reparando por un momento en este último colectivo, que bien cabe suponer es algo a lo que son obligados como parte de su penitencia, les hemos visto llevar algo menos serio, con falda en algunos casos (no en el masculino), colores y rayas, algo que visto hoy en día nos recuerda a Twiggy, no con pocas similitudes. Lesley Lawson es el nombre real que se esconde tras esas seis letras y que nació en 1949, alcanzando el rango de icono durante los años sesenta y llegando a ser «el rostro de 1966» por un periódico inglés aunque estaba bastante alejada de lo que era el canon de la época. No es en absoluto descabellado pensar que los diseñadores de la serie se basaron en algún momento en esta joven para la realización del vestuario.

Sí es posible ver en varios ciudadanos otros colores, rojo o azul son los más generales, e incluso el uso de una capa como simple elemento visual, un complemento sin más que parece no tener realmente otro sentido que el hecho estético. Pero siempre dentro de un mismo estilo y sin apartarse demasiado de la línea de americana y pantalones de vestir, en muchos casos acompañando el *look* de sombreros o gorros.

Lógicamente lo que nunca se llega a ver es uniformes de los carceleros o de otro tipo de autoridad, no más allá de los símbolos que lleva en ocasiones el número 2 que tampoco son realmente necesarios ya que siempre parece que los habitantes de la Villa saben perfectamente quién es.

Saludo. Un adiós y un hola al mismo tiempo: *Be Seeing You*

Aunque quizá este no sea el sitio adecuado, ya que en estas líneas se ha tratado el tema del estilo y la moda al vestir pero una de las características que marcaron a la serie fue el saludo que se daban dentro de la Villa. Si pensamos por un momento en otro serial de los años sesenta, en concreto *Star Trek*, podremos ver que en ocasiones un simple gesto es capaz de definir por completo a un título y de hacer que sea conocido de forma mundial. La mano en alto y con los dedos separados de Spock es internacionalmente conocida, no fue tanto con *El prisionero* pero igualmente hay que pararse en ello.

Levantando la mano hacia el rostro se juntan el pulgar y el índice para formar un círculo sobre el ojo para justo después inclinarlo hacia delante mientras dicen «*Be Seeing You*», «Hasta luego» o «Hasta pronto», según se tradujo en nuestro idioma. Esto no es algo que

se use siempre, en parte por eso no llegó a ser igual de icónico que el saludo vulcano, tampoco se indica el porqué del mismo y si responde a algún interés oculto entre los habitantes de la Villa.

¿Por qué este gesto en concreto? Al menos esta es una de las preguntas que sí tienen respuesta dentro de la serie, una de las pocas. La actriz Norma West[73] explicó que en realidad, y así se lo hizo saber Patrick McGoohan según dice ella misma, era usado por los primeros cristianos y es conocido como el signo del pez. Esto también se comenta en el documental de los ochenta *The Prisoner Video Companion* dando más validez a la idea y veracidad de la misma.

Existe una teoría que indica que al juntar los dedos de esa forma lo que se ve es un simbólico número 6. También puede entenderse que el rodear el ojo no es más que una forma de recordar que siempre se está bajo vigilancia, siendo observados por cámaras, y que no debe olvidarse nunca que en todo momento se puede perder la intimidad por completo y no digamos más la personalidad.

LA VILLA, UN PARAÍSO PARA PRESOS

Un lugar con jardines y una arquitectura preciosa con toques de todas las partes del mundo, algo mucho más cercano a un lugar de vacaciones y recreo que lo que cabría esperar para una prisión. Un primer vistazo no hace que pensemos la oscura finalidad que se esconde tras este sitio llamado la Villa ya que más bien parece una urbanización prefabricada con sus pequeñas casitas, lugares para tomar el té y quizá hasta la oportunidad de divertirse.

«Hay muchísima diversión en la Villa, toda manufacturada»
Angelo Muscat[74].

¿Dónde está la Villa?

Aunque durante la mayoría de los episodios se pensó que todo había sido grabado en un elaborado escenario de plató, esto no era así, aunque no fue hasta el último episodio que se descubrió que realmente todo fue rodado en los terrenos del Hotel Portmeirion situado en el norte de Gales y diseñado por Sir Clough Williams-Ellis. Esta es una de las pocas respuestas claras que encontramos a lo largo de la serie, aunque no responda exactamente a ninguna de las cuestiones que son relevantes dentro de la mitología de *El prisionero*. Actualmente es el centro elegido por Six of One, la asociación de fans del serial, para sus convenciones anuales.

Pero aunque el espectador llega a saber la situación geográfica de la prisión esta sigue siendo desconocida para los personajes de la serie. A lo largo de los capítulos y con el paso de los meses se dan ciertas pistas que podrían ayudar a conocer su emplazamiento, pero son informaciones contradictorias y muy probablemente ninguna sea cierta, lo que es la tónica habitual en las relaciones entre la autoridades de la Villa y el resto de prisioneros de la misma.

Si se toma de referencia *"The Chimes of Big Ben"* estaría en el mar Báltico, cerca de Lituania y Polonia, según dice la bella número 8. Pero según lo que se dice en *"Many Happy Returns"* bien podría estar al sur de Portugal o en la costa de Marruecos, y de hecho se comenta que es una isla. Esto último suele considerarse algo cercano a una posible posición geográfica real de la Villa pero la manipulación a la que es sometido el número 6 es tal que en ocasiones se le hace creer que nada ha pasado o que está en un lugar totalmente distinto, ¿puede considerarse entonces algo siquiera como remotamente cierto?

En *"Fall Out"*, último episodio de la serie y el único que desvela alguna respuesta (según se ha visto, comentó el propio Patrick McGoohan), parece que está en Inglaterra y más en

concreto en las cercanías de Londres. De hecho se ve que varios personajes, entre ellos 6, van sobre ruedas desde la Villa hasta la citada ciudad, o al menos van desde el sitio en que suce-

de el interrogatorio final que se da por hecho, se supone, en las instalaciones de la prisión.

O quizá en ningún momento se ha visto el auténtico lugar, si es que existe claro[75].

La tecnología de la Villa

En apariencia la Villa es un pequeño pueblecito autogestionado con casas bonitas, su propio hospital, una galería de arte y en suma un lugar totalmente paradisíaco para unas pequeñas vacaciones. Estas últimas palabras no son al azar ya que una de las bases para el diseño de esta cárcel, según declaró su creador en varias ocasiones, fue un lugar en Escocia al que el ISRB (Inter-Services Research Bureau) enviaba a gente y personal "de vacaciones".

Pero dentro de esas preciosas viviendas se esconde la terrible verdad y el secreto sobre qué es realmente ese lugar y las malvadas manipulaciones que allí se llevan a cabo. Ya que la serie se centra en el número 6 solo vemos lo que está relacionado con él pero lógicamente las torturas, psicología e intentos de hacerle contar la información que tiene sea con otros, no en vano es una prisión y la gente que vive allí ha sido secuestrada (aunque en algunos casos cabe la duda de si es así o se les tiene al corriente de todo).

Oculto a los ojos de todo el mundo se esconde un emplazamiento lleno de la última tecnología, con pantallas que son capaces (suponemos) de tener vigilado a todo el mundo y con una serie de globos antifugas que responden al nombre de Rover. Este personaje, un objeto, logró tener una carisma tal que se convirtió en uno de los elementos más característicos de la serie como el saludo o el logotipo del velocípedo, de los que hablaremos dentro de unos párrafos.

En un principio Rover estaba muy lejos del sencillo diseño que tan característico fue, era más tecnológico, pero el primer día que lo metieron en el agua se estropeó y decidieron usar globos meteorológicos en su lugar. Según opinan algunos, el que escribe se une a ese colectivo, la presencia de lámparas de lava en las distintas viviendas de los presos (e incluso en el despacho del número 2) realmente oculta algún tipo de vigilancia o directamente el que sean cámaras para observar los movimientos

Esta alta tecnología solo está presente de forma obvia para todos, espectadores y presos, en el despacho del número 2. Una amplia sala en la que controla todo lo que pasa en la Villa desde su ovalado sillón giratorio, siempre con la presencia de su fiel y mudo mayordomo que al término de la aventura y de la trama se irá a Londres con el número 6, lo que es cuanto menos sospechoso y hace pensar que hay más de lo que pensamos.

El otro punto en que se ve claramente esta ciencia avanzada es en la sala de control en la que se está muestreando continuamente a todo el mundo, conclusión a la que rápidamente se llega al ver el extenso mapamundi que hay, además de tener enormes pantallas que permiten estar vigilando continuamente los pasos que dan las víctimas de sus manipulaciones.

de las personas que ahora solo son números. Si bien es cierto que esto no llega a decirse de forma clara en ningún momento de la serie, la idea no es en absoluto descabellada.

«Vivimos en una era en que la ciencia avanza muy rápido, no tienes tiempo de aprender las nuevas innovaciones antes de que salgan nuevas»
Patrick McGoohan en 1985.

El día a día en la Villa

En apariencia la Villa está dirigida por un consejo de ciudadanos que ha sido elegido en un acto democrático, lo que ya sabemos que no es cierto en ningún momento, con el cargo del número 2 por encima dirigiendo a estos y la propia prisión. Pero este aspecto inocente se mantiene siempre y desde el primer episodio se intenta que parezca un centro turístico (lo que por otro lado es realmente, pero fuera de la cronología de la serie) con un toque marítimo que inunda todas partes.

El idílico ambiente se completa con los pequeños y bastante inútiles taxis en los que se desplaza la gente. Más parecidos a un carrito de golf que a cualquier tipo de automóvil, totalmente limitados en su velocidad, como se aclara en el primer episodio, cuando realmente tienen prisa andan o corren.

Los afortunados visitantes de este emplazamiento cuentan con su propio periódico, el *Tally Ho*[76], en el que el propio número 6 llega a tener aparición y ser fotografiado en "*The

Schizoid Man*" pero no será más que pura fachada ya que veremos que sus respuestas a una entrevista son totalmente inventadas por la publicación. Otra muestra más de la crítica nada sutil que se hace de muchas cuestiones de nuestro mundo, en este caso de la objetividad e intenciones de la prensa y de a quién sirve, a los ciudadanos o a otros intereses más oscuros.

Aunque sí se dejan claros algunos aspectos de su funcionamiento o de elementos que tiene, por ejemplo el jardín, la casa de retiro o el hospital, hay otros que quedan totalmente en duda, como la forma de obtener alimentos (se da por hecho que vienen del exterior), el porqué algunos presos tienen trabajo (o familia incluso) y otros no. Cierto es que dentro de la propia serie tampoco era necesario para que la trama fuera avanzando, pero son ciertos puntos que de haberse explicado habrían dado un mayor fondo y facilitado la comprensión de todo el universo de *El prisionero*.

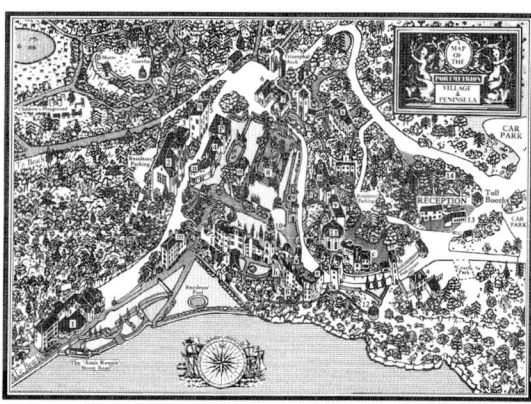

¿Qué tamaño tiene la Villa?

Este es otro de esos aspectos que nunca llegaremos a saber o al menos no de forma exacta. Personalmente me parecía un tema complejo de tratar y finalmente me decidí a incluirlo en este libro al haberlo comentado con otros aficionados y ver que para todos es una de las mayores incógnitas. En parte viene por la incertidumbre sobre qué es realmente la Villa, si es solo el bloque de pequeñas viviendas, si se considera también el bosque con el que colinda o el desierto que precede al mar.

En el primer episodio de todos, "*Arrival*", el número 6 entra en una tienda y compra un plano (en color o en blanco y negro, no hay más modelos) en el que puede verse la propia prisión y lo que hay alrededor pero nada que nos ayude a saber el tamaño exacto y menos todavía el emplazamiento geográfico de la misma. O al menos no más allá de alcanzar por un lado el mar y por los demás estar rodeado de montañas, ambos llamados sencillamente «*The sea*» y «*The mountains*» (además de la leyenda *Your Village*, lo que marca ya el intento de supresión de la identidad personal desde el mismo momento de la llegada, haciendo que se considere la prisión como propia).

Se puede asumir que es una gran y vasta extensión que no solo alberga la que suele ser el centro de todos los episodios, prueba de ello es en "*Living in Harmony*" que se hace una completa réplica de un pueblo del viejo oeste a tamaño real con lo que al menos es el suficiente terreno para dar cabida al emplazamiento habitual y a esta nueva aldea (que suponemos que después se destruirá al haber cumplido su función).

Es cierto que en algunos breves momentos puede verse algún edificio al otro lado del horizonte (o al menos lo parece, pero en la cronología ficticia de la serie todo es mentira), aunque esto es debido únicamente al ángulo de la cámara y a la geografía real cerca de Portmeirion que a otras ideas más conspiranoicas, o igual somos nosotros mismos los que nos empeñamos en ello en la inútil búsqueda de resolver un misterio sin respuesta alguna. Aunque esto es algo que sí se explotó más en la serie de 2009, de la que hablaremos en el apartado destinado a la misma.

«Es mi vida» «¿Lo es?»
el número 6 y el primer número 2 en "Arrival".

EL PRISIONERO, ¿UNA SERIE ADELANTADA A SU ÉPOCA?

Parece mentira que algunas ideas sean tan válidas hoy igual que lo eran en los años sesenta, o de hecho puede decirse que incluso desde principios del siglo XX o antes. Las distopías sociales son algo que desde hace muchos años es usado por el hombre como válvula de escape, una forma de protesta y denuncia que por otro lado ha sido desde el comienzo la base de la ciencia ficción.

La fantasía científica de puro entretenimiento y aventura tardó bastante en llegar, en sus comienzos y todavía hoy, fue una herramienta para dejar claro que algo estaba muy mal en la sociedad, pero las protestas no siempre son bien recibidas y la idea de esconderlas detrás de novelas ficticias en mundos que no son el nuestro pero se parecen mucho se presentó como todo un acierto. *1984* o *La fuga de Logan* no son los lugares que nosotros conocemos, son unos sitios muy parecidos a las ciudades en que vivimos o a cómo será si no tenemos cuidado. Los ciudadanos dejan de ser personas para pasar a ser únicamente números.

El anónimo terror del hoy

El prisionero realmente no creó nada desde cero, algo que por otra parte es bastante complicado (o directamente imposible), ya que todos tenemos nuestro propio equipaje mental y referencias a las que recurrimos lo sepamos o no. Patrick McGoohan se inspiró con maestría en grandes ideas de otros autores pero las llevó más allá, su personaje no es nadie y somos todos, no tiene un nombre concreto ya que no le hace falta y en caso de habérselo dado solamente habría logrado que el espectador no se viera totalmente reflejado en él, no pretendía que el espectador se identificara con una hombre ficticio, más bien la idea es que se sintiera que ellos eran él, una persona anónima a la que de pronto le arrebatan todo, y deja siquiera de tener su personalidad.

El nombre lo es todo, es la forma por la que todas las personas que conoceremos a lo largo de nuestra vida nos llamarán y se referirán a nosotros, pero ni siquiera podemos elegirlo. En algunos casos escapamos de ellos y dejamos que sea únicamente en papeleos y poco más, pero todos entramos en esto, ya que además no tenemos más opción. Este es un hecho que en *El prisionero* se estudia a fondo, ya que este enigmático agente secreto nunca tiene opción a elegirlo y menos a ser mentando por el que sus padres eligieron para él: desde que le conocemos está maldito a ser únicamente un número y nada más.

Este acierto lo es y por un motivo muy concreto, que en realidad es lo que todos somos desde nuestro nacimiento. Se nos etiqueta en el colegio, en la universidad, en el puesto entre los hermanos y por supuesto en la Seguridad Social y el DNI: en resumen, que para todo lo que es la existencia real no tenemos un nombre que nos represente y lo que vale es el número que se nos ha otorgado, por el que seremos para siempre reconocidos y cuando muramos dejará de existir pasando automáticamente al olvido.

Aterrador, ¿no os parece?

Seguridad a cambio de libertad

Igual de terrorífico es también el hecho de la continua y perpetua vigilancia a la que son sometidos todos los habitantes de la Villa, aunque para cualquier observador (y no tanto por la evidencia con que se muestra) esto se extrapola a todo el mundo y es por ello que en esa sala de control en la que tantas veces vemos al número 2 hay un mapamundi que se está observando. No somos libres, podemos serlo, pero no lo somos. Esta idea en los años sesenta era inquietante, el hecho de que hubiera cámaras que nos controlaran en todo momento y por las que sacrificaríamos nuestra libertad, allí sin tener opción a no hacerlo y en el mundo real siendo algo a lo que nos entregamos con los brazos abiertos.

Todos conocemos algún amigo que vive en esas zonas residenciales con cámaras a la entrada y salida, en teoría para evitar que nadie ajeno a la finca pueda pasar a la misma, pero por otro lado hay que pensar que también graban a todos los que allí viven, dejando una parte de sí mismos por el camino. Es cierto que solo son cámaras de vigilancia para nuestra seguridad y que jamás se usarán para otra cosa, pero que levanten la mano los que jamás hayan escuchado que un vídeo de algo privado se ha filtrado en Internet o que lo hayan visto (o les haya pasado, que eso tiene que ser toda-vía peor), es algo que está a la orden del día y más todavía desde la popularización de las redes sociales con Facebook y Twitter en cabeza.

Hace tiempo, dentro de una serie llamada *Distopías sociales en la actualidad cotidiana*, escribí un artículo a este respecto en el que indicaba que realmente la existencia de un Gran Hermano ya es real, y que somos nosotros mismos, exactamente desde el momento en que contamos qué hacemos, con quién estamos y cómo nos sentimos en las redes de Internet, en las que luego nos quejamos si alguien usa de forma pública y comercial una información que estamos entregando de forma totalmente libre y consciente.

El mensaje de *El prisionero*

Pero ¿qué temas son esos? ¿Qué convierte realmente a *El prisionero* en una imperecedera obra de culto? Las respuestas pueden ser, más bien son, muchas y variadas, pero por definir algo de forma más concreta lo mejor es consultar *The Official Prisoner Companion* ya que en uno de sus apartados aclara esto en parte, y los temas que indica son los que se enumeran a continuación:

- La naturaleza del hombre
- El individuo contra la sociedad
- La voz de su época
- El fin del mundo
- La profecía

Cinco sencillas asignaturas que se explican casi solas pero sobre las que quizá convenga reflexionar por un momento, aunque algo ya se ha tomado en cuenta en los párrafos previos.

La naturaleza del hombre

Somos, de forma general, personas razonables y equilibradas pero ¿lo seguiremos siendo en el momento en que nos arrebatan todo lo que consideramos nuestro? El número 6 se muestra desde el principio como un hombre con grandes convicciones, por eso se supone que decide abandonar su puesto de trabajo e irse a otro lugar (o igual es un traidor y está huyendo,

¿quién sabe?) pero cuando todo le es arrebatado se convierte casi en un animal queriendo escapar de su jaula, aunque al igual que el hámster sabe que le dan queso si toca la campanilla, él va comprendiendo lo que sus captores quieren y no duda en irse relajando, al menos

en apariencia, para poder irse moviendo con calma y quizá escapar.

¿Somos hombres o animales? ¿Números, quizá?

El individuo contra la sociedad

En un momento social en el que cada vez se generan más protestas y se van sumando ciudadanos hasta un número de miles, y en ocasiones sorprende la poca o nula repercusión que se consigue, ¿es posible que un solo hombre se enfrente a todos los estamentos de poder? ¿O estamos completamente solos mientras todos los demás saben que son marionetas y no les importa? Este es precisamente uno de los principales temas de *El prisionero*, que se trata realmente en todos los episodios ya que sencillamente su presencia en esa cárcel es muestra de que todo está orquestado por una mano invisible.

El personaje de Patrick McGoohan no es el único que se sabe un prisionero, pero sí mantiene el suficiente ánimo para intentar seguir con sus planes de fuga, pero ¿sería esto distinto si el tiempo hubiera pasado? ¿Se habría convertido en un preso modelo?

La voz de su época

Y bien podría ser la de esta también. Estamos en los años sesenta, un momento de cambio de muchos roles que estaban establecidos desde hace décadas, movimientos estudiantiles, revueltas, una sociedad convulsa que buscaba una nueva forma de ser pero a la que los viejos patrones le impedían avanzar.

Patrick McGoohan sorprende con un conocimiento en profundidad de todos estos senti-

mientos e inquietudes, más viendo que no es precisamente un muchacho que acude a la facultad, pero logra que el mensaje quede claro y que las preocupaciones que se notaban en el día a día de la sociedad se vieran aquí reflejadas. No solo es el hecho de si estamos siendo observados o de si somos realmente libres, que es precisamente la esencia de todo lo que es esta producción, también entra en el cada vez más de moda terreno de las drogas, la psicología y la manipulación mental.

Conviene recordar que durante los sesenta se vive un momento en que muchos intentar liberarse de ciertas ataduras a través del consumo de sustancias psicotrópicas y él, McGoohan, juega a ser el abogado del diablo para mostrarnos el lado más oscuro de esto. Se intenta responder a la pregunta de qué podría pasar de usarse de maneras no morales (lo que por otro lado es vox pópuli que algunos gobiernos hacían, y que actualmente solo tenemos su palabra de que esto no es así).

La voz de su época, pero tan potente que todavía hoy escuchamos claramente su eco.

El fin del mundo

¿Y si realmente se ha ido todo al garete y estos son los restos de nuestra sociedad? Los antepasados de todos nosotros lucharon por lo que hoy en día tenemos, pero en el proceso también hemos perdido y sacrificado ciertas cosas, e incluso a nosotros mismos. Quizá todo se haya acabado y sencillamente es que no nos hemos dado cuenta.

Como se ha indicado antes en las distopías sociales, y en gran parte de la ciencia ficción, se parte de la base de un mundo muy parecido al nuestro pero con algunas pequeñas diferencias. Este es también el caso de *El prisionero*, que si bien nos muestra un Londres bien cercano, aunque por otro lado totalmente diferente al que habitan *Los vengadores* o por el que tanto cariño siente el *Doctor Who*, no es realmente el nuestro, pero bien podría serlo. O quizá lo sea pero nos neguemos a creerlo.

La profecía

Se sabe que Patrick McGoohan era un hombre de profundas creencias religiosas y aunque a primera vista nada en la serie nos hace pensar que estemos ante una revisión de esto, por otro quizá sea así, con todo él nunca se refirió a ello concretamente y es todo parte de la habitual paranoia que hay con esta producción (ya que lo enigmático de la misma es precisamente lo que pretende).

De cierta forma se puede entender que el personaje de número 6 es un mesías, un hombre puesto entre nosotros para liderarnos y enseñarnos una verdad mucho mayor que lo que somos cada uno de nosotros. Es cierto que esto es lo que sucede, ya que mientras todos los demás se quedan callados él es la voz que llama a la rebelión.

Cabe citar de nuevo el saludo usado en la Villa, que según el propio creador es el que usa-

ban los primeros cristianos, algo que dentro de este universo no tiene más explicación y por tanto es deber del espectador llegar a una conclusión. Ya se ha entrado en ello y no es preciso profundizar más.

¿Es el salvador? No se sabe, pero sí que va a sufrir por todos los que en esa idílica prisión aceptan su pena sin ofrecer resistencia alguna.

LA INNECESARIA ACTUALIZACIÓN

Es bien sabido eso de que si algo no está roto es mejor no intentar arreglarlo, y es esto mismo lo que podría decirse de esta nueva y totalmente innecesaria versión de *El prisionero*. Cuando comencé a escribir este libro investigué, me hice con material y también contacté con personas, una de ellas forma parte de la asociación Six of One (de seguidores de la serie) con la que pude hablar en varias ocasiones y en una ocasión fue precisamente sobre esta actualización en la que comparamos opiniones de la misma y la conclusión fue sencilla: innecesaria.

Parte del éxito como serie de culto de esta obra es que no fue planteada para serlo, fue el experimento y el niño mimado de Patrick McGoohan con una muy cuidada producción y unos guiones con unos niveles de lectura muy por delante de la época. En el caso de la miniserie de hace algunos años no fue así, se intentó a la fuerza que fuera de culto, se dejó de lado la gran carga psicológica que existía, además de

intentar explicar preguntas que no tenían sentido más allá de intentar resolver dudas de la anterior serie; sencillamente se pretendía lograr en un momento lo que tenía la otra y únicamente quedó todo como un sencillo entretenimiento que está muy por debajo de lo que se esperaba.

La historia es bastante similar a la original: un hombre aparece en un lugar que no conoce de nada, no sabe cómo ha llegado hasta allí y aunque quiere entender qué pasa, además de escapar, todos sus intentos serán en vano, igual que el pretender que dejen de llamarle 6, lo que no logrará ya que en ese extraño lugar llamado la Villa ese es quién es. Por encima de todo está 2, el encargado de gestionar esa idílica sociedad y de hacer que todos sean felices, pero aunque pretende ser una figura de bondad está claro que tras los ojos azules de Sir Ian McKellen hay más de lo que parece.

Si tiene algún acierto esta miniserie es precisamente el haber contando con este gigante de la interpretación para poner su rostro al número 2, que en esta ocasión siempre será el mismo y no un hombre (o mujer) que va cambiando. Pero con todo Jim Caviezel no logra trasmitir la misma sensación que Patrick McGoohan, se nos hace demasiado afectado por toda la extraña situación que le está tocando vivir y, sencillo es que no nos lo creamos.

Hay que reconocer que la producción es impecable, los efectos bien hechos, la fotografía ciertamente buena pero lo que importa, el argumento y el fondo no es más que humo que se esfuma rápi-

De forma general no logró la aceptación ni por parte de los espectadores ni de la crítica, teniendo bastante poco aprecio, aunque hubo algunas excepciones que la consideraron no un fallido *remake* si no más bien una acertada remodelación del éxito de décadas pasadas. Tampoco ayuda que los episodios usen el mismo nombre, o parte, que ya tenían algunos de la versión clásica y que poco aportan más allá de querer hacer la referencia y que el público vea el guiño.

Por otro lado, también es complicado no hacer comparación con *La habitación perdida*, otra mini-

damente. El error fue intentar forzar para que fuera algo que no podría ser, además de hacerla orientada para los seguidores de la serie original y no en busca de un nuevo público, con lo que desde el principio y por su propia concepción estaba destinada al fracaso.

Es cierto que se intenta atrapar al espectador desde el principio con una atractiva puesta en escena, pero que se queda en poco más que un escenario vacío. Es una lástima que con el dinero invertido, las posibilidades de hoy en día y el nivel de los actores implicados se prefiriera un producto de consumo totalmente rápido, más pretencioso que reflexivo y que está al nivel de una mala serie de los ochenta que de lo que debería ser el intento de hacer una actualización de una de las mejores producciones que han existido en la historia de la televisión.

serie de solamente seis capítulos que en parte bebe de la idea de *El prisionero* original. No es que la historia tenga nada que ver en su trama pero sí en las intenciones. El protagonista se encuentra en medio de algo que desconoce, comienza a darse cuenta de que nadie es una persona de confianza y que hasta el amigo más cercano pueda traicionarle. De igual forma se llega al último episodio sin dar un cierre según lo entendemos, para que el público saque sus propias conclusiones e ideas sobre qué ha pasado antes y qué sucederá después de lo que se acaba de ver.

Es bien probable que de seguir con vida, Patrick McGoohan no hubiera permitido el uso de su idea para algo con tan poco fondo, como es este *remake*, que cae rápidamente en el tedio.

VIVIENDO EN UNA PRISIÓN ETERNA

¿Somos realmente libres? No, no lo somos. Y no hace falta ver esta serie para darse cuenta de ello, pero sí que ayuda a reflexionar sobre el hecho y a darnos cuenta de que nuestra vida está mucho más controlada de lo que nos cree-

mos, que vivimos en una prisión de oro de la que nosotros mismos somos los carceleros mayores del reino.

Esta es la primera y más clara idea que se saca de *El prisionero*. Pero no es la única, hay otras muchas que nos hacen plantear hasta qué punto deseamos ser libres, si realmente la verdad es el mejor camino o por contra la ignorancia da realmente la felicidad, o el autoengaño y la aceptación de que un solo individuo no puede luchar contra el gigante que es el control, quizá sí pueda pero solo nos lo hayan hecho pensar.

Hoy en día esta serie no podría hacerse. El *remake* fue un intento pero apostó solo por una parte del todo, entró en los aspectos del sinsentido y del visual pero dejando totalmente de lado la crítica social, la reflexión y el pretender que tuviera una lectura a varios niveles. Mucho ruido y pocas nueces, que suele decirse. Los medios actuales están, todavía más que antes, controlados por grandes corporaciones y no entraré en si quieren o no controlar al ciudadano (que cada uno piense lo que quiera) pero sí en el hecho de que el interés es el dinero rápido y llegar al mayor número de público, lo que hace que producciones como esta sean totalmente inviable por no ser de primeras un éxito inmediato a ojos de los directivos.

De un tiempo a esta parte, en cierta forma consecuencia de haber escrito todas estas líneas y haberme tenido que revisar los 17 episodios (como he comentado antes conviene hacerlo de vez en cuando ya que la experiencia nunca es la misma) mantengo y defiendo que El prisionero no es solo la mejor serie de su época, también lo es de la historia de la televisión. Lógicamente puedo estar equivocado, ya que para poder ser cierta esta afirmación tendría que haberme visto absolutamente todo lo que se ha emitido (y emite) en la pequeña pantalla y eso es a todas vistas imposible como bien sabrá cualquier seriéfilo que se precie. Pero con todo, y teniendo bien claro que jamás podré ver todo lo que se ha realizado (no si pretendo tener algo de vida y de relax en algún momento), no creo que mi planteamiento sea para nada exagerado y espero que sí bastante acertado.

El prisionero es una obra de culto pero no como muchas otras, lo es por la calidad que tie-

ne y por ir por delante de todas las que convivieron con ella lo que hizo que en su momento no fuera realmente comprendida y que empiece a ser de unos años para esta parte. Los estudios sobre los años sesenta, sus preocupaciones, el cómo eran las series y sin duda esos primeros pasos en la psicología popular han logrado que desde la distancia (quizá podría decirse que objetividad) que solo da el paso del tiempo pueda verse esta serie de una forma mucho más entendible y sin que el día a día social al que criticaba nos afecte haciendo que tengamos un velo por delante.

Por supuesto esto, igual que cualquier libro y escrito, responde a una serie de criterios y valores personales con los que el lector puede o no estar de acuerdo, así que no puedo más que recomendar su visionado para que cada uno saque sus propias conclusiones. Pero, ya se ha dicho, las conclusiones que cada uno saque no tendrán nada que ver con las de los demás. Reflexionad.

El prisionero no ha envejecido. No choca verlo hoy en día. Sus tramas no se hacen aburridas. Las actuaciones no parecen de chiste. Sencillamente no ha envejecido o quizá lo que sucede es que todavía está años por delante de todos nosotros.

APÉNDICES DE *EL PRISIONERO*

SHATTERED VISAGE

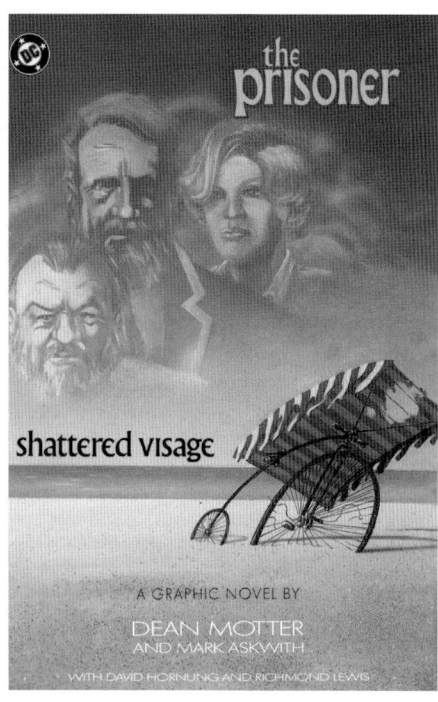

Al contrario que sucede en *Doctor Who* o *Los vengadores*, *El prisionero* tiene una ventaja sobre ellos, y es que es una serie que empieza y acaba. Podría seguir, enseñarnos otras historias, más personajes, si todo es cierto o no, pero por fortuna el producto es de tal calidad que nadie ha tenido el valor de tocarlo (salvo ese *remake* de hace unos años, pero que no sigue la historia y tampoco está dentro de la continuidad de la misma). Este hecho ha ayudado a que se mantenga pura y no haya productos derivados como algunos que hemos visto anterior mente, intentos de beneficiarse del éxito pero que están siempre muy (pero que muy) por debajo de la línea creativa original.

El prisionero comenzó y terminó, o no, ya que hemos explicado ese punto, pero la producción solo fue la que fue y no tuvo continuidad alguna. Al menos no en el plano audiovisual, ya que en cierta forma sí que existió un regreso a la saga con el cómic *The Prisoner: Shattered Visage* que publicó DC Comics en cuatro entregas, aunque se puede encontrar en un único tomo unitario, además de novelizado y en versión radiada (un audiolibro, vamos).

La historia transcurre veinte años después de "*Fall Out*", último episodio de la trama original pero dando un giro a lo que conocíamos y es que no podía ser de otra forma, todo lo que vamos a ver bien puede ser mentira, manipulación o sencillamente no haber ocurrido jamás. En esta ocasión el protagonista no es Patrick McGoohan, o su personaje dibujado, pero sí aparecerá notablemente envejecido (con la barba que el actor lucía en su madurez, lo que es todo un guiño y un homenaje) y alejado de la fuerza que tuvo en su día, además, sirviendo en cierta manera de mentor de Alice (cuyo marido se llama Thomas Drake, referencia directa al protagonista de *Danger Man*), el auténtico personaje principal con el que nos encontraremos algunas referencias a la Alicia de Lewis Carroll.

Pero si volvemos a la Villa y nos reencontramos con el número 6 es evidente que no puede estar muy lejos un número 2. Podría pensar uno que nos encontraremos con un nuevo hombre, o mujer, que lleve este cargo, quizá alguien joven con unas gafitas pequeñas y que pretenda (por fin) llegar a doblegar la mente de John Drake, perdón, del número 6, pero no es así y de nuevo tendremos a Leo McKern (o su representación en trazos y colores). En esta historia el número 2 ha escrito un libro (sus memorias podríamos decir) llamado *The Village Idiot*, hablando de esa idílica prisión, de sus secretos y de lo sucedido, pero todo son secretos de estado, por lo tanto él es un traidor (¿o es todo un juego y un engaño?).

Alice se encontrará con algo que ya se vio en la serie original, con una Villa desierta y abandonada (de nuevo la duda de si todo está orquestado o no, pero al menos disfrutemos de la referencia), solamente se encontrará con el número 6 aunque le hará un revelación sorprendente, y es que ella es el número 6. Todo se complicará más cuando el viejo número 2 haga aparición, aunque en cierta manera explique hechos de la serie original, de quién es el número 1 (o de quién no es) y de cómo el protagonista fue castigado por su propio gobierno, por supuesto. El enfrentamiento entre estos dos hombres, que por un lado se respetan tremendamente y por el otro se odian más que nada, no podía esperar y harán algo que jamás habíamos visto antes: pelear entre ellos en una confrontación física en lugar de intelectos, casi como muestra de lo absurda ya de la misma situación y del límite que ambos han alcanzado.

Lo más interesante de la trama realmente es lo que sucede alrededor, el cómo otros agentes llegan hasta la Villa, los misiles que allí siguen funcionando y dos importantes hechos que hacen que todo lo que conocemos de esta serie se tambalee: por un lado la frase que el número 6 da a Alice, otro número 6 recordemos, sobre que la existencia de un número 2 no tiene porqué conllevar la de un número 1, en el otro la inquietante visión de que actualmente esa sala de control desde la que todo y todos los prisioneros (quizá el mundo entero) eran vigilados está ahora mismo dentro del Westminster Palace, o bien pudiera ser que siempre fue así y se relacione así con lo que se ve en el último episodio de la serie.

Todo lo que creíamos saber sobre qué había sucedido, así como el mismísimo final con esa milagrosa resurrección, se da aquí la vuelta y al igual que siempre parece producto de una total orquestación, y las pocas preguntas que tienen su respuesta solo sirven para plantear nuevos enigmas. Quizá el número 6 sea un hombre castigado, igual solo es un actor, el número 2 es un carcelero o quizá un hombre arrepentido.

Al igual que siempre nada se explica, todo queda en duda, en misterio y es decisión del lector entender qué está pasando y qué es productor del engaño.

Estas 200 páginas están llenas de referencias a la serie, a los hechos que se contaban y los misterios que quedaron por resolver, pero también a *Danger Man* y deja planteadas algunas líneas que bien se han pensado a veces. Por supuesto no falta el POP de turno, en concreto en el libro del número 2. Estas siglas significan «Protect Other People», se vieron ya en el original *Once Upon a Time* pero estarán a lo largo de la serie.

No puede dejarse de lado la premisa más básica de todo, el de ser un hombre libre por encima de un número. También hay un guiño a otros grandes personajes de los años sesenta como Emma Peel y John Steed, uniendo así en un mismo universo a todos ellos.

Si el *remake* hubiera pretendido parecerse a esta continuación hubiera sido una muy buena idea, y todos habríamos salido ganando.

EL ORDENADOR, LA ISLA, HOMER Y *EL PRISIONERO*
Cuando *Los Simpson* homenajean la genialidad británica

Los Simpson es una serie americana para la que no hace falta presentación alguna, a menos que te hayas pasado las últimas dos décadas metido en un bidón sin contacto con el exterior... Su más de veinte años en antena son tarjeta suficiente, además de ser reconocida a nivel internacional como una gran producción, con una calidad indiscutible (aunque hace años que no está al nivel de lo que estuvo en tiempos anteriores, y las excepcionales sexta, séptima y octava temporadas) y cargada de referencias en cada capítulo. Estos guiños pueden ser del cómic, cine, música o series televisivas, sin dejar de lado la política o el deporte; lo cierto es que nada escapa a sus manos y los ojos de sus creadores están puestos encima de todo lo que podamos imaginar.

son, total y absoluto protagonista de esta historia, con sus habituales enredos y risas, o intentar entender qué se está contando. Vamos a repasar un poco.

El capitán chiflado, o Homer Simpson, y supongo que muchos habrán entendido la referencia, se ve invadido por la fiebre informática e intenta que el ordenador siga sus órdenes, empezando por una muy sencilla de «mata a Flanders». Por fortuna, su hija, Lisa, le conformará el sistema operativo y todo lo que él necesita para empezar a navegar por Internet. Crea una página web que nadie visita y entonces decide que debe comenzar a dar noticias, su *site* se convierte en un auténtico *boom* pero le puede el afán de popularidad (es Homer Simpson, no se puede esperar otra cosa de él) y comienza a escribir mentiras; pero la mala fortuna quiere que una (por lo visto) sea cierta y resulte ser un secreto que no debía descubrirse. Un día él entra en su casa, esta se llena de gas y él se duerme solo para despertar en una extraña isla llamada la Isla, vistiendo unas ropas de color negro.

Como ya debe haber quedado claro en este punto comienza el completo homenaje a *El prisionero*, pero solo es el principio y nada más llega a este sosias de la Villa la cosa sigue. El ambiente que llena cada instancia que se ve con esas omnipresentes lámparas de lava y esos personajes extraños, excéntricos y extravagantes que poblaban la vida del número 6. En este caso es él quien pasa a formar parte de la de Homer o del número 5, según reza la chapa que lleva, aunque ante la pregunta de «¿Qué número eres tú?» este padre de familia responde que no es un número, aunque se corta a media frase al ver la insignia que lleva: la comedia y la parodia están servidas.

Pero si hemos visto que en *El prisionero* y *Los vengadores* se llevaba al extremo el tópico, además del entendimiento popular que existía en la sociedad de los años sesenta, aquí es todavía mayor, ya que han pasado décadas desde entonces y lo que queda en la mente colectiva es solo lo más representativo de esa época. Curiosamente hay en una escena, cuando el número 5 se cruza con un número 2 que parece más un funcionario que otra cosa, que en una gran pantalla por detrás de este último apare-

Esto es algo que ha hecho que cada visionado sea novedoso ya que descubrimos cosas nuevas o las volvemos a descubrir ya que en ocasiones se nos olvidarán. Muchas veces tendremos el problema de que sean muy específicas de su país, lo que en ocasiones pasaba también en las aventuras que vivían Astérix y Obélix, otras por el contrario, aunque cualquiera pueda llegar a conocerlas son muy concretas y requieren que tengamos unos ciertos conocimientos para llegar a hasta ellas.

Precisamente es esto mismo lo que sucede en noviembre del año 2000, en el sexto capítulo de la duodécima temporada que aunque para muchos de nosotros la parodia y el homenaje son totalmente claros, bien puede suponer que para otras personas no sea así, ya que hay que conocer de antemano la serie de *El prisionero*, sus tópicos, reflexiones y así poder captar todo lo grande que es este capítulo.

Al estar ante el televisor podemos bien disfrutar de una aventura más de Homer Simp-

ce un enorme ojo que nos recuerda sin lugar a dudas a la tan camp mirilla que hay en la puerta de Emma Peel en esa histórica primera aparición del personaje en la pequeña pantalla de la ficción.

Las referencias siguen a cada segundo y en un momento dado nuestro ya bien conocido número 6, con la voz de Patrick McGoohan en la versión original, le dice al protagonista que está intentando escapar y al enseñarle el pequeño esquife dice que le ha costado varios años hacerlo, lo que nos lleva a pensar que desde entonces sigue allí encerrado y que realmente todo lo que vimos en el último episodio de "Fall Out" no fue en absoluto cierto (pero claro, para llegar a esta reflexión hay que tener vista la serie británica original).

Uno de los guiños más divertidos sucede a los pocos segundos del que acabamos de comentar. Con Homer ya en la pequeña barca, por supuesto habiendo empujado al número 6 para robársela, su huida es interceptada por el mítico globo blanco que impedía que nadie se revelase e intentara huir de la Villa, pero él saca un tenedor y al pincharlo explota, a lo que suelta un «solo era un globo», tirando por tierra uno de los pilares más míticos de la obra original, pero siempre con esa mezcla de parodia y homenaje que tan habitual es en Los Simpson.

Estas no son las únicas pero quizá sí las más representativas, o al menos en mi opinión así es. Pero en sí mismo todo el capítulo es una referencia, ya que la narrativa y el hecho de que Homer sea secuestrado por saber algo que nadie más sabe, y que no debería saber, es lo mismo que sucedía en la serie que protagonizaba Patrick McGoohan y por tanto la reflexión que se hace es la misma. No solo es una parodia, realmente Los Simpson han entrado de lleno en la reflexión de hasta qué punto somos libres o vivimos la mentira que nosotros mismos nos queremos creer.

Por otro lado está el hecho de la crítica que se hace respecto el uso de Internet, la importancia que le damos a la misma y el tratamiento del periodismo o lo que en ocasiones entendemos por eso mismo. Homer Simpson comienza a dar noticias sin tener realmente fuentes fidedignas pero lo morboso de las estas hace que todos las quieran leer sin preocuparles para

nada que alguien al que no se conoce (lo hace bajo el pseudónimo de Señor X y con una bolsa ocultando su rostro) esté dando las informaciones o la veracidad de las mismas. Se aprovecha también para dar caña a las estrellas de Internet, a esos ya nada anónimos personajes que con sus vídeos logran miles de visitas y no siempre por dar o hacer algo interesante.

Podría entrar de lleno en esto y el cómo sucede, si es ético o no, dónde queda la responsabilidad de cada uno tanto del que escribe como del que lo está leyendo. No lo haré, ya que excede en mucho los límites de este libro, pero encantado de comentarlo con todo el que quiera por e-mail (doc@docpastor.com).

No cometeré el error de decir que este es el mejor episodio que existe, creo que la lista de mejores episodios de Los Simpson sería casi interminable y totalmente dependiente de los gustos, así como del momento en que se haga, pero sin duda es uno de los más interesantes y que además cuenta con el valor añadido de volver a ver a Patrick McGoohan dando vida (aunque no cuerpo y solo voz) al número 6.

BIOGRAFÍAS DE *EL PRISIONERO*

Lógicamente este apartado será más breve que el de *Doctor Who* o *Los vengadores*, no en vano estamos hablando de una producción que no llegó ni a las dos decenas de capítulos, 17 para ser exactos según se ha ido viendo en las líneas anteriores, pero hay que recalar un poco en alguna de las islas que salieron. Aunque breve en su producción, complejo en su concepción, hay nombres que requieren un poco de revisión y por supuesto el primero de ellos tiene que ser Patrick McGoohan.

Patrick McGoohan, el número 6

Patrick McGoohan fue actor pero también director y guionista, uno de los rostros más conocidos de la pantalla en los años sesenta y que

pasó a ser todo un icono gracias a *El prisionero*, que todavía hoy es considerada una de las obras maestras de la televisión (y seguirá siendo así durante otras tantas décadas).

Aunque es de origen irlandés, no nació allí, fue en Estados Unidos pero de padres inmigrantes y sí pasará su infancia en la tierra natal de ellos, criado en una granja, pero la casualidad quiso que el mundo del teatro se cruzara en su camino y de tener que sustituir a un actor vino la que sería una pasión que le duraría hasta el momento de su muerte hace pocos años, en 2009, habiendo tenido una amplia carrera, el cariño de los aficionados y el respeto de la profesión.

Durante la década de los años cuarenta, con apenas veinte años ya que nació en 1928, pasó por los escenarios de Londres, logrando el elogio de la crítica, pero no sería hasta los cincuenta que empezó su recorrido en el audiovisual con *Passage Home* y *I Am a Camera* (en varios sitios se indica esta última como la primera ocasión, pero la citada *Passage Home* es

anterior, 1955 y 1954 respectivamente) y rápidamente pasando a tener el papel protagonista siendo un reconocido rostro por el público.

En los sesenta llegó su momento de mayor popularidad por *Danger Man* y *Secret Agent*, de las que se habla en el apartado destinado a otras series de la época, y por supuesto a ser el hombre de *El prisionero*, aunque también seguirá con su carrera fílmica y le veremos en *The Three Lives of Thomasina* o la mítica *Ice Station Zebra* enfrentado al inmortal Rock Hudson bajo la dirección de John Sturges. En la década siguiente tuvo un gran momento dentro de lo que serían los cánones de la televisión americana cuando se encontró frente a frente con el gran Peter Falk en su icónico papel de Colombo en la serie a la que este daba nombre, aunque antes ya habían coincidido ambos en otra producción.

En esta misma época participó en la adaptación televisiva de *El hombre de la máscara de hierro* que trasladaba la obra de Alejandro Dumas a la pequeña pantalla, por supuesto sin olvidar su papel en la increíble *Fuga de Alcatraz* (*Escape from Alcatraz*, con un siempre grande Clint Eastwood de protagonista) además de regresar a la Irlanda de su infancia para rodar *The Hard Way* y después *Scanners*, la conocida película de Cronenberg, en Canadá.

En los ochenta trabajó una vez más con la compañía Walt Disney con *Baby-Secret of Lost Legend* y en 1985 apareció en *Pack of Lies* que marcó su regreso a los escenarios teatrales desde hacía algo más de veinte años. De nuevo en 1991 coprotagonizó un episodio de *Colombo* del que además era director, y qué decir de su interpretación del rey Eduardo I en la famosa *Braveheart* de Mel Gibson, aunque por algún motivo muy poca gente parece conocer este dato. Sería también el padre de *Phantom: El héroe enmascarado* en la película que protagonizaba Billy Zane y que adaptaba a la gran pantalla las aventuras del personaje creado por Lee Falk.

Ya retirado volvería con Walt Disney en *El planeta del tesoro*, una interesante revisión con toques espaciales de la muy conocida obra de Robert L. Stevenson, para ser la voz de Billy Bones.

Fallecería en Los Ángeles en 2009 tras una vida repleta de grandes actuaciones y personajes inolvidables.

Lew Grade

Lew Grade nació en 1906 en Tokmak, Crimea, fue un agente y productor inglés, además de empresario, al que se relaciona generalmente con la ITC y con la serie de culto *El prisionero* y otros éxitos de la época. Y eso que empezó siendo bailarín, muy reputado y con galardones a nivel internacional, eso sí, aunque había trabajado anteriormente como comercial en el mundo textil con solo quince años, algo hoy impensable, pero no debemos olvidar la época en la que estamos.

Comenzó a entrar en el mundo del *show business* aunque la llegada de la guerra, igual que a todos, le afectó y paró su carrera además de que su matrimonio con la conocida Collins terminó, con lo que junto a su hermano viajó al otro lado del charco para montar su propia compañía aprovechando los extensos contactos que tenían ambos. Su auténtica relación con la pequeña pantalla comenzó en 1954, que le hizo comenzar a trabajar para la Associated Television (ATV) de la que salió *The Adventures of Robin Hood*, la serie no confundir con alguna de la multitud de películas existentes, posteriormente y por mediación de la ITC llegaría el turno de *El Santo*, *Danger Man* y por supuesto la producción que nos ocupa: *El prisionero*.

Se relacionaría también con Gerry Anderson y su AP Films, una sucursal de ITC (que a su vez lo era de otra), en la creación de su Supermarionation de la época: los muy famosos *Thunderbirds*, *Captain Scarlet* y las de acción real que vendrían durante los años setenta que aunque tuvieron su éxito nunca llegaron al grado de iconicidad de las anteriores. En esa misma década se pasearía por *The Julie Andrews Hour* (¿quién no está enamorado de Julie Andrews?), *The Muppet Show*, con las fantásticas creaciones de Jim Henson que en gran parte son lo que son gracias a él (y de hecho en

parte se le homenajea en *The Muppet Movie* en uno de los personajes). Curiosamente en esta misma época estuvo inmerso en *Jesus of Nazareth* y *The Return of the Pink Panther* del conocido director Blake Edwards que en un origen pretendía ser una serie televisiva (sin extenderlo más, pero aprovechando para comentar se puede encontrar un artículo al respecto en la revista La Encuadre de octubre de 2012).

El imperio contraataca, *Autumn Sonata*, *Los niños del Brasil* (muy recomendable de ver y casi obligada), *La elección de Sophie* y la preciosa fantasía *Cristal oscuro*, que además fue la última colaboración entre Jim Henson y la ITC además de para muchos su definitiva obra maestra. En sus últimos años de vida, falleció en 1998, él sí regresó al seno de esta compañía hasta el momento de su muerte.

George Markstein

Qué parte de *El prisionero* salió de la mente de Patrick McGoohan y qué otra de la de George Markstein será siempre un misterio. Hay teorías, ideas, declaraciones y documentación pero en ocasiones se contradicen y en otras son similares: sencillamente será imposible saberlo nunca pero hay que dar las gracias a que, de la forma que fuera, esta serie saliera adelante para mantenerse inmortal y elevar por siempre los estándares de la televisión a niveles que nunca llegarán a ser superados.

Nació en 1929, el mismo año que el Crack, en Berlín, pero al auge del nazismo obligó a su familia a tener que dejar el país del que eran para trasladarse a Inglaterra para conservar la vida. Aunque primero estuvo dentro del mundo del periodismo, la televisión le llamó y entró en ella en los sesenta con *This Week* y después en *Court Martial* para dar paso a la mítica *Danger Man* entre otras grandes producciones. Por supuesto entre estas se contaba *El prisionero*, que surgió de ideas tanto de uno como de otro, aunque sí se sabe que la base era de Patrick McGoohan, pero ambos firmaron la primera de todas las historias: "*Arrival*", un título muy sencillo y realmente claro.

Este escritor además apareció en la propia serie como el enigmático jefe que estaba tras el escritorio cuando el personaje protagonista al que da vida Patrick McGoohan dimite, y otra vez en "*Many Happy Returns*". Tras esta etapa de su vida comenzó otra en Thames Television, orientada hacia los seriales de espías y similares, como parte de su producción anterior, entre las que se cuentan *Special Branch* o *The Rivals of Sherlock Holmes*, dos temporadas en total en las que se contaban las aventuras de otros investigadores e incluso ladrones a la altura del mítico y ficticio detective.

Lo último que realizó fue para *London Embassy* de Thames Television en 1987 (mismo año en que falleció) que se inspiraba en una obra literaria de Paul Theroux sobre las reacciones, vivencias y anécdotas de un diplomático americano en Londres. Un juego de enredos y malentendidos que venía servido por lo diferente de sus culturas y sociedades que realmcntc ticncn cn común el mismo idioma, o no tanto en ocasiones.

Leo McKern, el número 2

En este caso sucede algo parecido a la situación que se dio con Roger Delgado y el Amo en *Doctor Who*. Aquí tenemos que Leo McKern dio vida al número 2 en tres ocasiones, un personaje que fue interpretado por otros tantos actores pero que para siempre ha quedado en el recuerdo colectivo con el rostro de este hombre por su gran carisma y ser el único que realmente lograba estar a la altura de Patrick McGoohan como su antagonista.

Reginald McKern, o sencillamente Leo McKern, nació en 1920 en Australia (en Sidney) aunque siempre ha estado relacionado con la industria británica ya que en ella desarrolló su larga y extensa carrera. Aunque la primera vez que subió a un escenario fue durante la déca-

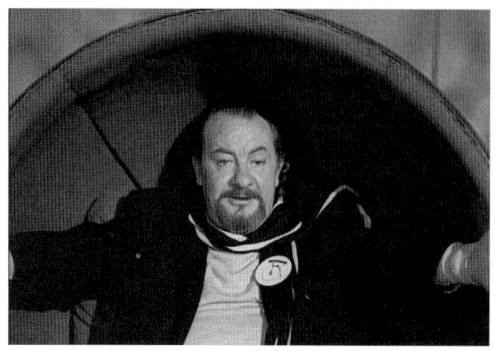

da de los cuarenta en su tierra natal, el amor le hizo ir hasta Inglaterra para casarse con la actriz Jane Holland, y allí se convertiría en una cara regular en los teatros, llegando a ser el Iago de William Shakespeare.

Pero el cine tendría que esperar hasta 1952 con *Murder in the Cathedral* y quizá habría que destacar también *Help!*, aunque solo sea por una película de los Beatles, lo que ya es motivo más que suficiente para mentarla. Tras esto se le vio en bastantes ocasiones como en la ya citada anteriormente *The Omen*.

Aunque si por otra cosa es recordado además de su potente número 2 es por el personaje de Horace Rumpole, total protagonista de *Rumpole of the Bailey*, una serie de la BBC con la que el propio Leo McKern no terminaba de estar realmente contento, aunque sin duda es de sus actuaciones más aclamadas. De hecho, debido a ello lució de esa guisa en varios anuncios del Lloyds Bank.

Donald Chaffey

Don Chaffey es uno de esos hombres polifacéticos que tanto abundan en la televisión de la época. que era director su faceta más conocida, pero que cogía las líneas de la producción si era lo que tocaba y al igual que otros tantos murió prácticamente con las botas puestas tras haber trabajado en series tan conocidas como *Los Ángeles* de Charlie y la divertida *MacGyver*.

Empezó su camino a finales de la década de los cuarenta, en 1947, como director de arte (sí, también lo era) pero poco después entraría de lleno en la dirección y ya nunca la dejaría estando entre sus trabajos la más que mítica *Jason y los Argonautas*, una de las joyas de

Ray Harryhausen con su capacidad casi sobre-humana de crear magia y fantásticas criaturas, además también de *One Million Years B.C.* que nosotros conocemos como *Hace un millón de años* y que contó con los divinos rasgos de Raquel Welch.

Angelo Muscat, el mayordomo

Realmente su carrera ha sido muy poco prolífica y con no demasiadas actuaciones, pero su destacado papel en *The Prisoner* hace que se merezca su aparición, aunque sean unas pocas líneas. Ese enigmático mayordomo que nunca habla, que está al servicio del número 2 y que finalmente se fuga con el protagonista (lo que conlleva no precisamente pocas preguntas sobre si realmente McGoohan era o no el número 1, pero eso es algo que ya se ha tratado de forma bien extensa en su apartado concreto aunque daría para un libro entero).

Nació en 1930 bajo el nombre de Angelo Pedari y murió a la edad de 47 años, habiendo pasado por *Doctor Who*, *Alice in Wonderland*, *Willy Wonka & the Chocolate Factory* (que en nuestro país conoceremos como *Un mundo de fantasía* con un increíble Gene Wilder en un Willy Wonka que ya querría Johnny Depp) y alguna más escasa aparición más.

Clough Williams-Ellis

Sir Bertram Clough Williams-Ellis o el genio que está detrás de la obra de arte que es Portmeirion, nació en 1883 en Inglaterra, en concreto en Gayton que está en Northamptonshire.

Aunque realmente nunca llegó a graduarse en sus estudios eso no le impidió empezar una carrera como arquitecto que pasaría a la historia, primero al servicio de otro y a principios del siglo XX estableciéndose por su cuenta con su propia firma en Londres aunque interrumpiendo su vida por culpa de la 1.ª Guerra Mundial ya que al igual que tantos otros tuvo que luchar en la misma al servicio de su país. Al término de esta comenzó a trabajar en la que sería su obra maestra, Portmeirion, que pasaría a la inmortalidad por ser el lugar en el que se rodarían los exteriores de *El prisionero* y que realmente podría estar en cualquier sitio por

la cantidad de estilos de construcción que se unen en ella.

Trabajó también para el gobierno de su majestad para preservar ciertos lugares arquitectónicos de importancia, además de por la preservación del paisaje británico, algo que por cierto veremos en gran medida en *Los vengadores* con esos campos que recorren los protagonistas y mostrándonos así algo más que el Londres más icónico (que a veces se nos olvida que Inglaterra es bastante más grande que esa emblemática ciudad). Parte de estos servicios se le reconocieron al ser nombrado Comandante de la Orden del Imperio Británico, además de algún galón más, por toda la historia que tenía a sus espaldas y la sensibilidad mostrada en la misma, además de la preocupación por la conservación de construcciones emblemáticas.

Sir Clough Williams-Ellis falleció a los 94 años de edad en 1978. Portmeirion permanece inalterable.

LOS VENGADORES

Nos necesitan

NOS NECESITAN.
Patrick Macnee

CRÉAME, ESTOY DEL LADO DE LOS ÁNGELES

En este libro se están tratando tres series que comparten aspectos en común y motivos que las han hecho perdurar en el tiempo, han pasado de ser unas simples producciones visuales a iconos por los que no pasan los años. Están en ese mágico limbo que las hace ser eternamente jóvenes, y al que están destinadas a ir muy pocas cabeceras. Algunas lo intentan, pero que lleguen a conseguirlo es algo completamente distinto.

El punto que hace que esto sea posible es esa capacidad de no envejecer, de ser un punto fijo y que así cuando revisitemos la serie esta siga siendo divertida, agradable y aunque el paso de los años haga que algo se tambalee (o que nos demos cuenta de que el monstruo de turno es un señor disfrazado) no nos importe porque el total de la serie sigue estando a un nivel más que notable. Los vengadores lograron esto, algo que queda patente sencillamente en la escritura de este libro o de otros muchos que han visto la luz en el pasado, pero también el adelantarse a su época o más exactamente el ser la definición perfecta de la misma, hasta tal punto que sin quererlo son la idea popular que se tiene de los años sesenta en el recuerdo colectivo.

Parte de lo que comparten las tres producciones del libro es su origen británico y de hecho son las tres un ejemplo del más puro britanis-mo, con esa capacidad de reírse de sí mismos que no tenemos en nuestro país, pero además logrando ser respetuosas con las formas y estilos de la isla. Pero si una reluce en este aspecto con más fuerza que las otras dos es precisamente Los vengadores, con su elegancia natural, locura visual y un diseño de escenografía que es una pura poesía.

También los protagonistas son un ejemplo de una detallada creación y reflexión, no tanto en los primeros episodios pero con el paso del tiempo es evidente que nada está hecho sin querer, que se ha planeado y que se está cuidando hasta el más mínimo detalle. El personaje de John Steed[77], impecablemente vestido, era la auténtica imagen del clásico *gentleman* inglés y se convirtió en la piedra angular de todo ese mundo ficticio. Pero lo que logró una perfecta química con su más conocida compañera de aventuras es que esta elegancia era algo que contrastaba totalmente con Emma Peel[78], que era el reflejo del sentir de una época, de un momento en que la mujer estaba cada vez más liberada y dejaba cada vez más atrás ese papel de chica en peligro que tan atrasado había quedado.

La mejor forma de referirse a ellos, y además hacerlo de una forma bien sencilla, es con tres palabras: cuero, *champagne* y estilo.

EL ORIGEN DE LA SERIE. DE LA IDEA A LOS ESPÍAS AL USO

Pensar en Los vengadores, que nada tiene que ver con el grupo de héroes de Marvel Comics, aunque compartan el mismo titular, nos hace ir por trajes, bombines, mallas, pistolas doradas, floretes, cierto erotismo y un sinfín de aventuras. La idea popular que hay sobre ella es esa, la que ya se ha citado de cuero y *champagne*, pero hasta que esto sucedió pasó un tiempo, no siendo hasta la llegada de Emma Peel que puede entenderse así. Primero fue una idea que estaba bastante alejada de todo esto, vamos a ver...

El médico investigador

Al igual que en otras muchas ocasiones para entender un serial, de dónde viene y qué es hay que remontarse a antes de que siquiera se empezara a pensar en el mismo. En este caso tenemos que hablar de *Police Surgeon*[79], un nombre que muy probablemente sea desconocido para muchos pero sin el cual es posible que nunca hubieran surgido *Los vengadores*, o quizá sí pero sin ser esa fantástica e imaginativa obra de arte.

Esta fue una serie realizada por la Associated British Corporation creada por Sydney Newman, sí ese Sydney Newman del que se habla en el apartado de *Doctor Who*, y protagonizada por el actor Ian Hendry[80] en el papel del Dr. Geoffrey Brent. Solamente duró doce episodios de media hora cada uno, que se emitieron entre el 10 de septiembre de 1960 y el 3 de diciembre de ese mismo año.

No terminó de ser de gusto del público, quizá en parte por estar ya a comienzos de la que es una década caracterizada por la imaginación, el consumo de drogas, la expansión de nuevos horizontes y que era precisamente todo lo apuesto al realismo que se intentó dar en este producto. Si uno se para a pensar en productos actuales, por ejemplo las últimas películas de Batman con el llamado hiperrealismo, puede llegar a la conclusión de que podría funcionar de haberse hecho hoy en día, pero fuere como fuese, se canceló. El poco éxito que tuvo fue más para Ian Hendry, aunque debido en mayor medida a ser un actor atractivo y decidi-

damente guapo que al carisma de su personaje, un hecho que en parte sucedería igual en *Los vengadores* pero con el problema añadido de la tremenda personalidad que tenía Steed (y que solo fue a más con el paso de las temporadas).

¿Es *Los vengadores* una continuación de *Police Surgeon*? De primeras lo más lógico y obvio es que la respuesta sea no, pero reflexionando por un momento está el punto de que Ian Hendry haga en ambas un papel que no se diferencia mucho, que al principio de la aventura tendiera más al estilo *noir* que a la locura de surrealismo visual en que se terminaría tornando, e incluso algún comentario por parte de los implicados que apuntaba en esta dirección. Ayuda a esta idea el hecho de que realmente tampoco lleguemos a conocer mucho del personaje de Ian Hendry en *Los vengadores* y que apenas pasara un mes entre la emisión del último episodio de una y el comienzo de otra.

Bien puede ser que, al menos en el origen de desarrollo argumental, se planteara de esta forma y de posible secuela para el Doctor Geoffrey Brent, pero el paso del tiempo, y la marcha de Ian Hendry (algo que se detallará en su momento) dejó claro que las intenciones para con *Los vengadores* eran bien distintas y más todavía con la llegada de Emma Peel, que llevó a la producción de ser un éxito a todo un fenómeno.

Sydney Newman, junto a Leonard White[81], decidió que lo mejor era dar carpetazo a *Police Surgeon* y coger el único elemento que estaba funcionando, a Ian Hendry, para emprender un nuevo proyecto más en la línea de los espías, los agentes secretos y las sociedades secretas que quieren controlar el mundo. No hay que olvidar que estamos en los sesenta, un momento en que muchos de los más conocidos investigadores de televisión cobrarán vida, desde Maxwell Smart[82] a James Bond[83] o a John Drake de la ya citada varias veces *Danger Man* (también *Secret Agent* o *Cita con la muerte* en nuestro país) con lo que la propuesta no es en absoluto descabellada, aunque es cierto que luego se alejará de esto y será más complicado centrarla en un género concreto (si es que es posible hacerlo, de forma personal opino que no).

El primer vengador

Se creó un guante perfecto para Ian Hendry para aprovechar su fama, tanto que ni se cambió realmente la profesión de este nuevo personaje, pero también se le dejó espacio para poder dar sus propias opiniones y finalmente se convirtió en uno de los responsable de ese alejamiento progresivo de líneas argumentales más banales en que primaba el tema del robo y el asesinato. Es precisamente la muerte de su amada lo que hace que este simple dentista se lance en busca de los criminales, llamado por un afán de venganza más que por la búsqueda de justicia.

Es interesante ver que al igual que les sucede a otros muchos héroes desde el oscuro Batman al joven Spider-Man lo que realmente mueve a este médico es el dolor y el querer cobrarse su justa venganza, cierto es que después lo que pretenderá es el triunfo del bien y proteger a los débiles, pero su origen está más cerca del de un justiciero de los tebeos que de ser un detective que esté compinchado con la policía. Pero será esta decisión, tanto dentro de la trama argumental como por parte de los productores y guionistas, la que hará que el nombre de la serie tome su sentido completo, ya que el protagonista y el que lo será posteriormente cumplirán con su cometido y serán vengadores de una muerte.

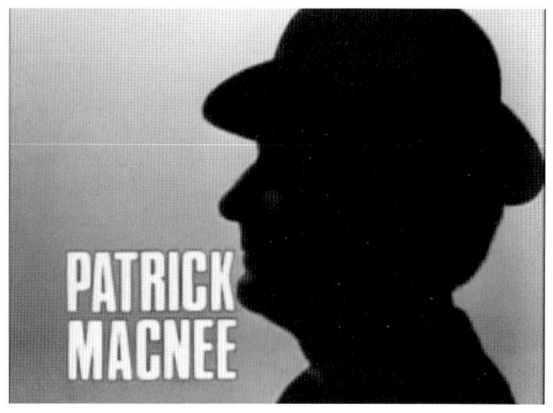

Queda todavía camino para que esta oscura motivación les lleve a la puerta de una historia mucho más colorista, estamos de momento más cerca de lo que será la imagen del teniente Colombo[84], con el típico diseño del detective fumador y de sucia gabardina (algo que posteriormente se llevaría también hasta el personaje de cómic John Constantine, aunque en este caso los misterios que investiga son de corte más paranormal). Pero en toda esta iniciática andadura hubo un acierto o más bien un «admítelo, tigre, te ha tocado el gordo» ya que la importancia del hecho definió para siempre lo que fue, es y será: John Steed.

John Steed, el caballero que lo cambió todo

Ahora mismo todos los que estén leyendo este libro quizá piensen en el elegante caballero de corte impecable, bombín y paraguas que jamás se despeina, un hombre que es la representación pura del *gentleman* de manual pero nada más lejos, la primera aparición de Patrick Macnee como John Steed no tenía nada que ver con esto y nuevo cabe cita el detective tópico.

Este misterioso hombre haría las veces de ayudante del Doctor al que daba vida Ian Hendry, y sería el culpable de que su cruzada contra el mal no terminara hasta mucho después, responsable igualmente de hacerle ver que debajo de nuestro idílico mundo (es un decir)

hay otro lleno de sombras, secretos y personas malvadas que quieren dominar a todas las demás. El actor elegido fue Patrick Macnee con el que Sydney Newman había trabajado anteriormente, curiosamente en el momento de comenzar a meterse en *Los vengadores* había dejado de lado el mundo de la interpretación en favor de la producción (en concreto estaba dentro de *Winston Churchill: The Valiant Years*[85]) pero las palabras de Newman y un candente tema económico (sencillamente, le hicieron una buena oferta) marcaron la decisión del actor que le llevaría a convertirse en todo un icono de la pequeña pantalla y de los años sesenta.

Puede sorprender que aunque este elegante hombre tenía un pasado aristocrático y de nobleza su vida profesional fue dando tumbos. Motivo por el que no es de extrañar que la oferta de dinero inclinara la balanza a favor de ser John Steed. Hacía ya mucho que había empezado su carrera teatral, pero no terminó de encauzarse, aunque por eso mismo en su historial tiene el haber pasado por Canadá o los Estados Unidos de América (además, claro, de Inglaterra). En un momento dado y teniendo en mente que no terminaría de lograr lo que en su juventud había pretendido se encaminó hacia otros sitios y así llegó hasta la producción televisiva, pero la oferta de dar vida a John Steed le aseguraba un mejor salario y la estabilidad que estaba buscando, lo que nadie sabía es que además marcaría su vida para siempre.

Antes de pasar al siguiente y al cómo la llegada de Steed marcó un antes y un después en la historia de la serie, y de la televisión si hay que ser sinceros, conviene repasar el episodio "*Hot Snow*"[86], que fue el primer capítulo de este serial británico.

En este iniciático programa descubrimos cómo el Doctor Keel pierde un amor y Steed gana un aliado (o de forma más exacta «Keel loses a love. Steed gains an ally» marcando así la costumbre que se dará en *Los vengadores* de prologar lo que se va a contar y que así el espectador pueda usarlo como una especie de guía de visionado), por parte del primero será con el ya mentado asesinato de su novia a la que encarna Katherine Woodville[87]. Este será un crimen que la policía verá imposible de resolver y el culpable, el narcotraficante Ronnie Vance, parece que se irá de rositas pero entonces la ayuda llega literalmente del cielo...

... o más bien de la ventana. Sí, así será la forma en que John Steed haga aparición dentro de la vida del personaje de Ian Hendry que ya no volverá a ser la misma jamás. Aunque la sofisticación todavía no ha llegado, se ve ya un muy buen trabajo tanto por parte de la dirección como de los actores, la trama funciona bien aunque no deja de ser una historia detectivesca sin más que bebe en gran parte de las historias de la época pulp.

> «*¿Realmente han pasado cincuenta años desde que* Los vengadores *empezaron?*»
> **- Patrick Macnee**
> (sacado del prólogo del libro The Avengers: A Celebration)

EVOLUCIÓN
(o cómo un misterioso hombre con gabardina se convierte en el perfecto caballero inglés)

Que las series cambian y (perdón por la obviedad y repetición) evolucionan por nuevos caminos es algo que todo el mundo sabe. A veces no se hace de la mejor forma o se extiende hasta el extremo, tenemos el caso de la española *Siete vidas* que perdió el rumbo y el sentido inicial pero logrando tal éxito que se convirtió en la primera producción de nuestro país con su propio *spin-off*[88], pero en otros casos la llegada de un personaje lleva la producción a nuevos niveles y hace que todo gire en torno a él, como pasó en *Cosas de casa* (que a su vez era una derivada de *Primos lejanos*) con Steve Urkel o en *Sombras tenebrosas* con Barnabas Collins, al punto que en su revisión cinematográfica es el protagonista absoluto.

Aunque John Steed estuvo presente desde el principio de *Los vengadores* no podemos hablar propiamente del carácter que se volvió todo un icono hasta algo más adelante, y con más propiedad hasta la marcha de Ian Hendry de la producción televisiva en busca de una ansiada carrera cinematográfica, aunque nunca logró lo que era realmente su sueño.

El paso del tiempo hizo que el personaje interpretado por Patrick Macnee cobrara un carisma cada vez mayor, trataremos su biografía ficticia y personalidad dentro de unos párrafos, pero ya desde el principio tenía una libertad maravillosa para crearle todo un mundo propio, ya que no tenía un pasado establecido, ni relaciones íntimas que se conocieran o vínculos familiares a los que se haga mención. Cierto que en principio se concibió para ser ayudante y a la vez guía del Doctor protagonista, pero esa ausencia de datos sobre él mismo y el ser una página en blanco propiciaba poder crear a un hombre ex-

tremadamente interesante mientras que lo que ya se sabía sobre el personaje principal, empezando por el hecho de ser dentista, le lastraba y daba una forma de ser más anquilosada. No había nada escrito sobre este misterioso personaje y gracias a ello se le dotó de un personalidad fantástica y un carisma inigualable.

De canalla a príncipe

La idea de ser un serial detectivesco conllevó que la primera interpretación del aristócrata fuera por el camino del investigador oscuro, que aparecía y desaparecía como un espíritu y al igual que otros tantos trabajaba al servicio de una misteriosa organización de la que nada se sabía[89]. De él solo conocemos esa frase inicial por la que deja claro que está «del lado de los ángeles», que fumaba y que el *champagne* no estaba todavía dentro de sus bebidas favoritas. Los consejos de los productores, en concreto de Sydney Newman, hicieron que buscara la inspiración en otros lugares y llevara a este personaje que en principio era bastante plano hacia cotas de originalidad, elegancia y bastante autocrítica con algunas gotas de humor, ya que según él mismo Macnee ha declarado en ocasiones que siempre consideró a Steed una versión exagerada y satírica de sí mismo.

Claro que la referencia al mundo real no fue solo hacia él mismo y también se inspiró en un comandante bajo el que había servido en el ejército, además de en su propio padre, un entrenador de caballos de prestigio y al que consideraba un auténtico *dandy*. Por supuesto también estaban los personajes literarios como la Pimpinela Escarlata[90]. La mezcla se convirtió en explosiva, pero a la vez sofisticada y elegante.

En un apartado anterior, en concreto en la sección sobre *Doctor Who*, ya se habla de la forma de grabar que se tenía en los años sesenta y el cómo esto conllevó a muchas series la pérdida de material que hoy en día es imposible de encontrar. Lo mismo sucedió en *Los vengadores* aunque con el añadido de que algunos capítulos, muy primigenios, se lanzaron en directo sin pararse a recogerlo en cintas. Por fortuna la experiencia de los actores implicados, los trabajados guiones y escenografías (esto es algo que desde el comienzo de la producción se tomó muy en serio) ayudó a salir sin problema del paso aunque de aquellos visionados solo nos quede el recuerdo.

La primera temporada

Parte de que esa lejana primera temporada estuviera ya marcada por algunos de los tópicos que se seguirían en todas las demás fue por el hecho de contar entre sus filas a Brian Clemens[91], quien además tuvo también su labor dentro de *Los nuevos vengadores* (serial del que se dará información más adelante y en cuyas aventuras solo quedaba John Steed de los personajes originales). No hay que olvidar a otros grandes maestros como Terence Feely y Dennis Spooner[92], o al compositor Johnny Dankworth que es el responsable de los acordes que tan inseparables son a las aventuras de este dúo (siempre han sido dos, al menos en la serie original).

Algo que sucedió en esas primerizas investigaciones que llevaron a cabo Keel y Steed (lo que por cierto suena tremendamente parecido a Peel y Steed) es que fueron en otros sitios fuera de Inglaterra, algo que no sería nada habitual después, y estando entre las imaginarias parcdcs dc un Rcino Unido de fantasía en el que solo están ellos de habitantes.

En parte esto es un lugar común entre los detectives y aventureros de ficción. Podemos poner de claro y más conocido ejemplo a James Bond que vive sus tramas de intriga a lo largo y ancho de todo el mundo, estando una escena en Londres, otra en París y la siguiente en Alaska. No logró ser un aspecto que se convirtiera en básico en *Los vengadores*, y más bien el escapar de esto mismo fue un claro ejemplo de la búsqueda de diferenciación que desde los creadores querían hacer. Esta no iba a ser una serie igual, y lo cierto es que serían todas las demás las que intentarían copiarla, aunque nunca con gran éxito.

Los escenarios increíbles ya empezaban a darse lugar entre los minutos televisados, así tenemos que un colegio oculta un terrible secreto, que dentro de las tiendas hay algo más

que amables tenderos y que un divertido parque de atracciones puede ser un lugar terrible. Es inevitable no encontrar una cierta relación entre esto y las aventuras de Batman tanto en el cómic como en su vertiente audiovisual, en el último capítulo hablaremos de varias series de los sesenta entre la que se cuenta la del hombre murciélago que protagonizó Adam West. Durante esa década el que se convertirá en los ochenta en un héroe sombrío peleó en ferias y saltó dentro de gigantes máquinas de escribir, muchas veces tras la pista de un Joker más payaso que nunca y de nuevo demostrando que los años sesenta fueron desbordantes en imaginación, creatividad y que el "no puede hacerse" estaba muy lejos de la mente de los creadores de aquella época. Los científicos locos[93] y los nazis también hicieron su aparición, volverían y serían recurrentes en posteriores temporadas.

Pero si algo marcó el cambio decisivo en la producción de episodios fue la huelga que se produjo en 1961, convocada por el sindicato de actores y que tuvo un apoyo mayoritario. Esto produjo un parón y retrasos en todas las producciones, incluyendo la que nos ocupa, que aunque tenía ya grabados los últimos tres episodios, no se pudieron emitir hasta diciembre (los anteriores habían visto la luz en septiembre), pero además fue aprovechado por Ian Hendry para dejar de forma inesperada el serial y emprender la carrera cinematográfica, utilizando la fama cosechada en televisión, el que lo consiguiera ya es otra historia.

Ya estaba todo claro. La estrella era John Steed y había que llevar al personaje hasta el máximo de sus posibilidades. Para ello había que rodearlo de un buen compañero que pudiera darle réplica, pero estamos adelantado hechos y primero hay que dar un repaso al que se convertiría en el alma máter de la serie.

JOHN STEED, UN AGENTE SECRETO CON ESTILO Y SOFISTICACIÓN

John Steed es Patrick Macnee tanto como Patrick Macnee es John Steed. El uno es una extensión del otro y no se pueden comprender por separado. Claro, quizá alguno piense que este aristocrático (y aristócrata por sangre) no ha sido el único que ha dado vida al más elegante agente británico, podemos nombrar a otros dos: Simon Oates y Ralph Fiennes. Estos dos actores también le dieron vida, y un tercero en un programa radiofónico, pero no llegan a tener el carisma del original. Volveremos sobre ellos al final de este apartado, pero convenía hacer el detalle para evitar malentendidos.

Según la biografía ficticia su auténtico nombre completo es John Wickham Steed Gascoyne Beresford, nacido en los años veinte (algo que cuadra con la edad de Patrick Macnee que tenía casi cuarenta cuando comenzó a interpretarlo) y de ascendencia de la nobleza que es algo que nos

queda claro solo con ver su nombre, formas y saber estar en todo momento ya sea tomando el té o peleando con un malvado villano que desea su muerte. Peleó en la Segunda Guerra Mundial, se convirtió en un distinguido veterano y fue la formación adquirida en el ejército la que hizo que su vida se fuera desviando hacia los servicios de inteligencia y finalmente formara parte indispensable de la organización únicamente conocida como el Ministerio.

Como ya se ha explicado en sus primeras apariciones, según el visionado de la serie y que en las temporadas posteriores se obvia asumiendo que en todo momento ha sido un *gentleman* y un *dandy*, era más agrio y similar a la imaginería popular del momento prefiriendo las gabardinas y los cigarrillos por encima de los paraguas y el *champagne*, aunque le veremos en esta primera temporada luciendo la guisa que tan popular lo hizo.

Bombín y paraguas

Será en "*The Frighteners*" el momento en que nuestros ojos le vean usar por vez primera el bombín que tan característico le será. Cabe pensar que en realidad fuera antes, ya que se sabe que los productores animaron a Patrick Macnee a que llevara a su personaje a nuevos niveles y este empezó a darle nuevos matices desde casi el comienzo. Pero como se ha dicho antes, hay episodios de los que no queda nada y no es sencillo de saber, pero es seguro que en este decimoquinto capítulo lo hace y puede decirse que el estilo empieza a imponerse en la cabecera televisiva.

Pero esto no fue una decisión de los productores, no más allá de dejarle libertad, y la forma de llevar a John Steed por otros caminos fue de su intérprete y también de la falta de presupuesto que había en la primera época. Sí, los guiones y escenarios se cuidaban, además de confiar en los actores para lograr dar una buena serie pero el que no hubiera un gran soporte económico hizo que fuera necesario que aportara su propia ropa y complementos según avanzaban los episodios.

No todo era suyo, algunas prendas eran de familiares (como su ya mentado padre) y antes de darse cuenta ya había convertido en marca característica del agente el llevar un eduardiano traje de tres piezas (chaqueta, pantalón y chaleco). La gabardina y los cigarrillos pasaron así al olvido, quedando solo como algo anecdótico y muestra de la rápida evolución que sufrió tanto el personaje, la serie, las tramas y, en sí misma, toda la producción mientras buscaba su lugar en el mundo.

Son precisamente los dos elementos que hemos nombrado antes, el bombín y el paraguas, los que se convertirían en definitorios de su figura a tal punto que solo ver su sombra recortada contra cualquier pared hace que sepamos de forma inmediata que es él. Su mentón afilado y nariz se combinan con el ala del sombrero además del mango del paraguas para crear ese dibujo que tan bien le representa. Esto en parte es homenajeado en la revisión cinematográfica de *Los vengadores* en 1998 en la que

da vida a un personaje llamado *Invisible Jones*, un hombre al que no vemos aunque si se pone delante de la luz produce sombra y nos da ese perfil que cualquier fan de la serie reconocería al instante.

Por supuesto no va por libre, ya se aclaró antes que trabaja en el Ministerio, y debe responder ante distintos jefes que son los que le encargan la misión. Conoceremos a cuatro de ellos a lo largo de las temporadas: One-Ten, Charles, Madre y Padre de los que se detallará más en el apartado de personajes. Se supone que estos hombres, y una mujer, están al servicio de la corona británica pero entran dudas sobre sus métodos ya que permiten que gente sin vinculación alguna, podemos decir que son *amateurs* que se meten de lleno, tomen parte en sus actividades y no será hasta que llegue Tara King, que realmente sean los dos protagonistas agentes de ese misterioso servicio de inteligencia.

El centro del universo

La importancia que tomará John Steed será tal que es el único recuperado en *Los nuevos vengadores*, aunque le veremos, o al menos podemos suponerlo, en un cargo mayor, ya dejando de lado las correrías y las aventuras para su dos más jóvenes compañeros. Él será el encargado de darles las misiones, pasando así a ser el jefe del grupo, lo que para él había y sus compañeras había sido Madre en el pasado.

La relación más estrecha, al menos según lo que vemos, la tendrá con Emma Peel y será con su llegada que toda la producción se catapultará directamente a la inmortalidad, convirtiéndose en todo un icono. Siempre considerada por él como una igual y un compañero que merece el mismo trato que otro cualquiera (recordemos de nuevo la época y los tópicos sobre la damisela en apuros), con una relación que siempre ha dado para pensar mucho más que lo que se ve en primera instancia.

En ningún momento habrá muestras de cariño, más allá de algún abrazo y beso lleno de ternura, pero para cualquiera que haya visto la serie le quedará claro que en el fondo ambos sienten algo más que admiración el uno por el otro. Un amor que nunca llega a saberse y que

quedará en la imaginación del espectador si es real. Aunque en declaraciones de Macnee sí era así pero siempre fuera de las cámaras, por parte de Diana Rigg (que fue Emma Peel) existía algún tipo de compromiso sin que llegue nunca a aclarar y Brian Clemmens (guionista que ya se ha nombrado) comentó que él escribía pensando que ambos habían tenido algo pero antes de que nosotros la conociéramos a ella.

Ya con John Steed como único héroe y protagonista se fue abandonando definitivamente ese realismo que venía por la influencia de *Police Surgeon* en favor de la locura, psicodelia, fashionismo y delirio pop en estado puro, que se volverían finalmente en lo que les definiría totalmente. La evolución del personaje de Patrick Macnee fue el más importante pilar sobre el que se sustentaría la serie, empezando por su bombín que tan anacrónico parecía pero que es imposible pensar en él sin este complemento del buen vestir. Pero como dijo Dios «no es bueno que el hombre esté solo» y la marcha de Ian Hendry, y por ende de su personaje del Doctor Keel, solo logró la llegada de otros nuevos compañeros que en parte no serían más que ayudantes, aunque eso comen-

zaría a cambiar cuando la actriz Honor Black-man se convirtió en intérprete fija dando vida a Catherine Gale, que se convertiría en el pri-mer ángel de *Los vengadores*, siendo la madrina de todas las que vendrían después.

> *«Hay una teoría, ya sabes, que nuestro propio sistema solar comenzó de esa forma. Primero fueron dos estrellas binarias. Entonces una de ellas explotó y algunos de los restos se convirtieron en los planetas»*
> **Doctora Catherine Gale**

COMPAÑEROS DE AVENTURAS. AMIGOS. ESTUDIANTES. AMORES

Si existe un compañero ideal para John Steed esa es sin duda Emma Peel. Ambos lograron tener una gran química, a partes iguales por el guión y el buen hacer de sus actores, pero el proceso hasta llegar a ella fue largo y hubo unas cuantas pruebas hasta que se logró el ca-rácter perfecto.

Antes de detallar a estos compañeros y dar-les un fondo vamos a repasar de forma rápi-da cuándo y quiénes fueron estos hombres y mujeres que tomaron parte en las misiones que venían desde parte del Ministerio, el misterio-so servicio de inteligencia que estaba oculto a la vista de todos.

ción en la que de nuevo interpretaba a un doc-tor no hace más que dar un fuerte testimonio de esta idea.

Desde el comienzo él fue el protagonista y ya en el primer capítulo vemos el terrible crimen que le llevará a convertirse en todo un venga-dor, el asesinato de Peggy[94] por parte de un narcotraficante. Con el cadáver en sus manos jura-rá venganza, algo muy épico y dramático que todos hemos visto en más de una ocasión (em-pezando por la muerte de los padres de Bruce Wayne y el nacimiento de Batman). Por suer-te no estará solo y en su camino se cruzará un enigmático hombre que le ayudará, John Steed.

1961 – El extraordinario caso del Doctor Keel y Mr. Hendry. Steed entra en escena

Los vengadores fue un guante creado para que ajustara de forma perfecta a Ian Hendry. Ni más ni menos. La cancelación de *Police Sur-geon* y el que se le llevará a una nueva produc-

1962 – 1963 – El Doctor King y las mujeres. Llegan Martin King, Cathy Gale y Venus Smith

En el paso de un año todo cambió de forma ini-maginable y la marcha de Ian Hendry provo-có un cambio todavía más rápido ya que la se-rie era un traje para él, con lo que tocó buscar

debía estar a su altura. El papel fue para Diana Rigg, realmente es la segunda actriz en darle vida a Emma Peel pero ya lo veremos más tarde, que logró alejarse de la sombra de su predecesora y tener un carisma mayor que el de ella.

Sexy, elegante, con clase y llena de feminidad (algo que en parte le faltaba a Cathy Gale). Todo ello fue una fantástica mezcla que lanzó a *Los vengadores* a ser todo un icono por el que no pasaría el tiempo.

1967 – Empezamos a emitir en color. Emma Peel se vuelve modelo.

Ya en el año anterior se había dejado libertad a los guionistas para que sacaran partido al personaje de Emma Peel, además el presupuesto aumentó creando mejores historias y escenarios que era algo que siempre había estado muy cuidado. La llegada del color a la serie dea una nueva marca en la producción de la serie haciendo que el delirio pop llegara a un nuevo nivel; se apostó todavía más por dotar a Emma Peel de atractivos trajes y hace aparición la prenda definitiva de la serie: los *catsuits*, unos ajustados monos que han pasado a la historia por su valor propio. Tal éxito cosechó que la televisión americana se interesó por ella, algo que hizo que se volviera todavía más británica en concepción y visualización.

Pero la historia siempre se repite y Diana Rigg fue tentada de la misma forma en que lo había sido Honor Blackman, recibió una oferta para ser chica Bond y eso es algo muy difícil de rechazar.

1968 – 1969 – Adiós Emma Peel. Hola joven Tara King

Si la marcha de Honor Blackman parecía el final, el de Diana Rigg no lo parecía, lo era. Todo lo logrado se tambaleó y aunque se dotó a John Steed de una nueva compañera no se llegó nunca a los niveles alcanzados con Emma Peel.

Esto se juntó también con que Patrick Macnee se iba acercando a los cincuenta años, tenía ya 46, y no podía seguir el mismo ritmo que en el pasado, pero la idea de seguir sin él era impensable, así que llegó Tara King y fue una vuelta de tuerca, era más joven que sus dos pre-

en otro sitio y dar a John Steed (ya con todo el protagonismo para él) un compañero adecuado.

A lo largo de esta época harían aparición tres nuevos personajes, Martin King (médico forense), Venus Smith (cantante) y Cathy Gale (antropóloga) que se turnarían en los episodios para darle la réplica al elegante agente al servicio del Ministerio. Pero será esta última la que se convertirá en su gran compañera y así dará comienzo al que será el auténtico estilo de *Los vengadores*.

1963 – 1964 – Cuando el cuero gana la partida. Cathy Gale se hace con la corona

Aunque las líneas básicas del personaje de Cathy Gale, también doctora para no perder la costumbre, estaban ya definidas, fue en esta temporada cuando se la desarrolló en profundidad y se hizo que comenzara a vestir algo que sería totalmente definitorio para la serie: un ceñido traje de cuero.

El tándem no durará demasiado ya que Honor Blackman se marchará para ser la chica Bond en *Goldfinger*, pero lo que pudo parecer un final no era más que el comienzo de la mejor época de todas.

1965-1966 – el amor platónico de John Steed. La moda llega con Emma Peel

La serie estaba en un momento de gran éxito y darle cierre era impensable, pero Cathy Gale había puesto el listón muy alto y la nueva compañera, estaba claro que debía ser una mujer,

decesoras y no pretendía ser un igual para John Steed, más bien una alumna que debía aprender de un maestro con el que se iba de aventuras.

Aunque Linda Thorson, actriz que daba vida a la muchacha, carecía de la intensa personalidad de Cathy Gale y Emma Peel esta emisión vio la llegada de una nueva compañera, Lady Diana Forbes-Blakeney[95] y es recordada por la aparición de Madre, el enigmático y orondo jefe que tenían en el Ministerio.

Esta será la última temporada de la serie original tras una década de éxito y aventuras.

Los primeros compañeros: de médico a médico y tiro a ver si llega el cuero

Realmente no es correcto decir que el doctor David Keel, con el rostro de Ian Hendry, es un compañero de John Steed ya que más bien es justo lo contrario. El médico, dentista en concreto, es el protagonista y el vengador al que aduce el título, mientras que el personaje de Patrick Macnee es el secundario que prestaba ayuda y hacía que el primero entrara en un mundo oculto, lleno de sombras y con misterios por resolver.

Que se pasara de un médico a otro, uno dentista y el otro forense, deja bastante claro lo inesperado de la marcha del que debía ser el protagonista de la serie, además del hecho de no tener apenas tiempo para improvisar o poder crear un personaje que tuviera una cierta profundidad. Si algo caracteriza el final de esta primera etapa es que los compañeros que fue teniendo el elegante Steed eran un parche para salir del paso, incluso Cathy Gale a la que se le llegaron a dar guiones que estaban pensados para el doctor David Keel (por fortuna luego fue teniendo una gran personalidad propia).

David Keel y Martin King, dos doctores que suenan casi igual. Venus Smith viene para cantar

David Keel, el hombre para el que se fabricó *Los vengadores*

Como ya se ha dicho Ian Hendry era un joven y atractivo actor con bastante talento, al menos el suficiente para que cuando *Police Surgeon* fracasara (aunque en televisión esto siempre es relativo) los productores se decidieran a crearle un programa a medida, así nació *Los vengadores* que no era más que un recipiente para dar salida a este hombre y seguir un poco

la línea de su anterior serie con un personaje que no distaba en mucho del que allí había interpretado.

Antes de dar unas pinceladas sobre David Keel, tampoco puede hacerse mucho más ya que aunque fue el centro por el que se hizo todo se marchó bastante temprano y no tuvo demasiado tiempo para desarrollar a su personaje, conviene entrar en la persona que le otorgó la vida, así que demos un breve repaso a Ian Hendry y su trayectoria.

Nació en enero de 1931 y murió en 1984 justo el día de Nochebuena, con una carrera que le llevó por el cine y la televisión, destacando en *Get Carter*, a principios de los setenta, y la serie que nos ocupa, claro, a la que volvería en *Los nuevos vengadores* para un episodio y como un personaje distinto, pero ya se tratará adecuadamente a su debido tiempo (y en el apartado destinado para esta segunda época).

Con casi treinta años daba comienzo su vida de actor y de forma casi sorpresiva, para él debió serlo en gran medida, se encontró con que ya era el protagonista de una producción audivisual para televisión. Por supuesto era *Po-*

lice Surgeon y el personaje era el del Dr. Geoffrey Brent[96] aunque tuvo una muy limitada vida y solo alcanzó una docena de episodios, aunque le valió para meterse de lleno en *Los vengadores* para ser la estrella absoluta aunque poco a poco compartiría el cielo con Patrick Macnee, y es que el carisma de John Steed se notaba ya desde el principio aunque no vistiera igual de bien que más tarde.

Las ganas de querer dirigir su carrera hacia otros caminos, la fama que había acumulado al ser un conocido rostro televisivo y una huelga fueron los factores que se conjuntaron para dar su salida de *Los vengadores* e intentar meter cabeza en el mundo del cine, algo que se detallará en su biografía. Finalmente el círculo se completó y volvió en su segunda serie, *Los nuevos vengadores*, haciendo de un personaje distinto pero al que John Steed se refiere como un «viejo amigo» con lo que cabe suponer que en gran parte es un guiño para el doctor David Keel en la misma medida que para Ian Hendry y para los espectadores más veteranos que hayan seguido estas aventuras desde sus comienzos.

Su intento de cambiar de medio tuvo algunos buenos momentos y la fortuna de trabajar junto a Sean Connery en *The Hill* o con el gran director Roman Polanski en *Repulsion*, además de aparecer en otras producciones pero compaginándolo con seriales televisivos como *Danger Man* o *El Santo*, por citar dos que ya se han mentando en este libro y que resultarán conocidas por el lector.

En la década siguiente, la de los setenta, tuvo algunos papeles protagonistas en diversas series de televisión como *The Adventures of Don Quick* y ser invitado en otras. El momento de mayor reconocimiento lo tuvo en 1971 al recibir un BAFTA[97] como Mejor Actor de Re-

parto por *Get Carter* en la que compartía historia con el siempre estupendo Michael Caine. Hizo aparición también junto al enorme Vincent Price[98] en *Theatre of Blood* y tomó parte en la película *Damien: The Omen II*, saga de terror que en nuestro país es conocida bajo el nombre de *La profecía*, y que tuvo un *remake* en 2006 que tuvo bastante poca repercusión.

A mediados de los ochenta, en la Nochebuena de 1984, murió por una hemorragia estomacal con solo 54 años de edad. Fue incinerado según sus deseos y sus cenizas descansan en Golder Green.

Tras este repaso dejamos de lado su vida y pasamos al personaje que interpretó en *Los vengadores*, que en parte fue culpa de Sydney Newman y de Leonard White, ya que uno estaba dando vueltas a una nueva producción que mezclara la investigación con un toque más ligero y el otro estaba teniendo problemas con su serial policíaco, así que el destino quiso que trabajaran juntos y cogieran lo mejor de cada uno además de meter en el saco la presencia de un agente secreto, lo que ayudaría a crear un mundo más complejo y poder ir por argumentos más fantasiosos llegado el caso (y llegó el caso, esto es así y sabido para cualquiera que haya visto un par de episodios).

Se llegó así hasta el protagonismo absoluto de Ian Hendry al punto de que hay algunos episodios, un par, en los que John Steed no hace aparición, dejando más que claro su lugar de secundario y el cómo solo tenía presencia en la serie en cuanto el otro personaje precisara ayuda y apoyo, por otra parte muchas veces era necesario precisamente por las aventuras en las que él le metía. Aunque de estos primeros tiempos solo han pervivido algunos episodios ("*Hot Snow*", y solo parte además, "*Frigtheners*" o "*Girl on the Trapeze*") sucede lo mismo que con

Doctor Who y de algunos se han ido encontrado parte, otros se han restaurado y de varios solamente tenemos fotos de producción o declaraciones de los miembros del equipo. Sorprende que esto sucediera, pero como se ha aclarado antes, no era nada raro en la época y es algo que tuvo lugar en bastantes producciones.

Pero tras este comienzo hecho a medida para Ian Hendry él decidió marcharse tras el parón en la producción que supuso la citada huelga de 1961. Es de suponer que no es algo que tuviera del todo claro y que ese tiempo sin estar en el plató le sirvió para poner en orden sus ideas, decidir por qué quería apostar y emprender así su ansiada carrera cinematográfica, que como ya se ha visto no terminó nunca de despegar del todo.

Aunque Patrick Macnee y John Steed ya se estaban convirtiendo en los pilares para esta serie, no podía llevar el peso él solo con lo que introdujo al personaje de Venus Smith, una cantante de jazz sobre la que volveremos más tarde, y el Doctor Martin King que era poco más que un rápido calco del anterior.

El segundo doctor, con mentón cuadrado de regalo

Martin King fue el nombre elegido para este personaje, con una similitud más que evidente con Martin Luther King Jr.[100], que sirvió para poco más que aprovechar algunas líneas pensadas para Ian Hendry y ser una tirita mientras llegaba la auténtica compañera de John Steed, Cathy Gale. Siendo también sanitario se cambia aquí la profesión de dentista hacia una más adecuada para las líneas de la serie, médico forense, no tuvo más que tres contadas apariciones (de forma literal) en los episodios "Dead on Course", "The Sell-Out" y "Mission to Montreal" no volviendo a tener aparición en la franquicia.

Para darle rostro, uno joven y guapo con más parecido a un héroe de cómic que a hacernos pensar en un hombre que estudia a los muertos, se contó con Jon Rollason quien por cierto también tuvo su momento de gloria en *Doctor Who* en el serial "The Web of Fear" como Harold Chorley[101]. Con *Los vengadores* que tuvo su primer gran papel y se salvó de la bancarrota ya que poco antes, según él mismo cuenta, no tenía «ni un centavo» y había sido rechaza-

do en una audición por ser «demasiado bueno» (por sorprendente que pueda parecer esto pasa y mucho, cualquiera que tenga algún amigo actor lo habrá comprobado).

Pero mientras Jon Rollason aprovechaba guiones de Ian Hendry, Sydney Newman tenía a su mente trabajando en darle a John Steed su primera gran compañera. Mientras llega el momento de hablar de Cathy Gale hay que parar un momento para hablar de Venus Smith, la cantante de jazz.

«Necesitaba un trabajo desesperadamente para mantener a mi esposa y mis hijos»
Jon Rollason, sobre su situación antes de encarnar en 1962 al Doctor Martin King.

Venus Smith. Rubia y cantante

Eran los años sesenta. Esa es la mejor forma para explicar el porqué de este personaje. No solo que se pensara, más bien que se terminara usando y tuviera su cierta relevancia dentro de la serie. Hoy en día sería impensable un personaje de estas características, pero lo dicho: eran los años sesenta.

Venus Smith, un personaje con un rimbombante nombre y con el que Dazzler[102] tendrá ciertas deudas, es una joven e inocente cantante de jazz que fue "reclutada" por John Steed para algunas de sus misiones. En un principio estuvo pensado que el papel fuera para Angela Douglas[103], finalmente la que se lo llevó fue Julie Stevens, actriz que ha tenido una carrera

A pesar del breve espacio que tuvo en la serie el personaje evolucionó, poco, pero lo hizo, y además de mostrar momentos musicales para dejar clara su profesión su carácter se fue volviendo algo más juvenil, así como el vestuario que lucía.

Da la impresión de que Venus Smith siente una cierta atracción por su mentor, o al menos un interés no simplemente profesional. En el apartado sobre Tara King se entrará en esto ya que la relación de una es antecesora de la que tendrá la otra.

Julie Stevens nació en 1936 y en Inglaterra es bastante conocida gracias a haber sido presentadora en diversos programas de televisión para niños, también pasó por el teatro y durante años fue presentadora en *Play School*, *Playway* y *Look and Read* además de tener formación como enfermera. En 1962, justo el mismo años en que pasó por *Los vengadores*, contrajo matrimonio con el también actor John White.

Venus Smith apareció, del 13 de octubre de 1962 al 9 de marzo de 1963, en *The Decapod*, *The Removal Men*, *Box of Tricks*, *School for Traitors*, *Man in the Mirror* y *A Chorus of Frogs* con un espacio para que pudiera quedar claro que era una artista y cantara en ellos (los sesenta, qué época).

bastante desigual, y siempre vinculada al mundo de la televisión. Realmente esta cantante de discoteca no hizo más que aparición en solo seis episodios y aunque fue más que los de Martin King el personaje está poco considerado y nunca ha entrado en la categoría de ser una de las "Avengers Girls"; un lugar que solo está reservado para Honor Blackman, Diana Rigg y Linda Thorson (aunque esta siempre esté por debajo de las otras dos).

Esta cantante de discoteca seguía en parte la línea de David Keel al no ser una luchadora contra el crimen, de hecho en la mayoría de libros y documentos se la denomina como "*amateur*" (lo que por otra parte son todos, a excepción de John Steed y Tara King que sí trabajan para el Ministerio), al igual que también lo había sido Martin King, aunque está más en éxtasis que los otros dos por tomar parte en las correrías de un agente secreto (respecto de las auténticas intenciones de Steed y el porqué se dedica a liar a la gente podría escribirse un tratado con reflexiones e ideas al respecto).

Estos fueron los tres primeros compañeros que tuvo John Steed, el primero realmente era el protagonista y los posteriores solo ayudaron a sentar la importante de que el personaje funcionaba mucho mejor acompañado. Con Venus Smith se comprobó la buena química que había de ponerle al lado de una mujer y más todavía con Cathy Gale, con la que intercaló episodios, y de la que no se supo su importancia hasta más tarde.

CATHY GALE Y TARA KING. LA RUBIA Y LA JOVENCITA

Acabamos de dar un vistazo por los que fueron los acompañantes de John Steed en los capítulos iniciáticos, tres personas que se vieron envueltas en las correrías de este agente secreto más por decisión de este que por la suya propia. Ninguno logró encajar del todo con él, el primero por ser diseñado para ser el protagonista y además marcharse de la serie, el segundo no era más que una mala fotocopia de este

y aunque Venus Smith marcó parte de lo que sería Tara King se vio eclipsada por el carisma que tenía Cathy Gale, que hizo de hecho aparición antes que ella pero se ha dejado para este apartado en concreto ya que debe tratarse en solitario.

Pero si su importancia vino por convertirse en la primera gran compañera de John Steed esto solo fue hasta la llegada de Emma Peel, una personaje que marcó un antes y un después en toda la serie, haciendo que por siempre ella sea la mujer ideal para John Steed. La tercera en discordia fue Tara King, una jovencita que trabaja en el Ministerio (vamos, que es también agente secreto) y que venía a ser la hija que él nunca tendrá.

Dejando de lado a Emma Peel, a la que dio vida la divina Diana Rigg, ya que tendrá su propio momento de gloria dentro de estas páginas, vamos a hablar de las dos acompañantes que no llegaron a ser el amor platónico de Patrick Macnee.

«La oportunidad de mi vida»
Linda Thorson, intérprete de Tara King.

Catherine Gale. La mujer que fue el doctor Keel

Cathy Gale y Venus Smith hicieron aparición casi a la vez, pero si bien la cantante fue fabricada de forma bastante rápida, la estudiosa (y aventurera) se desarrolló con más calma, desde cero y para poder dar a John Steed una compañera. En el caso de Venus Smith estaba siempre subyugada, a falta de un término mejor, por este y solo le prestaba apoyo, pero sin llegar a ser una entidad en sí misma. Todo esto se consideró un error, se decidió que lo mejor era hacer borrón y cuenta nueva para que así Honor Blackman se hiciera con este personaje, que por otro lado en principio estuvo pensado para Nyree Dawn Porter (quien aparecería solamente una vez en la serie dando vida a Liz Wells en el episodio "*Death on the Slipway*").

Según se sabe, y así lo han dicho Newman y White en varias ocasiones, hubo tres influencias directas en la concepción de Cathy Gale, tres personas que marcaron notablemente en el carácter que sería finalmente conformado para ella, en concreto dos mujeres de gran fuerza, independencia y fortaleza. Las enumeramos a continuación:

1) Una granjera cuyo marido había sido asesinado. La mujer logró escapar de sus captores mientras llevaba a su hijo en brazos y finalmente consiguió regresar a Inglaterra. Esto fue sabido por Sydney Newman por una noticia de un diario y decidió incorporarlo al personaje, de hecho en su biografía se incluyó (aunque no el hecho del niño, ya que Cathy Gale es viuda y sin descendencia que sea conocida).

2) Margaret Mead. Nacida en 1901 y fallecida en 1978 fue una antropóloga cultural, asistente de director en el Museo Americano de Historia Natural de Nueva York, asistente durante la Segunda Guerra Mundial del Consejo Nacional de Investigación en el Comité de Hábitos Alimenticios.

En algunos sitios indican que en realidad las influencias para este personaje fueron tres y no solo dos, siendo las que se han citado y sumando al trío a la fotógrafa Margaret Bourke-White, aunque esto es algo que solo se indica a veces, sí es cierto que puede tener bastante de ella, así que hay que repasarla también.

3) Margaret Bourke-White fue una conocida fotógrafa de la revista *Life*[104] y la primera mujer cuyo trabajo se publicó en la portada. Uno de sus más conocidos trabajos en *Eyes on Rusia*, donde mostraba la Unión Soviética a través de varios viajes que realizó la misma, de hecho (junto a su marido Erskine Caldwell) estuvo en la URSS ocupada por el ejército alemán en 1941.

Bien fueran tres o dos las influencias poco importa, ya que las bases sobre las que se iba a sustentar el personaje serían las mismas: un carácter fuerte, al mismo nivel que Steed y una luchadora que podía defenderse por sí misma, o al menos así sería ya que en las primeras apariciones en un intento de que fuera más femenina se cometió el error de pasarla por el aro de la chica en peligro, todo debido a la pretensión de que no se notara tanto que se estaban aprovechando guiones y argumentos pensados en origen para el doctor David Keel.

Esto es algo que se hizo también con el doctor Martin King pero con la evidente ventaja de que al ser los dos hombres los cambios no eran realmente necesarios y se pudo seguir sin más; al llegar el caso de Cathy Gale se supuso que no podría hacerse de la misma forma, con lo que se volvieron a escribir líneas y se cambiaron algunos argumentos, pero cayendo en el tópico de que la feminidad es igual a debilidad (como se ha indicado ya varias veces, no hay que olvidar que estamos en los años sesenta y todavía hay que romper ciertas barreras).

Este primer intento que bien podría haber funcionado en otras series, por ejemplo puede citarse de nuevo *Doctor Who* en la que vimos que su nieta (y la actriz que la sustituyó, Maureen O´Brien con el personaje de la huérfana Vicki) solo estaba para dar grititos y ser rescatada. Pero aquí, en *Los vengadores*, no terminaba de encajar y no funcionaba, directamente para los productores esto era un error y tomaron una decisión que marcaría por siempre la interpretación de Honor Blackman (y por ende del resto de compañeras de John Steed): No hacer ningún solo cambio respecto de los guiones e ideas que fueron concebidas para David Keel y que fueran asumidos por Cathy Gale exactamente igual que había sido escritos.

Teníamos entonces a una mujer que no solo estaba al mismo nivel que un hombre, sino que directamente tomaba su lugar y hacía suyo el espacio que este había dejado libre, pero además con un resultado mucho mejor que ayudó a que la química interpretativa, personalista y de concepción de personajes llegara a niveles que jamás habrían sido posibles de seguir dos protagonistas masculinos al frente de la serie. Se puso así uno de los más importantes pilares para el futuro, el hecho de que siempre John Steed compartiría sus aventuras con una asociada, o a la inversa, ya que en muchas ocasiones es más bien él quien va por detrás de ellas en las aventuras y misiones.

El que Honor Blackman se viera en la tesitura de coger un papel escrito para un hombre tuvo un problema y fue el de las peleas. Se decidió que fuera una luchadora, que no le hiciera falta ningún arma (aunque sí la veremos portando alguna en varias ocasiones) y se convirtió al personaje en una experta en judo[105] teniendo la actriz una entrenadora personal para que sus movimientos fueran reales y no una simple invención que solamente quedase bien en la pantalla. Precisamente aquí empezó el problema y es que en las luchas las faldas demostraron ser todo un problema, ya que es complicado poder dar su merecido a los villanos sin que la ropa más íntima de la atractiva actriz no quedara totalmente al descubierto.

De nuevo un fallo, un error y lo que en un principio era un problema terminó siendo el camino para otro de los puntos característicos de la serie.

La forma de solucionar este inesperado hecho, que nunca podría haberse dado en el caso de haber seguido Ian Hendry en la serie (al menos cuesta imaginarse situaciones en las que el doctor David Keel llevara faldas) fue crear un mono de cuero de cuerpo entero que se ceñiría a la figura de Honor Blackman, dejando que tuviera libertad de movimientos y convirtiendo algo que parecía sacado de una fantasía sadomaso en una referencia de la moda de la época. Este hecho fue tan definitorio para ellos que llegó a marcar el nombre con el que se los conocería en Francia, allí se cambió y pasó a ser «Chapeau melon et bottes de cuir» («Bombín y botas de cuero», vendría a ser en nuestro idioma).

Pero esta propuesta en vertiente dominatrix hizo a su vez que el estilismo puramente británico de John Steed se volviera cada vez más refinado, la elegancia eduardiana cobraba mayor importancia y durante la segunda temporada ambos evolucionaron cada vez más tanto en su aspecto visual como en el interior. Todavía el presupuesto era ajustado y por ello muchas aventuras sucedían en interiores. No sería hasta la siguiente etapa que los exteriores del Reino Unido con sus granjas y campos empezarían a convertirse en una mirada habitual dentro de esta producción.

Algo que nunca llegará a mostrarse en la serie es el cómo se conocieron ambos personajes. En un principio estaba previsto mostrarlo dentro del capítulo "Warlock" y así constaba, por lo visto, dentro del guión original, pero finalmente no fue este el que nos mostró a Cathy Gale por primera vez y quedó descartada esa presentación. Aunque en parte esto fue un acierto ya que así desde el principio ambos mantienen buena relación y se deja claro que no importa el cómo, sencillamente el quién.

Un dato curioso sobre esta amistad (la de los actores) es que cuando Honor Blackman aban-

donó la serie, Patrick Macnee se sintió tan tremendamente traicionado y defraudado que dejó de hablar durante años a la que había sido su compañera de reparto en este tiempo de éxito. Se detalla el motivo de su marcha unas líneas más abajo. Una anécdota que deja ver hasta qué punto Los vengadores se habían convertido en algo de importancia para el aristócrata reconvertido en icono de la elegancia.

Volviendo a la cronología ficticia, dentro del mundo de la serie lo que también quedó claro es que los polos opuestos se atraen y en este caso más que nunca, haciendo que esta mezcla fuera una obra de arte, con un carisma que ninguno habría podido conseguir en solitario y saltando a la fama en cuanto formaron equipo. Ella se convirtió en la mujer que todas querían ser, y que todos amaban, mientras que él era la máxima representación de lo que cualquier caballero deseaba alcanzar y por el que cualquier dama deseaba ser cortejada. Se convirtieron también en un campo de juego para los encargados del vestuario de la serie y de otros sastres que deseaban que los dos investigadores llevaran sus diseños[106]. Los tópicos sobre los roles destinados a cada sexo habían saltado literalmente por los aires, y la cosa iría poco a poco a más.

Llegará entonces una todavía más exitosa tercera temporada en la que los guiones irán mejorando, se notará poco a poco un incremento en el presupuesto (que llegará a su punto máximo en posteriores entregas). Algunos de los episodios creados para Cathy Gale serán realmente memorables, la comprensión que tenía Sydney Newman de sus creaciones era tal que algunos de sus guiones fueron recuperados para la etapa de Emma Peel no muy discretamente (menos todavía en el caso de The Joker que un refrito poco disimulado de Don´t Look Behind You).

Pero mientras todo esto sucedía, de nuevo se cernía sobre la serie una sombra, en este caso la poderosa saga de James Bond y es que cuando se tuvo claro que debía seguirse en esta línea, exagerando cada vez más la extravagancia, las escenografías y exteriores no pudo contarse con Honor Blackman ya que esta había firmado para ser la nueva chica Bond en Goldfinger[107], algo que se desconocía en la ABC ya que ella lo había mantenido en secreto hasta última hora.

De nuevo lo que en un principio parecía algo malo fue solo la antesala de algo mucho mejor, ya que con la marcha de Cathy Gale llegaría el momento de que la emperatriz llegara. Era el turno de Emma Peel.

Aunque se salta el orden cronológico a continuación se tratará a Tara King para entrar posteriormente en profundidad en Diana Rigg y su inmortal interpretación.

Tara King, la niña de mis ojos (de los de Steed, claro)

El personaje de Tara King[108] se introdujo en la serie tras la marcha de Emma Peel, de hecho de forma literal ya que cuando esta sale de casa de John Steed se cruza con la joven que está a punto de comenzar sus aventuras con él, y además da un consejo a esta aprendiz: «Steed likes his tea stirred anticlockwise» (en nuestro idioma sería: «A Steed le gusta el té movido contra las agujas del reloj»).

Este capítulo es uno de los más importantes por ser el final de una y el comienzo de otra, pero además por ver a los personajes de Diana Rigg y Patrick Macnee más cercanos que nunca, llegando ella a darle un cálido beso en la mejilla, muestra de lo que pudo ser y no será, y él despidiéndose dándole las gracias y llamándola por su nombre de pila, Emma en vez de Mrs. Peel. Esta escena cobra mucho más senti-

do si se ha visto la relación anterior que ambos mantienen y las suposiciones respecto de las mismas, que se han comentando antes según la idea de los dos actores y uno de los creadores del concepto original.

La joven que puso su rostro a Tara King no era inglesa, lo que puede chocar al ser esta serie el britanismo en más puro estado, de hecho había nacido en Canadá quizá, en parte, por eso no llega a tener con su compañero Patrick Macnee la química que sus antecesoras o sencillamente es que al cambiar el concepto a una aprendiz no terminaba de funcionar igual de bien. Esta modificación respecto de Cathy Gale y Emma Peel vino por dos motivos:

- El intento de hacer distinto al personaje ya que en esencia la idea de sus predecesoras era similar, aunque una se quedó solo en compañera y amiga, mientras que la otra llegaría a ser el amor platónico (¿quizá no solo eso?) de John Steed.
- La edad de Patrick Macnee. Aunque el actor era inseparable de su personaje, los años empezaban a pasar y el hacerle ser un "maestro" para esta joven era una buena idea. Esto en parte fue lo que provocó que en Los nuevos vengadores su papel fuera más de comandante y organizador, ya que en ese momento contaba con unos cincuenta años, con lo que no podía seguir el ritmo de aventuras de acción. Por suerte a John Steed no le hace falta correr

de un sitio a otro para ser él mismo y la elegancia no conoce edades (fijaos en David Niven[109], por ejemplo).

A diferencia de los personajes de Honor Blackman y Diana Rigg, el de Linda Thorson solo apareció durante una temporada, la sexta y última, sin tener vida en blanco y negro (Cathy Gale nunca conoció el color y Emma Peel solo en su segunda época), en un total de 33 episodios y al contrario que ellas era realmente un agente que trabajaba junto a John Steed en el Ministerio mientras que las otras dos eran "amateurs", por así decirlo.

Formó parte del servicio de inteligencia desde joven, con el número 69[110], en concreto, pero el primer encuentro con John Steed es algo accidentado, ya que se lanza sobre él como si de un enemigo se tratara, algo a lo que él resta importancia y rápidamente trabarán amistad, lo que para ella es algo increíble ya que para muchos de los agentes (jóvenes y no tanto) él es una figura a imitar (lógico, ya que la cantidad de villanos a los que se ha enfrentado y las situaciones imposibles de las que se ha escapado hacen que sea casi de forma literal una leyenda).

Será con ella que se llegue al final de la serie, de hecho, de forma literal, ya que en el último episodio los dos protagonistas se montan en un cohete que Steed ha fabricado en su jardín (en serio, así era esta serie), pero ya estamos en 1967 y la fantástica década está llegando a su fin, vendrá después otra en que la gente tendrá unas motivaciones bien distintas y en la que no hay hueco para la inocencia excéntrica de Los vengadores (por eso fracasó Los nuevos vengadores, todo sea dicho).

Su llegada a la producción fue después de un largo y extenso casting con el que la ABC pretendía encontrar a la nueva compañera perfecta para Patrick Macnee, más de un par de centenas de actrices se presentaron para conseguir este jugoso papel que recayó en una joven que contaba con estudios de arte dramático y además iba recomendada, por lo visto, por el conocido director John Huston[111], bien puede suponerse que este fue uno de los motivos que inclinó la balanza a su favor por encima de las otras decenas de candidatas y fue así como llegó al papel de Tara King (que suena muy parecido a Martin King, el médico que siguió los pasos de David Keel cuyo apellido también empieza por K, una decisión de producción que llama la atención).

Si algo marcó esta nueva etapa fue la vuelta de parte de lo antiguo, en concreto de John Bryce[112] que fue la cabeza pensante de la segunda temporada con Cathy Gale de protagonista además de alejarse en parte de la locura y excentricidad que habían marcado épocas anteriores, aunque esta serie sigue siendo Los vengadores y lo cotidiano no está dentro de sus planes. En cierta forma se intenta tener un regreso a las aventuras que John Steed y David Keel vivieron, o más bien al tratamiento de los personajes principales dentro de líneas más habituales del espionaje y la investigación, pero es algo totalmente lógico ya que en este momento ambos eran realmente agentes secretos del Servicio de Inteligencia, algo que no había pasado antes.

Este retorno a una vertiente más realista no fue el mayor acierto que se pudo tener, lo que sumado al desgaste de la producción, el final de los sesenta y una nueva incorporación que no tenía el carisma para competir con Patrick Mac-

so de Clemens con Fennell. Un cierto toque de la esencia se intentó retraer para no dejar de lado lo que había sido, de hecho algún episodio que no se usó para Emma Peel se usó en esta ocasión.

Fueron precisamente ellos los responsables de *"The Forget-Me-Knot"*, que fue el episodio de presentación de Tara King y de despedida de Emma Peel en una de las escenas más tiernas que se recuerdan dentro de la serie, sin duda la más emotiva. Cuando Diana Rigg tuvo que dejar la serie no se grabó ninguna escena de su marcha, sencillamente se fue pero un personaje como el que había desarrollado merecía algo más, así que regresó para hacer unas últimas tomas en las que Emma Peel y John Steed se decían adiós dándose ese beso que jamás volverían a tener.

Parte de la importancia de la etapa de Tara King viene dada por la llegada de Madre, el jefe de ambos agentes. Un muy redondeado hombre que usará los más extraños lugares para dar sus órdenes, mientras tenga unos cuantos teléfonos a mano él ya tiene suficiente. Anteriormente habíamos conocido a otros superiores como One-Ten (interpretado por Douglas Muir) y a Charles, pero ninguno pasará a la historia y es que les faltaba excentricidad, carisma y personalidad para que así fuera. Por siempre será el orondo Patrick Newell el que logrará persistir en el conocimiento popular que se tiene sobre esta serie.

El éxito de antaño no se volvería a repetir y aunque en Inglaterra se seguía queriendo a los personajes, en los Estados Unidos de América no tanto, con lo que finalmente fue cancelada, hecho que supuso un fuerte golpe económico. Llegó la hora de decir adiós.

Por supuesto no podía ser una sencilla despedida, la ironía y la locura que salpicaba a esta producción se mantuvo hasta el último momento, así que ambos protagonistas se montaron en un cohete rumbo a lo desconocido pero «volverán», al menos así lo aseguraba Madre. Y acertó, al menos con John Steed (pero esa es otra historia y hay que ir despacito).

nee fue una suma que tuvo por resultado el final de todo. Pero mejor vayamos paso por paso.

La joven Linda Thorson, que por cierto era novia del propio John Bryce, tenía una mayor candidez que sus predecesoras, algo que venía también por su menor edad aunque ayudaron sus grandes ojos y unos rasgos casi de chiquilla, lo que hizo que su relación con el galán fuera diferente. Llama la atención la extraña idea de ponerle pelucas en vez de dejar que luciera su propio cabello, algo que nunca había sucedido y que solo tiene sentido dentro del sentido de la estética de los sesenta, aunque también porque se pretendió que fuera rubia y el tinte usado estropeó su pelo, con lo que en parte fue por obligación (veríamos su tono natural en *All Done With Mirrors*).

Si con la llegada del éxito provocado por el tándem de Cathy Gale y John Steed se hizo un aumento en el coste por episodio, lo que desembocó en una mayor calidad del mismo y esos escenarios que tan maravillosos lucían a través de la pantalla, ahora se empezaban a notar los problemas económicos y además una cierta tensión en el ambiente que terminó con la marcha de John Bryce de la serie y el regre-

«Pero allí arriba no hay quien los vigile»
Patrick Newell.

EMMA PEEL. LA INDISCUTIBLE
REINA DE LA SERIE Y EMBAJADORA DE LA MODA

Es inevitable que siempre algún personaje se lleve las simpatías del público y que haga que el resto queden ligeramente en el olvido. Se pueden volver a citar los casos como el de *Sombras tenebrosas*[113] con el actor Jonathan Frid o también *Family Matters*[114] cuando Jaleel White empezó a ser un habitual y finalmente el centro de todo ese ficticio universo. Algo parecido sucedió con la atractiva Sra. Peel, que no señorita, según se confunden en algunos sitios, y es que la nueva acompañante de John Steed es una mujer casada, o más bien lo era, ya que de las pocas cosas que sabemos de ella una es que su marido está desaparecido y presuntamente muerto, aunque esto no ha hecho que ella pierda la alegría de vivir o las ganas de estar dentro de una aventura.

Emma Peel y John Steed son tan inseparables como la una de sus mallas y el otro de su sombrero. Dos personajes que lograron que por siempre *Los vengadores* estuviera unido a ellos, a sus nombres, sus maneras y sus tan características formas de vestir (que tendrá un apartado para tratarla).

Pero antes de hablar de Diana Rigg habría que pararse en Elizabeth Shepherd, la actriz que dio vida por primera vez al personaje y que ha sido totalmente relegada al olvido por al éxito de su sucesora.

Elizabeth Shepherd, o la Emma Peel que era rubia

Cuando Honor Blackman dejó la serie, lo que conllevó una cierta enemistad durante años por parte de Patrick Macnee, debía buscarse un personaje que la sustituyera y si una cosa estaba clara es que debía ser mujer, capaz de defenderse sola y alejarse totalmente de los cada vez más anticuados tópicos que habían poblado las series televisivas no hacía tantos años. Los productores se decantaron por una joven actriz llamada Elizabeth Shepherd[115], bella y alta, con una cabello rubio y unos ojos azules que podrían helar el corazón de cualquiera. Sí, evitaron un prototipo para caer de lleno en otro

y aunque Cathy Gale tenía el mismo color de pelo estaba realmente lejos de ser un estereotipo de cualquier tipo.

"The Town of No Return" y *"The Market Murder"* (y solo parte) fueron los dos únicos episodios en los que tomó parte y tras esto fue despedida del serial, dejando así paso a Diana Rigg. Existen muchas ideas y rumores sobre el porqué de su marcha, pero la más contrastada es que sencillamente los productores decidieron que no era adecuada para el papel. Quizá se dieron cuenta de que en lugar de tener una diferenciación con la anterior protagonista se

asemejaba, aunque solo fuera en el aspecto físico, y se prefirió apostar por una intérprete totalmente distinta.

Con todo lo único seguro es que se fue y entonces llegó el momento en que llegaría, por fin, la perfecta compañera para John Steed.

Diana Rigg, cuando llegó la emperatriz

Diana Rigg venía del teatro y en concreto de la vertiente shakespeareana del mismo, habiendo interpretado a Helena junto a Judi Dench y Helen Mirren, dos veteranas que no precisan presentación alguna. Por lo visto dentro de su círculo de amistades y familia no fue bien visto que se lanzara a la televisión, de hecho era más un paso atrás que uno adelante, pero para ella esto era algo nuevo a lo que hacer frente y se lanzó de cabeza a ello.

Al igual que hemos hecho con las anteriores actrices que han aparecido en este apartado nos vamos a detener de forma breve en su vida y biografía, que se amplía con otros datos en el apartado destinado a tal fin, para pasar después a meternos de lleno en el personaje por el que la estamos recordando. En estas pocas líneas no nos detendremos apenas más que en su nacimiento y algunos datos relacionados con su trabajo en *Los vengadores* y cómo llegó hasta él.

Nació bajo el nombre de Enid Diana Elizabeth Rigg en 1938, hija de un ingeniero de ferrocarriles que llegó a trabajar en la India (motivo por el que habla hindi). Pero al igual que muchos niños en su situación iría interna a un colegio inglés lo que, según ella ha comentado en alguna ocasión, marcó fuertemente su carácter y forma de ser tan puramente británicos.

Su carrera en el mundo de la interpretación vino dada por su entrada en la Real Academia de Arte Dramático, llegando a trabajar en la célebre Royal Shakespeare Company durante un lustro aunque alguna de sus primeras críticas no fue precisamente positiva, pero ese es el riesgo al que te expones cuando te subes encima de un escenario. Por su papel en *Los vengadores* y el comienzo en la gran pantalla interrumpió su paso por el teatro al que regresó en los años setenta y que no ha llegado a dejar en ningún momento con una trayectoria que llega hasta nuestros días y en la que se cuentan nombres como *¿Quién teme a Virginia Wolf?* o *Pygmalion* con Rupert Everett[116].

Su paso por la televisión estuvo marcado por Emma Peel a la que dio vida entre 1965 y 1967, lo que haría que por siempre se la recordara como parte fundamental de la serie *Los vengadores*. Aunque este personaje le reportó fama y éxito futuro, al principio tuvo problemas con la ABC (Associated British Corporation, no la American Broadcasting Company) por el trato que recibía, el sueldo que se le pagaba y la pérdida de intimidad como consecuencia de ser un rostro cada vez más conocido y habitual de las televisiones británicas. Realmente ella no se sentía bien dentro del set de rodaje y, según declaraciones de Patrick Macnee, sentía que allí solo él y el chófer que la llevaba eran sus amigos.

Esta situación y el hecho de tener la oportunidad de ser una chica Bond en *Al servicio secreto de su majestad*[117], trabajo que pensó le haría ser más reconocida en América, pero que para muchos es la más insípida de las películas de Bond (para otros es la que hace la propuesta más interesante de toda la saga). *The Assassination Bureau, The Hospital, Theatre of Blood* son tres de los títulos en los que tomó parte entre finales de los sesenta y principios de los setenta, además de pasar por adaptaciones televisivas de obras literarias y teatrales (esto en parte bien puede entenderse como que el círculo se cerraba), por ejemplo *El rey Lear*[118] que protagonizó Laurence Olivier[119].

Al igual que otros antes que ella hará aparición en *Doctor Who*, pero será a lo largo del 2013, compartiendo episodio con su hija Rachel Stirling[120], también hará aparición en la mediática y muy popular *Juego de tronos* dando vida a Lady Olenna Redwyne.

> *«Emma Peel fue muy importante en mi vida y solo puedo tener gratitud hacia ella.»*
> **Diana Rigg.**

La primera aparición de una diosa

«Mrs. Emma Peel», eso es lo único que pone en el timbre. La punta de un paraguas se acerca y aprieta el botón. La cámara se mueve para dejarnos ver una conocida sombra que lleva bombín y pasa por delante de una puerta cuya mirilla es un gran y enorme ojo (velada referencia al *Big Brother*[121]). El agradable rostro de John Steed entra en escena mientras dice «*Good morning, Mrs. Peel*» a lo que una femenina voz que nunca hemos escuchado responde

«*Good morning, Steed, the door is open*». Este sencillo diálogo, el primero que mantienen los dos protagonistas desvela más cosas de las que parece en un primer momento. Se nos deja claro que vive sola, por eso solo está su nombre, pero que no está soltera, aquí ella y su compañero de aventuras se conocen de antes (aunque nunca se específica más allá), además de que la rutina de que él vaya a su casa no tiene nada de novedoso o inusual siendo algo que se da a entender es totalmente cotidiano.

La presentación mejora cuando Patrick Macnee atraviesa la puerta y dentro está la atractiva Diana Rigg vestida con un ajustado mono negro mientras practica esgrima, algo que no sorprende en absoluto a Steed. Ella le ofrece café y cuando él pregunta por la leche es retado a cogerlo de dentro de la cocina mientras la joven la defiende. Se inicia así un amistoso combate en el que se muestra la gran relación que mantienen los dos personajes en la ficción y la increíble química que los dos intérpretes tenían dentro del set de rodaje, algo que no sería igualado ni de lejos por Tara King (aunque todo hay que decir que tampoco lo pretendía y por eso el hecho de ser más una aprendiz que otra cosa).

Según la biografía ficticia del personaje era hija de un industrial llamado John Knight, pero cambió su nombre por Peel al contraer matrimonio con Peter Peel, al que se daba por muerto y por tanto se la considera viuda, aunque en su capítulo de despedida (y de introducción de su sucesora) descubriremos que no es así, siendo este el motivo de que se vaya del lado de John Steed.

Al igual que sucedió con Cathy Gale se buscó un personaje femenino que se alejara de tópicos o que al menos solamente siguiera los impuestos por la propia serie con lo que debía ser carismática, capaz de defenderse a sí misma y con la suficiente resolución para salir del paso sin importar lo complicada que fuera la situación. Esta última característica, necesaria, dado el carácter de serial de aventuras que tan marcado tenía la producción, propició que tuviera conocimientos de todo lo que hiciera falta para el capítulo en cuestión en que él se encontraran *Los vengadores*, ya fuera la medicina, la botánica y por supuesto la lucha, aunque dejando de lado el judo de Honor Blackman y eligiendo el karate como arte marcial que practicaba.

Lo que sí heredó de ella fue el ceñido traje de cuero que tan práctico había resultado ser, pero se llevó un paso más adelante y cambió hacia una prenda nueva que pasaría a la historia, los llamados *emmapeelers*. En 1966 este diseño seguía siendo válido y totalmente práctico, aunque a Emma Peel sí que la veríamos con faldas y siendo toda una chica mod como mandaban los más modernos cánones de la época, el estilo y la moda se volvieron más importantes que nunca y ya que John Steed había llegado a lo más alto en su grafismo y marca, tanto que solo la sombra nos bastaba para reconocerle.

La estilizada y muy femenina figura de Diana Rigg, aunque en algunos sitios la consideran bastante andrógina, personalmente creo que fue una de las más bellas actrices de la televisión (y al igual que Julie Andrews solo gana con los años), sirvió como maniquí de modistos y del equipo de vestuario, pero si algo destacó por encima de todo fueron los ya citados *emmapeelers*. Una ajustados monos de cuerpo entero que fueron la evolución del cuero de Cathy Gale, como ya se ha comentado, con un enfoque mucho más estético que brillaron con luz propia en la última etapa del personaje cuando el programa ya era a color. De todo esto se dan más detalles en el capítulo destinado para hablar del estilo y la moda en *Los vengadores*, pero es que no se puede hablar de Emma Peel y dejar esto de lado.

El amor que no llega

Pero si esto evolucionó otro tanto lo hizo la idea de la compañera que pasó a ser todavía más entregada y capaz que la anterior, no solo seguía siendo una experta en lucha y en su campo específico, ya se ha comentado que dominaba lo que hiciera falta en el episodio que fuera, pero también se la ve con tendencias artísticas e incluso empresariales, ya que se sabe que la empresa familiar sigue funcionando con éxito gracias a ella. Era una mujer todo terreno, una idealización extrema de todo lo que podemos llegar a ser y de que no hay límite más allá del que nosotros mismos nos propongamos tener.

Siempre estaba sobre la mesa el si ella y John Steed tenían una relación que iba más allá de lo simplemente amistoso, de hecho la primera vez que les vemos juntos él no duda en dar un gracioso golpe con el florete en el trasero, a lo que ella no reacciona de forma inesperada y sencillamente sonríe. Por supuesto que esto no tiene que ser indicativo de nada pero bien puede ser que sí, al igual que las miradas y los diálogos entre ambos, y por supuesto sin dejar de lado ese último beso que se dan en el que el deseo es más que palpable. De hecho si uno se fija un poco puede ver que John Steed también la besa, ambos en el carrillo pero con una muy plausible duda por la cercanía de los labios de ambos.

Como ya se ha explicado, en opinión de los propios intérpretes sí existía esa relación pero era un campo en el que se prefería no entrar y así poder jugar siempre con esa indefinición, duda y con ello lograr despertar mayor interés en el espectador que si se hubiera dicho de forma directa.

Pero todo tiene más sentido cuando en ese final John Steed mira por la ventana y ve cómo Emma Peel se va con su marido recién vuelto, un hombre que viste un bombín, lleva sombrero y un elegante traje, además que visto desde la distancia parece ser exactamente igual que él (aunque solo sea un vistazo fugaz), de hecho fue interpretado también por Patrick Macnee. Esto no deja de ser un guiño y una broma tanto para el público como para los propios actores, equipo y demás miembros del set, pero también da una cierta respuesta a esa pregunta de si ambos son o no son amantes.

La influencia del personaje sigue perdurando hoy en día y cualquier puede nombrar a más de una agente o investigadora que sigue sus pasos de una manera u otra, desde Tara King que fue su sustituta, a Dana Scully, a la que daba vida Gillian Anderson en *Expediente X* junto a David Duchovny para ser su compañero William Fox Mulder en una relación que tenía no precisamente pocas deudas con los que nos ocupan.

El grado de iconicidad y de cariño que tenía Emma Peel ha hecho que siga apareciendo en referencias, libros o cómics como en el *Black Dossier* de *La liga de los caballeros extraordina-*

rios[122], aunque no hay que olvidar que el creador de esa serie es uno de los guionistas de cómic británicos por excelencia, Alan Moore, y su origen inglés hace que este personaje sea parte de su vida igual que lo fue de otros muchos en aquella época y país.

> «For the first time a woman in a TV series was intelligent, independent and capable of looking after herself»
> **Diana Rigg** (en una entrevista de 1990)

UNO DE DIEZ, MADRE Y PADRE. LOS JEFES MÁS EXTRAÑOS DE TODOS LOS TIEMPOS

Desde el principio de la serie sabemos que John Steed no trabaja solo o más bien que sus correrías no son realmente decisión de él, que aunque su amor por la justicia es real es un asalariado de un servicio secreto del que solo conocemos el nombre (el Ministerio) y aunque nunca sabremos mucho acerca de su forma de funcionar poco a poco se nos irán revelando cosas, pero lo que más llama la atención son las cabezas de poder que harán aparición.

En concreto nos cruzaremos con tres personajes que estarán al mando, por supuesto la excentricidad y habitual locura de psicodelia de la serie les afecta, con lo que no hay un tranquilo capitán Smith o un coronel Jones que les dé órdenes. En su lugar tendremos a un hombre calvo que responde ante el nombre One-Ten[123], a un fornido caballero llamado Madre y a una mujer invidente con el título de Padre, a

la que además solamente veremos una vez.

One -Ten, el primero de tres

Douglas Muir fue un rostro habitual en la televisión británica, pasó por distintas series como *The Professionals*, *El Santo*, que protagonizó Roger Moore, y por supuesto *Los vengadores*, en un nada desestimable total de once apariciones, pero a pesar de las cuales no ha pasado al colectivo popular, quizá por ser al comienzo de la misma cuando John Steed todavía no había alcanzado su máxima expresión o sencillamente es que la posterior llegada de Madre (se trata en breve) eclipsó por completo a este personaje.

Aunque cualquier aficionado sabe que el papel que interpreta Patrick Macnee se apaña siempre solo, gracias a su gran capacidad resolutiva, le vemos recibir en ocasiones informes y lo que precise saber sobre la misión que ocupe el capítulo de la semana. Pero más allá de esto no parece que One-Ten ayude a mucho más y el único motivo por el que está dentro del serial es que en los inicios los compañeros del dúo se dividían en dos: por un lado los que venían de la antigua vida del Dr. David Keel que le hacían estar en parte atado a la realidad cotidiana y por otra parte los que iban revelando ese otro mundo de misterios y agentes secretos que venían de la mano de John Steed.

Sí hay que reconocer que el último episodio en el que One-Ten apareció fue en uno de los más memorables, "*Warlock*" (o "*El Brujo*"), en el que Honor Blackman como Cathy Gale ya estaba totalmente establecida como la primera gran compañera de John Steed. Tras su marcha en 1963 tendremos que esperar un par de años, a 1965, para ver otra figura de autoridad que además se convertirá para siempre en el jefe por excelencia.

Madre, un hombre para todo

Madre, interpretado por Patrick Newell, llegó a la serie en un momento muy crítico, cuando Emma Peel se marchaba y entraba en juego Tara King precisamente en el capítulo "*The Forget-Me-Knot*" en el que también vimos por primera y última vez a un Peter Peel vuelto de entre los muertos, del que ya se ha dicho que era prácticamente un reflejo de John Steed.

El rostro de Patrick Newell[124], que había salido ya en la serie en otros papeles, duplicará en episodios a los de su predecesor, alcanzando la envidiable cifra de 25 capítulos, lo que de hecho sitúa a este personaje por encima del que interpretó Ian Hendry que solo tomó parte en 22 antes de su precipitada marcha y lo convierte en el secundario más recurrente de toda la serie, solo superado por los protagonistas, aunque en el caso de la joven Linda Thorson por apenas una decena de apariciones.

Le seguirá de cerca su atractiva y voluptuosa

ayudante a la que da vida la actriz Rhonda Parker dándole su nombre de pila al personaje, una gran mujer que ayudaba a su jefe a desplazarse de un lugar a otro y por lo que se entiende a todo lo que hiciera falta. A pesar de ser un hombre que vive anclado a una silla de ruedas no parece importarle ya que su "oficina" no deja de cambiar de lugar haciéndole falta solo una mesa y unos cuantos teléfonos, de nuevo el gran juego de *Los vengadores* en el que nada es lo que parece y por el que en cada nuevo minuto puede pasar algo totalmente impensable hasta el momento anterior. En alguna ocasión se sabe que Madre ha sufrido intentos de asesinato, con lo que este hecho de ir de un lado a otro responde también a un tema de seguridad para permitir que este orondo hombre siga con vida.

Lo cierto es que en ningún momento se indica que no pueda ser uno de los personajes que había interpretado anteriormente en la serie, solo que ahora dentro de las líneas de burocracia del Ministerio, que cada uno saque su propia conclusión y decida.

Padre, la mujer que estaba ciega

Si poco sabemos sobre Madre menos todavía de su superior, Padre y es que solamente tuvo una aparición que se dio en el episodio "*Stay Tuned*" sin que nos sea posible descubrir nada más sobre ella, aunque a la actriz Iris Russell que interpretó al personaje sí se la había visto antes por la serie, aunque nada más que en dos capítulos y sin relación que se conozca con el nombre que nos ocupa.

Al igual que su subordinado ella también tiene una minusvalía, es ciega, pero que tampoco parece que afecte para nada a su día a día normal siendo un atributo más que ayuda a que se la recuerda y no el centro de la construcción de su carácter por parte de sus guionistas. A pesar de todo y de esa única vez que se la pudo ver no impidió que gozara de una cierta popularidad, lo que hizo que en 1998 tuviera también su momento de gloria en la versión cinematográfica de la serie.

Por supuesto a lo largo de todos estos años de producción televisiva se darían cita muchos más personajes, secundarios, anecdóticos y episódicos. Algunos repetirían en ciertas ocasiones, pero a pesar de todo la fama y la eternidad solo estaba reservada para unos pocos, aunque en el Olimpo solo entraron John Steed y Emma Peel.

HELLFIRE CLUB, DE LA REALIDAD A LA TELEVISIÓN Y DE AHÍ AL CÓMIC

No hace falta casi decir que a lo largo de las temporadas y de los años nuestros héroes, siempre con John Steed haciendo de capitán del barco, se enfrentaron a un buen puñado de villanos, maleantes e incluso personajes que nos pegarían más con la ciencia ficción que con lo que consideramos de forma habitual una serie de espías y agentes secretos. En el caso que acabamos de citar tendríamos a la saga de los Cibernautas (*The Cybernauts* en su inglés original), y en los otros hay que nombrar los excelentes episodios de "*The House That Jack Built*"[125] o "*The Joker*"[126], ambos de visión más que obligada y en los que el excelente tratamiento de los escenarios los convierte casi en personajes vivos que en simple paredes y casas.

Pero por encima de todos siempre hay algunos que persisten más y pasan para siempre a esa inmortalidad que otorgan las imágenes grabadas, me estoy refiriendo al Hellfire Club. El motivo por el que para mí transciende por encima del resto de enemigos es que por un lado

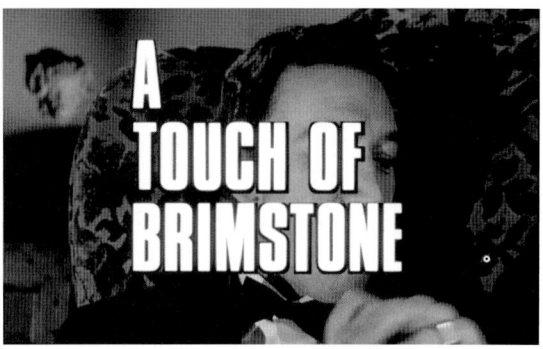

existieron de verdad, por otro fue en su episodio en el que vimos a Emma Peel como un oscuro reflejo de sí misma y el tercero es que John Byrne se basó directamente en ellos para crear su propio Hellfire Club con el que se enfrentarían los X-Men.

Descendamos por un momento al infierno como si Virgilio[127] nos acompañara.

Hellfire Club, sadomaso *light* en una serie delirante

La cuarta temporada de la serie fue totalmente decisiva para el paso al Olimpo, Cathy Gale se marchó del lado de John Steed y Emma Peel hizo su aparición como si ayer mismo hubiera estado ya peleando a su lado (¿quién sabe? Igual fue así y únicamente es que no lo hemos visto). Fue en estos comienzos de los años sesenta cuando se empezaban a tocar realmente las bases de la moda que tan importantes fueron, por supuesto en la época de Honor Blackman también tuvo su relevancia pero los rasgos más suaves de Diana Rigg y una figura de la

que siempre se dice que era muy felina (totalmente cierto por otra parte) propiciaron que los diseñadores y modistos no dudaran en querer usarla de maniquí para sus mejores galas, amén de la experimentación y la creación de los llamados *emmapeelers* que tan prácticos y con estilo resultaron ser.

Fue justo en esta primera temporada para el personaje de Diana Rigg que pasó, aunque solo fuera por un momento, de ser una joven llena de bondad y una sonrisa inocente (no decimos ella, ya que es evidente que hace tiempo que dista de

serlo y hubiera sido totalmente dispar con la producción) a una madam de cuero, con un collar de pinchos alrededor del cuello y una serpiente por mascota. Por supuesto todo no es más que humo y espejos para infiltrarse entre los miembros de la asociación que estamos tratando, pero no por ello deja de ser interesante ver ese otro lado algo más malévolo de ella y quizá en cierta manera real y oculto, ya que no se ve que esté incómoda, aunque todo esto es ya pura suposición.

El episodio en cuestión se tituló "*A Touch of Brimstone*", o "*Un toque de azufre*" en nuestro idioma y que aporta un poco más de sentido. Fue allí donde conocimos a esta sociedad que a imitación de la que otrora existió (pasado todo por el filtro pop y de diversión de *Los vengadores*, claro) y que trataremos en el apartado siguiente. Estos ricachones y aristócratas tienen unas duras pruebas de acceso, que en

ocasiones terminan en la muerte, además de una cierta fascinación por lo orgiástico y el dolor pero también anhelan que Inglaterra caiga en la anarquía y por ello planearán hacer estallar un cargamento de Trinitrolueno (o sencillamente TNT) durante una reunión de ministros que por coincidencia se celebra el mismo día que la "Noche de todos los pecados", que es precisamente el momento de mayor importancia para este club digno del infierno.

Más allá de este hecho de rebelión, necesario dada la dinámica narrativa de la serie, subyace el auténtico interés de una sociedad secreta que se intenta alejar de las cadenas impuestas por un mundo en exceso correcto, pretenden dejarse ir y estar a la sombra de todo lo que hay se considera sagrado y bueno. El traje que aquí lleva Emma Peel no es más que un pequeño trozo de tela que apenas da para tapar lo que va desde su pecho hasta la entrepierna pero por supuesto con unas altas botas de cuero que solo hacen más fuerte el aspecto de dominatrix que provocó que no se emitiera de primeras en Estados Unidos, al ser considerado pornográfico por la ABC, aunque según Brian Clemens «sus ejecutivos lo veían en pases privados cuando iban juntos a convenciones».

El aspecto que luce Diana Rigg es a partes iguales temible y provocativo, lleno de fuerza y una lujuria a flor de piel que desarmaría al monje más piadoso a seguir sus más bajos instintos, y lo más interesante de todo es que fue ella misma la que diseñó este uniforme oscuro tan drásticamente distinto de todo con lo que la habíamos visto, y veremos en un futuro, hasta el momento.

«Ella es vuestra, para hacer todo lo que queráis»
John Cleverly Cartney (interpretado por Peter Wyngarde[128]).

El Club Fuego Infernal en los X-Men

Probablemente si estás leyendo este libro también tengas en tu haber de aficiones los cómics y el nombre del Club Fuego Infernal te resulte más que conocido por ser uno de los enemigos más veteranos de los X-Men, si no es así ahora se explica todo. John Byrne introdujo a una sociedad llamada igual en las viñetas, pero aunque haya sido uno de sus grandes aciertos, no era en

realidad una invención suya. Lo que queda claro con la aparición de este grupo en las páginas de los mutantes es que el dibujante era un fan total y acérrimo de *Los vengadores*, al punto de no dudar en llamar a uno de los nuevos personajes introducidos por el nombre de Jason Wyngarde; un homenaje más que claro al actor Peter Wyngarde, tanto de nombre como de aspecto.

El líder más claro de este tenebroso grupo es Sebastian Shaw[129] y todos sus miembros serán, lógicamente, homosuperiores. Harán aparición durante la más que conocida (al menos para los lectores) "Saga de Fénix Oscura" y son en parte culpables de desencadenar el temible poder de Jean Grey gracias a las habilidades del citado Jason Wyngarde que no es en realidad otro que Mente Maestra, uno de los originales miembros de La Hermandad de Mutantes Diabólicos, oculto bajo un falso y atractivo rostro muy alejado del suyo.

El homenaje, o robo descarado ya que cada uno tiene su propia opinión al respecto, no termina aquí y la vestimenta que llevará una corrompida Jean Grey (también conocida por ser

la Chica Maravillosa, uno de los peores nombres de héroe jamás inventados) es una réplica exacta del que lució Diana Rigg en ese mítico "Un toque de azufre". También hay que citar que según se explica sus dos fundadores son Sir Patrick Clemens y su esposa Diana Knight, que no es más que otra referencia a la serie en reflejo de Patrick Macnee (John Steed), Brian Clemens (productor), Diana Rigg (Emma Peel) y Emma Knight (nombre de soltera de Emma Peel).

Por supuesto según ha ido saliendo este Club Fuego Infernal en las páginas de Marvel Comics se ha ido mostrando mucho más sobre sus orígenes, miembros e intenciones de lo que jamás podremos saber sobre la creación televisiva original.

El auténtico Club del Fuego Infernal

El auténtico *The Hellfire Club* realmente dio nombre a varios grupos (aviso que hay informaciones enfrentadas y he intentado hacer la lectura más fiable que he podido) pero todos aparecieron a lo largo del siglo XVIII en Irlanda y el Reino Unido, también se conocía a esta sociedad como *Order of the Friars of St. Francis of Wycombe*[130] (Orden de los frailes de San Francisco de Wycombe), de hecho esta será la primera forma por la que se les denominará (entre otras similares). Aunque no se conoce con exactitud sus actividades es bien sabido que eran frecuentados por gente de bien (ricos, nobles, políticos y sacerdotes) para tomar parte en actividades que bien podían ser consideradas inmorales según los cánones de la época y lo que era peor, de traición a la corona.

Desde 1719, y según algunos hasta hoy (bien podría ser la masonería, que sigue siendo vigente y conocida, y Benjamin Franklin tomó parte en ambas agrupaciones) se sabe que realizaba sus actividades, vinculado a figuras de poder como el duque de Wharton o Sir Francis

Dashwood, e incluso con el oscuro y legendario Aleisteir Crowley[131].

A finales de siglo y de mano de un joven universitario llamado Joseph Alderson (sobrino de Sir Francis) nació la *The Phoenix Society* o Sociedad Fénix en un intento de que el *Hellfire Club* resurgiera de sus cenizas igual que el ave del mito[132] y otro tanto para honrar la memoria del fallecido Dashwood, además de con un nuevo lema que era «uno avulso non deficit alter» que en traducción libre sería «si cae uno, otro tomará su lugar».

Muy probablemente más de uno que sepa latín estará pensando que no es exactamente ese el significado y tendrá razón, pero sí el sentido y el motivo de ajustarlo no es otro que poder hacer hincapié en que si para crear al personaje de Fénix[133] es más que evidente la inspiración en esta sociedad de la que acabamos de hablar, otro tanto en ese lema del que bebe la ficticia agrupación terrorista HYDRA[134] que dice «corta un miembro y otros dos tomarán su lugar» en referencia con el personaje mitológico y con una deuda más que directa con el tema que nos ocupa.

PELEANDO CON ESTILO O LA IMPORTANCIA DE LA MODA

Los años sesenta fueron una revolución en muchos sentidos. No solo un fenómeno cultural que afectaba a las artes y a las letras, sí que tuvo una gran importancia tanto en cine como en novela y otros tantos medios escritos o visuales, sino que también estaba el mundo de la moda que cada vez intentaba más alejarse de lo que en décadas pasadas era lo habitual.

Hay que pensar que los cincuenta solo estaban en una esquina que acababa de girarse y la imagen de la mujer con camisa, falda y una bandeja de pasteles como en las ilustraciones de Norman Rockwell[135] no estaba tan lejos de la mente colectiva y de hecho todavía hoy es lo que nos viene a la cabeza cuando pensamos en esa época. Pero todo esto se hacía cada vez más anacrónico y las protagonistas de esta serie no podían ser de ninguna manera un reflejo de algo que cada vez era menos cierto en una sociedad que estaba abandonando los viejos patrones en favor de otros nuevos.

La vestimenta de las protagonistas fue todo un acierto y un claro reflejo de que la figura de la mujer estaba cambiando. Cathy Gale comenzó a llevar un ajustado mono de cuero[136] abandonando los vestidos y dejando claro que ella podía llevar los pantalones igual de bien que su compañero masculino. Con Emma Peel se siguió en parte esta medida con los ya mentados en varias ocasiones *emmapeelers* pero se recuperaron las faldas y se demostró que se podía ser femenina a la vez que fuerte e independiente, una mujer totalmente preparada para la vida de acción que tenía por delante y que en más de una ocasión de hecho salvaba la de amigo y colega. Con Tara King se potenció el tema de ser más joven que las anteriores, apostando por minifaldas pero también por una ropa más adecuada a sus curvas más generosas que las de Diana Rigg.

Pero si ellas tres fueron un adelanto respecto de los pensamientos de la época, John Steed fue un claro ejemplo de lo contrario, de cómo en ocasiones el tiempo se detiene ya que es imposible mejorar algo que ya es perfecto. Firme ejemplificación del caballero inglés pero al igual que sus compañeras escapando de tópicos y de los límites que marcaba la sociedad británica. Patrick Macnee da vida al *gentleman* por excelencia pero también a un hombre moderno más que preparado para los tiempos de renovación que corren, un personaje que ni por asomo dejaría que el sexo de alguien le haga ser distinto y para el que siempre ir impecable es casi una obligación.

En este capítulo se repasará a Emma Peel y John Steed, ya que son los dos personajes más recordados de todos, y de forma más breve a Cathy Gale y Tara King.

John Steed, combatiendo el mal con chaleco y bombín

John Steed no lleva simplemente sus trajes para lucir y marcar palmito, es toda una declaración de principios sobre el personaje y el cómo es, por supuesto como ya se ha visto esto no fue una decisión tomada desde el principio ya que en sus primeras apariciones se le vistió con el atuendo típico de los detectives de novela barata, fumando cigarrillos y con una vieja gabardina[137]. Esto lo dejaremos de lado, y espero que al lector no le importe, pero realmente no deja de ser un hecho anecdótico que no marcó para nada la serie y que posteriormente según avanzan los episodios se ignora totalmente dentro de la cronología fictícia en la que se supone que desde siempre ha llevado su eduardiano traje de tres piezas, por supuesto hecho a medida en Savile Row[138].

En algunos momentos fue el propio Patrick Macnee el que diseñó su vestuario, igual que Diana Rigg preparó el suyo para "Un toque de azufre" aunque si en su caso lo que hizo fue reflejar el lado oscuro de Emma Peel, en el de John Steed venía por el sencillo, y lógico, hecho de que nadie conocía mejor al personaje que el aristocrático actor que de todas formas (y recordemos que así lo dijo él mismo) no dejaba de ser una extensión algo exagerada de sí mismo. Es más que evidente también la influencia que ejerció el duque de Windsor[139] en la conformación final del agente secreto, con el hecho de que ambos se han convertido para siempre en iconos del estilo masculino clásico capaces de mezclar perfectamente la elegancia con la excentricidad en un claro ejemplo de ejercicio puramente británico.

La marca de la casa era siempre un traje impecable, un bombín que en ocasiones servía también de arma (algo que también fue explotado en la versión cinematográfica de 1998 [140]) y por supuesto el característico paraguas que siempre luce y que terminó por determinar incluso su sombra, haciendo que se convirtiera en algo totalmente definitorio de él mismo y que solo nos bastará con verlo para saber quién estaba ahí.

Es precisamente este complemento uno de los que toma mayor importancia y de hecho llega a tener casi su propia personalidad. Con un elegante mango whangee, de madera y con pequeños círculos que lo recorren en segmentos regulares, tenía muchos secretos guardados en su interior o más bien es que se da por hecho que tiene diferentes, que iba cogiendo según la misión de turno. Así se le ha visto llevar una grabadora, una cámara fotográfica, haciendo las veces de petaca y por supuesto revelando que en realidad es un sable con el que Steed se maneja notablemente bien, pero cualquier caballero debe saber hacerlo. También cualquier caballero que se precie no compraría su traje o acompañantes en cualquier sitio y la hechura de este swordstick[141], como es conocido, viene de la veterana casa fabricante de paraguas James Smith & Sons[142] pero no podía ser de otra forma, ¿no os parece? Más allá de las telas que llevaba su representación del perfecto caballero británico era también en su forma de moverse y de hablar, con una educación casi victoriana pero con una mentalidad abierta y por delante de su época, además de ese toque irónico y algo cínico que también tenía Emma Peel, motivo por el que su relación era tan fluida y gozaba de una química realmente buena.

Es curioso que a pesar de ser la representación máxima del estilo británico no siempre fuera vestido por sus compatriotas británicos. De esta manera tenemos que en la quinta temporada, en la que llegó el color y Emma Peel encontró su perfecta imagen, tuviera las manos de Pierre Cardin[143] que era originario de Italia, otro de los lugares clave de la elegancia, aunque en una vertiente distinta a lo clásico inglés. Este hombre trajo algunas innovaciones y actualizó en parte el estilo de John Steed, pero manteniendo el gusto de Patrick Macnee por los trajes eduardianos de tres piezas (pantalón, chaleco y corbata para aclararlo a los que no estén duchos en el tema).

El estilo de llevar un coche

Lo que más pega para John Steed es verle sobre un caballo luciendo una chaqueta de montar, un chaleco estampado de W. & H. Gidden[144] y un precioso pantalón de equitación de Bernard Weatherill[145], algo que más o menos es lo que en *"Silen Dust"* vemos cuando rescata a Emma Peel con la ayuda del mismo corcel que dos décadas antes montó Laurence Olivier en la película Enrique V. Pero aunque en nuestra mente debería trasladarse siempre así, o en una calesa, eso no era muy práctico y ciertamente sí anacrónico, con lo que a lo largo de la serie le vimos al volante de distintos coches.

Durante los primeros tiempos los automóviles que condujo fueron un AC Greyhound, un Triumph Herald, un Lagonda, vehículo que repetirá en la tercera temporada pero cambiándolo por un modelo retro que era más adecuado a la cada vez más clásica figura que el personaje iba teniendo.

Y entonces llegó el Bentley.

Este será el coche que definirá completamente al personaje, y al igual que él parece sacado fuera de su época, pero logrando estar totalmente integrado con ese mágico universo de *Los vengadores* en el que en ocasiones el tiempo parece detenido y otras tantas va a doble velocidad respecto del real. Por supuesto no podía ser un último modelo y se eligió uno de antes de la guerra, de color verde y cuero negro para el interior

(la elegancia y el estilo por encima de todo) aunque esto no se supo hasta la quinta temporada, que fue la primera en color, hasta ese momento todo eran suposiciones, o no tanto ya que el modelo era un Green Label (que databa de 1928). Claro que no siempre fue el mismo, durante los rodajes se cambiaron pero a ojos de nosotros, el público, es algo realmente imperceptible y que únicamente tiene importancia desde el punto de vista interno de la producción.

Por supuesto si su bombín era un arma y el paraguas estaba lleno de artilugios no podía ser de otra forma para su coche, que también lucía diferentes *gadgets*, por ejemplo un televisor que hizo precisamente aparición en *"Un toque de azufre"* el mismo episodio en el que el Hellfire Club tuvo su legendario momento de gloria.

Otro de los vehículos característicos de John Steed llegará con la época de Tara King, algo así como «compañera nueva, coche nuevo» en el que además del característico Bentley le veremos tener un cierto gusto por la codiciada marca Rolss Royce en dos modelos: un Silver Ghost de color amarillo y un Phantom Tourer MK1.

En *Los nuevos vengadores* el color verde seguirá siendo del agrado de John Steed pero en este caso en un Jaguar XJ12, un Rover modelo WOC 229P y otro de la misma marca de tono más oscuro.

¿Era John Steed un *dandy*?

Esta palabra, dandi (cambiando la "y" por "i" para ser escrita en nuestro idioma) significa según la Real Academia de la Lengua Española:

> 1.m. Hombre que se distingue por su extremada elegancia y buen tono.

Si nos basamos en esta sencilla definición entonces lo es y de forma exacta. Nadie pone en duda su extrema elegancia y que tiene un buen tono físico está fuera de toda duda, ya que le vemos practicar deporte además de ser un diestro espadachín.

Pero si vamos algo más allá y se toman en cuenta las características que definen a este prototipo de hombre, que según algunos nunca llegó a existir del todo en la realidad, siendo un producto más ficticio que otra cosa, además del buen vestir, está el hecho de ser aristocrático en sus formas y maneras pero en el sentido negativo del término, amén de que le gusta la vida disipada y llena de divertimentos para llenar el tiempo vacío que tiene ya que nunca hace nada útil.

Con todo esto por delante queda en evidencia que aunque en algunos artículos se le tacha de dandi solo lo es por coincidencia del aspecto visual, pero nada más, ya que es un hombre entregado a sus amigos y su trabajo, que no rechaza la diversión pero que jamás deja de lado su deber.

La comparativa con James Bond

Es inevitable que cuando pensemos en agentes secretos nos venga a la cabeza James Bond, en concreto su versión cinematográfica más que sus originales aventuras en el ámbito literario. Este conocido personaje realmente dista mucho de ser todo un caballero y no hay más que verse cualquiera de sus películas para que esto nos quede claro. Bebe, y bastante (vale que es martini, pero igualmente le da al frasco), no duda en usar la violencia si con ello logra sus fines y cumplir su misión, y no digamos ya la machista actuación con las mujeres que van pasando por su cama (o por el sitio que sea) que nunca logran ser para él más que objetos de quita y pon.

Pero más allá de esta típica virilidad y un toque masculino totalmente tópico (y ciertamente anticuado hoy en día) late un corazón entregado a la justicia y a la corona británica, esto es algo que comparte con John Steed y es que ambos jamás dudarán en sus misiones para combatir al villano de turno y salvar al reino de Inglaterra, o al mundo si llega el caso.

Quitando esto y que ambos vayan implacablemente vestidos, aunque con diferencias notables en el tipo de indumentaria que llevan, y otro tanto el cómo lo llevan, ya que en el caso de James Bond, aunque luce, le falta ese punto de humildad y elegancia natural que a John Steed le sobraba debido al estilo que destilaba Patrick Macnee a cada momento.

Emma Peel, creando la moda a su antojo

John Steed tuvo cuatro compañeras habituales en las aventuras que se le conocen, incluyendo en esta suma su etapa en *Los vengadores* y *Los nuevos vengadores*, siempre centrados en la cronología de la serie ya que al igual que las otras cabeceras de este libro la historia sigue por otros medios. Cada una tuvo su propio estilo y un equipo que se ocupó de que lucieran

siempre bellas, pero por encima de todas siempre estará Emma Peel, que pasó de ser una simple investigadora a todo un icono para la moda, a tal punto que muchas de las tendencias que marcó el personaje se siguen en la actualidad.

Honor Blackman era una mujer alta, bella y con curvas ciertamente generosas, al igual que las tuvo también Tara King, con lo que el paso de ella a Diana Rigg supuso un cambio visual notable ya que su figura era mucho más estilizada, una mujer de facciones mucho más dulces y con pocas curvas pero totalmente cargada de fuerza, romanticismo y sensualidad a partes iguales. Todo esto debía reflejarse en la ropa y aunque los pantalones se siguieron usando regresaron las faldas que se habían descartado en la época de Cathy Gale.

Su llegada hizo además que se incorporara al plantel de la serie John Bates[146] y es que los productores tuvieron claro que debían seguir esa línea que habían empezado con la anterior aventurera pero llevándola más allá, así que decidieron poner a un reconocido diseñador del momento para que la joven recién llegada pudiera llegar a tener su propia personalidad que más que nunca debía poder reflejarse en el vestuario.

El mono de cuero que cubría el cuerpo entero de Cathy Gale se traspasó a Emma Peel, pero con ciertos ajustes para que casara mejor con su tipo, aunque esto fue principalmente para los episodios que eran en blanco y negro, que más tarde sería sustituido por los fantásticos *emmapeelers* a los que tanto juego se les sacaría en la etapa en color. Pero John Bates no se quedó solo en esto y decidió darle un armario muy completo, elegante a la par que discreto que si bien era realmente moderno, de hecho era una de las primeras actrices británicas en salir en minifalda por la televisión, también la convertían en una dama de los pies a la cabeza.

Una muestra de la fama que iba logrando el tan característico estilo de vestir que iban teniendo es que Bates cedió licencias de su trabajo a varios fabricantes que los comercializaron con la etiqueta Avengerswear, pudiéndose comprar en distintas tiendas a lo largo y ancho del país, además de poder ser localizadas todavía hoy en día si alguno desea adquirlos. No así los *catsuits*, antecesores de los *emmapeelers*, de cuero que en nada gustaban a Diana Rigg, lo

que hizo que Bates apostara por telas y PVC[147] que en cámara quedaba prácticamente igual, pero con bastantes ventajas a su favor.

La quinta temporada fue la que llevó del todo al éxito a *Los vengadores* y a la iconicidad más absoluta, la llegada del color les hizo subir un gran peldaño creativo que mejoraba capítulo a capítulo haciendo que la escenografía cobrara auténtica vida y el delirio fuera más absoluto que nunca. En este momento Diana Rigg aconsejó a sus productores que era el momento de crear todo un nuevo vestuario para así sacar todo el partido posible a esta nueva etapa que tantas posibilidades prometía.

Llegó entonces el turno de Alun Hughes, que se desprendió casi por completo del blanco y negro obligado de la primera temporada en la que John Bates participó y se inclinó por un colorido vestuario en el que se apostó por las líneas en su cuerpo, además de la fantástica llegada de los ya citados *emmapeelers* (confeccionados con crimplene, un tipo de poliéster) que se convirtieron en la perfecta definición de quién es Emma Peel, una mujer aventurera que no duda en lanzarse a la acción pero que además va siempre impecablemente vestida para cada ocasión. De hecho si los diseños de Bates estaban a la venta otro tanto pasó con el trabajo de Hughes y esta última creación suya que fueron demandados por las londinenses. Todo combinado siempre con sus eternas botas del mismo color y material que el resto del traje.

Si antes se ha comentado que "Un toque de azufre" tuvo problemas de emisión en América otro tanto pasó con estas ajustadas prendas que se ceñían a su cuerpo como una segunda piel, sobre la que le preguntaron si sería posible que los dejara de usar, a lo que ella respondió con todo acierto que no, tanto, que pasaron por siempre a la historia.

Sería total y absolutamente imposible describir todo el vestuario de Emma Peel, o podría hacerse pero se necesitaría un libro solo para ello, ya que por su figura pasó prácticamente de todo. De faldas a pantalones, pasando por trajes de chaqueta y uniformes de exquisito toque fetichista con un poco de dominatrix e incluso referencial al marqués de Sade[148].

Por siempre y para siempre Emma Peel sería una luz que brillaría con luz propia en el colorido mundo de la moda.

«Emma era como un gato»
Alun Hughes.

Una dama necesita un corcel adecuado

Si John Steed tuvo su propia serie de coches, que bien podemos suponer son parte de su trabajo en vista de los *gadgets* tecnológicos que presenta bien pueden ser proporcionados por el servicio de inteligencia, otro tanto toca para

Emma Peel que como era lógico para una mujer totalmente independiente debía tener sus propias formas de trasladarse a los sitios.

Su amigo, compañero y quizá amante demostró pasión por los Bentley pero ella prefería los legendarios Lotus, destacando el Elan S3 de color azul (aunque no se sabe ya que estamos todavía en un mundo en blanco y negro) que además logró fama al ser usado en la serie. Este mismo modelo pero en un tono más claro sería usado a partir de la quinta temporada sin que realmente ninguno más llegue a ser característico para ella.

Sí aparecen otros tantos vehículos, más si contamos el total de la serie, durante esas dos grandiosas temporadas pero ninguno llegará a tener más importancia que el simple hecho de salir en la pantalla dentro de una serie clásica británica.

Cathy Gale, de las faldas al uniforme de cuero

Al principio nadie otorgó demasiada importancia al cómo vestir a Cathy Gale, Honor Blackman tenía un personaje más que acompañan a John Steed en sus correrías de investigador. Todo empezó a cambiar con la decisión de convertirla en regular y no solo eso, en que fuera la estrella junto a Patrick Macnee y que en lugar de ser una mujer indefensa tomara las riendas y golpeara sin problema alguno a sus atacantes.

En los comienzos se apostó por que vistiera con faldas largas, jerseys y otras habituales prendas, pero fue precisamente cuando empezó a pelear que esto empezó a ser un problema y entonces llegó el turno del cuero, las botas de cuero dieron paso a un traje entero que le dejaba libertad de movimientos además de convertirla en un objeto de deseo oculto para todos los londinenses de pro, que bajo esa fachada de frialdad querían tener entre sus brazos a la rubia belleza.

En parte fue la propia Honor Blackman la responsable de la que sería su vestimenta definitiva o más bien su decisión de que fuera experta en judo con el problema que se ha comentado, otro tanto de Patrick Macnee que propuso a la actriz que debía llevar algo más práctico en las escenas de lucha y finalmente del diseñador Michael Whittaker que fue el responsable del vestuario del personaje y de crear este uniforme que en principio era verde, pero al ser la producción sin color no importaba y se asumía que era negro. Tras varias pruebas el que sería la versión definitiva hizo su aparición en el capítulo *"November Five"* saliendo de las manos de Frederick Starke[149] que además hizo ropas para otras catorce apariciones de Cathy Gale.

Este uniforme de cuero ayudó también a definir al personaje en otra dirección, y completó la imagen al aparecer en una moto, en concreto con una Triumph Speed Twin de 1951 con lo que el *look* ya era completo y dejaba más que claro que esta mujer no esperaba a ningún hombre y es que en *Los vengadores* no importa el sexo de nadie; como ya se ha dicho, esta serie estaba muy por delante de todas las de su época (y de algunas de la nuestra, todo sea dicho).

Tara King, la joven de curvas generosas

Si el cambio de Honor Blackman llevó de una mujer con curvas a una belleza casi felina, la transición a Linda Thorson recuperó de nuevo esa imagen de mujer con pecho y cadera. Un tanto para diferenciar la época de Emma Peel de la de Tara King, y es que la reina es la reina, amén de provocar el interés del espectador con una joven y bella muchacha. Esto es televisión y nada es por casualidad.

El responsable de vestir a este nuevo personaje fue el mismo que se encargó de Emma Peel, Alun Hughes, que decidió alejarse de lo anterior apostando más por pantalones, shorts, dejar ver sus piernas y sencillamente, al igual que hizo con Diana Rigg, aprovechar su figura para dotarla de un carácter propio en su armario, algo que se hizo notar en el tema de joyería que no era especialmente habitual para Emma Peel.

Con Tara King se intentó dar un toque de frescura y juventud a la juventud, lo que se reflejó en su estilo y complementos, pero nada logró salvar a la serie, concluyendo todos estos años de aventuras con John Steed y su joven aprendiz a bordo de un cohete marchándose al espacio.

Pero volvería cuando hiciera falta, o al menos el anacrónico caballero victoriano.

LOS NUEVOS VENGADORES. YO BIEN GRACIAS, PERO CASI MEJOR QUE NO

Los vengadores fue con mucho una serie adelantada a su tiempo y más que encajarse dentro de un género eran los géneros los que se podían encajar dentro de ella. Todavía hoy muchas producciones son deudoras de ella, de su estilo visual y de los patrones de personaje que transformó rompiendo anteriores definiciones y creando lo que se convertirían en nuevos arquetipos.

Pero antes hay que empezar por el principio, y este fue en el año 1975 cuando

desde Francia, país en el que siempre fueron muy apreciados (bajo otro nombre, el de «*Chapeau Melon et Bottles de Cuir*»[150]) se propuso a Patrick Macnee y a Linda Thorson el grabar un anuncio para la marca de *champagne* Laurent-Perrier. En este breve comercial vemos a los dos viejos conocidos pelear contra alguien mientras abren una botella y al final la brindan, no sin antes poner un sensual plano en el que solamente vemos los labios de ella bebiendo de la copa. Como dato curioso hay que decir que se rodó en los estudios de Elstree[151], que fue el mismo lugar de trabajo de *El Santo* y otros muchos.

Esto que realmente no iba más allá tuvo una clara lectura y era que el público quería ver de nuevo a sus héroes, pero no tanto Patrick Macnee que ante la oferta la rechazó, por lo que se cuenta de forma poco elegante, pero finalmente fue convencido por Albert Fennell y Brian Clemens además de un sueldo de 2000 libras a la semana y un tanto por ciento de los beneficios. Al final picó el anzuelo y regresó a Inglaterra para empezar a grabar.

La versión de los años setenta tuvo un gran y básico problema, y es que si en la anterior época lo que se había pretendido es que tuviera su propio carácter y forma de hacer las cosas, ahora era precisamente lo contrario y se la intentó acomodar dentro lo que era habitual en ese momento. Tenemos así que por un lado se conserva parte del clásico original, que si bien en los sesenta tenía sentido y se mostraba por delante de todo, en este momento se presenta absurdo, además que el pretender contar con ser algo moderno y que encajara en esos años fue todo un error que no hizo más que convertir una magnífica idea en algo totalmente mediocre[152].

Lógicamente debía contarse con la presencia de John Steed que era el único elemento conector entre todas las temporadas y el único personaje que desde el primer episodio estaba presente, sencillamente era inconcebible el pretender hacer un *Los vengadores* sin él, temiendo además que de haber sido así los fans y seguidores no hubieran prestado su apoyo. Pero el problema es que Patrick Macnee no había sido nunca un jovencito de veinte años y ya estaba por la cincuentena, de hecho contaba ya con 56 años, lo que hacía que ni pudiera ni quisiera seguir el ritmo que su ficticia representación había tenido en el pasado, además que hacía casi una década desde la última vez que llevó el paraguas, con lo que tuvo que hacerse de nuevo con un personaje que en el pasado había sido completamente suyo. Esto conllevó que en la grabación del primer episodio el propio Albert Fennell le comentó que si estaba bien, ya que no estaba interpretando como lo había hecho en el pasado, a lo que el actor se mostró sorprendido y cuando pidió más indicaciones el productor no supo dárselas, creándose una situación que el aristócrata definió de «irreal».

Parte del problema que tuvo *Los nuevos vengadores* es no estar dirigido a un espectador específico, se pretendía captar a los fans de la primera serie y a la vez que un nuevo grupo se hiciera seguidor con la incorporación de una pareja más joven de investigadores y otros tópicos de los setenta. Pero pasó lo que suele pasar siempre en estos casos y es que no se logró ni lo uno ni lo otro. Para los primeros estos no eran sus viejos conocidos y para los segundos había demasiado contado que desconocían. No caló y hoy no es más un que recuerdo que habitualmente se omite considerando únicamente esas seis exitosas temporadas en que John Steed vivió aventuras con atractivas y elegantes compañeras.

Por otro lado estaba el hecho de que ahora nos encontramos con un John Steed que vive

en una mansión, conduce coches último modelo y tiene una relación más familiar con sus agentes, ya que él da las órdenes en reflejo de lo que en tiempos hizo Madre con él, casi más cercana a la imagen que podemos tener de Hugh Heffner[153] que a la que debería mantener un elegante caballero de victoriana educación. Y no se explica nada más. Claro que una de las marcas de la casa de la versión clásica era esa, muestra de ello es que Emma Peel aparece sin más explicación y parecen amigos (¿amantes?) desde hace tiempo, pero el paso de casi diez años y el querer una nueva audiencia además de conservar a la anterior hacía necesario que se dieran unas cuantas explicaciones sobre el cómo y el porqué en lugar de pretender que sin más se aceptara.

Parte de este alejamiento de la idea original de John Steed se deja clara en el episodio "*The Eagle's Nest*" en el que su joven compañera le dice que él no es un caballero y él responde que ese es el peligro, todo en una situación que bien puede dar lugar a dudas sobre las intenciones tanto de uno y de otro, pero que deja muy claras las de los productores para con su público. Se pretenden romper las viejas reglas pero no todas, y al final eso es lo que precipitó el final de todo. Una muestra de esto es que intentó vestir al personaje de Patrick Macnee con un vestuario más acorde a los años en que se rodaba la serie, aunque esto es algo a lo que él se opuso totalmente y por fortuna se respetó su deseo.

Purdey y Mike Gambit, así se llamaban los dos jóvenes con los que este John Steed, que ahora ocupa un cargo de relevancia en el Ministerio, correría sus tropelías y por los que sentía una amistad y fidelidad que nada tenía que envidiar a los anteriores compañeros que le hemos conocido, de hecho es en esta etapa cuando puede decirse que se vuelve más humano y menos un tópico intencionado de *gentleman* británico, pero también es algo que la propia época pedía ya que encontramos muestras de esta evolución en otros personajes como Batman[154] o Tony Stark[155] que se enfrentaría en esta década a su alcoholismo. Si bien la relación entre ella y el maduro jefe estaba

clara, le tocaría a Gambit estar en medio sin llegar realmente a calar en el espectador, aunque también mostraban ser un equipo que funcionaba bien y cumplía con éxito sus misiones.

Pero si la importancia de una compañera siempre había sido una constante, era igual en este momento en el que se contó con la actriz Joanna Lumley[156], que al igual que Honor Blackman y Diana Rigg había tomado parte en la saga cinematográfica de James Bond, para ser la rubia agente secreto, con una elegancia acorde al momento y unas piernas casi interminables que dejaban claro el intento de captar el interés del público masculino. Cabe siempre la misma duda que con todas las anteriores y es si compartían algún interés romántico, pero solo existe (y existirá) una Emma Peel con lo que bien puede entenderse que más bien sucede algo parecido a la etapa con Tara King y que esa admiración, quizá amor, viene en gran medida por el hecho que da la experiencia que por otro lado le falta Gambit al que ponía sus facciones Gareth Hunt[157].

Ya que se ha citado a Emma Peel hay que decir que en el episodio "K is for Kill" vemos que John Steed la llama por teléfono para consultarle unas informaciones sobre uno de sus casos, al término ella le recuerda que ha cambiado de nombre y él dice que siempre será la misma para él. Este sencillo diálogo deja entre-

ver más de lo que parece, por un lado podemos suponer que ella se ha divorciado (o que Peter Peel ha muerto realmente) y también el hecho de decírselo casi como una llamada de atención pero que él prefiere ignorar y deja que el recuerdo que de ella tiene siga intacto. Bien podría haber sido este un momento para resolver el tema de su amor imposible pero se prefirió dejar así ya que por siempre será una de las incógnitas de la serie.

El diálogo exacto fue el que se reproduce a continuación.

Emma Peel: (*on phone with Steed*) *I've changed my name. I'm not Mrs. Peel anymore.*

John Steed: (*grins*) *Yes, I know. But you're still Mrs. Peel to me.*

Emma Peel: (al teléfono con Steed): Me cambié de nombre. Ya no soy la Señora Peel más.

John Steed: (ríe) Sí, lo sé. Pero sigue siendo la Señora Peel para mí.

No fue este el único nexo de unión, además de John Steed, con la serie original. Los títulos de créditos y la sintonía también, aunque es cierto que luego se hizo una nueva apertura y cierre con un muy británico león, pero más allá de esto estaba la aparición de viejos actores como Peter Cushing[158], Peter Jeffrey y por encima de todo el regreso de Ian Hendry a la serie que él mismo dio comienzo. No fue con el mismo papel del doctor Keel con el que comenzó toda esta historia, lo que realmente hubiera sido toda una delicia pero al menos se le llamó «viejo amigo» en un guiño que era de agradecer.

Los problemas no tardaron en aparecer y en la segunda, y última, temporada hubo conflictos de intereses y de intereses por parte de los distintos implicados económicos (era una producción británica, francesa y canadiense) cada uno barriendo para casa y con ideas que se enfrentaban radicalmente a lo que había sido la concepción de mayor éxito de *Los vengadores*. Agosto de 1977[159] fue testigo del cierre y despedida.

Los nuevos vengadores fue una serie puramente rodada para los setenta, lo que ha hecho que envejezca bastante mal, y no tanto una continuación de *Los vengadores* de los sesen-ta, pero el problema es que se quisiera o no era así y la comparación era inevitable. No es que estuviera por debajo de otras de su época, esto ya es cuestión de los gustos de cada uno, pero sí de aquella que era su origen y que había cerrado todo haciendo que sus dos protagonistas, John Steed y Tara King, se marcharan al espacio a vivir asombrosas aventuras.

Albert Fennell y Brian Clemens no lograron lo que querían y *Los vengadores* durmieron el sueño de los justos.

«Ponerme otra vez el sombrero no fue tan sencillo como yo había esperado»
Patrick Macnee.

LOS VENGADORES, LA PELÍCULA: UNA RESURRECCIÓN EN VERSIÓN REDUCIDA

Desde que *Los vengadores* alcanzaron el éxito, esto es con el establecimiento definitivo de Honor Blackman como Cathy Gale, comenzaron los rumores sobre una posible adaptación cinematográfica sonando con más fuerza con la llegada de Diana Rigg y Emma Peel, y volviendo con *Los nuevos vengadores* pero nunca fue más que eso. Aunque sí existió la idea, no llegó a nada más que un sueño que envolvería por mucho a tiempo a muchos aficionados a la serie.

Lo que Brian Clemens y Albert Fennell habían logrado tenía una complicada traslación a la gran pantalla, y es que esa esencia tan británica, el humor socarrón y la flema de Steed (entre otros) solo había sido posible con el paso de los capítulos, las temporadas y el carisma que destilaban no solo los personajes, también los actores que los interpretaban. Emma Peel no encantaba al público solo por ser guapa y vestir ropa ajustada, los dulces rasgos y la felina figura de Diana Rigg jugaron un gran papel en esto y muestra de ello es que en un principio el papel no era para ella, siendo realmente la sustituta de Elizabeth Shepherd, aunque para siempre se asociará su rostro. Otro tanto sucede con John Steed, y si es imposible imaginar *Los vengadores* sin este personaje lo es todavía más el hacerlo sin Patrick Macnee jugando a él.

¿De ser llevados al cine deberían ser ellos mismos o por el contrario un nuevo dúo de intérpretes? ¿Quizá se tendría que remontar hasta Ian Hendry y el doctor Keel? ¿O por el contrario meter a varias de las acompañantes?

Muchas dudas y posibilidades existían pero lo único claro es que no llegaba el momento de poder verlos en el cine. No al menos hasta que entró en la partida un hombre llamado Jerry Weintraub[160]. Este productor tenía en su mano los derechos para hacer una adaptación

de esta mítica serie, algo que él deseaba ya que es un fan declarado de la misma, pero que no se terminaba de decidir ya que para él tenía que existir un guión perfecto que condensara la esencia de los años sesenta que tan inmortal hizo a la serie, pero a la vez estar lo suficientemente actualizado para funcionar en la actualidad (de ese momento, ya que hace algo más de una década).

Visto con el paso del tiempo sorprende que finalmente se decantara por el guión presentado por Don MacPherson, que aunque es cierto que logra en cierta forma lo que el productor quería, no tenía precisamente una gran carrera a sus espaldas (ni antes ni después, todo hay que decirlo. Os invito a consultar la fiable IMDB si no me creéis). Pero tenía muy claro que debía inspirarse en el mejor momento de la serie, esto es las míticas temporadas cuatro y cinco además de entrar en la locura visual que tanto las caracterizó. Por el contrario adolecía en la forma de tratar a los personajes que son prácticamente planos y un simple esbozo de lo que podían (y deberían ser).

No acompañó la elección de los actores. Para John Steed se contactó con el británico Ralph Fiennes[161] que aunque nadie duda de sus grandes dotes interpretativas no termina de hacerse en ningún momento con el personaje además que tampoco da la sensación de que ni él mismo se lo crea. Esto junto al hecho de tener una extraña y constante mirada perdida, casi parece que esté todo el rato pensando en otra cosa, hace que el veterano agente secreto no sea más que una pálida sombra de lo que fue. Al menos se cuidó el vestuario y su modo de transpor-

te, respetando al detalle estos aspectos que tan característicos eran del personaje, pero ni así se evita que no veamos otra cosa que a Ralph Fiennes disfrazado de Patrick Macnee.

En el caso de Emma Peel se eligió a Uma Thurman[162]. Una actriz americana con una belleza poco común y muy alejada de lo que había sido Diana Rigg. Su aspecto es muy alejado de esa dulzura pícara que tenía la intérprete original y aunque se la vistió con mucho cuidado no logró en ningún momento el estilo tan natural que ella tenía, ya fuera llevando sus *emmapeelers* o con el último diseño que se había creado para su armario. Además que la cálida y amable actitud que siempre tenía Diana Rigg pasaba aquí a ser más bien agresiva, muestra de ello es esa recreación del primer encuentro que nunca vimos en la serie original y que en este caso lleva a la encantadora Mrs. Peel a entrar en un club solo para caballeros. Allí estará John Steed leyendo tranquilamente en la sauna y no solo no se sorprenderá por verla aparecer, de hecho no ve motivo alguno de alarma. Esto es algo que, para mí al menos, va totalmente en contra de la forma de ser de estos dos personajes y que solo tiene la validez de dar una explicación al cómo se conocieron ambos.

Un acierto sí que fue el dejar a Sean Connery[163] ser el villano de turno. Un malvado llamado Sir August de Wynter, en un juego de palabras y fonética que realmente sí que pega con el estilo de la serie (viene a ser Sir Agosto del Invierno), además de tener ese toque de *mad doctor* que se vio en varias ocasiones, por ejemplo en Peter Cushing, pero también de obsesión con Emma Peel que mostró ZZ Von Schnerk en *Epic*, además de otros. En él se darán cita otros elementos característicos de los capítulos de los sesenta como un laberinto con claras referencias al excelente "The House That Jack Built", esos negocios que en apariencia son inocentes pero dentro ocultan a malhechores (por cierto, esto es algo que también será habitual en el *Batman* que protagonizó Adam West) además de verle en duelo con el elegante John Steed pero de la única forma en que es posible, en la disciplina de la esgrima.

Otro tanto positivo en esta producción fue la aparición de Madre contando con el gran Jim Broadbent[164], actor con un historial realmente largo y ecléctico que aunque tiene pocos minutos en pantalla hace que la misma parezca más grande solo con aparecer. El último y gran detalle es la aparición de Patrick Macnee o más bien la no aparición, ya que dará vida a un personaje llamado el Invisible Jones, un veterano que por un accidente se ha vuelto como su nombre deja entender pero que curiosamente sí produce sombra si se pone delante de la luz y claro, veremos su característica silueta recortada contra un fondo blanco para que sepamos al momento que ahí está el John Steed original.

Se logró ese carácter de un Londres eterno en el que solamente están ellos, sin nadie por la calle más que nuestros agentes secretos favoritos y el universo que les rodea. Aunque en algún momento se deja ver la actualidad, como por ejemplo en las abejas robot que harán aparición, pero de forma general no hay nada que no pudiera haber estado presente en los años sesenta y además se consigue que no parezca nada anacrónico, pero así es el mundo de *Los vengadores* en el que un hombre puede ser el más victoriano de todos pero con una mente abierta y una mujer ir vestida a la última moda, o más bien marcar ella las líneas que se seguirán, pero sin que nada parezca extraño o fuera de lugar.

La historia era bien sencilla, adecuada para cualquier episodio pero no tanto para una película de mayor duración (aunque la misma fue recortada, motivo por el que algunos puntos no son del todo comprensibles): John Steed y Emma Peel se juntarán para investigar unos extraños sucesos meteorológicos y consultarán al ex miembro del Ministerio Sir August de Wynter, sin saber que él se esconde tras estos hechos en un plan que es mucho mayor de lo que ellos imaginaban.

Fácil y sencillo.

Precisamente por ser fácil y sencillo se encuentra por debajo de lo que podría haber sido, no cabe duda que es el producto de un aficionado ya que la idea de meter los tópicos y lugares comunes de la serie puede parecer en primera instancia una buena idea pero que de haber sido de otra forma igual en el proceso hubiéramos tenido una buena película y no solo un producto palomitero que no logró seducir a los antiguos seguidores y tampoco encajar con los gustos adecuados para crear nuevos.

Con todo hay que reconocer que aunque no sean ellos, nuestros John Steed y Emma Peel, es fantástico poder ver una aventura nueva que intente resucitar el mito.

UNA DESPEDIDA
CON TRAJE Y CORBATA

El final de *Los vengadores*, entendiendo este como el de la serie original (*Los nuevos vengadores* no fue un mal producto pero ciertamente no estaba a su altura) en 1969, supuso el cierre de una de las más imaginativas y arriesgadas series de la televisión de su época y probablemente de los años venideros incluyendo al momento actual.

De ninguna manera quiero que parezca que la producción televisiva llegó a su punto máximo con esta producción, que realmente puede considerarse casi tres (ya que de la primera época a la segunda va un mundo, y no digamos ya en *Los nuevos vengadores* en que las formas de trabajo, intenciones y la propia sociedad había dejado de ser la que era años atrás), pero es indudable que marcó muchos puntos que todavía hoy se están siguiendo, lo que la convierte en una adelantada a su tiempo además de haber sabido dar la vuelta a un concepto tan básico y conocido como el del agente secreto para que no fuera igual a ningún otro y además lográndolo en un momento en que los espías estaban a la orden del día y todos intentaban tener el suyo propio.

El atrevimiento de los creadores para ir más allá de las premisas iniciales fue un logro en muchos sentidos. Quizá de haberse ceñido a los parámetros que ellos mismos habían creado, es decir que el protagonista fuera siempre el doctor Keel de Ian Hendry, que Steed fuera ese oscuro secundario de gastada y ajada gabardina además de mantener *Los vengadores* como el sentido que mueve la acción y no solo un nombre en realidad poco tiene que ver con el estiloso protagonista (cuando John Steed ya

lo es sin visos de duda), puede ser que si los astros hubieran decidido que todo siguiera igual y que de no haberse marchado Ian Hendry para emprender una soñada y nunca alcanzada carrera cinematográfica, quizá la serie hubiera sido igualmente un producto de buena calidad que el público hubiera apreciado pero sin duda estaría muy lejos de lo que logró llegar a ser.

Los vengadores no fue, y nunca será, un producto de su época en el sentido de que no era solo para esa época y ese momento, ya que de ser así hubiera envejecido muy mal y si se ve hoy no es solo con agrado, también con pasión, amor y un profundo respeto. Pero sí es una hija de su tiempo en muchos sentidos empezando por la elección de las actrices, la desbordante imaginación, la fantasía sin igual y esas decisiones de que no hay nada que no puedan hacer mientras el único límite sea el espacio, al que por cierto también intentan llegar en ese episodio final en el que John Steed y Tara King se lanzan a las estrellas en una nave casera que el primero había fabricado en su jardín. Es imposible no amar esta serie.

Pero también es una hija de su tiempo por los planteamientos y los enfrentamientos, por no tener miedo a poner en peligro a una mujer cuando hoy en día se les diría que son machistas o que John Steed, que es el ejemplo perfecto de la educación y de la caballerosidad, es un chauvinista misógino que es algo que realmente yo he llegado a leer en alguna ocasión pero que irónicamente viene a ser lo mismo de lo que se quejaba el propio Patrick Macnee al respecto de James Bond (que sí cumple bastan-

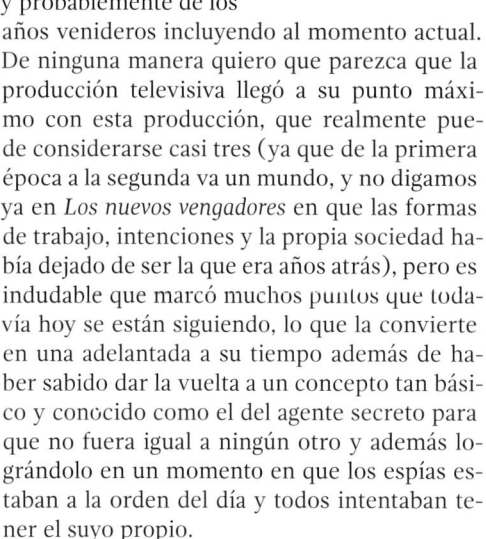

te este estereotipo de idealización de la virilidad masculina). El atrevimiento de que el cuero fuera una parte esencial es algo que hoy nunca veríamos sin que alguien lo criticara y dijera que eran unos pervertidos, pero ellos no solo lo hicieron si no que además se rieron de eso mismo en el ya citado varias veces "*Un toque de azufre*" (que de nuevo os recomiendo a todos ver), con una Emma Peel con collarín de pinchos y todo teñido de un ambiente ciertamente sexual que no intentan ocultar en ningún momento.

La serie solo se debe a sí misma y a sus creaciones, a esos niños que fueron John Steed, Cathy Gale, Tara King y la divina Emma Peel, sus historias y su universo solamente podrían funcionar con ellos y nunca jamás siendo otros los protagonistas de estas aventuras de acción y comedia. El público debía aceptar esto, igual que el estar en un Londres en el que no vemos a nadie y que no existe en realidad aunque cuando los ingleses salían a la calle se encontraban con unas calles que se parecían mucho a la ficción. Había que caer en el juego, dejar que las reglas las marcaran ellos y sencillamente disfrutar del *show*. La opción no era otra, si uno intentaba enfrentarse a la serie solamente lograría ser derrotada, y es que no hay que olvidar que John Steed sabe manejarse a la perfección en el arte de la esgrima (no podía ser de otra forma en un caballero como él).

Claro que aunque *Los vengadores* marcó mucho y centró pautas, aunque realmente ningún imitador (más de los que pueda parecer, ya que como se ha explicado incluso Mulder y Scully de *Expediente X* beben de aquí) ha llegado a estar cerca aunque sí hay que decir que alguno ha logrado su propio éxito y fiel público seguidor. Pero el otro punto por el que esta serie será siempre recordada es por la moda, por el estilo y ese vestuario tan bien cuidado que hace algo más que ir encima de los personajes (precisamente el fallo de *Sexo en Nueva York*, extraña serie machista que pasa desapercibida en ese aspecto) ya que los define por complejo y hoy en día sería totalmente imposible imaginarse a Emma Peel sin sus *emmapeelers* y no digamos ya a John Steed sin ese eterno bombín junto a su impecable traje eduardiano de tres piezas. No es que vistieran a la última moda, no, en absoluto, es que ellos mismos marcaban lo que sería usado por la gente, logrando que todo lo que fueron llegara mucho más allá de la pantalla. De hecho si uno se acerca a cualquier tienda de ropa para mirar las tendencias que se llevan en las últimas temporadas verá no pocas deudas con el trabajo de esta serie.

Los vengadores fue un producto de su tiempo y una hija de su época, la fantasía perfecta en la que el ayer y el mañana se daban de la mano.

Y siempre volverán ya que siempre los necesitaremos.

BIOGRAFÍAS DE *LOS VENGADORES*

Por encima de todos está Patrick Macnee, incluso por encima de la fabulosa Diana Rigg. Esto no es ni bueno ni malo, pero el universo de *Los vengadores* ha girado en torno a él siempre, o al menos desde la marcha de Ian Hendry, haciendo que sea el centro de todo y por ello el único elemento sin el que la serie no podría volver. Los actores van y vienen, los personajes desaparecen pero el héroe con bombín y paraguas está presente en todas las etapas. John Steed era único, no se le podía reemplazar por otro y por eso es de justicia que empecemos por Patrick Macnee.

Patrick Macnee, John Steed

Aunque siguiendo el orden real y cronológico debería empezar esta tanda de biografías por Ian Hendry me ha podido el fan que llevo dentro, y es que el estilo de John Steed junto con el gran carisma de su actor pesan mucho, así que no queda más remedio que empezar por él.

Daniel Patrick Macnee nació en 1922 y como se ha dicho no es que tuviera aires de la aristocracia, es que realmente su familia lo era y por este motivo tuvo una exquisita educación además de representar la esencia más pura del caballero británico. También se ha dicho antes que realmente no fue un estudiante modelo, así que probó suerte en el mundo del espectáculo pero claro está que no contaba precisamente con el visto bueno de su círculo familiar. Aunque eso no le importó y finalmente demostró que su decisión fue la mejor, se convirtió en todo un icono y uno de los actores más respetados de Inglaterra.

Realmente logró el aprobado del público y la crítica en cuanto se subió a un escenario en el West End, pero es que lo que le hizo ser un grande en *Los vengadores* ya estaba dentro de él, con esa amable mirada y esa sonrisa ciertamente sarcástica, además de esa tan bien modulada voz con una dicción realmente perfecta. La Segunda Guerra Mundial hizo su aparición y al igual que otros muchos jóvenes tuvo que luchar a las órdenes del ejército británico, pero al terminar el conflicto (y no haber perdido inútilmente la vida en un conflicto sin sentido alguno) trabajó junto al gran Laurence Olivier como se ha comentado anteriormente (y no hace falta presentar a este mítico actor que es todo un pilar en el cine).

Pero su gran momento llegaría después de estar en la realización de una serie sobre Winston Churchill cuando Sydney Newman habló con él para coprotagonizar una nueva producción con el atractivo Ian Hendry. Aunque tuvo sus dudas, el sueldo seguro le hizo volver entrar en el camino de ser actor y lo que no iba a ser más que un secundario terminaría en convertirse en el auténtico protagonista de *Los vengadores* por y para siempre. John Steed había nacido y jamás moriría, llegó de forma casi instantánea al Olimpo de la eternidad.

Si eres un aficionado a la serie, o no pero te estás leyendo este libro, te habrá quedado que es lo único que siempre está presente en el ficticio universo en el que viven estos investigadores, tanto en su versión clásica, en la de los setenta e incluso en un guiño al propio Patrick Macnee en la versión cinematográfica de finales de los noventa.

Claro que aunque esta fue su obra maestra pasó por muchas más producciones y seriales como la grandiosa *Colombo*, la fantástica *Battlestar Galactica* (aunque siempre nos referimos a ella únicamente por "Galáctica") e incluso fue el sagaz doctor James Watson en una adaptación de la vida del detective más famoso de todos los tiempos, *Sherlock Holmes* con el rostro de Roger Moore. De hecho ya que nombramos a este rostro de James Bond es un buen momento para comentar que como otros compañeros, compañeras más bien, pasó por la saga del más famoso espía de todos los tiempos aunque no para dar rostro a este personaje lo que hubiera sido toda una delicia.

Como curioso punto personal hace mucho en un videoclip de Oasis apareció, en su momento yo lo vi pero siempre me quedó la duda de si realmente era o no él. No me terminaba de encajar, pero años más tarde me alegré al saber que sí lo era.

Actualmente sigue con vida pero prácticamente retirado del mundo de la actuación desde hace años.

Ahora ya podemos pasar a hablar de todos los demás.

Ian Hendry, Doctor Keel

Londinense de nacimiento, fechado en 1931, fue el primer rostro de *Los vengadores* aunque dejó la serie rápidamente, algo de lo que seguro que se arrepintió hasta su muerte en 1984 (o 1985, me temo que aquí he encontrado datos dispares y realmente no puedo asegurar una u otra fecha). Su atractivo rostro era bien conocido en la pequeña pantalla británica gracias a su papel protagonista en *Police Surgeon* aunque llevaba desde 1955 dando guerra y pasó por varias producciones incluyendo la de *El hombre invisible* aunque solo fuera para un personaje episódico.

Como ya se ha explicado en su apartado tuvo una carrera irregular desde que dejó *Los vengadores*, sin llegar a despegar del todo según él quería pero realmente nunca dejó de actuar tomando parte en un buen montón de producciones audiovisuales de la pequeña pantalla. Otro tanto tuvo con el cine en el que pasó las manos de Polanski, colaboró con Gerry Anderson y estuvo al lado del magistral Peter Cushing e incluso de la propia Diana Rigg en *Theatre of Blood* en la que también estaba el mítico Vincent Price.

Su último trabajo fue justo en 1984 en la serie *Brookside* con el personaje de Davey Jones.

Katherine Woodville

Katherine Woodville solo está en estas biografías por haber encarnado a la novia del personaje de Ian Hendry en *Los vengadores*, si bien uno de los personajes más importantes no tiene continuidad ya que lo que hace que destaque no es otra cosa que su muerte, por la que el protagonista se meterá de lleno en ese mundo de sombras y gabardinas grises del John Steed de los primeros tiempos. Por tanto su inclusión aquí es poco más que puramente testimonial.

Nació en 1938 en Londres aunque se mudó a los Estados Unidos de América en 1970. Ha pasado por distintos títulos de reconocido prestigio como *Los vengadores*, de hecho estuvo casada por un tiempo con el propio Patrick Macnee, en *Star Trek* o la casi obligada *Danger Man* que contaba las aventuras del John Drake, que luego se convertiría (o no) en *El prisionero*.

Actualmente está retirada del mundo de la actuación. Apareció por última vez en 1979 en *Con ocho basta*. Como curiosidad citar que se la puede encontrar por Catherine Woodville, Kate Woodville y Katharine Woodville.

Brian Clemens

Brian Clemens es al alma máter de *Los vengadores*, el arquitecto de toda esta obra maestra y un genio de la televisión.

Nació en 1931 en Croydon y el teatro le vino por parte de su padre. Aunque realmente él pretendía ser periodista, el destino parece que tenía otro camino marcado para él y terminó entrando al servicio de J. Walter Thompson en su agencia de publicidad, de allí pasó al mundo de los productores independientes con los hermanos Danziger desde mediados de la década de los cincuenta. Fue aquí dónde comenzó a ser el hombre que sería, acostumbrándose a trabajar rápido y a escribir para presupuestos ajustados, algo que en la televisión le vendría realmente bien.

Aunque su nombre está presente en *Danger Man* y otros, sin duda, lo que hay que agradecer es ese primer episodio de *Los vengadores*, que si bien no tiene realmente nada que ver con lo que sería finalmente fue el pistoletazo de salida para una de las obras magnas de la televisión, además de ocuparse de las líneas que iba a seguir desde 1961 a 1969, y después volvería como ya se ha explicado en su momento además de ser el hombre que trajo a Diana Rigg haciendo que la serie pasara a ser todo un éxito de masas (más de lo que ya era, quiero decir).

Durante los setenta creó *My Wife* y pasó por la televisión americana por primera vez. Viendo la calidad que hoy tienen (y tenían) las series británicas puede chocar el interés de muchos creadores a meterse lo más dentro posible del mercado de esa tierra pero allí es donde se movía el dinero además que asegurar un éxito; allí bien podría conllevar que después se moviera por otros muchos países haciendo que pasara a ser internacional.

En esta década llegó el momento de *Los nuevos vengadores* que aunque tuvo su encanto realmente no llegó al nivel de la serie original además de ser un producto totalmente temporal que ha envejecido realmente mal pero tiene su encanto y aunque solo sea por ver a John Steed de nuevo en acción, además viviendo en una enorme mansión, merece la pena. En 1977 comenzó con la que sería su otra gran serie, *Los profesionales* que tendría una vida de casi sesenta episodios. En este momento también

estuvo al servicio de la Hammer, la gran compañía de terror que recogió la antorcha que durante años llevó la Universal Studios,

En los ochenta la franquicia intentó volver pero, por suerte pensamos muchos, fue algo que no se logró. Pasó por *Remington Steele*, *Bergera* (que se ha nombrado anteriormente) o *Worlds Beyond*. Además de ser uno de los responsables del guión de *Los Inmortales II: El desafío*, sí, esa película futurista en que los protagonistas son extraterrestres y esas risas.

Julie Stevens, Venus Smith

Las carreras de las personas y el porqué llegan o no a ser conocidas es algo que realmente merecería un libro propio y toda una labor de estudios. Para nosotros, los aficionados a *Los vengadores*, Julie Stevens es Venus Smith pero en su tierra de origen es conocida por ser presentadora infantil con bastante éxito, como su trabajo en *BBC2 Play* entre 1966 y 1979 (haced la cuenta, son más de 10 años, 13 en concreto y eso es por algo).

Como ya se ha comentado esta actriz nació a mediados de los años treinta y su primera aparición televisiva data de los años cincuenta o de los sesenta con *Our House*, lo cierto es que este es uno de esos puntos que uno puede encontrar con diferentes datos dependiendo del libro o web que mire, lo que es cierto es que no comenzó con *Los vengadores*, aunque en algunos lugares lo indiquen así pero es un error (un error comprensible, pero un error de todas formas), además de que antes de esa serie también había pasado por el teatro, de forma breve, y eso debe tenerse en cuenta a la hora de intentar ajustar una fecha para este hecho.

Llama la atención, o al menos a mí me resulta curioso, que estuvo en *Pathfinders to Mars* que se ha nombrado antes como uno de los antecedentes de *Doctor Who* (o al menos una más que posible influencia) y que también salió de la mente de Sydney Newman, persona de la que ya se ha hablado y ha quedado claro que era todo un artesano.

Tras su paso por *Los vengadores* destaca como protagonista en *Girls About Town*, serie entre 1970 y 1971, que vino de una producción de 1969 lanzada como producto unitario (podría decirse que fue un piloto) con Anna

Quayle en el papel que posteriormente sería para nuestra Julie Stevens.

En el año 2001 regresó a la televisión como actriz tras haber estado apartada de ella, en calidad de intérprete, no así en otros trabajos, desde 1974 cuando apareció por última vez en *Cabbages and Kings*.

Actualmente sigue retirada.

Honor Blackman, Cathy Gale

En ocasiones una producción, serie o película (o lo que toque) puede tener un sinfín de aciertos pero no esa guinda que hace que todo sea perfecto. *Los vengadores* tenía un buen equipo, historias y a Patrick Macnee (el auténtico centro del universo) pero no fue hasta la llegada de Honor Blackman que todo empezó realmente a encauzarse, o más bien se logró cuando su personaje de Cathy Gale se convirtió en regular y la réplica perfecta para el flemático John Steed.

Honor Blackman nació en Londres en 1925 y mostró un cierto interés por ser actriz ya desde temprana edad. Trabajó con Terence Fisher y también a las órdenes de Don Chaffey en esa obra maestra del arte de Ray Harryhausen que es *Jason y los Argonautas* y que si no la habéis visto ya estáis tardando en hacerlo. Su otro gran momento de éxito junto con *Los vengadores* fue con *Goldfinger*, película de James Bond con el rostro del inmortal Sean Connery y que además marcó lo que casi sería una pauta para con la serie de los investigadores, ya que ella solo fue la primera que pasaría por la saga del más famoso espía de todos los tiempos pero no la última. Esta película fue en 1964 pero cuatro años más tarde se cruzó de nuevo con Sean Connery en *Shalako*.

Tras su paso por la saga de James Bond continuó su camino por el mundo de los filmes de la Hammer al lado del gran Christopher Lee en *To the Devil a Daughter*, pero no llegó a mucho más y pronto retornó a la televisión que tanta fama le había dado. Por supuesto pasó por *The Saint*, no podía ser de otra forma, con el conocido Roger Moore (actor al que recordamos por haber sido James Bond también) y, claro está tuvo, su momento de gloria en *Doctor Who*.

Nunca ha dejado de actuar y hoy en día todavía sigue en activo, habiendo trabajado en

2012 en *Cockneys vs Zombies*, una comedia de terror, como Peggy.

Linda Thorson, Tara King

Aunque lo lógico sería seguir el orden de los actores según aparecieron en la serie lo que se está haciendo es según se han ido contando en el libro, por lo que se respeta aquí ese mismo orden que se ha dado y es el turno de Linda Thorson en lugar de la divina Diana Rigg.

Esta joven canadiense nació en Toronto en 1947 y encontró la fama con veinte años cuando gracias a su padrino John Huston, ese John Huston, fue propuesta para el papel de Tara King por el productor John Bryce, que cosas de la vida era su pareja en la vida real, que estaba en ese momento al frente de la serie. Aunque será lanzada al éxito por la televisión británica encontrará también su camino en la americana. Cabe destacar aquí *Star Trek; The Next Generation*, y también en la televisión francesa en la que además de trabajar fue idolatrada, ya que la serie de *Los vengadores* era realmente querida allí y de hecho en gran parte este cariño es el que hizo posible que volvieran en *Los*

nuevos vengadores, o al menos la idea (en parte) y el elegante Patrick Macnee como John Steed.

¿He dicho justo en la biografía anterior, la de la rubia Honor Blackman que fue la eterna Cathy Gale, que la saga de James Bond era un habitual en los actores de esta serie? Bien, pues Linda Thorson es la excepción a este hecho y se escapa de la norma siendo la única compañera (y compañero ya que Ian Hendry y Patrick Macnee también saldrían en estas películas) que no pone su rostro al servicio del más famoso espía británico, aunque sí lo hizo en un filme al lado de Anthony Queen y la deliciosa Jaqueline Bisset.

Por esta misma época, estamos ya en los setenta, la veremos en *Valentino* de Ken Russell y en *Return of the Saint*, *El regreso del Santo*, que sigue las aventuras de Simon Templar aunque ya sin Roger Moore, en su lugar está Ian Ogilvy y su moto recorriendo el país y desfaciendo entuertos.

Lo cierto es que esta actriz nunca ha dejado de trabajar con una muy rica producción desde sus comienzos, y todavía hoy sigue en pie de guerra en el 2012 siendo su última aparición (en el momento de escribir estas líneas, los datos pueden ser algo desactualizados cuando se publique este libro) en *Saving Hope* como Melissa Hurst en el capítulo "*Out of Sight*".

Diana Rigg, Emma Peel

Paren las máquinas. Que los hombres aplaudan y las mujeres envidien. La mujer perfecta para John Steed ha llegado, la divina Emma Peel está aquí para quedarse.

Como ya se ha dicho, Diana Rigg no fue la primera candidata para el papel de la brillante, cándida y sexy Emma Peel pero sí fue la mejor elección que jamás habrían podido hacer. Parte de su éxito vino por ese rostro inocente que logró ser tremendamente adictivo y mostrar a una mujer inteligente, fuerte y que competía en igualdad de condiciones con cualquier hombre que se pusiera en camino o más bien superara a estos que bien poco podían hacer cuando intentaban enfrentarse a sus armas de mujer.

La divina Enid Diana Elizabeth Rigg, sencillamente Diana Rigg en el mundo televisivo, nació en 1938 en Doncaster, Yorkshire, aunque por algún motivo inexplicable en algunos lugares fechan su llegada a este mundo treinta años antes, en 1908 (algo que es a todas vistas imposible por la juventud que mostraba al comenzar su etapa en la serie de *Los vengadores*) aunque como ya se ha comentado pasó su infancia en la India, en Bikaner, al estar allí su padre trabajando por ser ingeniero de ferrocarriles. Al igual que otros tantos niños fue educada en un internado en la más pura tradición británica aunque por lo que se sabe, y ella misma ha declarado en alguna ocasión, esto no fue de su agrado.

Ni siquiera contaba con la mayoría de edad cuando tuvo su debut encima de los escenarios tras pasar por la educación interpretativa en la Real Academia de Arte Dramático y como se ha explicado ya en su momento formó parte de la muy prestigiosa Royal Shakespeare Company hasta 1964, cuando dejó de lado el teatro por la televisión, aunque regresaría en la década de los setenta con algunos papeles principales en el conocido Old Vic de Londres. Durante los ochenta y noventa no dejó los escenarios tomando parte en algún musical y otras tantas obras por Broadway, además de seguir su trayectoria en los últimos años sin dejar nunca de lado el telón y destacando en todo su haber títulos bien conocidos por todos como *Macbeth* o la encantadora *A Midsummer Night´s Dream*, que muchos solo han podido ver en la adaptación cinematográfica que protagonizó el polifacético Kevin Kline y que realmente es una digna representación de la obra original.

Pero pasemos a la televisión, medio por el que la conocemos y pasó a ser un icono totalmente representativo de la pequeña pantalla de su época y por supuesto el icono de la moda que ya hemos explicado. Su llegada a *Los vengadores* no fue del agrado de su familia que como ya se ha dicho pensaban que era poco más que un capricho y un retroceso en su carrera, pero ella consideraba que sería una prueba trabajar en una producción de estas características aunque la fama que le proporcionó no terminó de encajar con su carácter, prefiriendo ser más discreta, aunque gracias a la misma pasó por la saga de *James Bond*, como comenzaba a ser costumbre y repitiendo en parte la misma historia que ya tuvo Honor Blackman (el si los productores se veía o no la serie queda para lo que cada uno quiera imaginar).

Lo cierto es que la película *Her Majesty´s Secret Service, Al servicio secreto de su majestad británica* para nosotros, no termina de ser del agrado de los fans, aunque hay opiniones muy diversas. Pero de la forma que sea ella ha sido la única actriz en dar vida a la mujer de James Bond, con el rostro de George Lazenby, no siendo por esto una chica Bond más ya que nunca antes y nunca después volveremos a ver a alguien en estas circunstancias. De forma personal os recomiendo ver esta adaptación, para mí uno de los mejores filmes que hay de este espía.

Otras películas en su historial (a lo largo de los sesenta, setenta y ochenta, momento en el que fue reconocida como mejor actriz de televisión) fueron *The Hospital*, *Theatre of Blood* en la que interpretó a la hija de ese icono del terror que fue, es, y será, Vincent Price, la adaptación de Agatha Christie *Evil Under the Sun* y por gusto personal tengo que nombrar *The Great Muppet Caper* que si no conocéis igual os suena más por *El gran golpe de los teleñecos* en la que interpreta a Lady Holiday. Además al poco de esta película de Jim Henson, en 1989, presentó *Mystery!* hasta 2003 en sustitución del ya mentado Vincent Price, quien hizo las veces de anfitrión entre 1981 y 1989. Al igual que en el teatro ha seguido trabajando en los noventa y la pasada década, además de en la presente y en el próximo año la veremos en dos de las series más relevantes del momento: *Doctor Who*, lo que será una delicia para los que somos aficionados a este título, y también en *Juego de tronos* que adapta la muy conocida obra literaria de Martin.

Termino este repaso no con sus últimas actuaciones, ya que bien puede suponerse que a las dos que se acaban de nombrar vendrán otras, pero sí con dos que me resultan curiosas. La primera de ellas es una adaptación de *Blancanieves* en la que interpretó a la malvada bruja, y la segunda una *sitcom* (comedia de situación) titulada sencillamente *Diana* que cito aquí por haber contado en una ocasión con Patrick Macnee en 1973 en el episodio "*You Can´t Go Back*".

Diana Rigg será para siempre un inolvidable rostro de la televisión por muchos años que pasen. Y es que nosotros siempre necesitaremos una Emma Peel en nuestra vida. puesta

Elizabeth Shepherd, la primera Emma Peel

Siguiendo la lógica explicada del porqué iba Linda Thorson antes que Diana Rigg debía haber sido igual en este caso, pero me he saltado esto ya que consideraba que primero debía hablarse de ella antes de entrar momentáneamente en Elizabeth Shepherd que fue la actriz que puso rostro por primera vez a Emma Peel, aunque solo fuera de forma realmente rápida y hoy en día casi relegada al olvido. Por este motivo solo daremos unas muy breves líneas sobre ella pero que bien está leer aunque solo sea por el afán de completar.

Nació en 1936 en Londres y reside desde 1972 en Canadá con un apellido que se ha visto también como Sheppard. En la misma década en que hizo de Emma Peel, aunque antes, se la pudo ver en *The Citadel*, *The Tomb of Ligeia* (firmada por el mago del bajo presupuesto, Roger Corman). Aunque también ha tenido sus buenos papeles en el teatro dando vida a Lady Macbeth, Titania o Cordelia, por citar algunos nombres que rápidamente el lector relacionará con la obra del inmortal William Shakespeare.

Como se ha citado varias veces hay que situar también en este momento a la saga de *La profecía* en la que tomó parte en su segunda entrega, *Damien: Omen II* o *La maldición de Damien*, y la recreación de la BBC *The Cleopatras*.

Ha pasado por el off Broadway, el West End de Londres, el Old Vic e incluso el reconocido Old Globe de San Diego entre otros lugares de prestigio.

Realmente su carrera ha sido bien extensa y podéis consultarla en IMDB sin problema, ya que es realmente impresionante, pero aquí se han dado no más que unas breves pinceladas.

Patrick Newell, Madre

El orondo actor que puso su rostro y curvas para ser Madre en *Los vengadores* nació en 1932 en Hadleigh bajo el nombre de Patrick David Newell, y falleció con solo 56 años en Essex, ambos lugares están en Inglaterra, a finales de la década de los ochenta, en 1988 para ser exactos. Aunque su aparición en la serie no fue la más numerosa es imposible pensar hoy en día en ella sin su presencia, aunque para él solo fue un personaje más en su más dilatada carrera.

Como otros tantos de los que ya se ha hablado primero tuvo su relación de amor con el teatro y por culpa de la guerra tuvo que interrumpir todo, pero tras las misma comenzó a ser un una habitual en el mundo de la televisión, en muchas ocasiones en papeles de comedia. La primera vez que se logra rastrear su

nombre en una producción audiovisual es en 1955 en la película *Dial 999* de Montgomery Tully, pero de forma reconocida será en 1957 en la serie *Web* en tres episodios ("*The Other Warren*", "*The Painting*" y "*The Alibi*") aunque en ocasiones se indica que fue en 1958, pero es debido a una muy entendible confusión. *Dial 999* fue el primer filme en el que tomó parte pero también es una serie televisiva del año 1958 que protagonizó Robert Beatty como el inspector Mike Maguire, un error pero muy comprensible dada la cercanía temporal de ambos títulos y de hecho tener el mismo.

Trabajó para la BBC, en *Maigret*, para la ATV (ITC), en *A Little Sweetness and Light*, y no podía faltar en *Danger Man aka Secret Agent* que además de ser el vehículo con el que Patrick McGoohan alcanzó la fama (no la inmortalidad, eso sería con *El prisionero*) fue un contenedor de algunos de los mejores nombres de la interpretación británica del momento. Hay que nombrar también *A Comedy Playhouse* en el episodio *Fools Rush* o *Destiny of a Spy*, y esto es solo una muy pequeña pincelada de su trabajo en la década de los sesenta, con una trayectoria que sería igual de prolífica en los setenta y ochenta.

Por supuesto destacando en los sesenta el personaje de Madre en *Los vengadores*, un personaje habitual en la última etapa en la que aparecía Linda Thorson como Tara King (siempre con Patrick Macnee como John Steed) desde ese más que memorable capítulo llamado "*The Forget-Me-Knot*". Además hay que citar a su villano en *Randall and Hopkirk* en 1969, aunque solo sea para dejar claro que además de papeles de comedia hizo otro tanto en otros formatos como el drama.

Los setenta comenzaron con *Kraft Music Hall Presents: The Des O'Connor Show* y *Paul Temple* dando vida a Jaap Viljoen en el episodio "*The Black Room*" y también en "*The Golden Lady*", *Los ángeles de fuego*, de 1979 por citar uno de final de la década y que además contó con la dirección del barcelonés José Ramón Larraz al que quizá el lector relacione más con la serie española *Las aventuras de Pepe Carvalho* o la preciosista y emotiva *Vientos de agua*. En esta misma época interpretó de forma regular al personaje de Mr. Oliphant en *Never Say Die* y pasó también por *Doctor Who* en *"The Android Invasion"*.

A principios de los ochenta, tan a principio que fue en 1980, pasó por *Sherlock Holmes and Doctor Watson*, la sitcom *The Whizzkid's Guide*, *The Young Ones* para la BBC a mitad de la década y por la muy británica *The Agatha Christie Hour* en el capítulo *"The Manhood of Edward Robinson"*. Si antes se ha mentado *Los ángeles de fuego* hay que hacer lo mismo con *The Resident Patient* por un motivo similar y es que este episodio de *The Adventures Of Sherlock Holmes* de 1985 se filmó en Granada.

Su última actuación fue el mismo año en que murió, otro que cayó con las botas puestas como otros tantos de los que ya hemos hablado, con *Consuming Passions*, *Pasión devoradora* en 1988 con el personaje de Lester. Esta película estaba dirigida por Giles Foster y basada en la obra teatral de Michael Palin y Terry Jones llamada *Secrets*.

Patrick David Newell falleció en 1988 en Essex a los 56 años de edad.

Rhonda Parker, Rhonda

Es muy probable que este nombre realmente no suene ni a los más aficionados a la serie de *Los vengadores*, quizá el que la tenga más reciente (principalmente la última etapa de la versión clásica) sí pueda hacer alguna conexión y darse cuenta de que hablamos de la mujer que acompañaba fielmente a Madre y cuyo personaje respondía por el mismo nombre de pila que la actriz que la interpretaba, Rhonda.

Su producción es bastante escasa y sin grandes titulares, aunque también pasó por *Espacio: 1999* de Gerry Anderson en el episodio titulado *"Earthbound"* con Chistopher Lee, lo cual ya nos debería bastar para querer darle un ojo, casualmente en la dirección estaba Charles Crichton al que relacionamos con la serie principal que ocupa este apartado y pasó esta enorme mujer también por *Husbands*, y hasta este punto hay información sobre ella.

Nació en Australia en 1947 estando actual y totalmente retirada de este mundo del audiovisual.

Peter Wyngarde, el honorable John Cleverly Cartney

Si uno es aficionado a los cómics le quedará muy claro que la directa inspiración de John Byrne para el personaje de Jason Wyngarde, el malvado Mente Maestra usando sus poderes, fue Peter Wyngarde que apareció en *Los vengadores*, en el pecaminoso y en parte sádico capítulo de *"Un toque de azufre"* (aunque el actor además apareció en 1967 en *"Epic"*) pero el nombre viene otro tanto por Jason Kin al que este actor interpretó en *Deparment S* (1969-1970) y en la producción que se tituló igual que él, *Jason King* (1971-1972).

El porqué de esto tiene una explicación muy sencilla, John Byrne era seguidor de la serie, algo que se relaciona también con el hecho de que sea canadiense (aunque este dato en ocasiones se nos olvide al ser un autor relacionado siempre con el cómic de superhéroes americano) al igual que Linda Thorson, motivo por el que esta producción era realmente apreciada allí (por cierto, también son de allí Sydney Newman y James Howlett, al que hasta hace poco solo conocíamos como Logan o Lobezno).

Cyril Louis Goldbert (nombre real) nació en 1933 y aunque siempre se le considera un actor británico su tierra de origen es Francia, más exactamente Marsella, aunque sí es hijo de ingleses, o de inglés ya que solamente es por parte de padre puesto que su madre es francesa. Nos encontramos en un caso parecido al de Diana Rigg, ya que su progenitor también era diplomático del gobierno de Inglaterra, lo que hizo que su infancia transcurriera en distintos lugares.

Comenzó a actuar a mediados de los cincuenta pero el igual que pasó con otros muchos de sus compañeros de esa época su despegue llegó con los sesenta, la gran cantidad de series y de imaginación desbordante que había en la televisión propició que muchos de ellos se convirtieran en asiduos de este medio, actores que de forma regular trabajaban en la pequeña pantalla y algunos en auténticas estrellas. Por citar algunos nombres ya bien conocidos por el lector estaría *Los vengadores*, lógico ya que por eso estamos hablando de él, *El Santo*, *The Baron*, *I Spy* o *The Champions*.

Fue a finales de esta década de 1960 cuando entró en 1969 en la serie de espías *Department S* como Jason King, que tendría su propio *spin-off* en 1971 con su propio nombre, aunque solamente fuera durante una temporada pero que le valió un buen reconocimiento y fama. Fue también en los setenta cuando entró en la industria musical con un disco titulado *Peter Wyngarde*, su propio nombre, aunque no se prodigaría mucho por este mundillo.

Por hechos de carácter personal, temas de drogas y una relación de carácter homosexual perdió ese mismo reconocimiento (el público es muy voluble y los medios tienen sus propios intereses). Trabajó en otros países como Austria o Alemania, además le pudimos ver en la película *Flash Gordon* que llevaba al personaje de Alex Raymon a la gran pantalla con un guión firmado por Lorenzo Semple Jr. (entre otros), sí, ese Lorenzo Semple Jr. que conocemos por el *Batman* de Adam West. Al poco de esto, la película es de 1980, tuvo su casi obligada aparición en *Doctor Who* en 1984 en el serial "*Planet of Fire*" como Timanov, en ese mismo año en la producción de terror de la Hammer, *House of Mistery and Suspense* y diez después en *The Memoirs of Sherlock Holmes*.

Pierre Cardin

En este caso está totalmente justificado que hablemos de un diseñador de moda, y es que en *Los vengadores* esta era de gran importancia y no solo un completo, definía a los personajes además de ser casi ella misma un persona-

je más. Unas pocas líneas para ayudar a situar a este creador.

Pietro Cardin, Pierre Cardin para la posteridad nació en San Biagio di Callalta en Italia en 1922, contando actualmente con la venerable edad de 90 años y lleva desde los 14 relacionado con el mundo de la moda, ya que tan joven comenzó a trabajar como aprendiz y desde entonces sigue en esta profesión.

En 1945 se trasladó a París, allí tiene todavía su residencia y sus oficinas, donde fundaría su propia marca un lustro después con una carrera que despegó de manera casi inmediata y una fama que le llevaría por todo el globo y que le haría abrir en 1971 su Espacio Cardin con la promesa de presentar a nuevos talentos, no solo del mundo de la moda, también artistas de otros campos.

Lo cierto es que otra de sus pasiones son los automóviles, motivo por el que en esta misma época firmó un contrato con la AMC, la American Motors Corporation, para incorporar sus diseños a los vehículos de esta casa que no dudaron en introducirlos en distintos modelos.

Actualmente y desde 2009 es Embajador de Buena Voluntad de la Organización de las Naciones Unidas.

John Bates

En este caso sucede un poco lo mismo que con el anterior nombre. Este diseñador fue el que vistió a Emma Peel, o sería más correcto decir a Diana Rigg para que se convirtiera en la emperatriz de la moda que fue Emma Peel, en una temporada en que el blanco y negro era obligado por el sencillo hecho de que la serie todavía no se emitía en color. Aunque fue en esta segunda época cuando las tendencias marcadas, obra de Alun Hughes, se adelantaron por completo a su momento y lograron que hoy en día lo que recordemos como los años sesenta sea en gran medida lo que marcó esta serie hay que rendir un momento a John Bates aunque sean unas muy breves, pero que muy breves, líneas.

John Bates nació en 1938 en Ponteland siendo aprendiz de Gerard Pipart y Herbert Sidon. Puede ser que si algún lector es aficionado a la moda (¿quién sabe? Yo lo soy, en cierta forma), no sitúe del todo este nombre y la explicación no tiene más que una sencilla respuesta que es que trabajó bajo un pseudónimo, el más exótico Jean Varon. Desde principios de la década de los 2000 reside en Wales con su John Sidons, su actual pareja.

Fue bajo este Jean Varon que comenzó a ser reconocido en Inglaterra más en los sesenta por sus diseños de carácter modernistas, sin dudar en usar barras, plástico y unas faldas realmente cortas (de hecho a él se le atribuye su creación, aunque esto bien puede ser discutible y no voy a entrar en profundidad) que han quedado para siempre en el imaginario colectivo (y que en *Austin Powers 2: La espía que me achuchó* encontramos bastantes referencias directas a esto, ya que la mayor parte de la trama de la película se desarrolla en un Londres sesentero totalmente tópico y cargado de pensamiento popular colectivo). Curiosamente este estilo está teniendo una segunda juventud ya que hoy en día la pasión por todo lo retro es más fuerte que nunca siendo tendencia de actualidad en bastantes líneas, solo hace falta asomarse a las pasarelas o a las tiendas.

Pero si por algo hablamos de él es por ese genial uso que hizo del blanco, negro y gris para crear a su Emma Peel. Unos diseños novedosos, que además apostaban por materiales que no eran habituales y por una gran línea de complementos que hacía de ella toda una mujer.

Joanna Lumley, Purdey

¿Qué clase de nombre es Purdey? ¿Alguien me lo puede explicar? A mí sinceramente me parece uno de los peores, pero fue el que se dio al personaje de Joanna Lumley en *Los nuevos vengadores*. Muy setentero, eso sí, lo que lo hace ser ideal para una producción que se hizo por y para esa década en que las series policíacas y de corte realista se hacían con el primer puesto del podio, mientras que otras de carácter más fantasioso iban poco a poco bajando peldaños.

Joanna Lumley nació en el año 1946 en la colonia británica de Kashmir, India (sí, aunque parezca sorprendente todavía había colonias, y no olvidemos que realmente Gibraltar lo es, aunque con otros parámetros) pero su familia regresaría a la querida Inglaterra y ella comenzaría una exitosa carrera de modelo a lo que ayudó su atractivo rostro y unas piernas interminables que bien podrían haber competido con las de Cyd Charisse. No hablamos de una cualquiera, nos referimos a lo que hoy en día bien podríamos llamar Top Model, ya que fue portada de *Vogue* entre otros.

Ella hizo el recorrido inverso a otras actrices de *Los vengadores*, ya que primero apareció en *James Bond* (en *Al servicio de su majestad*, mismo título en el que apareció Diana Rigg, casualidades de la vida), además de trabajar junto a los enormes Christopher Lee y Peter Cushing en *The Satanic Rites of Dracula*, literalmente traducida por *Los ritos satánicos de Drácula*, con ellos en sus habituales papeles de Conde Drácula y Van Helsing y posteriormente en este intento de recuperación de la franquicia que encabezaba Patrick Macnee.

Pero en contra de lo que parece creer mucha gente el éxito de esta modelo/actriz no fue flor de un día, nada menos y tras *Los nuevos vengadores* siguió su extenso recorrido por el cine y le televisión en títulos tan conocidos como en la saga de *La Pantera Rosa* en dos ocasiones, la primera en *Tras la pista de la Pantera Rosa* y la segunda en *La maldición de la Pantera Rosa* siendo en esta ocasión la distinguida Condesa Chandra y en la anterior como Marie Jouvet (aprovecho para comentar que en el número 2 de la revista *La Encuadre* se puede encontrar un reportaje sobre esta franquicia y Peter Sellers. Por si alguno tiene interés).

Aunque la mayor parte de su producción ha sido televisiva, y larga, ya que nunca ha dejado de trabajar, quiero centrar otro par de títulos cinematográficos como *Eurotrip*, *James y el melocotón gigante*, *Hechizada* (la revisión del año 2004) y actualmente en 2012 con el el telefilme *The Making of a Lady*, además de tener prevista para el 2013 el estreno de *The Wolf of Wall Street*, película de Martin Scorsese que protagoniza su actor fetiche, es decir Leonardo DiCaprio, junto a Matthew McConaughey.

Gareth Hunt, Mike Gambit

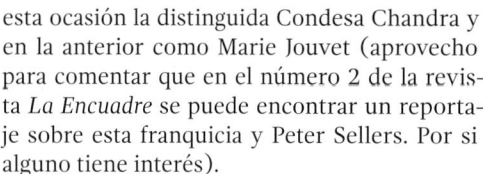

Y claro, si hablamos de Joanna Lumley y su personaje de Purdey lo siguiente es hacerlo sobre Gareth Hunt, o mejor dicho Alan Leonard Hunt ya que ese era su nombre real completo, y Mike Gambit.

Como se ha explicado en el apartado de *Los nuevos vengadores* en que salía este actor nació en 1942 y primero fue marino mercante aunque estudió en la Royal Shakespeare Company, igual que nuestra amada Diana Rigg, además de pasar por otros seriales como el casi obligado *Doctor Who* o *Espacio: 1999* hasta llegar a la producción que nos ocupa, lógicamente habiendo estado en los escenarios teatrales en distintas producciones en la que hay que destacar, por no precisar más detalle ya que es de sobra conocida, *West Side Story*.

Claro que realmente la fama le llegó gracias a la pequeña pantalla, este es el mundo en el que vivimos, gracias al personaje de Frederick Norton en *Upstairs, Downstairs*. Un carácter que pretendía ser episódico pero terminó siendo regular, dándole un reconocimiento y haciendo que el público británico se acostumbrara a su rostro.

Un año más tarde de la última vez que dio vida a este Frederick Norton, en 1975, vendría *Los nuevos vengadores* junto a Joanna Lumley y el estiloso Patrick Macnee. Tras esta etapa seguiría ligado al mundo de la televisión generalmente en series aunque también en algún filme. Aunque en el cine ha tenido un paso ciertamente más anecdótico hay que destacar la película *Criaturas feroces*, esa genial obra maestra del humor británico que reúne al elenco de *Un pez llamado Wanda* de nuevo y que es un ejemplo de cómo se tienen que hacer las cosas de principio a fin.

En 2006 tuvo su momento en *Doctors*, por la que también ha estado Tom Baker entre otros que hemos ido nombrando, en un par de episodios y su aparición final en *The Riddle* de 2007, siendo aquí en el que falleció con 65 años por culpa de un cáncer.

OTRAS
SERIES MITICAS

Algunas inglesas,
otras no, pero todas
inolvidables

¿O pensabas que
esto era todo?

UNA APERTURA A BASE DE SERIALES, DE MURCIÉLAGOS, AGENTES SECRETOS Y FRONTERAS A LAS QUE NINGÚN HOMBRE HABÍA LLEGADO ANTES

Los años sesenta fueron una época asombrosa, al menos desde el punto de vista de alguien que no había nacido en la misma. Nuestro país todavía estaba en una dictadura que le costó, y le cuesta, años de retraso pero en cierta manera la explosión de imaginación y fantasía que hubo también se notó en nuestras tierras con producciones como *Historias para no dormir* de Ibáñez Serrador[165].

Un poco de situación histórica

Si has leído antes los primeros capítulos, si no pues aquí se te informa, estamos en un momento en que se buscan nuevos patrones, los tópicos de épocas anteriores son cada vez más anacrónicos y las típicas series en que el marido va al trabajo y la mujer se queda en casa (por ejemplo *The Honeymooners*) se empiezan a notar como un registro ya cansado y cada vez con menos sentido. Para lo que más que se usan estos viejos estereotipos es para hacer burla de ellos y tenemos así que nombrar a *The Munsters* o *The Addams Family* que si bien recogen la antorcha de una típica familia con padre, madre, dos niños, abuelo/tío y mascota lo hace a través de un prisma que deforma la imagen y se burla de ella, es cierto que en esencia la idea de que todos se quieren y apoyan es la que está siempre bien presente pero el tan usado american *way of life*[166] y el pastel de manzana se tratan aquí de una forma bien distinta, y es que la sátira siempre ha sido del gusto del espectador.

Series para todos

Pero si la familia tradicional, en el sentido americano, ya que en España la figura paterna dictatorial tardó más en desaparecer (pero tenía su crítica en las tiras cómicas de Bruguera[167] con genios como Vázquez, Raf y el gran Escobar detrás), estaba llegando ya a su final por las circunstancias sociales y las series televisivas se hacían eco de ello; también reflejaban las ansias de viajar y de aprender, además del carácter cada vez más globalitario que tenía un mundo más unido por el avance de las nuevas tecnologías.

Star Trek fue una creación de Gene Roddenberry, sorprende decir que el primer piloto de la serie (que llegó a emitirse dentro de la misma pero no siendo el primero) no tuvo nada de relevancia y se hizo una segunda incursión que logró ser el pistoletazo de salida para todo un gran universo. Esta serie tomó el punto de la unión de razas y culturas como su base principal, el grupo protagonista está conformado por personas de distintos países y con la valentía de meter a un ruso entre sus filas en plena guerra fría.

Otro tanto tendrían los *Thunderbirds* de Gerry Anderson, junto a su mujer Silvia, que fueron parte de ese gran experimento que se llamó *Supermarionation*" en el que en lugar de actores se usó a títeres para crear las aventuras, logrando ir a fantásticos lugares que la técnica y producción de la época no habría podido permitir en un set normal. Este grupo era una familia que recorría el mundo solucionan-

do problemas y salvando al mundo cuando hacía falta. Pero detrás del toque de aventuras de nuevo tenemos alque se habla de una familia poco tradicional, el padre es viudo, y que además van de continente en continente sin que eso les preocupe más allá de que hay personas que precisan de su ayuda.

Pero si hablamos de aventuras no puede dejar de nombrarse a un ladrón elegante y con clase llamado Simon Templar, o más conocido por *El Santo*. Esta serie estuvo en antena algo más de un lustro, con antecedentes en la radio y el cine, siempre con el atractivo rostro de Roger Moore para darle vida. Un criminal pícaro que aunque comete sus fechorías no duda en tener otras tantas hazañas heroicas que le han valido ese apodo por el que se le conoce (además del juego lingüístico con sus iniciales, ST que en inglés es la forma abreviada de Saint, pero que se pierde en nuestro idioma).

No este el único elegante caballero que poblará las pantallas, y si hemos dedicado una gran parte a John Steed con el aristocrático Patrick Macnee y a *El prisionero* con Patrick McGoohan es justo este último el que protagonizará otra de las series bandera de la época, *Danger Man* a la que también se la conoce por *Secret Agent*, *John Drake* o *Cita con la muerte* en nuestro país. El protagonista era un, evidente, agente secreto que vivió diferentes aventuras a lo largo de casi un centenar de episodios y una *tv movie* llamada *Koroshi*. La cada vez mayor popularidad hizo que varios espías tomaran su merecido lugar, aunque solo los que lograban diferenciarse del mismo y en este caso

no lleva armas, no mata con libertad a sus enemigos (no olvidemos que el 00 de 007 quiere decir que tiene licencia para matar) y tampoco va de chica en chica que es uno de los lugares más comunes de la saga de Bond.

Y si algo tiene éxito la parodia no estará muy lejos, pero en ocasiones llega a tener carácter propio y ser conocida por sus propios hechos y aciertos, así tendríamos el caso de la divertida *Superagente 86* o *Get Smart* como se llamó en su formato de origen. Con Mel Brooks[168] como genio creador y el cómico Don Adams para poner sus facciones, más cercanas a un tebeo humorístico que a una serie de aventuras, este despistado agente tendría sus misiones, su servicio secreto, sus compañeros que iban desde el jefe que le daba sus trabajos, un robot con aspecto humano o la agente 99 que terminaría convirtiéndose en su mujer. La serie tuvo una continuación con poco éxito, y rápida cancelación, además de dos películas y un *remake* que protagonizaron Steve Carell[169] (todo un acierto) y la guapísima Anne Hathaway[170].

Otros conocidos personajes también vivieron su momento de gloria catódica, algunos viniendo de otros medios como el cómic y el inteligente lector ya se habrá dado cuenta de que esto solo es una forma de poder hablar de Batman. Para muchos esta es la serie que mejor define la locura y libertad creativa que fueron los años sesenta, para otros es una broma que poco tiene que ver con el cruzado de la capa y a muchos les cuesta reconocer que fue la forma en que la creación de Bob Kane[171] y Bill Finger[172] logró recuperar el éxito de antaño o más bien crear toda una batmanía que no volverá a ser vista hasta dos décadas después con la película que dirigió Tim Burton[173]. Adam West fue el encargado de vestir las mallas grises y moradas, junto a él estaba Burt Ward para hacer de Robin y un largo plantel de grandes actores de la época para ponerse al servicio de la galería de villanos con un inigualable Frank Gorshin[174] como el Acertijo.

Comencemos a soñar

En este apartado repasaremos algunos de estas series, nombres, aventuras y actores que salieron en las mismas aunque de una forma más breve que las que nos han ocupado hasta el momento. Aunque en opinión de quien esto suscribe *Los vengadores*, *Doctor Who* y *El prisionero* son las tres obras por excelencia de los católicos años sesenta (ya no solo a nivel británico, también mundial) es cierto que otras producciones tuvieron su momento y su éxito, además en muchos casos como *Star Trek* o *Batman* con Adam West se convirtieron también en auténticos iconos con franquicias que siguen hoy o que sencillamente forma parte de nuestro fondo mental. Se rinde aquí un pequeño y muy merecido tributo si no a todos, podría ser casi imposible (aunque hay precisamente libros sobre el tema, que como es costumbre no han llegado a nuestro país y toca recurrir a las sabias manos de Internet) y ante este hecho se han elegido algunas que por uno u otro motivo merecen estar en este compendio de páginas y letras.

El cómo y el porqué de este apartado

En un primer momento este trabajo lo pensé para tratar solamente tres series: *Doctor Who*, *El prisionero* y *Los vengadores*. Para mí las tres series quintaesenciales de los años sesenta y a las que todas las demás (todavía hoy). Siempre existió la posibilidad de introducir un apartado final en el que se hablara de otras series y así hacerlo más completo de lo que sería de haberlo dejado solo en las tres que se han tratado de forma extensa. Voy a ser sincero y diré que no lo tenía del todo claro, hasta que empecé con ello, repasé mentalmente, miré documentación y me di cuenta de lo acertado que iba a ser.

Para comodidad de vosotros que estáis al otro lado de la página y plantearlo con un poco de orden no se presenta aquí en forma de listado, una posibilidad que también barajé pero no terminaba de encajar, y en su lugar se ha dividido

en varios apartados en los que se relacionan algunas series, ya que la temática que tratan es parecida. En algunas ocasiones podrían estar en varios puntos, por ejemplo *The Man from U.N.C.L.E* bien puede ser de espías y aventuras pero también de fantasía científica y casi superheroica, con esto presente se intenta introducirlas en la forma que mejor pueden encajar aunque en algunas ocasiones se hará un comentario al respecto.

En este apartado me he permitido meter alguna colaboración de personas que pensé que podrían aportar algo más allá de lo que yo quiero que el lector sepa. En concreto de Walter Armada de la web *Batmanía*, Eduardo de Celis del blog *Crucigramas y Café TV*, organizador también de *Birras y Series León* al cual tuve la suerte de ser invitado, y finalmente el realizador audiovisual Pedro del Río. Creo que de esta forma se enriquece el contenido y será más interesante para el lector.

Al igual que en las otras series se meterá aquí una parte de biografías, no en todas y de una forma bastante reducida pero hay algunos nombres que considero deben destacarse con algunos datos para que puedan ser más conocidos y mejor situados.

El límite era solamente el horizonte y las fronteras del espacio.

«Space... the Final Frontier. These are the voyages of the starship Enterprise. Its five-year mission to explore strange new worlds, to seek out new life and new civilizations, to boldly go where no man has gone before.»

«El Espacio... la última Frontera. Estos son los viajes de la nave espacial Enterprise. En su misión de cinco años para explorar extraños nuevos mundos, en la búsqueda de nuevas formas de vida y nuevas civilizaciones, para llegar allí hasta donde ningún hombre ha llegado antes».

James T. Kirk, en la apertura de la serie clásica de *Star Trek*.

SUPERHÉROES: MALLAS, ANTIFACES, COCHES IMPOSIBLES Y AMANTES DE LA JUSTICIA

Si algo ha quedado claro a lo largo de este libro es que soy un mitómano, reconocido y encantado de serlo además. Esto de hecho es lo que ha propiciado que pueda ponerme a escribir sobre este tema tan concreto pero también que, por ejemplo, cuando me metí con las biografías de *Los vengadores* no comenzara por Ian Hendry y su doctor Keel, prefiriendo hacerlo con Patrick Macnee y el caballero que es John Steed. Un poco pasa lo mismo aquí, que si bien podría hacer

cer comenzado por cualquiera de las series que vienen a continuación me parecía que solo podía hacerlo por el *Batman* de Adam West, serial que adoro desde pequeño y sobre el que ya he escrito anteriormente (en Zona Negativa podéis rastrearlo, por ejemplo).

Los superhéroes siempre han sido algo muy querido en la sociedad americana, no exentos de problemas (y todos, creo, sabremos del libro *La seducción del inocente*) y polémicas, pero a fin de cuentas vienen a representar el ideal que tienen para sí mismos de un hombre que se hace sin ayuda de nadie, que logra salvar los baches de la vida y reponerse ante una gran tragedia (en el caso de Batman, el asesinato de sus padres). Desde su primera aparición, podemos considerar a esta como en el año 1938 con Superman que marcó el que sería el arquetipo base, han estado vinculados a la cultura popular en gran parte por lo atractivo de sus aventuras, una fantasía que les hacía recorrer el universo mientras se enfrentaban a villanos de brillantes disfraces, todo a un precio muy económico y con una diversidad tal que si no te gustaba uno bien podías probar con otro la semana siguiente.

También han estado siempre muy relacionados con los otros medios y han pasado lite-

ralmente por todos. La radio fue la primera que recogió sus aventuras desde las que vivió El Llanero Solitario, tío de Green Hornet como explicamos en unas líneas y fantasía del Felipe de Mafalda, sin olvidar a La Sombra que empezó como un sombrío locutor (aunque ambos se han considerado en el género después, y este es más pulp que otra cosa) pero sin duda uno de los más prolíficos fue Superman. La fama del hombre de acero, por siempre el más conocido personaje de DC Comics, le hizo ser siempre devorado por los fans y hasta tal punto que el cómo era en los tebeos llegó a cambiar en favor de algunos puntos de sus producciones en radio y televisión, además de ser imposible olvidar a George Reeves como el Superman de los años cincuenta y esa película biopic de *Hollywoodland* en que se narra parte de su vida y su muerte (protagonizada por Ben Affleck y que es muy recomendable de ver).

Aquí hablaremos de los dos míticos héroes que marcaron la televisión de los sesenta: Batman y Green Hornet. Dos reflejos el uno del otro ya que en esencia hacen un planteamiento similar al ser dos millonarios que se enfundan en un disfraz para combatir el crimen y además contando en ambos casos con dos ayudantes jóvenes junto a un coche con la más alta tecnología incorporada. Si bien es cierto que las historias de Green Hornet, o el Avispón Verde, son algo más serias que las del dicharachero Batman al que dio vida Adam West, esto no impidió en absoluto que hubiera un cruce entre ambas series y que compartieran una aventura de la que también se habla aquí.

Encendamos la Batiseñal y comencemos con el cruzado de capa.

Batman, un héroe muy contento y feliz

Siempre que regresamos a un producto de una época anterior conviene verlo dentro de su tiempo y no cometer el error de juzgarlo según los patrones actuales, sería todo un error hacerlo y lo único que lograremos será no disfrutar con ello o (lo que es ciertamente peor) ridiculizarlo por no cuadrar en nuestras contemporáneas líneas. Por ejemplo a nadie se le ocurre valorar un cuadro de Miguel Ángel siguiendo las mismas líneas que si estuviera ante una obra de Jackson Pollock[175], sencillamente no tiene ningún sentido el hacerlo y esto mismo debe tenerse en cuenta cuando estemos frente a una producción de carácter audiovisual, solo puede ser comparada con otras de su mismo momento y entonces hacer un correcto juicio de valor.

Mallas, risas y sonrisas

La serie de los años sesenta de Batman está muy alejada de la concepción que actualmente se tiene del personaje, de ese ser oscuro y misterioso que solo sale por las noches y al que temen casi por igual criminales e inocentes, no así tanto sus villanos habituales que más bien parecen tener admiración e incluso una especie de enamoramiento (el caso del Joker[176] es el más claro) para con él, de hecho en ocasiones los crímenes que comenten no es más que una forma de reclamar su atención (de verdad, esto es así). Claro que el murciélago es uno de los héroes que más ha cambiado con el paso del tiempo e incluso de forma retroactiva se han hecho concesiones que afectan a sus primeras historias, como el hecho de que nunca mate cuando en el pasado portaba pistolera y se le vio disparando desde su avioneta, pero hoy en día esto no tiene cabida y hay que respetarlo.

Parte de esta transformación vino durante los cincuenta y sesenta, si se ha dicho que fue una época de fantasía sin frenos en la televisión lo fue también para el mundo del cómic y afectó a personajes que ya llevaban su recorrido, y es que si bien es cierto que hoy la continuidad y la cronología son algo que se toma muy en serio (aunque luego uno lee algunos cómics y se la saltan a la torera), antes no tanto y lo que realmente importaba era la historieta y la aventura. Se creaba sin pararse a pensar en si años después tendría o no validez y por ejemplo así tenemos *The Interplanetary Batman* de 1959, *The Zebra Batman* de 1960 (esta portada debería ser de visión obligada para los fans), *The Colossus of Gotham City* de 1961 con un Batman gigante en la portada y mis dos favoritas:

- *The Rainbow Batman* de 1957, en la que vemos al cruzado poniéndose un traje de color rosa y detrás de él otros de varios colores que van desde el naranja al amarillo (como bien indica el título lo que hay son los colores del arcoiris).
- *The Joker´s Journal* de 1953 con el villano preparando la noticia sobre la captura de Batman y Robin que están atados a una silla mientras un fotógrafo hace un toma de ambos. El malvado está escribiendo en su máquina, hay una foto de John Dillinger (famoso criminal americano) y no es mal reflejo de cómo se trabajaba periodísticamente en aquellas décadas (me refiero de forma técnica, no en el apartado de poner a un psicópata ante una máquina de escribir).

Y así sigue la cosa, un sinfín de aventuras absurdas y muy divertidas, un momento en que lo

que importaba era dar al lector emoción y cuánto más mejor, la época de la introspección y el respeto por la continuidad todavía estaba a varios años de empezar. Con esto claro ya se puede hablar apropiadamente de una serie que si bien tomó preponderancia por ser más cómica y aventurera que otra cosa también respetó muchos los elementos que eran habituales como una fantástica Batcueva[177] (personalmente la mejor que ha existido[178]), los gadgets y elementos tecnológicos, un Alfred más británico que nunca y uno de los traspasos más adecuados de los villanos hacia otro medio que se ha visto en mucho tiempo, solo igualado por el Joker de la serie de animación de los noventa al que puso su voz Mark Hamill[179].

Televisión y cine pero solo un producto

Batman, la serie y la película de los sesenta (ya que ambas son parte de la misma propuesta, de hecho el filme pretendía ser una presentación pero la producción se precipitó (este es uno de esos puntos en los que uno puede encontrar información enfrentada y opuesta dependiendo de dónde consulte)). Sea de la forma que fuere lo innegable e histórico es que llegó a las pantallas en 1966 teniendo tres exitosas temporadas en compañía de sus compañeros, amigos, enemigos y familia, de forma literal esto último (no la batfamilia del cómic) ya que se introdujo el personaje de una anciana tía llamada Harriet que no aportaba realmente nada a los episodios pero evitaba los comentarios sobre la homosexualidad de los protagonistas y el tema de un hombre maduro conviviendo de forma íntima con un jovencito, hoy esto puede chocar pero el libro *The Seduction of the Innocent*, *La seducción del inocente* que se ha mentado en la entradilla de este capítulo, hacía poco más de una década que se había publicado y había que tener cuidado con las posibles represalias y censuras. En realidad el personaje ya había aparecido en los cómics[180] con el mismo motivo y también en parte debido a la muerte de Alfred[181], es muy largo de contar, que se recuperó en la serie con un magistral Alan Napier[182] y una flema británica que por siempre marcaría al personaje.

Adam West y Burt Ward, la extraña pareja de cruzados encapotados

El encargado de protagonizar estos tres años de vida fue Adam West, actor que ya contaba con bastante experiencia en el mundo de la televisión y aunque es innegable que fue este personaje el que le lanzó a la fama también lo es que posteriormente ha tenido multitud de trabajos sabiendo reciclarse perfectamente y siendo un ejemplo total de saber reírse de sí mismo, clara muestra es su doblaje en *Padre de familia* en la que hace de un alcalde con graves problemas mentales que es su reflejo tanto en nombre como en diseño. A su lado está Burt Ward, el joven elegido para ser Robin tras pasar un casting en el que demostró sus habilidades para el kárate y llevando unas mallas de color carne además de (esto es cierto) tener que disimular su entrepierna ya que se supone que el chico maravilla es todavía un niño y Burt contaba ya con 19 años en el momento de empezar la serie con todo el desarrollo físico que eso conlleva.

Quizá este no sea el mejor retrato de Robin o Batman no tenga el músculo lo suficientemente marcado, claro que si miramos dibujos de la época son tal cual y parece que se les ha recortado de alguna portada y puesto en la televisión, pero sí que tienen entre ellos una gran química en pantalla, lo que hizo que la serie gozara de una gran aceptación además del hecho de dejar de lado toda la parte oscura y de venganza, por algo más cercano a la comedia y la aventura pura en que cada episodio terminaba con un *cliffhanger*[182] que tenía su conclusión en el siguiente, siempre en arcos de dos capítulos por trama lo que permitía desarrollar tranquilamente la acción.

Adam West y Burt Ward lograron algo que no se ha llegado a repetir hasta el momento, aunque sí en cierta manera con la batmanía desatada por el primer *Batman* de Tim Burton, y fue lograr que este superhéroe fuera realmente consumido por todo el público que se mostró adicto a la intensa actuación del primero (no en pocas ocasiones ha sido comparado con William Shatner por esto mismo), a las ingeniosas y divertidas frases de su compañero. La sociedad estaba más que preparada para un murciélago que iba a un parque a dar de comer a las palomas, bailaba en una discoteca y salía sin problema a la luz del día ante la atónita mirada de las señoras que pasaban por la calle. El público lo recibió con los brazos abiertos y el justiciero devolvió con creces ese amor.

Los fantásticos actores detrás de los enemigos más mortales

Uno de los mayores aciertos, o quizá el que más, fue la presencia de actores de renombre y larga carrera para dar vida a la galería de villanos. Esto por otro lado es algo que siempre se ha mantenido en las posteriores adaptaciones del personaje, ya que es imposible concebirlo sin sus villanos que en muchas ocasiones resultan más atractivos que él mismo y con un desarrollo mucho mayor. El bueno siempre es bueno y aunque tenga dudas tendrá que inclinarse del lado de la justicia, pero el malo puede serlo mucho o poco, dejar ver una parte humana o ser un total desquiciado que lo único que desea es ver morir a los demás.

Tenemos así nombres como el del conocido *latin lover* Cesar Romero interpretando a un bromista y poco aterrador Joker con bigote, ante su negativa a quitarse su seña de identidad; Cliff Robertson que décadas después sería el tío Ben de Spider-Man; Burgess Meredith haciendo del pingüino y disimulando la tos que le producían los cigarrillos con graznidos, además del legendario Vincent Price y el director de cine Otto Preminger, sin olvidar a Frank Gorshin interpretando a un grandísimo e hiperactivo Acertijo al que intentó imitar Jim Carrey en 1995, quedando en poco más que un burdo intento muy por debajo del original. Es curiosa la importancia de este personaje que en ese momento no era precisamente conocido, pero es debida a la confusión que William Dozier, creador de la serie, tuvo leyendo cómics ya que en uno de ellos (Batman 171) aparecía este maestro de los enigmas pero realmente por tercera vez, pero gracias a Frank Gorshin ganó su merecido lugar en el Universo DC (aunque sea complicado que tenga un tratamiento acertado). Puede que algún seguidor de esta serie piense que en la segunda temporada fue otro actor, en concreto John Astin, que había dado vida a Gómez Addams en *The Addams Family*, algo que sucedió tras ganar el original un Premio Emmy por su interpretación y pedir más dinero por su trabajo. Así funciona la industria.

Un Batman por y para los sesenta

Batman fue un producto de su época, hecha para un público muy concreto (no necesariamente lectores de cómic) y con la clara intención de ser un éxito que recaudara buenos fondos, pero eso no le quita el valor que tiene precisamente por ser la máxima expresión de un momento, de ser la definición visual más pura de los términos *camp*, *pop* y *kitsch* pero ante todo de ser diversión sin ninguna pretensión mayor que entretener al espectador.

Personalmente siempre he pensado que la mejor forma de entender qué era y qué pretendía esta serie es con un diálogo que mantienen el dúo dinámico. Ante un acertijo Robin se plantea «¿Qué es amarillo y escribe?», a lo que Batman sin atisbo de duda (es el mejor detective del mundo) responde que es «¡Un plátano

bolígrafo!». Junto a esto el otro gran y fantástico momento que nadie podrá olvidar, y que en *Los Simpson* parodian (en esa habitual muestra de respeto con pitorreo que suelen tener), es cuando el cruzado de la capa baila el Batussi en una discoteca con los elogios de una joven que le dice «Qué bien mueves la capa». Imposible no amar esta serie.

A través de la Baticueva y lo que Adam West encontró allí

Aunque no puede decirse que esta historia tuviera una continuación, ya que el producto terminó en un momento dado, hay que citar una producción llamado *Return to the Batcave: The Misadventures of Adam and Burt* (*Regreso a la batcueva: Las desventuras de Adam y Burt*) que es tanto una especie de secuela como un falso documental a la par que un homenaje y la muestra de que hay actores que saben reírse de sí mismos. La historia nos lleva hasta la actualidad en la que nos encontramos con Adam West viviendo en una señorial mansión y llamando Alfred a su mayordomo, y también a un Burt Ward al que los años han pasado factura en forma de kilos. Ambos se encuentran en una convención pero un villano ataca y roba el batmovil, ellos ni cortos ni perezosos se lanzan a la carrera para encontrarlo y solo para descubrir que tras este delito está la bella Julie Newmar y por supuesto no podía faltar el excepcional Frank Gorshing (vistiendo una ropa con el signo de exclamación y no de interrogación). Pero además de esta ficticia y divertida trama se recordarán momentos de la serie que hasta hoy solo habíamos podido escuchar o ver en alguna foto promocional, se reconstruyen con otros actores interpretando a los originales en un falso documental que nos ayuda a conocer más de esta serie. Aunque no sea una obra maestra merece la pena dedicarle algo de nuestro tiempo, no solo por conocer cosas del pasado de la serie, también por volver a ver junto a Adam West y Burt Ward viviendo una batiaventura en toda regla.

¿Era ridícula la serie de Batman de los sesenta? Sí. ¿Absurdamente colorista? Sí. ¿Una obra genial? Sí, y todavía hoy lo es.

¡Santas batibiografías Batman!

Aunque he dudado si introducir biografías en estas series que se tratan de forma más transversal, finalmente me ha parecido que al menos en algunas de ellas sí, ya que la importancia de lo que hicieron o de sus actores es para darles un poco de espacio.

Adam West, Batman-Bruce Wayne

Adam West mola. Eso es lo primero que hay que tener claro. Un actor que puede gustarte o no pero que mola un montón. Alto, elegante, sigue siendo guapo, ha sido Batman y además tiene una gran capacidad para la autoparodia.

Nació el 19 de septiembre de 1928 con el nombre de William West Anderson en Seattle aunque dejó la ciudad, toda la familia vamos, al nacer su hermano pequeño para trasladarse a Walla Walla (os prometo que existe, ambas están en Washington). En este punto hay que decir que es uno de esos datos que se encuentran de diferente forma, ya que en algunas partes dicen que nación en Walla Walla, allí se cursaría estudios en Literatura y Psicología. Un nuevo viaje le llevó a su primer papel, vivía en Hawaii y fue allí cuando comenzó como un secundario en *El Kini Popo Show* (no está traducido, es el título original) pero al final se haría con el protagonismo total (¿acaso alguien lo dudaba?) y de allí a Ho-

llywood solo había un paso.

Ya había nacido Adam West, un nombre que sencillamente le gustaba y con el que apareció en *La ciudad frente a mí* (*The Young Philadelphians*) bajo un personaje llamado William Lawrence III junto a Paul Newman. Curiosamente esto no marcó su carrera, tampoco fue su primera película, pero tras esta actuación y hasta que llegó el turno de la gran Batiserie tuvo un buen número de papeles en producciones televisivas en las que habitualmente encarnó a personajes del *western*, agentes o ficciones de ese estilo como en la serie *Perry Mason*, *El Virginiano* o *Compañeros de armas* y puñetazos (título que parece de una aventura de Terence Hill y Bud Spencer), además de pasar por *Embrujada* (producción de la que se habla más adelante) como Kermit, igual que la rana Gustavo en su versión original, en el episodio *Love is Blind*.

Precisamente estos papeles, incluyendo el de Sam Garrett en *Los cuatro implacables*, le ayudaron para ser elegido Batman ya que venía de estar en producciones de aventuras, papeles de acción y le facilitaron la decisión por parte de los productores al considerarlo capaz, además de una muy buena prueba de cámara y la fantástica química que tenía con Burt Ward, al que se repasará cuando se termine con Adam West.

Los cuatro implacables fue justo en 1965, lo último que hizo antes de saltar al estrellato como el *Batman* y su doble papel de Bruce Wayne. No hace falta entrar ya que se acaba de tratar y ya se sabe lo suficiente de esta serie, además que muy probablemente todos la hemos visto (al menos algún episodio) en algún momento de nuestra vida, y si no ya va tocando, que es una de las mejores y más divertidas obras televisivas de las últimas décadas de la televisión.

Al término de su paso por este fantástico serial protagonizó *The Girl Who Knew Too Much*" con el personaje de Johnny Cain, pero lo cierto es que aunque haya tenido una larga carrera que todavía sigue en activo hoy no ha sido capaz de quitarse la pesada capa del detective de encima, y al igual que muchos de sus compañeros ha sufrido un cierto encasillamiento por el mismo papel que le dio la fama. Aunque a pesar de todo la fama de la que gozaba hizo que el productor

Cubby Broccoli le ofreciera, parece, el papel de James Bond, que él rechazó por pensar que siempre debería hacerlo un inglés y él no lo era, aunque hubiera dado el pego perfectamente y sin duda hubiera sido un gran 007 (personalmente lo imagino de forma bastante cristalina).

Lo cierto es que regresaría al personaje de Batman en varias ocasiones, desde un anuncio a favor de la igualdad salarial para las mujeres y sin olvidar la olvidable (aunque parezca contradictorio) *Legends of the Superheroes*, un terrible especial televisivo de dos partes que intentó recoger la esencia de la serie de los sesenta pero con más creaciones de DC. Lamentablemente solo pudo captar la parte más cómica y dejó todo lo demás por el camino sin haberlo actualizado a pesar de haber pasado muchos años entre una y otra. También fue su voz en las series de dibujos de la época, más recientemente fue la de Thomas Wayne en un muy entrañable homenaje (Thomas Wayne es el padre de Bruce Wayne, por si acaso, aunque es de suponer que conozcáis ese dato) que casi estuvo de hacer en la película de *Batman* de Tim Burton, pero él quería ser el protagonista y eso era a todas vistas imposible (por mucho que él se empeñara).

En la serie de dibujos de 1992, la gran *Batman: The Animated Series* (o sencillamente *Batman TAS*), puso su voz a Simon Trent, un veterano actor que había dado vida a el Fantasma Gris, una especie de superhéroe de un viejo serial televisivo. Esto es un homenaje y un gran recuerdo para él pero por otro lado no deja de mostrar a un intérprete atrapado en un personaje muy grande que no le deja escapar.

The Marriage of a Young Stockbrocker, *The Curse of the Moon Child*, *Hooper* (en la que hizo de sí mismo, y no sería la última vez), *One Dark Night* (sin relación alguna con *Batman: The Dark Knight*, no nos confundamos) son algunas de las películas en las que trabajó entre los setenta y los ochenta, además de otros tantos filmes televisivos en lo que se convertiría en una habitual en su carrera, trabajar para la pequeña pantalla como en 1986 cuando fue el protagonista en *The Last Precinct* como el Capitán Rick Wright junto a Ernie Hudson, al que todos recordamos por su papel de Winston en *Los cazafantasmas*.

Desde los noventa y hasta el momento actual ya es considerado todo un icono del pop televisivo de los sesenta, momento en el que sus apariciones y cameos se hicieron más habituales, además que según pasan los años es más y más querido por los fans entre los que se incluye Ben Stiller que le llevó de invitado a su programa, *The Ben Stiller Show*. Es a mediados de esta época, 1994, que lanza una autobiografía titulada *Back to the Batcave*, que nos recuerda mucho a *Return to the Batcave* que será la película y falso documental que protagonizará con Burt Ward en 2004.

En estos años se ha ido metiendo cada vez más en el mundo del doblaje, comenzando por las propias versiones de sí mismo que han aparecido en distintas series como *Los Simpson* y por supuesto en *Padre de familia*, poniendo su característica voz para ser el alcalde Quahog que se llama igual que él, además de ser una caricatura de sí mismo y estar loco.

En este 2012, o el año pasado cuando lo estéis leyendo, tuvo su estrella en el Paseo de la Fama de Hollywood el 5 de abril de 2012, exactamente situada (por si alguno va y quiere buscarla) en el 6764 de Hollywood Boulevard.

¡Ah! Y nos os perdáis el videoclip de Chelsea de Stefy en el que aparece como un juez que se llama Adam West.

Burt Ward, Robin-Dick Grayson

En julio de 1945 nació Burt Ward o más bien lo correcto sería decir que lo hizo Bert John Gervis Jr., que vino al mundo en la ciudad de Los Ángeles, en la calurosa California. Creció, al igual que otros muchos niños de su época, leyendo tebeos (mal que le pese al psicólogo Frederic Wertham) pero además con otras aficiones como patinar y por supuesto las artes marciales, en concreto el taekwondo (aunque dependiendo de si es en una u otra fuente encontramos que era judo o karate, aunque a nosotros realmente nos afecta en bastante poco), lo cierto es que era un chico con bastante interés por el deporte en contra de lo que su orondo aspecto actual revela, pero el tiempo no es igual de amable con todos (Adam West sigue molando).

Fue precisamente este hecho uno de los que le valió ser finalista para el papel de Robin, compitiendo con la pareja de Lyle Waggoner y Peter Deyell, pero él contaba con saber lucha y la fuerte presencia de Adam West. Se dice, que es tanto leyenda como realidad, que finalmente se le eligió cuando rompió un tablón con las manos. Claro que por esto mismo tuvo que hacer sus escenas de acción, algo que no pasaba con Adam West, algo que vemos reflejado de forma ciertamente cómica en *Return to the Batcave*. Esto fue en parte debido a que era más joven y podía aguantarlo mejor, al hecho de ser deportista y a que su antifaz dejaba bien claro el rostro de debajo, lo que no pasa con Batman,

que le cubre casi toda la cara y permite un cambio de actor mucho más disimulado.

A pesar de ser poco más que un muchacho, su edad hizo que se tuvieran que disimular sus partes con algodón ya que contaba con 19 años y debía parecer poco más que un niño. Fue en este primer y mítico papel cuando decidió cambiar su nombre de nacimiento al pensar que Gervis no terminaba de sonar bien, cambió una vocal del primero y así nació realmente Burt Ward para todos nosotros.

Siempre se ha dicho, y de nuevo os recomiendo ver *Return to the Batcave* ya que es otra de las partes que se ven en el falso documental, que ambos actores aprovecharon la fama adquirida y la popularidad para tener sus aventuras con mujeres. No en vano era una de las series más vistas del momento y sus rostros eran habituales en los televisores de todo el país y realmente ambos han dicho siempre que eran más que compañeros, que eran amigos y en palabras de Burt Ward que Adam West era su mentor.

Pero al contrario que su maestro él no ha tenido una carrera tan larga y dilatada, de hecho si en el caso de Adam West la capucha de Batman pesaba y le encasilló fue todavía peor en el de Burt Ward, que no logró quitarse de encima el antifaz. Muestra de ello es que tras Batman estuvo una década apartado del mundillo y solo volvió al mismo para los algo menos de veinte episodios de *The New Adventures of Batman and Robin* en la que él y su compañero volvieron a poner sus voces a sus conocidos personajes.

Volvería a las mallas y al chaleco rojo en varias ocasiones pero desde finales de los setenta y hasta el 2010, último año trabajado fechado, ha pasado por distintas producciones tanto de televisión (filmes y seriales) como cinematográficas entre las que se cuentan *Alien Force, Karate Raider, Beach Babes from Beyond* (una película de 1993 que realmente os recomiendo ver si os gusta lo bizarro, pero en el sentido castellano. Hasta tiene un momento de batbaile incluido. Se puede encontrar por *Las chicas playeras de otro mundo*) *The Girl I Want, Robot Ninja* y por supuesto con su merecido homenaje en *Los Simpson*.

Aunque no ha tenido suerte en el apartado actoril, en 2001 fundó su propia empresa de efectos llamada, preparaos, Boy Wonder Visual

Effects que ha trabajado en *Piratas del Caribe* o *El monje*, divertida película de 2003 que poco tiene que ver con el cómic original *Bulletproof Monk* de Michael Avon Oeming.

Aunque esto debía haberlo dicho ya, he preferido dejarlo para el final y es que al igual que Adam West publicó una autobiografía llamada *Back to the Batcave* era inevitable que Burt Ward hiciera la misma jugada, en esta caso se publicó en 1995 y se llamó *Boy Wonder: My Life in Tights* o *Chico Maravilla: mi vida en mallas.*

Frank Gorshin, el Acertijo

Aunque ese villano que tiene aspecto de payaso y responde al nombre de Joker es el más temible enemigo de Batman desde siempre, algunas de sus historias como *La broma asesina* han marcado por siempre a ambos personajes, pero el malvado más carismático que tuvo durante la serie de los años sesenta fue el Acertijo, (el que interpretó Frank Gorshin, no el de John Astin).

La fuerza de su interpretación, su carisma y energía, además de esa afición a no llevar puesta el antifaz (en ocasiones lo lleva solamente colgado del cuello), hicieron de este travieso malvado el más característico de la serie, motivo por el que también es el que aparece en *Legends of the Superheroes* (también por un

tema de derechos ya que el Joker iba a ser usado en la película de Tim Burton con un excéntrico Jack Nicholson con una visión bastante aterradora del personaje) y en *Return to the Batcave* como el titiritero detrás de todo, aunque hay que decir que en este caso el que Cesar Romero hiciera aparición dando vida al príncipe payaso del crimen era del todo un punto imposible, ya que falleció en 1994.

Frank Gorshin nació el 5 de abril 1933 en Pittsburgh, Pennsylvania y falleció el 17 de mayo 2005 en Burbank, California, EE.UU. debido a un cáncer de pulmón, enfisema y neumonía). Era el mayor de tres hermanos y compaginó sus estudios en el instituto con el trabajo de acomodador en el Sheridan Square Theater, precisamente en parte gracias a esto vendría toda su carrera ya que por esos años empezó a imitar a algunos de los rostros que iba viendo, a tal punto que ganó un concurso de talentos actuando durante una semana en el mismo local que Alan King fue cabeza de cartel. Aunque es probable que este nombre no suene al lector, Alan King fue un cómico americano con una larga carrera en la que también hizo otro tipo de papeles, escribió libros y fue productor, un todo terreno en toda regla.

Sin duda ya sobre a qué quería dedicar el resto de su vida el joven Frank Gorshin se matriculó en la Universidad Carnegie-Mellon Tech para estudiar arte dramático, mientras que iba haciendo actuaciones siempre que podía e incluso en su breve paso por el ejército no dejó de hacerlo. Precisamente gracias a esto llegó hasta un agente en Hollywood y comenzaría allí lo que sería una trayectoria que solo pararía con su fallecimiento. El primer papel puede encontrarse indicado de dos formas, por un lado estaría en *Alfred Hitchcock presenta* en el episodio "Decoy" con el personaje de Page o bien en *Los héroes también lloran* (*The Proud and Profane*, título que poco tiene que ver con la traducción) como Harry. Lo cierto es que poco importa si fue un papel u otro, lo cierto es que fue en 1956 y la mecha estaba encendida.

Desde este momento y hasta el día de su muerte pasó por innumerables producciones tanto televisivas (como él mismo o dando vida a personajes ficticios), doblaje y cinematográficas. Amén de las apariciones en *shows* como *The Steve Allen Show* o *The Sammy David Jr. Show* por citar solamente dos nombres que el lector probablemente conocerá.

Hot Rod Girl, *Toast of the Town*, *Jimmy*, obra teatral con la debutó en Broadway aunque la última ya que hizo gira con otras producciones como *Promises, Promises*, *Peter Pan*, *Prisoner of Second Street* y la archiconocida y parodiada *Guys and Dolls*.

Hay dos datos curiosos que he querido dejar para el final. Por un lado el de una muerte que no tuvo aunque algún medio informó de ello, fue a finales de la década de los cincuenta cuando se dirigía a un casting en coche pero el cansancio le afectó, se durmió y despertó varios días después en un hospital con una fractura craneal. No llegó a fallecer, y de hecho el gran papel del Acertijo llegaría años más tarde (esto sucedió en 1958).

El segundo hecho es su altura, aunque no era un gigante media casi un metro ochenta, 1´78 si nos ponemos precisos, que no es lo mismo que el 1´87 de Adam West pero el porqué le recordamos mucho más pequeño que este o que sus compañero de rodaje es por la forma de actuar y del carácter que conformó para el Acertijo, si uno se fija verá que son muy pocas las veces que le veremos realmente estirado prefiriendo normalmente estar encorvado o algo agachado, lo que por otra parte se convirtió en uno de sus signos característicos.

Una carta desde el corazón de un fan

Como ya he comentado he querido contar en esta parte con alguna colaboración que creo que el lector puede encontrar interesante y enriquecedora, son pocas pero creo que os gustarán. La primera de ellas tenía que ser en esta serie y solamente podía salir de las manos de Walter Armada, responsable de la batfantástica web de batmania.com.ar, un seguidor como hay pocos de esta serie, siempre al día de toda la información que la rodea (lamentablemente muchas noticias son de fallecimientos de actores del elenco) y una persona que ha tenido la suerte de conocer en persona al gran Adam West y de hecho tener una cordial relación con él.

Desde Batmanía con amor

por Walter Armada, fundador y responsable de la página http://batmania.com.ar

La perspectiva personal de algunos de los lectores de cómics varía extremadamente respecto de la serie con Adam West: mientras algunos la aman incondicionalmente otros la desprecian sin remedio.

Posiblemente estos últimos nunca pudieron entender el concepto del *show*, escudándose en el "serio" contenido de los *comic books*, y seguramente (sobre todo) ignorando las historietas de la época en la que la serie se comenzó a producir; ya que el *show* de TV no solo reflejó estéticamente a la perfección los personajes, el vestuario, la parafernalia, los gigantescos decorados y las trampas mortales; sino que también brindó adaptaciones maravillosas de estos cómics como en los primeros episodios con *the Riddler*, *the Joker*, *the Penguin* y *Mister Freeze*.

Tampoco se puede dejar de lado los excelentes argumentos especialmente creados para la se-

rie. Un director y escritor del History Channel declaró «Batman era un *show* brillante, la historia en la que the Penguin se postula para alcalde (por nombrar solo un ejemplo) es una de las pocas sátiras políticas de los sesenta que todavía se mantiene intacta en su contenido critico y social». Y por supuesto no hay que olvidar que el *show* sacó al personaje del pequeño círculo (en ese entonces) de lectores de *comic books* y lo elevó a la categoría de icono popular del siglo XX.

Pero hay otras razones valederas por las que Adam West es todavía el Batman mas recordado:

Es el actor que más tiempo lo interpretó, ya que estuvo en los sesenta con la serie y la película, en los setenta puso su voz en los *cartoons* del Dúo Dinámico y lo volvió a encarnar en los especiales de TV. Inclusive durante los ochen-

ta fue la voz del Encapotado en la mejor temporada de los Superfriends *Galactic Guardians*.

Es el que la gente tiene más presente, ya que todavía se lo puede ver en TV con las eternas repeticiones de los 120 episodios de la serie que siguen emitiéndose alrededor del mundo.

Es el que la gente ama, por que representa los hermosos momentos de su niñez que ahora pueden compartir con sus hijos y mañana de seguro lo harán con sus nietos.

Si bien todas estas razones son válidas, podemos agregar una por demás contundente: Adam West es quien mejor reflejó al Batman de los cómics desde que el personaje se creó hasta que la serie fue estrenada en 1966. Supongo que cualquier individuo de mi generación, con solo ir y echar un vistazo en su casa paterna de seguro se va a encontrar con algo alusivo al Encapotado.

Fueron épocas de inocencia e ilusión, que contrastan con los duros años que vinieron después. Por eso digo, siempre que miremos hacia atrás el recuerdo del Batman de Adam West, este brillará como un diamante en una oscura caverna.

Hoy por hoy, y a pesar del *boom* de los nuevos Batman cinematográficos, Adam West y su Batman televisivo siguen siendo un clásico atemporal del que podemos disfrutar siempre que queramos a la misma Batihora y por el mismo Baticanal.

The Green Hornet, cuando la justicia se viste de verde

Es cierto que según ciertos parámetros no podemos decir que este hombre sea un superhéroe y al igual que Batman encaja más en la línea de justicieros, pero se ha usado el término de forma general para encajarlo todo dentro de una línea bien conocida por el lector. También hay que decir que en más de una ocasión se le han sacado ciertos parecidos con *The Spirit*, inmortal obra del fallecido Will Eisner (padre del cómic moderno), pero estos no van más allá del hecho de que ambos lleven un traje, sombrero y que lo único de disfraz que se les ve sea el pequeño disfraz con el que ocultan su rostro, pero más allá de esto no guardan más coincidencias ni en estilo de historias y menos en la forma de ser de ambos.

Una familia de justicieros, del Llanero Solitario al Avispón Verde

Aunque ahora mismo para muchos este nombre, o su épica traducción de «el Avispón Verde», se refiere a la película cinematográfica protagonizada por Seth Rogen, la historia se remonta a mucho tiempo atrás y de hecho ni siquiera a este personaje, hay que hablar antes de *The Lone Ranger* o *El Llanero Solitario*.

En 1933 comenzaron las aventuras radiofónicas de *El Llanero Solitario*, un justiciero que al igual que otros muchos debía gran parte de su imagen y estilo a *El Zorro*. Tras la idea estaban George W. Trendle y John King quienes bautizaron a su chico como John Reid, que

quedará malherido en un tiroteo en el que su hermano morirá. Moribundo será encontrado y curado por Tonto, un indio llamado Kemo Sabay (Kemo Sabe de forma popular) en la versión original. Ya recuperado y aprovechando que todos le consideraban muerto, se puso un antifaz y se convirtió en un foragido que lucha del lado de la ley. Este origen ha ido cambiando, pero la esencia siempre es más o menos igual (además de que lo del héroe que "muere" y dedica todo su ser a la venganza es muy habitual en la ficción).

Este aventurero tuvo un gran éxito que le valió aparecer no solo en radio, también en películas, novelas y cómics, sino además el que se hiciera una especie de *spin-off*, pero ambientado en la América actual. En concreto lo que sucedía es que *The Green Hornet* es en realidad Britt Reid, descendiente (sobrino si hay que ser concreto) de John Reid y que vivirá sus aventuras en dos seriales de 1939 y 1940, *The Green Hornet* y *The Green Hornet Strikes Again*. Pero volvería en los años sesenta, para vivir nuevas aventuras e incluso tener un cruce con Batman y Robin, sí, con Adam West y Burt Ward.

Las aventuras del Avispón Verde

La trama de la serie, de una sola temporada, que fue de 1966 a 1967, era muy sencilla y funcional. Se nos presentaba a Britt Reid, editor del Daily Sentinel y *playboy* como no podía ser de otra forma, que combate el crimen con la ayuda de su joven ayudante oriental y experto en artes marciales (lógico, si es oriental debía practicar artes marciales, los tópicos a veces son entrañables), Kato, al que daba vida Bruce Lee. Para el protagonista el elegido fue el actor Van Williams, un nombre que parece pensado por Stan Lee y su costumbre de que el nombre y apellido comenzaran por la misma letra (Peter Parker, Susan Storm o Scott Summers por poner algún ejemplo). Ambos intérpretes se convirtieron en un duro azote para el crimen y aunque no tenían poderes sí un basto arsenal de *gadgets* y tecnología, con su The Black Beauty a la cabeza.

Este elegante coche se trataba de un Chrysler Imperial Crow modificado por Dean Jeffries y ultimado por George Barris, dos de los manitas y diseñadores de coches de la época en Hollywood (me niego a usar el término «tuneador») que trabajaban de forma artesanal para dar a sus vehículos el toque de distinción que les hacía falta.

Aunque en algunos sitios indican que estas aventuras son continuación de las de 1939 y 1940, no se trata de un hecho verídico ya que no es una secuela, sí que son historias del mismo personaje pero situadas en un momento distinto. Parte de la decisión de lanzar esta producción, que venía renqueando desde los años cincuenta, fue la buena acogida que tuvo *Batman* y en parte por eso en ambas series se hizo alguna broma como el que Robin viera la vieja serie de *The Green Hornet* o que el propio Britt Reid hiciera lo mismo con la del cruzado encapotado.

El cruce con Batman, un momento mágico de la televisión

Pero el punto máximo llegó el 1 de marzo de 1967 en el episodio número 85 de *Batman*, un capítulo que llevó por nombre "*A Piece of the Action*" y en su continuación "*Batman´s Satisfaction*" del 2 de marzo. Fue aquí cuando los dos justicieros televisivos, y sus compañeros, se encontraron frente a frente. El Avispón Verde y Kato llegan a Gotham persiguiendo al coronel Gumm, el encuentro con Batman y Robin era inevitable pero ¿vería bien este que se entrometieran en su territorio?

Estos dos episodios tienen algún momento realmente divertido, como por ejemplo cuando el comisario Gordon (comisionado, que yo la veía con doblaje sudamericano) presenta al Dúo Dinámico a Britt Reid, otro tanto el encuentro en un restaurante entre este último y Bruce Wayne en el Gotham Hampshire Hotel rodeados de bellezas (ambos son *playboys* y tiene que notarse), la aparición de Edward G. Morrison hablando con los protagonistas mientras suben por un edificio (y él se asoma a la ventana) y por supuesto la pelea final de los cuatro aventureros contra los villanos de turno.

Solo por ver esto ya merece la pena sentarse durante un< hora, apagar las luces y disfrutar del *show* ajenos a todo al mundo exterior.

Las avispas no viven para siempre

Pero a pesar de todo en ese mismo marzo llegó el final de la serie, cerrando así las aventuras del Avispón Verde en su formato audiovisual. Desde ese momento siempre han existido rumores e intentos de recuperarlo tanto para la pequeña pantalla como para la grande pero sin llegar nunca a nada. Sí que se hicieron aventuras en formato cómic, incluso una miniserie guionizada por Kevin Smith (se escucharon voces de un posible proyecto con él al volante).

Las revisiones

Hubo un corto francés en 2006, de Aurélien Poitrimoult, que tuvo (y tiene) cierta repercusión por la calidad del mismo, además de lograr recuperar el espíritu original pero pasando por un filtro de modernidad. Estos diez minutos están perfectamente accesibles en multitud de plataformas, empezando por Youtube, y si os gusta el personaje os recomiendo verlo.

Algo que no se consiguió en 2011 en el filme que dirige Michel Gondry y protagoniza Seth Rogen fue dar ese toque de seriedad y profesionalidad, que prefirió ir por el terreno de la comedia para completo lucimiento de su actor principal y que además tiene alguna deuda con el trabajo de un lustro antes que firmó Aurélien Poitrimoult. En general esta película no recibió precisamente buenas críticas y tampoco el aprecio de los fans del personaje, fue un intento de aprovechar la actual buena recepción que tienen las historias cinematográficas de superhéroes pero que se quedó en un producto rápido, burdo y totalmente olvidable. Tened cuidado si os ponéis con ella, son dos horas de vuestra vida que jamás recuperaréis.

Ahora mismo parece que pasará tiempo hasta que volvamos a escuchar esa sintonía de Nikolái Rimsky-Kórsakov llamada *El vuelo del moscardón* (o abejorro) que en manos de Billy May adquirió algún toque de jazz y se convirtió en todo un icono de la serie. En ocasiones se sigue oyendo esta música en series y películas, como por ejemplo *Kill Bill* de Quentin Tarantino, rindiendo así homenaje a la serie además de vestir a los secuaces contra los que pelea la Novia (esa fantástica Uma Thurman) con ese tan característico antifaz.

La biografía de Van Williams, The Green Hornet-Brit Reid

Lo sé, seguro que alguno está pensando si no debería meter también la de Bruce Lee pero siendo prácticos no termina de tener sentido al existir ya libros sobre su vida y su trágica muerte, además que más o menos todos sabemos algo de la vida de este actor y artista marcial con lo que he considerado que no era preciso entrar en él, pero sí dar unas pinceladas sobre Van Williams.

Van Zandt Jarvis Williams nació el 27 de febrero de 1934 y aunque actualmente sigue con vida lo cierto es que no le hemos visto en la pantalla desde 1993 cuando hizo un cameo en la película *Dragón, la vida de Bruce Lee* como el director de la serie *The Green Hornet*, un homenaje al haber sido él mismo el protagonista de la producción en los años sesenta. Pero aunque esta fuera su última aparición realmente ya llevaba unos años retirado del mundillo y fue poco más que algo anecdótico.

Este es uno de esos casos que no tenía realmente relación alguna con la actuación y fue la casualidad de que un productor se topó con él la que hizo que decidiera probar suerte en Hollywood, aunque contaba con la suerte de ser un hombre guapo y atractivo, lo que en ese sector nunca va mal y de hecho en la mayoría de ocasiones suele ayudar. Desde mediados de los cincuenta trabajó en series televisivas pero la fama le llegó con el papel de Kenny Madison en *Birbon Street*, una creación de la ABC que solo estuvo en el aire la primera temporada que cubría desde 1959 a 1960. Volvería a este personaje en *Surfside*, o *Rompeolas*, que iba de 1960 a 1962. Y una tercera vez en *Setenta y Siete*, *77 Sunset Strip*, en tres ocasiones ya que era invitado en la cabecera.

Posteriormente pasó por otras series y producciones, anuncios entre ellos, pero no fue hasta 1966 que pasó realmente a la posteridad gracias a su encarnación de el Avispón Verde en la serie del mismo nombre. Protagoniosta absoluto de la misma, siempre con la ayuda de su fiel compañero oriental Kato, al que daba vida Bruce Lee, que falleció en 1973.

Poco a poco la década de los setenta fue dejando apartado a Van Williams aunque hizo aparición en series bien conocidas como *Las calles de San Francisco*, *Westwind* (no confundir con *The West Wing* con el gran Martin Sheen a la cabeza), la miniserie *La conquista del Oeste* y *Los casos de Rockford* dando vida al teniente Dwayne Kefir en el capítulo "*Love Is the Word*" de 1979.

Se consideró la posibilidad de que hiciera un cameo en la vergonzosa "*The Green Hornet*" de 2011 que protagonizaron Seth Rogen y Jay Chou como el Avispón Verde y Kato respectivamente, pero finalmente no fuc posiblc. Una lástima.

AVENTURAS ESPACIALES, CUANDO LA LUNA ERA DE QUESO Y LAS ESTRELLAS NADA MÁS QUE UN FONDO PINTADO

Decir años sesenta al hablar de ciencia ficción es sinónimo bien merecido de *Star Trek*, aventura espacial por excelencia salida de la mente de Gene Roddenberry con una trama que además intentaba hablar de un mundo mejor y con una muy clara intención de hacer reflexionar al espectador queriendo no ser solo un producto de consumo y olvido.

Pero en esa lejana época el espacio realmente era tan inalcanzable como lo es ahora. Sí, hemos llegado hasta nuestro satélite y se ha ido otras tantas veces allá fuera (¡Arriba, arriba! ¡Y fuera!) pero estamos muy lejos todavía de esas profecías en las que estaríamos viviendo en otros planetas, habiendo colonizado Marte y me temo que pasarán muchos años hasta que podamos tener nuestro propio aeropatín (en teoría en el 2015 es cuando un Delorean aparecerá de la nada y de ella bajarán un hombre de cabello blanco con un joven con chaleco y tejanos, sí, *Regreso al Futuro 2* no está tan lejos). No nos queda más remedio que recurrir a la imaginación y a la magia que la ciencia ficción puede darnos, por eso *Star Wars* o *Battlestar Galactica* siguen triunfando y *Doctor Who* vive una nueva edad de oro, porque todos querríamos subir hasta el cielo, volar y ver nuestra Tierra desde allí arriba, pero de momento la mayoría de nosotros no podemos hacer otra cosa que soñar.

Star Trek acercó el espacio haciendo que sus personajes no fueran solo prototípicos aunque sí con rasgos marcados, acentos y ciertos dejes para dejar claro de dónde era cada uno de ellos, uno de los aciertos de la fantasía con toques hippies de Gene Roddenberry. Pero gracias a esto logró alejarse de otras series del momento y ser una de las franquicias más rentables de la historia, además de hacer que sus creaciones fueran creciendo como personas y aunque finalmente tuvo que alejarse de ellas (problemas de productora, derechos e intenciones) la que él marcó siguió avanzando, aunque no siempre con su beneplácito o estando él conforme con las acciones que se estaban haciendo.

Vale, alguno dirá que los escenarios son de cartón y los fondos de papel y que se nota, eso es cierto, también que los alienígenas no son más que hombres disfrazados y a veces no con mucho acierto, o que en ocasiones parece que Kirk solo intentaba ligar con la guapa princesa de turno además de rasgarse la camisa para lucir palmito. Todo cierto pero no hay que olvidar que seguía siendo un producto para televisión y pretendía también enganchar al público en un momento de creatividad católica que solo empieza a ser alcanzando en la década que acabamos de empezar.

La otra serie que revisaremos es *Perdidos en el espacio* que si bien en esencia puede ser similar a *Star Trek* es solo en unos hechos muy superficiales. Ambas transcurren en el espacio, van donde ningún hombre ha podido llegar antes y los protagonistas son los miembros de una tripulación, pero en esta que estamos viendo ahora son una familia y esa es la diferencia que hace que todo cambie. Los Robinson no son un grupo de trabajadores cuya carrera profesional es ir por las estrellas, son una familia que intenta cumplir una misión que puede salvar el destino de nuestro planeta pero cuando son saboteados vivirán por siempre de aventura en aventura sin lograr volver a su vida cotidiana (con todo no es la misma que la nuestra).

Aunque si he de ser sincero esta serie nunca ha terminado de ser de mi gusto, eso sí, cuando vi de pequeño la película la disfruté enormemente, merece estar aquí ya que es una de las más recordadas, además que el tándem formado por el pequeño Will Robinson y el avieso doctor Smith ha sido una de las parejas con

más química de la televisión, también con su parte oscura con los habituales comentarios que muy probablemente todos podréis imaginar. Otro tanto por crear a uno de los robots más conocidos de la pequeña pantalla, que aunque suceda que de forma general la gente no pueda situarla exactamente todos reconocen su imagen y saben que es un personaje de ficción.

No podía ser de otra forma y hay que comenzar por ese viaje a las estrellas que es *Star Trek*.

Star Trek, cuando el espacio solo es la primera frontera

Si la historia de la televisión de los años sesenta es recordada, entre otras, claro, es por ser el momento en que nació *Star Trek*. Este es uno de los programas más longevos que existen hoy en día, claro que alguno puede estar pensando que estamos en un caso parecido al de *Doctor Who* pero la diferencia es que ella siempre ha sido una misma historia central mientras que en esta se ha ido expandiendo el universo en otras direcciones y la versión clásica es solo una parte de algo mucho más grande.

Muchos son los nombres que han pasado por esta larga aventura espacial, actores, guionistas y un largo etcétera pero por encima de todos el que destaca es sin lugar a dudas el de Gene Roddenberry, el creador de todo y de cuya mente salieron los pilares básicos sobre los que se construyó todo el resto del universo logrando, más o menos, mantener las esencias y el espíritu del que él siempre intentó impregnar a la serie.

El olvidado primer capítulo piloto

Choca desde el punto de vista actual que el primer episodio piloto de la serie fuera rechazado por considerarse que tenía poca acción y que no sería del gusto del público, lo que precisamente ha sido una de las características que le ha hecho sobrevivir por décadas y crear un muy rico universo, todavía extraña más que entonces se realizara un segundo capítulo piloto con el que se consiguió el visto bueno y comenzó esta larga aventura.

Ese primer piloto se llamó "*The Cage*" ("*La

jaula*") con Jeffrey Hunter en el papel del capitán Christopher Pike[184], Leonard Nimoy, ya en su inmortal papel del Sr. Spock, y por supuesto la nave Enterprise que se puede considerar un personaje propio y el único que sigue en activo en realidad. Ciertos aspectos ya están presentes, otros se descartarán del todo, algunos serán recuperados en el futuro y unos cuantos se mantendrán, pero cambiarán como la personalidad de Spock que todavía no es la que nos resulta familiar a todos. Parte del metraje fue usado para esta primera temporada, pero en otro episodio[185], y hasta finales de los años ochenta no llegaría a verse emitido realmente este episodio que según la cronología sucedió trece años antes del primer capítulo que se puso en televisión.

A la segunda va la vencida

"*Where No Man Has Gone Before*" fue el acertado nombre para ese segundo piloto que ya se ha mencionado, una frase que se convertiría en seña de identidad de la serie al ser parte del monólogo que el capitán dice en cada entrega (capítulo o película). Es en este momento en el que puede decirse que realmente nace *Star Trek*, los lugares comunes ya hacen su aparición, Spock es el personaje que todos conocemos y hace su aparición James T. Kirk (con una más que clara referencia a James Cook) encarnado por William Shatner en un papel que convertirá suyo por derecho propio. Están también presentes los miembros

de la tripulación original en este tercer episodio según el orden de emisión.

La idea de Gene Roddenberry era clara y bastante distinta de la que otros muchos autores tienen sobre el futuro y los viajes espaciales. Si estamos habituados a que en muchas ocasiones estamos dentro de una distopía social en que el mundo está casi destruido y la humanidad extinguida no es así en estos viajes, ya que formamos parte de una gran Federación de Planetas en que distintas especies colaboran unas con otras en un sueño de paz y totalmente antibelicista, un lugar en el que no importa la raza, el credo o la ideología y en el que todos son bienvenidos. Ese es el mensaje de Gene Roddenberry y que todavía hoy, muchos años después de su muerte, sigue pareciendo lejano pero es una maravillosa utopía en la que todos podemos creer.

La producción crece y se estabiliza

Claro que no todo es perfecto y si estamos hablando de una ópera espacial tiene que haber un enemigo al que abatir o al menos con el que combatir. En este momento podríamos dedicar un largo espacio para hablar de los aliens que aparecen a los largo de los capítulos y las temporadas, amén de en todo el universo expandido, pero si hay que hacer un parón concreto no puede ser más que en el Imperio Klingon, que en su primera aparición tenían un aspecto más humano del que lucirán (y será el habitual) en el resto de la serie[186]. El espejo oscuro de la Federación de Planetas y si estos lo que quieren es expandirse los primeros anhelan la conquista pero detrás de la excusa para meter aventuras y acción se esconde la realidad de ser todo una crítica, no muy sutil pero que en ocasiones pasa desapercibida para algunos espectadores, de la Guerra Fría y la lucha entre los Estados Unidos de América y la Unión Soviética, una batalla que parecía no tener fin pero que llegará un momento en que se rendirán y pasarán a formar parte de la Federación de Planetas.

Pero si estas dos facciones son una muestra y réplica de la historia del momento, algo muy común en la ciencia ficción el ser usado como crítica hacia la sociedad, otro tanto lo tiene la tripulación original (la de la serie y películas clásicas) que es una fotografía de ese idílico mundo imaginado por Gene Roddenberry en el que no importa la raza, el credo o la religión. Así tenemos a un Capitán de barco[187], las referencias navieras son constantes a lo largo de todo la franquicia, y un médico que han nacido en América (uno de Iowa y el segundo del sur), el ingeniero jefe que viene desde Escocia, el oficial de comunicaciones que es mujer y africana, un piloto japonés con un joven compañero ruso (y esto en plena Guerra Fría) terminando con el extraterrestre, pero medio humano, que sería el toque espacial que le hacía falta al equipo y además el único que estuvo desde el primer capítulo piloto.

Aunque hoy en día esta es una saga más que conocida, siempre con la mentira popular de que está enfrentada a *Star Wars*, empezó de forma tambaleante ya desde un comienzo con quejas por parte de la productora que la tachaba de ser demasiado inteligente y con poca acción, aunque con el paso de los años esto ha terminado siendo todo un acierto ya que ha permitido crear argumentos reflexivos y profundos, tanto sobre la naturaleza divina como humana, pero sin dejar de lado el punto de pura diversión y aventura en el que muchas series se centran únicamente. Otra brecha en su camino fue la cancelación en su tercera temporada por los índices de audiencia y aunque es verdad que no eran multitudinarios sí lograron crear un grupo de fieles seguidores que reclamaban su vuelta, había nacido el fenómeno «Trekkie», logrando reposiciones además de una serie de animación que continuaba directamente las historias de este grupo de compañeros y amigos.

¿Una nueva serie? Mejor una saga de películas

Mientras esto pasaba Gene Roddenberry seguía con la idea de hacer una nueva serie a la que se denominó Star Trek Phase 2, algo que no terminaba de llegar pero que gracias al éxito de *Una nueva esperanza* (inicio de la saga de *Star Wars*) de George Lucas llegó el momento en que la Paramount apostó por lanzar esta franquicia a la pantalla grande. Pero existía un problema con Leonard Nimoy, que había dejado claro no querer tener nada que ver con *Star Trek*, y estaba desarrollando su carrera por el ámbito de la dirección, en el planteamiento de una nueva serie pero el hecho de ser una sola producción logró convencerle y de hecho finalmente estuvo en todas, además de dirigir en alguna. Se escogió uno de los guiones planteados para esta segunda fase, además de los personajes de Decker y Llia, se logró reunir a toda la tripulación original y el Enterprise volvió a surcar las estrellas.

Sin entrar en la recepción y la crítica que tuvo esta primera aventura, diremos que tuvo el suficiente éxito para que se quisiera producir una segunda, un nuevo intento que para mu-chos es el mejor hasta la fecha y que logra captar realmente toda la esencia e intelectualidad que tiene la saga. Bajo el título de *La ira de Khan*[188] se recupera a un personaje de la serie original que había sido abandonado a su suerte en un planeta desierto, un exdictador que es el pináculo de la perfección humana y que ansía ven-

ganza contra James T. Kirk al que culpa de la muerte de su esposa. A lo largo de toda la película las referencias literarias están presentes, más que ninguna *Moby Dick* a la que se llega a citar directamente en las últimas palabras del villano «Desde el corazón del infierno... ¡Yo te apuñalo!. Con todo mi odio...¡Te escupo... con mi último aliento!».

Finalmente se realizaron seis películas, además de dar paso a una nueva tripulación que bajo el nombre *La nueva generación* surcaría los cielos y tendrían sus propias cuatro aventuras fílmicas, además de varios *spin-off* y una nueva entrega llamada sencillamente *Star Trek*[189], siendo una precuela a la vez que nuevo comienzo debido a un viaje en el tiempo, así se logra con una explicación bien fiel a lo que es la saga para que se puedan hacer nuevas historias de la tripulación original sin que las clásicas dejen de tener validez.

La parodia que debería ser parte de la historia

He tenido dudas sobre la película que nombro a continuación pero aunque no forme parte de esta franquicia tiene muchos puntos en común, la divertida comedia *Galaxy Quest* o *Héroes fuera de órbita*, homenaje con tintes de parodia de *Star Trek* en la que se cogen los elementos más reconocibles de esta y se dan la vuelta bajo un prisma cómico. Tenemos así a un capitán de navío bebedor y atrapado en un personaje del que no puede escapar, con el genial Tim Allen (un actor que siempre ha estado muy poco reconocido en mi opinión), un alienígena que hace las veces de científico, cambiando a Leonard Nimoy por Alan Rickman (nadie pone mejor que él esas caras de asco y desprecio), junto a una tripulación que ridiculiza a la del Enterprise mezclando su vida de actores con una auténtica aventura espacial en la que tendrán que luchar por salvar a una civilización pero claro, ellos solo son actores y no héroes espaciales. O quizá sí lo sean.

Aunque en algunos momentos recibió críticas negativas por parte de los más fanáticos de la saga espacial hay que reconocer que es una producción impecable, que logra coger y reflejar a la perfección los tópicos más conocidos de esta (tanto de la historia ficticia como de los propios actores), con una relación de personajes muy creíble y un tratamiento de los mismos que envidia al de muchas producciones que podemos considerar "serias". Por su parte la más que conocida web *Rotten Tomatoes* la tiene dentro de su listado de "Las 100 películas más divertidas de la historia", además que J.J. Abrams (creador de *Perdidos* y director de la última entrega cinematográfica de la franquicia de *Star Trek*) la considera una de las mejores películas de *Star Trek* que se han hecho nunca, y él es trekkie declarado y bien sabido de forma pública. *Galaxy Quest* es una buena y divertida aventura espacial que todo fan de *Star Trek* debería ver para reírse un rato, tanto de la propia serie como de sí mismos.

Cuando murió Gene Roddenberry en 1991 su legado ya era mayor que él mismo y continuaría creciendo después de haberse ido, no solo en esta franquicia ya que otras producciones y conceptos que había desarrollado en vida encontraron su lugar años después.

En 1997 dejó nuestro planeta por segunda vez cuando sus cenizas fueron lanzadas al espacio.

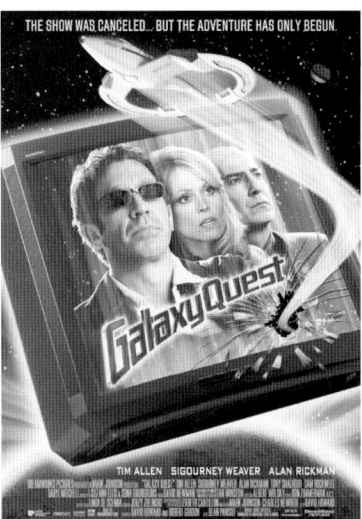

Biografías más allá de la última frontera

Esta serie requiere que reparemos en varios nombres que son los que realmente llaman siempre la atención. Es cierto que la producción no podría haberse hecho sin las cientos de personas que pasaron por las mismas pero únicamente repasaremos a William Shatner, Leonard Nimoy y Gene Roddenberry. Los dos actores más emblemáticos y el hombre que lo creó todo.

William Shatner, Capitán James T. Kirk

A pesar de que para muchos este actor ha estado siempre encasillado en su papel de James Tiberius Kirk, lo que no deja de ser cierto si uno se para a pensarlo un poco, ha tenido una muy larga carrera que sigue en activo que ha ido desde este personaje a comedias, cameos, hacer de sí mismo, doblaje, *shows* y música. Si algo caracteriza a este hombre es su pasión y su fuerza, de hecho os invito solo a leer los primeros párrafos del libro *Star Trek: Las películas* para que quede muy claro esto y además por escrito. Si Frank Gorshin hizo de su energía una de las bases para ser su Acertijo otro tanto tiene este intérprete al que muchas veces se le ha tildado de sobreactuado, y yo no voy a negarlo, pero que gracias a ellos y a la carisma que desprende solo con aparecer en escena que ha logrado ser el más recordado entre todos los del elenco (con disculpas al excepcional Leonard Nimoy).

Hacer un recorrido por toda la trayectoria de este actor sería directamente una locura, nunca ha parado ni para coger aire, así que daremos un rápido vistazo por algunas de las que pueden ser más importantes.

Este hombre nació en Montreal, es canadiense y no norteamericano como muchas veces se piensa, el 22 de marzo de 1931, todavía hoy en activo aunque alejado del joven en buena forma que era en su día, cada vez le hemos visto más orondo aunque su carisma se ha visto intocable, ahora mismo no podría llevar un uniforme de la Federación de Planetas sin hacer que se rajara. Normalmente se le sitúa como actor de televisión por el hecho de que la fama le vino por esta misma y su papel del capitán James T. Kirk aunque lo cierto es que le ha dado vida más años en el cine que en la pequeña pantalla, pero realmente sus orígenes están en el teatro tanto de Shakespeare como de Broadway, algo que nunca ha dejado ya que la interpretación en cualquiera de sus formas es la pasión de su vida.

Este motivo es el que ha hecho que se le vea en producciones totalmente eclécticas desde 1951 en *The Butler´s Night Off*, a la serie *Space Command* de 1953 y un largo suma y sigue en esos años y la década siguiente para llegar a ser el Doctor Carl Noyes entre 1961 y 1966, tras lo que vendría el éxito con *Star Trek* pero sin dejar en ningún momento de hacer otros trabajos.

Precisamente por eso seguirá siendo un actor al que se verá a pesar del fin de la serie y que entre los setenta, ochenta, noventa, dos mil y la década actual no dejará de ser bien conocido por el público. Destaca *T.J. Hooker* en la que fue protagonista desde 1982 a 1986 como el sargento que da nombre a la historia, su divertida aparición en lo que en España conocemos por *Cosas de marcianos* y por supuesto el que para muchos el otro gran papel de su vida, Denny Crane, el excéntrico personaje de *El abogado* que se convertirá en protagonista junto a Alan Shore, interpretado por James Spader, dentro del *spin-off Boston Legal* (2004 a 2008). Gracias a este trabajo ha ganado dos premios Emmy y un Globo de Oro.

Puede que la que voy a citar no sea su mejor o más conocida película, pero es realmente un personaje lleno de carisma que no hay que dejar de lado, me estoy refiriendo a *Miss Agente Especial* (y 2), en las que además trabajó con la fantástica Candice Bergen, fantástica actriz que ponía su rostro a Shirley Schmidt en la ya citada (y que os recomiendo encarecidamente) *Boston Legal*.

Y por supuesto no puede dejarse de lado que en 1994 en la película *Star Trek*: *La próxima generación* volvió a ser James T. Kirk, teniendo el heroico final que merecía luchando mano a mano con el nuevo capitán de la Enterprise, Jean-Luc Picard interpretado por Patrick Stewart.

¿Qué le veremos hacer en 2014?

Leonard Nimoy, señor Spock

«Hablo solo. Oigo voces», de esta forma tan inusual da comienzo el libro *Soy Spock*, pero antes de que nadie se asuste el actor dice que lo que sucede es que en ocasiones habla con una parte de él mismo, algo que a fin de cuentas solemos hacer todos en algún momento de nuestra vida.

Leonard Simon Nimoy tiene ya la friolera de 81 años, eso debería hacernos pensar que nació en 1931, y sigue residiendo en la ciudad en la que vino al mundo: Boston, en Massachusetts. Su rostro alargado, su mirada profunda y su voz grave son los símbolos característicos de este intérprete que siempre será recordado por haber sido Spock, aunque también ha pasado por otras muchas scrics, pclículas (tanto de actor, como productor, guionista o director para que hablen del encasillamiento por culpa de un papel...), teatro y el mundo del doblaje tanto para poner voz a sí mismo, como en *Los Simpson* y *Futurama* o en *The Big Bang Theory*, o a otros personajes.

Al igual que su compañero de armas y amigo, William Shatner, siente pasión por el teatro, siendo encima del escenario cuando le vemos por primera vez, pero si nos ceñimos al audiovisual hay que ir hasta 1951 con *Queen for a Day* y *Rhubarb* aunque en algunos lugares indiquen de forma errónea que fue con *Them!*, conocida en nuestro país por *La humanidad en peligro*, una película de ciencia ficción de serie B con hormigas gigantes (los cincuenta eran así) que se estrenó en 1954 y que se sigue considerando uno de los clásicos del género por excelencia. Ya que estamos en esta línea bien puede citarse a otro gran clásico, que ha tenido homenajes, *remakes* y parodias, *The Invasion of the Body Snatchers* o *La invasión de los ultracuerpos* que firma Philip Kaufman en 1978 siendo el Doctor David Kibner. Como dato curioso, ya que en varias biografías hay, está el que apareció en *T.J. Hooker*, la serie que protagonizó su excapitán del Enterprise, bajo un personaje llamado Paul McGuire (un episodio de 1983) además de dirigir él mismo este capítulo, algo que no era la primera ni la última vez.

Durante los ochenta estuvo al mando de *Star Trek III: En busca de Spock*, precisamente su otro yo y en *Star Trek IV: Misión salvar la Tierra* de la que también es suyo el argumento inicial (sí, es la de las ballenas). Pero hay que destacar *Tres hombres y un bebé*, revisión americana de *Trois Homme et un Couffin*, con un trío de grandes actores del momento como eran Ted Danson (Sam Malone en *Cheers*), Tom Selleck (Magnum en *Magnum P.I.*) y Steve Guttenberg (Carey Mahoney en *Loca academia de policía*) que repitieron en *Tres hombres y una pequeña dama*, continuación directa ya sin Leonard Nimoy implicado.

Superagente 86, *El hombre de C.I.P.O.L* (de estas dos se habla posteriormente en este libro), *Misión: Impossible* (no, de esta no se dice nada) o *Más allá del límite* (sí, de esta también hay un apartado) son algunas de las series por las que este actor ha pasado, bien conocidas y una sencilla de los años que lleva trabajando principalmente dedicado a la televisión.

En 2009 todos los fans y seguidores de *Star Trek* pudimos sacarnos la espinita de no haberle visto en *Star Trek: La próxima generación*. El motivo de su ausencia fue el mismo que casi hace que no estuviera en las películas de su propia saga y es que solo quería volver al personaje si este tenía un sentido dentro de la historia, pero cualquiera que haya visto *Star Trek* de J.J. Abrams tendrá claro que en esta historia es una de los elementos claves de la misma y realmente el de mayor importancia para esta nueva línea de aventuras.

Actualmente es parte del elenco de *Fringe* como el Doctor William Bell.

Como consejo final si podéis escuchar su voz en versión original y no doblada, con todo respeto a la profesión de actor de doblaje que es algo que me gusta y respeto mucho, hacedlo, ya que merece mucho la pena.

Gene Roddenberry

Eugene Wesley Roddenberry nació el 19 de agosto de 1921 en El Paso, California y falleció setenta años más tarde en Santa Mónica, también en California. Aunque era hijo de policía y parecía su camino, no resultó ser finalmente así aunque sí sirvió en el cuerpo, igual que en el ejército entre 1941 como piloto en las fuerzas aéreas. En febrero de 1949 entró en el departamento de policía de Los Ángeles llegando al poco tiempo a sargento, pero finalmente dejó esta profesión en 1956 para dedicarse por completo al noble arte de la escritura y pasar así a la posteridad que solo está reservada para unos pocos.

Aunque trabajó en distintas series, y para la ITC que siempre es una muy buena carta de presentación, su gran momento llegó con *Star Trek* pero no fue en un primer momento, ya que como se ha explicado anteriormente, el capítulo piloto original no fue aprobado y tuvo que hacerse un segundo (algo que no suele ser en absoluto habitual) que fue el auténtico comienzo de lo que ha sido una de las sagas más extensas del audiovisual, logrando pasar de la televisión al cine y el mismo camino pero a la inversa, además guardando siempre una continuidad y coherencia a prueba de bombas, ahí es nada. Ese primer capítulo de 1964 tardaría años en ser visto entero, ya que partes se usaron para otro, pero el lanzado en 1966 fue solo el que daba paso a tres temporadas que a su vez eran la puerta a todo un enorme universo.

En los años setenta Gene Roddenberry seguía intentando resucitar a *Star Trek*, lo que coincidía con los intereses de la Paramount que en 1975 quería lanzar una nueva serie con lo que se suele conocer como *Phase II*. Aunque esto no llegó a hacerse se usó de base para *Star Trek: The Motion Picture* y así ya lanzarse a la producción en cadena (más o menos) de una serie de historias cinematográficas, aunque realmente para muchos bien podría haber empezado con *Star Trek II: La ira de Khan* con el terrible enfrentamiento entre el dictador Khan de Ricardo Montalbán y el carismático Capitán Kirk que se muestra aquí más humano que nunca (dentro de lo humano que puede ser un arquetipo estructurado para ser un carácter de corte heroico).

Pero más allá de este inicial entendimiento el resto de la relación entre el creador y la empresa fue, como poco, y por ser delicados, algo intranquila. Las ideas que él tenía

para su obra no eran los caminos por los que quería llevarlos la gente que ponía el dinero, de hecho ya en la segunda película se ignoró por completo su idea de un viaje en el tiempo para intentar evitar el asesinato de John F. Kennedy. Lo cierto es que se le dio el cargo de productor ejecutivo, que es lo mismo que decirle "vete a tu escritorio y no molestes", que a fin de cuentas es lo que pasó ya que cada vez fue dejado más de lado, aunque hoy en día sea bien reconocida su labor,xxz pero los caminos empresariales de Hollywood son los que son.

Por supuesto siguió implicado con la aventura galáctica, pero vamos a ir por otros derroteros que nos ayuden a saber algo más de él. Tuvo varias ideas para nuevas series, conceptuales, para que nos entendamos, aunque no llegaron a conformarse en una producción finalmente, pero usó lo creado para *Genesis II* en la película televisiva *Planet Earth*.

En 1991 falleció de un paro cardiorespiratorio, antes de que se lanzara el primer episodio de *Star Trek: The Next Generation* cn la que estuvo muy implicado (casi como una nueva oportunidad de hacer su historia de nuevo suya).

Perdidos en el espacio, la familia de las estrellas

La familia Robinson, con la evidente deuda literaria, no fue la primera en pisar el espacio y se encuentra un claro antecesor en *The Jetsons* o *Los Supersónicos* según los conocemos en España, una serie de dibujos animados creada por los míticos William Hanna y Joseph Barbera[190] que nos lleva hasta el año 2062 (se produjo en 1962) y para muchos viene a ser una visión de *Los Picapiedra* en el futuro, al menos el concepto base de una típica familia americana es el mismo, aunque cambie la época pero no el carácter divertido y de bondad que tan habitual era en las producciones de estos dos genios.

Si *Star Trek* es producto de la mente y el esfuerzo de un hombre, con todo un equipo detrás, otro tanto tenemos aquí con Irwin Allen[191], que en la década siguiente se le asociará con el cine de catástrofes pero que en los sesenta entró en el terreno de la fantasía con *Viaje al fondo del mar*, *El túnel del tiempo*[192], *Tierra de gigantes* y *Perdidos en el espacio* que es la más reconocida de las cuatro cabeceras.

En un futuro no muy lejano...

La historia nos traslada hasta el lejano año 1997, en ocasiones este tipo de cosas es para pararse a reflexionar, en el que se toma la decisión de enviar una nave tripulada llamada Júpiter 2, o Gemini 2 en el piloto, hasta Alpha Centauri. Entre millones de voluntarios los elegidos son los Robinson, una familia que tendrá por misión cinco años de exploración en busca de planetas que puedan sustentar la vida humana. Contarán con la ayuda del piloto Donald West y de Robbie, el robot (¡toma ya!) que se convertirá en todo un icono de la fantasía espacial y de los años sesenta. Pero el malvado doctor Zachary Smith, Jonathan Harris, saboteará la misión, en concreto al robot, pero quedará atrapado dentro del cohete y a consecuencia de ello se desviará el rumbo, con lo que quedarán irremediablemente perdidos en el espacio.

Con esta premisa no hace falta mucho más y queda más que claro el espíritu aventurero de la serie, que si bien al principio tenía algo de intriga fue transformándose en comedia de ciencia ficción y es recordada así. En las dos primeras temporadas la familia siempre estará en peligro por culpa de las acciones del malvado doctor Zachary Smith además de los encuentros con vida extraterrestre que tendrán, pero ya en la tercera su maldad se verá en gran parte atenuada y de hecho en el recuerdo popular está él junto al niño Will siempre con el robot como fiel compañero y su más que icónico frase «¡Peligro, Will Robinson!».

Los malos tragos se pasan en familia

Lo cierto es que es una serie sencilla y sin mayores complicaciones. La familia es la típica americana de postal y los tópicos están a la orden del día, sí que es interesante comprobar la idea tan utópica que se tenía del cómo sería el futuro según la cual ya llevaríamos dos décadas de viajes interplanetarios (con la suficiente tecnología para mantener a una familia más un piloto y el inesperado añadido de un *mad doctor* que pretendía, más o menos, acabar con la vida de todos ellos), vestiremos con ropa de brillantes colores en los que el terciopelo tiene su importancia y casi parece más adecuado para *Los supersónicos* que para otra cosa, los robots tendrán forma humanoide, que no humana, y todavía alejada de lo que se verá en los setenta (en concreto popularizado por *Star Wars*); pero luego está el lado más oscuro, esa parte que lleva a que el doctor Smith intente sabotear el vuelo como parte de las acciones de ese lado enemigo al que nunca se termina de conocer pero que es un nada velado bloque comunista. No hay que olvidar la constante presencia de la Guerra Fría y de la carrera por llegar a las estrellas, con lo que el mensaje de que los Estados Unidos serán los primeros en conquistar realmente el espacio a pesar de la amenaza comunista queda más que claro (como se ha comentado en un apartado anterior hay que ver las cosas dentro de su momento y lugar, no juzgándolas dentro de las ideas que podamos tener en la actualidad).

El niño, el malo y el robot. El trío que eclipsó a los demás

De forma general los personajes son completamente planos, con todo, esta es una serie de marcado carácter infantil, y el padre hace precisamente de eso junto el resto de miembros de la familia, que no es que difieran mucho de este. Si tiene más fondo Will Robinson, interpretado por Jonathan Harris, al que veremos como Lennier en *Babylon 5*, que será el niño con el que todos los pequeños se podrán identificar, además de hacerse amigo del villano y de sentir aprecio por Robbie. Será también este actor el que escribirá el cómic basado en la serie que se publicará en 1991.

Por su parte este robot es lo más recordado de toda la serie, en muchas ocasiones sin que siquiera se le sitúe mentalmente en la misma, que no tiene realmente nombre más allá del General Utility Non-theorizing Environmental Control Robot, Modelo B9. Posee una gran fuerza y por supuesto está dotado de un armamento futurista, como no podía ser de otra forma, además de ser capaz de expresar emociones humanas como alegría o tristeza. El parecido, no poco comentado y estudiado, con Robbie se debe al sencillo hecho de que ambos están diseñados por la misma persona, Robert Kinoshita. Lo que además también explica que en uno de los episodios ambos robots se encuentren, aunque Robbie lo haga con otro nombre, pero el cameo está ahí y el guiño sigue siendo realmente divertido.

El tercer miembro de este extraño trío es el doctor Smith, uno de los miembros más recordados de esta tripulación y que ponía el toque de maldad que hacía falta, aunque se le va suavizando y en algún momento hasta le veremos hacer un sacrificio personal en favor de los Robinson. Un temible hombre experto en varios campos de la ciencia, todo un *mad doctor*, y agente enemigo que no estará presente en el capítulo piloto de la serie. Curiosamente fue pensado solo para estar en algunos episodios, pero como otras tantas veces en el pasado (El Joker[193], por ejemplo, solo debía salir en un cómic) el carisma y fuerza que salían de combinar al actor y al personaje hizo que esta decisión fuera abortada

por el bien de la producción, pasando así a la historia de la ciencia ficción. Esto en parte fue debido a las propias inquietudes de Jonathan Harris[194] que azuzado por el creador, Irwin Allen, no dudó en cambiar frases para encontrar la personalidad que mejor funcionara.

El final del clásico
y su vuelta convertido en película

La cancelación de la serie en 1968 dejó toda la producción en el olvido y más todavía con la negativa de Irwin Allen de hacer una película cinematográfica, aunque existían varios guiones, incluyendo uno televisivo en que se cerraría la trama argumental. Posteriormente y por motivos económicos cambió de opinión, pero no logró ver realizado este proyecto ya que no fue hasta 1998, el mismo año en que lo hizo *Los vengadores*, que se llevó a la pantalla grande

en una producción que recogía en gran parte la esencia de la serie pero no logró llegar a más.

Se contó con actores reconocidos como William Hurt para ser John Robinson, Gary Oldman para dar la réplica como el malvado doctor Zachary Smith, además de la encantadora Mimi Rogers junto al televisivo Matt Le Blanc (Joey en la conocida *Friends* y en su propio *spin-off*). Hicieron también cameos actores de la vieja serie e incluso se tuvo a la voz original de Dick Tufeld para el robot (cameo por doblete).

Perdidos en el espacio... ¡Para siempre!

Fue en este mismo año, 1998, cuando se realizó un especial para televisión, *Lost in Space Forever*. Un especial presentado por John Larroquette[195] en el que además de hacer un cierto cierre a la serie original tiene entrevistas a los actores tanto de la serie como los de la película y es un bonito homenaje a la primera.

Como pasaba también con *Doctor Who* en *Dimensions in Time*, aunque más divertido y menos vergonzoso que aquel, tenemos que tener muy claro que esto no, y repito en mayúscula, NO es la serie original y solo un producto hecho por el recuerdo, el cariño y que no tiene que tener más peso en nosotros que el de un producto divertido en el que volveremos a ver a los personajes que hacía décadas salieron en la pequeña pantalla protagonizando asombrosas aventuras.

Perdidos en el espacio es entretenimiento en una ciencia ficción familiar y llena de humor.

«Oh, the pain! Save me, William!»
Dr. Zachary Smith

COMEDIAS FAMILIARES,
EL REFLEJO DE NUESTRO DÍA A DÍA

De memoria todos podremos decir un buen número de comedias familiares ya que estas han poblado nuestras tardes merendando viendo la televisión, además de ser un producto recurrente por Antena 3 para el mediodía hasta que *Los Simpson* se hicieron con esa franja de horario por derecho propio (ya hace años de esto, además que siguen siendo una fami-

lia, de dibujos animados pero familia, que tiene su deuda con *Los Picapiedra* de Hanna y Barbera). La facilidad de crear personajes viene porque de forma genérica suelen ser todas más o menos igual, más en aquella época en que el tópico de matrimonio con dos hijos y un abuelo rondando por ahí era lo más habitual, aunque en hoy en día no tanto, pero a nivel de serial sigue siendo una fórmula que funciona bien por lo conocido de la misma.

Aunque podrían citarse un buen catálogo, no he podido resistirme a tener que nombrar necesariamente a *Los Addams* y *La familia Monster*, o *The Munsters* con ese cambio fonético en la traducción, dos familia que cumplen desde cualquier punto de vista con los estándares y tópicos de las comedias de este tipo ya que no son más que una familia solo que algo más rara que las nuestras (bueno, esto quizá no sea algo tan claro). En algunos libros y artículos las sitúan dentro del género del terror, pero no así aquí ya que no es cierto: en ningún momento dan miedo o tienen aspectos terroríficos, no si estos no ayudan a la diversión y al toque cómico que mueve toda su acción.

Claro que Herman es el monstruo de Víctor Frankenstein (ese moderno Prometeo que reza el título de la novela) o que Miércoles Addams es más que capaz de llevar el terror a nuestros corazones, pero más que nada por la frialdad que muestra en todo momento que por otra cosa. Su aspecto monstruoso no es más que una de las marcas de la casa que se usa solamente como palanca para las situaciones y exagerar todavía más los tópicos, además de tener así un campo de acción más amplio del que no dispondrían de ser una familia normal y corriente (en este momento tengo que citar de nuevo a *Cosas de casa* y como Steve Urkel se convirtió en un Mad Doctor al más puro estilo de la serie B, aunque fuera algo que aceptáramos con naturalidad).

Otro tanto del porqué de la elección de estas dos series viene dado porque siempre ha existido una cierta competición entre ambas, no tanto un enfrentamiento, aunque todo depende de lo que cada uno quiera entender, al tener algunos puntos en común pero muchas veces producto de la confusión ya que si *La familia Monster* sí son monstruos en toda regla, desde la atractiva vampiresa que es la madre al travieso niño lobo, no así con *Los Addams* que no dejan de ser una familia de ascendencia europea con unas tradiciones y aficiones algo raras, aunque la abuela sí sea una bruja.

Comenzaremos con *La familia Addams* y después con los Monster, además de hacer una pequeña comparativa entre una y otra familia a través de sus miembros en la que veremos que las similitudes son muchas, pero de nuevo todas ellas en referencia a que en ambos casos no son más que la típica familia televisiva cumpliendo con los tópicos de la clase media americana.

La familia Addams, el terror en la clase media estadounidense

Las familias siempre han sido algo recurrente en las series televisivas y todos podemos citar a unas cuantas ya desde los Kramden con Ralph a la cabeza, al que ponía su cuerpo Jackie Gleason, en la inolvidable *The Hooneymooners* a la que muchas veces se la homenajea con ese «¡Zam! ¡Pum! Y directa a la Luna») hasta *Los Serrano,* por citar una serie de nuestro país (que creo que hasta este momento no lo había hecho), y el motivo no es otro que todos tenemos una, queramos o no, sea mejor o peor, pero es así y por tanto el lograr una identificación con alguno de los miembros de la ficción es más sencillo para los que estamos al otro lado de la pantalla. De forma general, lógico, la idea es lograr un entretenimiento familiar en el que todos puedan formar parte: *Los Simpson* o *Padre de familia* son dos excepciones ya que están dirigidas a un público adulto, no siempre se consigue, ya que a veces no logra ser del gus-

to de ninguno (al pretender ser de todos) y en otras ocasiones no destaca precisamente por la calidad debido al amplio espectro de público que tiene. También está el hecho de que envejecen muy mal, ya que la sociedad cambia y el núcleo familiar de hoy no es igual que el de hace veinte años y tampoco que el de dentro de otros veinte.

Los Addams, una familia algo tétrica

The Addams Family fue una más de estas familias televisivas, al igual que *The Munsters* de los que hablaremos a continuación, pero se alejaba de ser la típica de clase media americana ya que estaba formada por personas que parecían más adecuadas para una película de terror que para vivir en un tranquilo barrio residencial y mandar a sus niños al colegio. Luego repasaremos a sus miembros pero hagamos una parada en su origen.

De la viñeta a la pequeña pantalla

Muchas series televisivas, y películas cinematográficas, se inspiran (basan o adaptan) creaciones literarias, teatrales entre otros medios en los que se cuenta también el cómic en una medida mucho mayor de lo que generalmente la gente suele saber, por citar tres casos está *Camino a la perdición* o *Desde el infierno* y *Men in Black* por citar tres que en mi propia experiencia he visto que se ajustan a este desconocimiento, así también sucede con esta serie que comenzó su andadura televisiva en 1964.

En América, mucho más que en nuestro país, son habituales las *strips* o las llamadas tiras de prensa en las que de forma diaria (habitualmente el domingo a color) se va publicando un tebeo que a veces es una historia conformada y otros ideas que terminarán estando recopiladas en un tomo: en el caso primero tendríamos a *Flash Gordon* y en el segundo a *Garfield*. Fue así precisamente como se presentó esta creación que debemos a Charles Addams (o Chaz), en parte basándose en un trabajo suyo anterior, comenzó a publicarse en el *New Yorker* a finales de los años treinta, en 1938 curiosamente también fue el lanzamiento de Superman, y nos presentaba a una familia realmente siniestra con una madre que parecía una vampiresa, un mayordomo similar al monstruo de Frankenstein, dos niños con aficiones bastantes macabras, un tío siempre vestido de negro y un padre ciertamente aterrador. La premisa era ser una burla satírica cargada de humor negro de la familia media estadounidense, primero como viñetas unitarias sin nombre alguno (el título con el que se les conoce vino posteriormente).

La primera versión en televisión y sus descendientes

Esta primera versión televisiva vino de la mano de la ABC TV en el que el ya habitual blanco y negro de la época tuvo un total de 64 episodios durante sus dos años de emisión, además el propio Charles Addams fue el asesor y a él se le deben los nombres y alguna diferencia más que existió respecto de las tiras de prensa originales, que se dejaron de publicar en ese momento por decisión del editor del *New Yorker*,

William Shawn, que consideraba que sus lectores eran de mayor nivel cultural que los que veían la serie televisiva (hoy las cosas serían muy distintas).

Los Addams ya eran populares en su América natal, aunque en algún momento se deja pensar que en su cronología ficticia son de origen europeo, y la aparición en televisión les hizo conocidos en otros países, así que decir que se han ido haciendo más series:

- *The Addams Family Fun House*, 1973: Piloto para un programa de variedades, se grabó en 1972 y se emitió pero no llegó a más.
- *The Addams Family*, 1973-75: Serie de dibujos basada más directamente en las tiras de prensa aunque haciendo, igual que en todas, cambios respecto algunos hechos familiares. Por supuesto esta fue una producción de Hanna-Barbera. Este serial fue consecuencia de la aparición de la familia en un episodio de *The New Scooby-Doo Movies* ("Scooby-Doo Meets the Addams Family" o "Wednesday is Missing", depende del momento y la fuente) en 1972 con tan buena aceptación que se decidió empezar una nueva serie solo para ellos.
- *The Addams Family: The Animated Series*, 1992-93: El éxito de la película de 1991 devolvió a los personajes a la actualidad y ya por siempre al imaginario público, así que el hecho de que se hiciera una nueva serie de animación no extraña a nadie, además se contó con John Astin para volver a poner su voz a Gómez (él fue el intérprete en los sesenta).
- The New Addams Family, 1998-99: Realmente el «*new*» no era más que para diferenciarla de la de los sesenta y que la gente no pensara que eran reposiciones, aunque algunos argumentos del clásico volvieron a usarse en esta. John Astin tuvo también aquí su momento de gloria, no como Gómez Addams si no por ser su padre, el abuelo Addams.

De la pequeña pantalla a los filmes televisivos y de ahí al cine

Pero si el éxito de las tiras provocó su aparición en televisión, el éxito de su serie televisiva provocó que se hicieran películas sobre ellos (más basadas en la pequeña pantalla que en las viñetas originales):

- *Halloween with the New Addams Family*, 1977: Un especial, una película para televisión, en que volvieron a reunirse los intérpretes de los años sesenta en una nueva aventura que presentaba a Pancho, hermano de Gómez al que interpretó Henry Darrow, y sencillamente fue una divertida aventura que terminará con ellos celebrando Halloween en lo que es habitual en su familia.
- *The Addams Family*, 1991: Esta película, protagonizada por Raul Julia y Anjelica Huston como el matrimonio Addams, logró devolver a esta peculiar familia al estrellato y se convirtió rápidamente en un éxito. Cierto es que tiene ciertos cambios de importancia y más que en la *strip* del *New Yorker* se inspiraba en la imagen que había dejado la serie televisiva. Esta versión cinematográfica logró aunar una muy positiva respuesta del público y la crítica.

el aire. Falleció durante el rodaje de *Street Fighter* donde dio vida al temible y sádico general M. Bison que era con mucho lo mejor de la película.

- *Addams Family Reunion*, 1998: El parón de un lustro desde la anterior película, la ausencia de Raul Julia y el ser directamente para televisión hace que realmente no sea una tercera parte de la saga y más una revisión que viene desde la serie de los sesenta, lo que explica además para los que se encuentren con ella de nueva el porqué del cambio en la imagen de los personajes. En este caso fueron el siempre agradecido de ver Tim Curry y la preciosa Daryl Hanna los que pusieron su rostro al servicio del enamorado matrimonio.

La actualizada versión cinematográfica

¿Una nueva película de los Addams? Tal parece ya que hace un par de años empezó a hablarse de un proyecto en el que estaría implicado Tim Burton (ya, será que no hay más directores en el mundo) y que recuperaría a esta familia para el cine pero basándose mucho más directamente en las viñetas clásicas de lo que se ha hecho hasta el momento. Con todo lo único cierto es que parece que, al menos hasta nuevo aviso, no tendremos nuevas aventuras de este macabro grupo.

Unas biografías muy poco tétricas

Aunque uno pudiera pensar lo contrario estas biografías no tienen nada aterrador y realmente en Hollywood hay historias realmente terribles, algunas con su propia revisión cinematográfica como *Hollywoodland* sobre la muerte de George Reeves que fue Superman en los años cincuenta. No es este el caso, por fortuna, y lógicamente hay que hablar de Carolyn Sue Jones y de John Astin que son los dos máximos exponentes de la serie de *The Addams Family*.

Carolyn Sue Jones, Morticia Addams

Nació en abril de 1930 en Amarillo, Texas (América tiene sitios y nombres así) y fallecería en 1983, ciertamente joven para los estándares de la época actual.

Desde pequeña tuvo interés en el campo de

- *Addams Family Values*, 1993: Conocida en nuestro país con el muy buen título de *La familia Addams: la tradición continua* es una secuela directa de la película de 1991 y recoge a los mismos actores y personajes que de la anterior aunque habrá un miembro más, el tercer hijo de Gómez y Morticia que ya se adelantaba en la primera parte. Esta película es un claro ejemplo de que eso de que «segundas partes nunca fueron buenas» es una tontería ya que no solo logra igualar a la primera incursión, para muchos la mejora.
- Hay que hacer un inciso en este momento antes de indicar la tercera y, hasta el momento, última película de esta familia. El éxito de la producción de 1991 y de 1993 hacía complicado pensar que no habría una tercera parte de la misma, y es cierto que esto se llegó a plantear pero la muerte en 1994 de Raul Julia dejó la idea en

la actuación. Aunque comenzó su trayectoria en los años cincuenta ya tuvo reconocimiento en ese primer momento, algo que ciertamente da fe de su calidad de actriz logrando un Globo de Oro e incluso estar nominada para un Oscar.

Es interesante ver su actuación en *The House of Wax* de 1953, que en España la conocemos por *Los crímenes del museo de cera* con el siempre inquietante Vincent Price como rostro principal, y ella siendo una cándida e inocente joven que muy poco tiene que ver con el personaje que la lanzó a la fama, aunque sus enormes y preciosos ojos sean realmente inconfundibles.

Pero ninguno de estos dos hechos son los que hicieron que pasara a la memoria colectiva, aunque sí que fuera conocida por sus contemporáneos y apreciada por sus compañeros con respeto a su talento. Lo que lo cambió todo fue la serie televisiva *The Addams Family* que comenzó en 1964 y en la que sería protagonista con el sensual papel de Morticia Addams, si bien más voluptuosa de lo que era en las tiras de prensa originales de Charles Addams, marcó una forma muy concreta para el personaje que haría que fuera recordado por méritos propios. Volvería al personaje y la encontramos en el telefilme *Halloween with the New Addams Family* de 1977 siendo otra vez Morticia, pareciendo que los años no la afectaran para nada.

A pesar de todo no logró tener el mismo éxito que tuvo en esos años dorados de los sesenta, pero no dejó de lado esta profesión (por algún motivo en algunos sitios pone que fue así) pasando por series como *Wonder Woman* de Lynda Carter en la que hizo de la reina Hippolita o en *Capitolio* como Myrna Clegg en el que fue el último papel de su vida.

John Astin, Gómez Addams

El Acertijo y Gómez Addams, con eso a las espaldas ya puede uno relajarse y dedicarse a presumir un poco. Eso es lo que podría hacer perfectamente John Allen Astin que nació el 30 de marzo de 1930 (sigue con vida) y es uno de los grandes actores cómicos de los últimos años.

El teatro, esa constante que hemos visto en muchos de nuestros actores (de hecho en la mayoría), fue el sitio por el que empezó este

hombre. pero al igual que otros tantos fue reclamado por el mundo audiovisual compaginando los anuncios con la comedia en la *sitcom Harrigan and Son*, ese género que todos conocemos gracias a *Friends* (a pesar de que no es más que una mala copia de *Seinfield*).

Sin duda sus dos grandes papeles son el de Gómez Addams, del que ya se ha hablado suficiente, y el del Acertijo, que interpretó en la segunda temporada de *Batman* con Adam West, aunque en la tercera volvería Frank Gorshin, ya que aunque su actuación era correcta no llegaba a tener la energía desbordante que sí le otorgaba el otro. Hoy en día mucha gente se empeña en el encasillamiento de actores de este calado, solo por el hecho de que desconocen su carrera y su rostro más allá de una producción que le es familiar, y este es un claro ejemplo ya que su historial de trabajos es realmente largo, llegando hasta el 2013 en el que será el Profesosr Peabody en *Starship II: Rendezvous with Ramses* (que está en postproducción y sin título en nuestro idioma, si es que se llega a estrenar en España, que esa es otra).

Pero vamos a concretar algunas producciones que creo que podrán interesar al lector o al menos dar un poco más de conocimiento sobre este actor.

Empecemos por *Vacaciones en el mar* en la que apareció en dos ocasiones, en 1978 y en 1986 primero como David P. Crothers y después con Michael Sawyer. Esta es una serie que no tiene necesidad de presentación alguna ya que todos, más o menos,

la conocemos y hemos visto. La saga de los tomates asesinos, no en la primera película pero sí en la segunda *El retorno de los tomates asesinos* y en *Los tomates asesinos se comen Francia* con el personaje del Professor Mortimer Gangreen, también estaría en la serie de televisión más o menos siendo el mismo carácter pero con el nombre de Dr. Putrid T. Gangreen. Tendría también su momento en *The Adventures of Brisco County Jr.* que protagonizaba el mítico actor de serie B y terror Bruce Campbell, fetiche del director Sam Raimi, y por supuesto en *La nueva familia Addams* en la que hizo de abuelo Addams, del padre de Gómez en un muy bonito juego de metalenguaje solo entendible por los aficionados a la original.

Charles Addams

Lo cierto es que apenas serán unas líneas pero me parecía que había que hablar aunque fuera un poco de este humorista gráfico ya que a él se le deben los miembros de *La familia Addams*, además de los nombres ya que en su origen de tira de prensa no tenían (era muda y tampoco hacía falta).

Apodado y conocido por «Chas» este hombre nació el 7 de enero de 1912 y falleció en septiembre de 1988 con su nombre completo de Charles Samuel Addams, dejando detrás un largo legado con su visión oscura y tétrica de la clase media americana, pero a pesar de esto no era en absoluto algo sombrío y destilaba humor con cierta dosis de esperanza a pesar de todo.

Sus comienzos están en el mundo de la publicidad y los comerciales, algo que por otra parte es muy habitual si uno se pone a investigar un poco, pero su absoluto reconocimiento llegó con esa inteligente y mordaz creación que vendió al conocido *The New Yorker*, que el mundo conocería como *La familia Addams*, aunque en la actualidad este dato es (por desgracia) desconocido de forma habitual incluso entre las personas que sí son seguidores de las adaptaciones audiovisuales.

The Munsters, una familia realmente monstruosa

Conocida en nuestro país como *Los Monsters* o *La familia Monster*, vaya usted a saber porqué ese innecesario cambio de la «u» por una «o» (todavía si se hubiera traducido por «Los Monstruos» pues...) se la enfrenta siempre con *Los Addams* y ese el motivo de ponerla una detrás de otra. Nadie puede negar el toque de terror de ambas pero si la que ya hemos tratado no deja de ser una familia normal solo que con unas aficiones macabras y tenebrosas, en ningún momento de hecho

se muestra que ninguno del centro familiar sea realmente un ser sobrenatural, en la que nos ocupa ahora sí son todos monstruos en el sentido más clásico y universaliano (de Universal, la empresa cinematográfica) y así el padre es totalmente deudor de la criatura de Boris Karloff, su mujer y el abuelo son vampiros en toda regla, el niño es un hombre lobo (lobito más bien) y la hija es una humana normal y corriente a la que le toca vivir en esa casa de locos.

Los Addams son la sátira de la familia media americana pasada por ese filtro que fue la mente de su creador, Charles Addams, y la comedia del horror que es habitual en ellos, pero en el caso de *The Munsters* son tal cual una familia típica con el añadido de que son monstruos, aunque no parece que eso les cause muchos apuros o problemas más allá de los que pide el realizar una *sitcom* de forma semanal. Los productos hay que aceptarlos según son, no con las pretensiones que podamos tener de ellos, hecho que asegura (o facilita) que el placer de consumirlos, verlos en este caso, sea mayor y además que tiende a ser un error verlo desde el desafío.

Dos temporadas de monstruos y éxito

También comenzando en 1964 y terminando en 1966, siempre en blanco y negro (lo que por otra parte ayudaba a la idea de que fueran réplicas de personajes de la Universal), otro parecido más entre las dos familias, es esta producción la que hizo que los personajes fueran conocidos pero es por la continuación de los ochenta que muchos la situamos y además en más de una ocasión con cierta confusión ya que se confunde la una con la otra, aunque esto se tratará más adelante. Esta serie tiene un carácter totalmente humorístico, siendo el hecho del terror solo un aderezo para esto y consecuencia de su condición de monstruos ya que esto solo forma parte de su día a día igual que el fútbol en la vida de otros.

La fórmula que usaban, usando fórmula en referencia a la forma de realización narrativa cada episodio y la manera argumental, es similar a la de otras muchas comedias familiares. Herman, el padre, sale a trabajar cada mañana y vuelve para estar con su mujercita, Lily, que se ocupa de la casa y toma las decisiones. Tienen dos niños que van a sus clases y un abuelo que vive con ellos y al que estos adoran. Además de varias mascotas y por supuesto dos coches (de nuevo el hecho de que sean una familia típica) que se llamarán el Munster Koach y el Drag-u-la, el primero de estos tuvo su reflejo en la serie *Los autos locos* con el Espantamóvil (con su propio dragón que lanzaba llamas), igual que Lady Penelope con Penélope Glamour. El segundo de estos vehículos venía

a ser un ataúd (de color amarillo) con ruedas y volante.

Aunque la serie gozaba de buen éxito y recepción tuvo que competir con *Batman* en 1966, una serie que fue todo un fenómeno y que además era en color, con lo que la batalla se perdió y se dejó a esta familia en suspenso, pero volverían...

No hay tumba que pueda detenerme (y menos si ya estoy muerto)

El primer regreso de la familia fue en el propio 1966 y a todo color en *Munsters, Go Home!* O *La herencia de los Monster* haciendo además referencia directa a la trama, Herman recibe una herencia de un viejo tío suyo y toda la familia viaja a Inglaterra. Repite aquí todo el elenco original, salvo la hija que será interpretada por Debbie Watson. En 1973 se realizó una película de animación llamada *The Mini-Munsters*, un intento de dar salida a una serie regular pero que no llegó a existir. En el año 1981 se lanzó una nueva película televisiva, *The Munster's Revenge*, en la que el propietario de un museo de cera crea unos duplica-

cuenta el cómo la familia llegó desde Transilvania hasta América, con algunos cameos de los miembros del casting original. Justo un año después, en 1996, se estrenaba The Munsters´ Scary Little Christmas con la aparición del Hombre Lobo (the Wolfman, el que es marca registrada de Universal) o la Momia, además de Papá Noel y los habituales malentendidos de la serie pero que al final todo terminará bien, no dejemos de lado que estos personajes siempre han sido concebidos como un puro entretenimiento familiar.

El futuro de los monstruos clásicos e inmortales

Actualmente hay dos proyectos en marcha. Uno para una nueva producción cinematográfica, al menos la intención ya que el que se llegue a rodar es otro tema, y una serie que será llamada Mockingbird Lane (en referencia a la dirección en la que viven) con el conocido director Bryan Singer a los mandos (que no en la dirección) en una revisión del clásico con actualización incluida, de la que pondremos una revisión en unas líneas, al menos del piloto que es lo único que se ha visto hasta el momento (con una muy seria duda sobre si se hará o no algo más).

Una visita guiada a la gótica mansión del barrio de Mockingbird Lane

Hagamos un pequeño repaso a esta nueva, y probablemente anecdótica, producción de Mockingbird Lane de la mano de Eduardo de Celis.

Monckingbird Lane: la fallida vuelta de Los Monster a la pequeña pantalla
Por Eduardo de Celis, creador del blog Crucigramas y Café TV

Bryan Fuller, creador de dos series de culto entre la crítica como Pushing Daisies y Tan muertos como yo ha sido el encargado de volver a dar vida a la telecomedia que tan buenos momentos dio a la cadena CBS (cadena americana que emitió la serie en los sesenta) como a la audiencia. Una serie que sigue la línea de los otros proyectos de Fuller siempre rodeados de la Muerte,

dos robot de Herman y el abuelo que roban un banco, haciendo que todo el mundo acuse a los auténticos.

El segundo regreso con viaje en el tiempo
Pero realmente no es hasta 1988 que puede decirse que estos personajes vuelven a la vida en toda regla, será en ese momento cuando se lance The Munsters Today (con emisión de tres temporadas hasta 1991), una secuela directa de The Munsters de 1966 con lo que todo lo posterior, a excepción de la película de ese mismo año, quedaría anulado o reseteado si se quiere pensar así, ya que la explicación es que por culpa de un experimento del abuelo todos ellos han quedado en animación suspendida durante 22 años (el viaje de 1966 a 1988). El comienzo del piloto es en blanco y negro presentando a la familia bajando al laboratorio y sufriendo el accidente, pero la acción en 1988 será directamente en color y así tendremos humor por partida doble, el que sean monstruos y (en cierta manera) viajeros del tiempo en un futuro. Por cierto que en esta ocasión la encargada de dar su cuerpo y rostro a Lily no es otra que Lee Meriwether (¡viva!) que fue Catwoman en la película de Batman de Adam West de 1966, lo que hace que sea ya un motivo para ver esta producción aunque sea solo por mitomanía pura y dura.

Dos aventuras nuevas en formato de telefilme

Posteriormente volverían en 1995 con Here Come the Munsters, una película unitaria de algo más de dos horas para televisión que

un tema que no por ser universal y gastado deja de ser meritorio para tratar una comedia.

Cierto es que en los años noventa hubo un *remake* de la serie, *Los Monsters hoy* que sacaba de la hibernación a Herman, Lily, al Abuelo y a Marilyn, pero el mismo adolecía de ser un *remake* blando y sin carisma.

Mockingbird Lane no tiene nada que ver con ese mal *remake*: nos encontramos con una reimaginación de la historia de la familia Munster que si bien conserva algunos matices cómicos, pretende ser una serie que cubra a varios *targets* de audiencia (no en vano fue utilizada por la cadena NBC como Led-in del especial Halloween del procedimental GRIMM).

En palabras del propio Fuller, *Mockingbird Lane* va a ser una "dramedia" de 50 minutos de duración en la que se va a explorar los orígenes de la familia Munster desde un punto de vista más oscuro y profundo manteniendo unas buenas dosis de humor y con unos impresionantes efectos visuales (que ya querrían para sí los productores de *Once Upon a Time* en la ABC).

Precisamente la elección del actor británico Eddie Izzard (de la fabulosa *The Riches*) supone una clara declaración de intenciones de un proyecto de serie que quiere apostar por un Abuelo irónico, deslenguado y que lleve el peso de la serie.

Es en el resto del reparto donde más dudas se levantan, porque a pesar del morbo que puede suponer la inclusión de Portia de Rossi como Lily Munster o la apuesta por el joven Mason Cook como Eddie Munster y de Charity Wakefield como Marilyn, la figura de Jerry O´Connell como Herman Munster es un desacierto enorme por parte del equipo de casting de la cadena.

Herman Munster es esencialmente un zom-bi en constante estado de decadencia. Va a ser el personaje central del episodio piloto puesto que va a intentar conjugar su tarea como padre con un Eddie Munster que comienza a descubrir que «no es un chaval normal», con su esposa, con el Abuelo y sobre todo con el elemento más importante: su corazón postizo y sujeto con tachuelas, grapas debajo de una cremallera en su pecho.

El episodio piloto es pues una declaración de intenciones, una muestra de poder de una serie que puede convertirse en una apuesta fuerte de la cadena. El problema con el que se va a encontrar va a ser doble: por una parte la propia vida de la serie y por otra la competencia en el mercado con otras series similares.

Respecto a la propia vida de la serie, *Mockingbird Lane* está contando con muchas dificultades desde el principio, aun siendo un producto que no es desconocido para las cadenas. No en vano sería una apuesta a priori muy segura dando una vuelta de tuerca con un gran presupuesto a una serie que está en el imaginario cultural del estadounidense medio y que siempre ha sido un icono de la TV americana.

Precisamente ahí pueden estar las mayores reticencias por parte de la cadena NBC para dar a la serie una temporada completa de 10-12 episodios: no se puede exponer a la marca *The Munsters* a una cancelación tras 3 episodios con bajas audiencias puesto que la propia cadena quedaría en entredicho al no haber sabido manejar un producto tan atractivo y que ha sido "arrebatado" a la rival CBS.

Otro contra que tiene la nueva serie es la duración: prevista como un drama de 50 minutos, se antojan estos excesivos, dado el espíritu de la serie como *sitcom* familiar. ¿Es realmente necesario meterse en los oscuros orígenes de

No basta con los efectos visuales, con el aroma clásico que despide esta producción: hay que ser más mordaz, más agresivo para que esta serie se convierta en una realidad.

El 1313 de Mockingbird Lane busca nuevos inquilinos, y a la vista del episodio piloto, puede que los Monster de Fuller lleguen en 2013 para quedarse. Eso sí, previo cambio de actor de Herman Munster y un recorte en el metraje de los capítulos.

Hay que destacar como aciertos los efectos visuales, el Abuelo interpretado por Eddie Izzard al que conviene dejar más suelto y el vecindario. Por contra tenemos la poco adecuada elección de Jerry O´Connell como Herman Munster, la excesiva duración y que no esté todavía confirmada ya en la parrilla para 2013.

Hay que olvidarse de comparar a esta serie con la original de los sesenta. El consejo para el espectador es hacer borrón y cuenta nueva e intentar identificarse de nuevo con este quinteto tan peculiar. El problema será si llegaremos a ver emitidos más allá de los 50 primeros minutos de esta nueva aventura.

la familia y saber quién cosió los miembros de Herman o quién es el padre de Eddie?

La emisión actual de series como *Once Upon a Time*, *True Blood*, *The Vampire Diaries*... dan muestras de que el consumidor televisivo reclama dramas sobrenaturales: sin embargo reinterpretar una saga clásica como *The Munsters* puede suponer que esta no encuentre su sitio dentro de las grandes ficciones de este género.

Las familias enfrentadas

Es cierto que es algo lógico caer en el error de intentar enfrentar a una serie, ponerlas en comparativa con otra y ver cuál es la mejor. Hay varias páginas web en las que podéis leer textos al respecto, ya que lo mejor es sentarse a ver las historias de una o de otra puesto que son lo suficientemente diferentes como para que hacer un combate entre las dos tenga poco sentido, más cuando se hace siguiendo esa idea que ya se ha dicho equivocada de que ambas están conformadas por monstruos, lo que es cierto para una pero no para la otra que solo son personas bastante aterradoras.

Por supuesto se encuentran opiniones de todo tipo y para gustos los pitufos. Así tenemos a los que dicen que *The Munsters* será siempre un producto inigualable al que logró la merecida fama. Para otros *The Addams Family* no tiene posibilidad de derrota en este ficticio combate dado el carisma de sus personajes. Lejos de fomentar esta idea y poner más leña en la chimenea, sí es cierto que esta última envejece

mejor y permite hacer actualizaciones con más respeto por el original debido al carácter más intemporal de sus personajes, mientras que los monstruos al haber usado como versión de base la apariencia visual de las películas de la Universal Studios que bien eran un acierto en su momento pero se queda anticuado (o directamente anacrónico), lo que conlleva que cualquier revisión tenga que cambiar ciertas pautas que eran características, y a lo que se acaba de leer sobre *Mockingbird Lane*.

Los Addams vs Los Monster, las comparativas son odiosas pero inevitables

En este prometido repaso a los miembros de *La familia Addams*, que realmente no tuvieron nombre hasta que la necesidad de la serie televisiva los impuso y Charles Addams hizo entonces sus sugerencias, en comparativa con los de *Los Monsters* no se intenta poner a una producción por encima de la otra, ni ver si una es más o menos divertida, únicamente se explican rápidamente los personajes y ya será el lector el encargado de decidir en su opinión si el podio lo merece una u otra, o si es mejor no pensarlo y disfrutar.

Empezaremos por los padres, ya que al ser ambas una revisión de la familia de clase media estadounidense típica es lógico que el padre de familia esté en cabeza.

po de padre de todas las *sitcoms* familiares, pero no deja de ser un monstruo al que veremos con una piel de tono verdoso (más o menos, esto depende en ocasiones del capítulo) y algunas cicatrices que dejan claro su origen, aunque como se verá en una de las películas tiene su propia familia, por ejemplo un tío que le deja una herencia, lo que hace que la incoherencia argumental sea realmente importante, pero estamos ante un hecho cómico y sencillamente hay que disfrutarlo.

Gómez Addams y Herman Munster, los padres más terroríficos del mundo

Gómez Addams

Patriarca de la familia, casado con Morticia y con un aspecto bastante diferente al que lucía Raul Julia en las películas (en parte por inspirarse más en la serie televisiva) ya que era bajito, regordete y bastante feucho, no el *latin lover* lleno de carisma. Por otro lado fue todo un acierto, en el que lo convirtieron. Realmente la caracterización de Tim Curry es más cercana a la tira de prensa original. En 1964 fue interpretado por John Astin como un hombre algo ingenuo, más bien cabría decir despreocupado debido a su riqueza (sobre la que hay explicaciones contradictorias), totalmente prendado de su mujer y amante de sus hijos.

Es cierto que Raul Julia no se acerca, ni de lejos a ser semejante al de las viñetas originales de los periódicos, pero la fuerza que logró dar al personaje convirtiéndolo en todo un hombre cargado de energía y sexualidad, con un gran carisma y capaz de deshacer a la más bella mujer se convirtió en la marca de este hombre durante sus versiones cinematográficas.

Herman Munster

Padre de la familia que es una réplica total del monstruo de Frankenstein de la Universal. Por supuesto todas las mañanas sale temprano a trabajar y adora a su esposa. Aparte de su aspecto y pasado monstruoso sigue el arqueti-

Morticia Addams y Lily Munster, madres y vampiresas

Morticia Addams

Preciosa mujer, de mirada fría y penetrante, con una total pasión de su marido, con una figura que bien podría servir de modelo a cualquier maniquí y siempre enfundada en un ceñido traje negro que resalta sus curvas. Es curioso que aunque en las viñetas esto resultaba algo inquietante y aterrador en su traspaso al audiovisual el carácter se tornó más bien lleno de sexualidad, algo que además se usó en la concepción del personaje que pasó de parecer una vampiresa (tema que tampoco se termina de aclarar nunca) a traernos a la mente el término de *femme fatale*.

En la ficción televisiva puso su rostro, y cuerpo, la atractiva y de grandes ojos Carolyn Jones, conformando un personaje realmente atractivo, con cierta dosis sexual (inocente, que estamos en un producto para todos los públicos) y con la que fantaseaban los cabezas de familia, aunque si hay que ser sinceros en este caso, Anjelica Huston daba mucho mejor el tipo respecto de las tiras de prensa de los periódicos en las que era una mujer alta y delgada con un largo cabello negro, además que la altiva actriz logra transmitir una personalidad fría pero a la vez llena de esa pasión que ella y su marido comparten el uno por el otro.

Lily Munster

Madre de la familia, hija del abuelo y si bien Morticia Addams da el aspecto de vampiresa aquí no es solo así, ella es realmente una chupóptera, pero totalmente dedicada a su casa y a su familia, una ama de casa común y totalmente típica de la idea tradicional de los sesenta. Al igual que pasa con el caso del marido, Herman Munster, el hecho de ser una vampiresa (aunque nunca lleguemos a verla comerse a nadie, esto es una serie familiar) no deja de ser poco más que una anécdota y en su carácter no hay nada que nos haga pensar en ello más allá del hecho de su aspecto que es el que claramente todos asociamos para este tipo de personajes.

Pugsley, Miércoles, Eddie y Marilyn, los niños de la televisón

Pugsley y Miércoles

Lógicamente si estamos hablando de una familia de ficción no pueden faltar los hijos y al ser una sátira de prototipo americano de la clase media tenían que ser necesariamente un niño y una niña.

En las viñetas él era un niño con un lado bastante perverso, casi diabólico pero en la serie televisiva y en las versiones cinematográficas esto cambió, en ocasiones siendo más bien tonto que otra cosa.

Con ella pasó otro tanto, que era una niña con amor por lo macabro (lo normal en la familia) y que nunca sonríe y en la serie tuvo una vertiente menos temible, aunque la encarnación que de ella hizo Christina Ricci logró ponernos a todos los pelos de punta, más todavía en la escena en la que se rompe el hecho de que nunca sonríe y parece realmente la hija de Satán.

Eddie y Marilyn Munster

El pequeño niño hombre lobo, que si no fue el personaje más destacable al menos sí el actor que logró que su nombre se conociera más allá del maquillaje, Butch Patrick. Fue el crío encargado de darle vida pero posteriormente ha tenido una carrera desigual y siempre con la losa de este papel en la espalda. Por parte de Marilyn Munster no hace falta decir a quién hace referencia el nombre y lógicamente en consonancia con esto es una jovencita rubia y muy guapa, la única normal de la familia aunque no para los ojos de ellos.

La abuela y el abuelo, los auténticos monstruos con corazón de oro

La abuela Addams

Algo parecido a lo que veremos en breve de Fétido pasó con la abuela, que si en un origen Charles Addams la concibió como madre de Morticia (de hecho era Granny Frump, que se traduciría por Abuelita) esto se cambiaría en alguna ocasión haciendo que fuera de Gómez e incluso dándola el nombre de Euroda o Esmeralda, en un más que claro homenaje a la obra Nuestra Señora de París de Víctor Hugo. Su aspecto es el que todos asumimos para una bruja y precisamente en más de una ocasión la veremos haciendo pócimas o preparando conjuros.

El abuelo Munster

No podía faltar un abuelo o abuela, de nuevo el hecho de la familia prototipo (y prototípica) americana, y en este caso es el padre de Lily que al igual que ella es un vampiro, por supuesto, siguiendo la elegante y aristocrática línea que empezó Bela Lugosi. Además en él se da cita también la figura del mad doctor con sus experimentos y un laboratorio en el sótano de la casa. Aunque todos los personajes tienen su toque de comedia y sus momentos, lograron pasar a la fama, más que nadie, este y el pequeño niño hombre lobo, pero es el abuelo al que rápidamente podemos señalar como elemento cómico por encima de los otros.

Quizá suceda que nos choca ver a un vampiro de esta guisa, como un amable abuelete vestido de esmoquin pero hay que decir por otra parte que fue homenajeado por Chris Columbus y Charles S. Haas (director y guionista respectivamente) en Gremlins 2 con Robert Prosky al que vistieron de la misma manera para dar vida al presentador de un programa de terror de bajo presupuesto (y probablemente el mejor personaje de la película, junto al Daniel Clump de John Glover).

y más de forma popular por las diversas adaptaciones es como se le considera. Para muchos será siempre recordado por la fantástica interpretación de Christopher Lloyd, el Doc de Regreso al futuro para el que no sitúe el nombre, en las dos películas cinematográficas logrando un personaje que realmente provoca cierto miedo e inquietud con solamente hacer aparición.

The Thing, una mano muy marchosa

Bajo este nombre se han conocido unos cuantos personajes de fantasía, desde el ser de la película *The Thing from another world* (y sus *remakes*) o la Cosa de Los cuatro fantásticos Marvel Comics, aunque parece que en realidad es tanto el nombre y apellido de esa mano que acompaña a la familia a todas partes y que parece responder a Thing T. Thing (según la versión de dibujos animados).

Realmente no apareció hasta 1954, es uno de los elementos más característicos y queridos de *La familia Addams* y siempre se le ha tenido en cuenta en las producciones audiovisuales aunque convertida en una única mano llena de personalidad propia, en la primera ocasión se vieron dos manos (brazos más bien) cambiando la música de una gramola. Según el propio Charles Addams todo vino por una viñeta en que un cartero miraba sorprendido un cartel en casa de los Addams en que se leía «Beware of the Thing» («Cuidado con la Cosa») y realmente durante mucho tiempo él mismo se preguntó qué sería esa Cosa.

Tío Fétido, Cosa y Lurch, el trío final de *La familia Addams*

La familia Addams tiene otros miembros que no encuentran su reflejo con los Munster pero que hay que citar también por su importancia dentro de la serie. Son precisamente los tres que repasamos ahora, el Tío Fétido, Cosa y Lurch, los que más aspecto monstruoso tienen y es que de hecho Lurch es un más que claro homenaje al Frankestein de Boris Karloff, actor del que se habla en La hora de Boris Karloff, además que Cosa no es más que una mano con vida propia según la conocemos nosotros, quizá vuelta de entre los muertos por algún extraño experimento.

Tío Fétido, el raro de la familia
Llamado Uncle Fester (que traducido puede ser una pústula que supura o el propio hecho de supurar) en la serie de los sesenta tiene un aspecto de primeras bastante menos horrible que el resto de su familia, calvo, gordo (redondo más bien) pero con unos ojos hundidos que dejan bien claro que es un Addams. O no tanto ya que de primeras no era realmente hermano de Gómez, aunque posteriormente

Lurch, el mayordomo de Víctor Frankenstein

Realmente el caso anterior de Cosa y este que nos ocupa no se pueden decir que sean realmente de la familia si nos basamos en el tema

de la sangre y eso, claro que no es posible de ninguna manera hablar de los Addams sin que ellos entren en el juego.

Este hombre es el mayordomo del clan con un aspecto físico realmente parecido al del monstruo de Frankenstein y compartiendo con él que nunca habla, al menos en la tira de prensa luego no fue siempre así.

La familia Addams televisiva es un muy buen producto de su época y que todavía hoy se ve con encanto, ha envejecido bastante bien y proporciona una muy buena sátira de la familia prototípica estadounidense. Podría decirse que *The Munsters* no ha tenido tanta suerte ya que en los sesenta las películas de monstruos de la Universal Studios (de la que bebían visualmente) estaba mucho más cercana en el tiempo pero siguen vivos con esta nueva serie de *Mockingbird Lane*, aunque viendo las pocas imágenes promocionales que hay realmente parece que el espíritu original se ha perdido para siempre; se ha emitido ya un primer capítulo piloto aunque no está nada claro que vaya a tener continuación.

INOCENTES HÉROES (O QUIZÁ NO TANTO) AL MARGEN DE LEY

Los héroes siempre son del agrado del público, es algo que es así y que jamás podría negar nadie. ¿O no os encantan? Siempre llegan a la solución final, son detectives geniales, aventureros con látigos que enamoran con su mirada o caballeros de brillante armadura, en algunos casos de forma totalmente literal. Pero tiene un problema y es que por el sencillo de su definición tienden a ser bastante planos, el bueno es bueno y no tiene más: Superman es un *boy scout* y por mucho que Batman lo intente (y muchos lo digan) nunca será peor que sus villanos, ya que en esencia (y en profundidad si hay que ser sincero) es un héroe en el concepto más puro del término.

En este momento es cuando los antihéroes entran en juego. Para los que seamos lectores de cómics, y más en concreto de La Casa de las Ideas que es lo mismo que decir Marvel, es escuchar la palabra antihéroe y pensar en Frank Castle, El castigador (o *The Punisher*), pero también puede hacer referencia a personajes que aunque sean el "héroe", y entrecomillo totalmente a propósito, no lo es tanto por encontrarse en una situación que no casa en absoluto con la idea que de él tenemos o sus acciones deberían situarlo en el plano de ser un delincuente.

Justo en esta línea hay que situar a Simon Templar al que bien conocemos por el rostro de Roger Moore en la serie de *El Santo*, ese pícaro ladrón que aunque cometa sus crímenes jamás seríamos capaces de condenarlo por ellos. En la otra parte está el Doctor Richard Kimble que se encuentra perseguido por la justicia por un delito que él no ha cometido, pero esa situación de condenado le aleja de la idea tópica para ser el héroe, aunque lo sea.

El Santo, el ladrón que robaba con estilo

Por algún motivo cuando se piensa en *El Santo* se le sitúa mentalmente en el apartado de los agentes secretos, algo que es un error pero totalmente comprensible por varios motivos: el primero de ellos es que siempre va bien vestido con un traje impecable, el segundo es que siempre es amable y con buenos modales, el tercero es que a pesar de ser un delincuente no se puede decir de ninguna manera que sea un villano y el cuarto es que el actor que protagonizó su serie televisiva no fue otro que Roger Moore, que también fue uno de los rostros que puso sus facciones al servicio de James Bond. Pero no es un agente secreto, es un malhechor, un ladrón y un delincuente, pero encantador y al que todos abriríamos la puerta para que se marchara después de desvalijarnos la casa.

Un origen literario

Claro que tampoco es realmente una serie de televisión y al igual que el hombre con licencia para matar del que se acaba de nombrar su origen no viene de la imaginación de ningún directivo, productor o guionista y hay que buscarlo en el mundo de la literatura de la mano de Leslie Charteris. Este caballero es su creador y el responsable de sus aventuras durante unas tres décadas, desde finales de los años veinte hasta principios de los sesenta, contando después con la colaboración de otros autores e incluso después de su fallecimiento en 1993 se publicaron más entregas; en 1997 se realizó una adaptación cinematográfica con Val Kilmer (es curioso la cantidad de películas de los noventa que se basan en series de treinta años antes), aunque no era ni con mucho la primera película (pero ya entraremos en esto más tarde). Revisemos la serie.

La visión clásica de la televisión con Roger Moore

Con un total de seis temporadas y una nada desdeñable cifra de 118 episodios, parte en blanco y negro y parte en color, avalan la calidad de esta producción y lo bien que casó con los gustos del público desde 1962 hasta 1969, todo un producto de los años sesenta que ha intentado tener su réplica en la actualidad con la ya mentada cinta de 1997 además de con un intento de crear una nueva serie hace unos años pero que no llegó a buen puerto.

El protagonista y estrella absoluta era Roger Moore, un actor que estaba totalmente acertado en un personaje que no tardó en hacer suyo y al que prestó parte de su armario, lo que hizo que la química y la fusión entre ambos en pantalla fuera increíble. Claro que esto venía de mucho antes ya que Moore se declaraba seguidor de las novelas y por lo visto intentó comprar los derechos de las mismas, algo que no logró pero en cambio si terminó participando como miembro de la productora de este serial de aventuras con algo de toque detectivesco, precisamente por esto mismo se dice siempre que *El Santo* fue el campo de entrenamiento que tuvo Roger Moore para su interpretación de James Bond, y cualquiera que haya visto ambas encontrará más de un parecido entre las dos.

La segunda parte, cuando un Ogilvy sin carisma sustituye a un Moore ya legendario

Casi una década después de que nos despidiéramos de Simon Templar en nuestros televisores, o los de nuestros abuelos si tenéis mi edad, este volvió pero con un rostro distinto. Ya no estaba el elegante Sir Roger Moore al cargo puesto que sus obligaciones con James Bond le tenían atado (de hecho en 1977 se estrenó *La espía que me amó* y solo dos años después llegó a la gran pantalla *Moonraker*) y el actor elegido fue Ian Ogilvy como un el Santo que recorría su país y Europa desfaciendo entuertos. Es curioso que aunque en su momento le reportó fama y éxito a su protagonista hoy en día esta segunda época ha quedado totalmente relegada al olvido. Otros dos intentos se hicieron en 1987 y en 1989, con Andrew Clarke y Simon Dutton de protagonistas respectivamente pero nunca logró volver realmente y el éxito de los años sesenta quedó precisamente solo en esa producción (y en la venta posterior, claro).

La fantasía cinematográfica de Val Kilmer y Rade Šerbedžija

A finales de los noventa, en 1997 (justo un año antes de *Los vengadores*), se estrenó una adaptación que bebía tanto de las novelas originales como de la serie a la que además regalaba un pequeño guiño al escuchar la voz de Roger Moore por la radio. En esta nueva aventura Val Kilmer es el elegido para entrar en una trama de espionaje cargada de acción con rusos y secretos atómicos, algo que no deja de tener su encanto pero que ya a finales de esa década empezaba a resultar cansino y demasiado usado. El filme tuvo algunos aciertos como la siempre encantadora Elisabeth Sue y el grandísimo Rade Šerbedžija, algo que es de agradecer y más sabiendo lo complicado de esta producción que tardó en arrancar, y para cuyo protagonista se barajaron nombres como Mel Gibson o Arnold Schwarzenegger entre otros. Este hecho deja bien claro que aunque se tenía la firme intención de lograr sacar adelante la película no estaba tan claro el cómo hacerlo o el enfoque de la misma.

Como ya se ha visto, y a estas alturas estará muy claro, no puede tenerse a un héroe (o antihéroe cabría decir en este caso) sin que esté alguien para hacerle de némesis y ser su reflejo oscuro o del lado de la ley en esta circunstancia. Ivor Dean, actor británico de larga carrera (incluyendo *Los vengadores*) que falleció en 1974, fue el encargado de ser el Inspector Jefe Claud Eustace Teal que en ocasiones perseguía al delincuente y en otras llegaba a ser su aliado si la ocasión lo requería. Aunque él no había sido el primero en interpretar a este personaje, ni el segundo si hay que ser sinceros, pero fue el último tras Norman Pitt y Wensley Pithey.

El paso del tiempo y de las temporadas hizo que Moore se hiciera cada vez más con el personaje, además de un lento cambio en las tramas que se iban pareciendo más a los tan de moda agentes secretos, dejando en parte de lado las historias literarias originales en favor de su propia visión de este pícaro, algo que por otra parte es muy común en las adaptaciones televisivas, y que no siempre siguen la base en la que se inspiran y buscan su propio camino (no siempre con éxito, todo sea dicho). Lo mismo ocurrió con las novelas que siguieron en activo años después de la cancelación de la serie (y de su continuación) demostrando que si el momento de *El Santo* catódico había terminado, no así el del literario que todavía tenía cartuchos por quemar.

No tuvo una mala recepción por parte del público y la taquilla respondió bien, además de tener buenas ventas a nivel doméstico y la crítica no la aceptó precisamente mal aunque siempre estará a la sombra de la serie de Roger Moore. Con todo es un buen producto de entretenimiento, divertida y que agradece ser vuelta a ver de cuando en cuando.

Hace un par de años, de forma aproximada, se anunció la intención de hacer una nueva etapa televisiva pero no terminó de salir el proyecto, aunque ha vuelto a ser anunciada con un actor distinto del propuesto inicialmente.

El Santo fue una de las más icónicas producciones de la década de los sesenta, teniendo todavía hoy una gran aceptación, además de una música que de cuando en cuando se puede escuchar, aunque muchas veces no sepamos de dónde viene.

La santificada biografía de Roger Moore

Aunque más o menos todos conocéis a Roger Moore, es imposible no parar por un momento para repasar algunas de sus actuaciones y un poco su historia vital.

Este veterano actor, que ostenta el título de Sir, ha pasado por algunas de las producciones audiovisuales más conocidas e importantes de los últimos décadas. Ha protagonizado *The Saint* (1962-1969), formado parte de *The Persuaders* (1971-1972) y siendo uno de los elegidos con el honor de ser James Bond (1973–1985). Nació el 14 de octubre de 1927 en Stockwell, Londres, y actualmente sigue con vida en una colección de años de ser atractivo, un gran intérprete y tremendamente elegante.

Sin entrar en su vida personal, que por una sencilla razón de edad fue bastante distinta de la nuestra, solo hay que comentar que entró al servicio militar (era esa época) formando parte del Royal Army Service Corps pero aunque sí tuvo una carrera ahí no era lo que él quería (bueno, un poco sí) y el destino de la actuación era sin duda el que le estaba esperando.

Ya desde los años cuarenta comenzó a hacer sus primeros pinitos con *César y Cleopatra* (1945, *Caesar and Cleopatra*), *Separación peligrosa* (1945, *Perfect Strangers*), *Incidente en*

Piccadilly (1946, *Piccadilly Incident*) y *Gaiety George* (1946). Durante los cincuenta comenzaría a convertirse en un rostro habitual y cada vez más conocido, hasta llegar a finales de la década con *Ivanhoe* en el papel de Sir Wilfred of Ivanhoe. Con esto queda claro que su camino lo llevaría a ser uno de los grandes actores del momento, algo que se consolidaría todavía más en los años posteriores.

Fue en los sesenta, entre 1962 y 1968 (1970 si tomamos en cuenta las dos películas que hizo después), cuando se convirtió en Simon Templar, que es conocido por *El Santo*, haciendo que lo que había conseguido hasta el momento llegara a un nivel mayor. Por fortuna no le pasó lo que a otros actores televisivos, y la serie que le dio la fama de forma definitiva no le encasilló en ese mismo papel para siempre aunque sí sea recordado por el mismo. En los setenta es cuando ya pasó al Olimpo y a la parte dorada del podio, primero con *The Persuaders* y en segundo lugar al convertirse en el agente secreto por excelencia, James Bond en *Vive y deja morir* de 1973 y hasta 1985 con *Panorama para matar*. Y entre medias fue Sherlock Holmes, el inspector jefe Clouseau en un divertido cameo en *La maldición de la Pantera Rosa*. Aunque desde hace años ha vuelto a vivir una cierta época de gloria, también es sincero decir que en los noventa fue algo dejado de lado. Curiosamente le sucedió un poco lo que al gran Johnny Cash (aunque él era músico).

Os recomiendo ver *Boat trip: Este barco es un peligro* de 2003 en la que su vertiente cómica está totalmente desatada en el personaje de Lloyd Faversham. Pasa lo que es habitual cuando a un actor de tal veteranía y experiencia se le da un papel de este tipo, que lo lleva a su máximo potencial y se convierte en lo mejor de toda la película, además de dejar bastante claro que el propio intérprete se lo pasa realmente bien con el trabajo.

Actualmente está retirado, pero ese retiro en el que se sigue haciendo papeles y cameos, además de doblaje. Es lo que tiene ser una leyenda.

The Fugitive, un hombre huyendo de su vida

Para muchos, *El fugitivo* es una película dirigida por Andrew Davis de 1993, protagonizada por Harrison Ford como el Dr. Richard Kimble. Pero como pasa muchas veces, más de las que nos pensamos (y sabemos) está basada en un producto anterior y estando en este libro no puede ser más que en una serie de los años sesenta de la que tomó el título, los personajes y la idea principal.

The Fugitive, o *El fugitivo*, fue una creación de Roy Huggins que se emitió desde 1963 hasta 1967 con el actor David

Janseen como el doctor Richard Kimble, un pediatra, anteriormente había sido Richard Diamond en la serie *Richard Diamond, Private Detective*. Este hombre había sido acusado falsamente por el asesinato de su esposa (la historia sc irá conociendo con varios *flashbacks*) y condenado a muerte, así que durante tres temporadas en blanco y negro y una última, la cuarta, a todo color, este hombre recorrerá el país escapando por su vida.

Esta es una historia no tan ficticia como cabría esperar, ya que tuvo su inspiración en un hecho real y otro tanto en el libro *Dark Passage* (adaptado a película con Bogart y Bacall, llamándose en nuestro país *La senda tenebrosa*) de David Goodis, quien interpuso una demanda que no llegaría a término hasta principios de los setenta, 1972 en concreto, cuando él ya había fallecido. Aunque si miramos hacia atrás veremos que la trama de un inocente acusado falsamente no es desde ningún punto de vista novedosa, se había usado antes y se volvería a usar después. Sin ir más le-

jos en el *remake* que se hizo en el 2000 bajo el título *El fugitivo: la caza continúa* (originalmente solo era *The Fugitive*), con Tim Daly de protagonista y solamente con una temporada de duración. También es posible encontrar referencias muy claras a la serie original en *The Hulk*, 1978-1982, el programa televisivo que tuvo a Lou Ferrigno como el gigante verde y al fallecido Bill Bixby como su contrapartida humana.

Un Harrison Ford que huye de la justicia

La década de los noventa fue muy fructífera en lo que a versiones cinematográficas de series sesenteras se refiere, quizá no tanto en la calidad pero sí en la cantidad. Así llegó el año 1993 en el que se estrenó una película de mismo nombre y trama con Harrison Ford a la cabeza del reparto, en el que además estaba Tommy Lee Jones para ser su némesis y encargado de dar con él como Samuel Gerard, un personaje que volveremos a verle interpretar en 1998 en *U.S Marshals*. Este filme dirigido por Stuart Baird contó con Wesley Snipes y Robert Downey Jr. y aunque se desarrolle en el mismo universo que la otra cinta no pretende ser una secuela de la misma. Este es un punto curioso ya que expande el universo ya creado, que parte de ser una revisión de la serie original de *El Fugitivo*, pero que así llega hasta otros niveles haciendo que las fronteras marcadas se pierdan además de dejar por el camino el personaje protagonista de Harrison Ford.

ESPÍAS, AGENTES SECRETOS
Y OTRAS PERSONAS SOSPECHOSAS

Los años sesenta vivieron todo un momento de euforia por los agentes secretos. Esos hombres de atractivo rostro que vivían sorprendentes aventuras siempre al servicio de la justicia, peleando con la muerte, amando a bellas espías y sin llegar jamás a morir, eso lo dejaban para otro día. Muchas series y películas intentaron sacar partido de esta moda, que no fue en absoluto pasajera y al reciente estreno de *Sky Fall* (última película de James Bond, estrenada en 2012) me remito como muestra más que palpable de la buena salud de la que todavía hoy gozan, pero aunque los estudios quisieran tener todos a su gallina espía de los huevos de oro solo algunas producciones lograron traspasar las barreras del tiempo y merecer seguir siendo recordadas hoy.

Por supuesto hay que hablar de *Danger Man*, y su secuela de *Secret Agent aka Danger Man*, aunque sea solamente porque Patrick McGoohan fue el protagonista de la misma y también de *Superagente 86* que si bien no es una serie de espionaje al uso sí es una gran serie que logra en todo momento reírse del género y también de sí misma, pero manteniendo siempre un buen nivel de guión y aventuras que ya hubieran querido otras obras de carácter más serio. Finalmente se tocará *The Man From U.N.C.L.E* y el bastante pobre *spin-off* que tuvo, *The Girl From U.N.C.L.E* (¿Para qué pensar un título bueno si te puedes aprovechar de la fama que ya ha logrado otro?).

Danger Man, cuando un agente secreto tiene una cita con la muerte

Cita con la muerte es una obra literaria de la más que reconocida Agatha Christie en su característico estilo, y a pesar de lo que pueda parecer no tiene relación con la serie *Cita con la muerte. Fue* el nombre que se le puso en nuestro país a *Secret Agent aka Danger Man*, que a su vez era una continuación directa de *Danger Man* hasta tal punto que no se tiende a hablar de dos producciones separadas y se considera siempre una sola obra en conjunto.

Según parece la idea viene de dos partes: una es el propio Patrick McGoohan y otra Ralph Smart, pero sucede aquí lo mismo que en *El prisionero* con George Markstein, que no se llega a saber a ciencia cierta qué hizo cada uno. Lo que sí se sabe es que Ralph Smart estaba en contacto con Ian Fleming para llevar su creación de James Bond a la televisión pero en esta ocasión como serie, *Casino Royale* ya había pasado por la pequeña pantalla pero como telefilme, aunque este finalmente se retiró del proyecto que se alejó de su personaje aunque manteniendo ciertas similitudes con él, aunque no matará y no tendrá escarceos amorosos.

La primera parte de un hombre en peligro

En 1960 se estrenó el primer episodio de *Danger Man* con Patrick McGoohan como John

Drake, un agente especial de la OTAN que luchará contra subversivos (de nuevo hay que recordar cuándo estamos) para lograr que se mantenga la paz en el mundo. La primera ocasión en que veremos a este personaje será en un capítulo piloto llamado "View from the Villa", que nos hace pensar en *El prisionero* y en esa the Village (la Villa) en la que estará cautivo coincidiendo que además ambas fueron rodadas en el mismo sitio, el idílico Portmeirion. Como curiosidad comentar que fue escrito por Brian Clemens, la mente detrás de *Los vengadores*. La segunda etapa comenzaría en 1964 retomando la acción tres años después que la anterior, en la continuidad de la serie y en tiempo real, con un John Drake que ahora sirve en el MI9 con bastante más acción y un estilo más acorde con el nombre que ahora tenía, *Secret Agent*.

Al igual que en *El prisionero*, Patrick McGoohan es la estrella absoluta de este serial con un personaje que, para muchos (yo me incluyo) es el mismo que interpreta en la obra de culto, pero que como se ha hablado de sobra de ello no tiene sentido volver a explicarlo y contó con el productor Lew Grade.

La primera etapa, de 1960 a 1961, se nutrió de episodios de una media hora de duración aproximada, nos presenta al protagonista, un hombre de origen irlandés, entregado a su trabajo aunque no siempre está de acuerdo con las órdenes y formas de sus jefes, otro punto que sostiene la idea de que en realidad es la misma persona que número 6. En ocasiones se le ve viajando por el mundo en pro de la democracia, otras en misiones que parecen atender solo a intereses propios de las asociaciones a las que sirve.

La segunda aventura de un agente secreto

En la segunda época la duración se amplió casi al doble, unos cincuenta minutos, además de modificar parte del carácter de John Drake, que ahora era británico al servicio del MI9, pero más allá todo permanece igual, cumpliendo con el mismo trabajo, aunque ahora apostando por una acción mayor y un campo más en la línea de los agentes secretos.

Estas dos partes bien podrían ser dos series totalmente diferenciadas y sin nada en común. Por un lado tenemos que entre una y otra pasan tres años, lo que ya es tiempo más que suficiente para que pensemos que son dos producciones distintas, además está el hecho del cambio del origen del personaje y de para quién trabaja, de hecho no hay referencias a lo anterior en la segunda parte. Un sencillo cambio de nombre y estaría todo solucionado, además de dejar fuera de la ecuación a *El prisionero*, pero estos tres puntos hacen que se piense que si *Secret Agent aka Danger Man* es una continuación de *Danger Man*, ¿porqué no iba a serlo *El prisionero de Secret Agent aka Danger Man*? La paranoia está servida para el que quiera entrar en el juego e intentar averiguar la verdad tras la pregunta que se ha planteado.

De la forma que sea, ya sacará el lector su opinión y sus reflexiones, esta serie conforma un todo completo y aunque la decisión de resucitarla (con otro título) se debe al éxito que tenían los espías, por eso la serie se enfocó más a ese camino de lo que ya estaba, siempre mantuvo una cierta dosis de realidad y un protagonista que no siempre tomaba decisiones fáciles en ocasiones con funestas consecuencias para otros y para él mismo, y de hecho esto mismo es lo que provoca los desacuerdos con sus jefes y el que a pesar de ser un buen agente esté siempre en el punto de mira. Otro punto es su decisión de no usar armas y preferir los puños o su encanto, lo que para infiltrarse suele ser una idea bastante buena, además de usar aparatos tecnológicos creíbles o reales, de nuevo el punto que ya se ha comentado de la dosis de realidad que intenta mantenerse siempre (dentro de lo que cabe, que es una ficción sobre las aventuras de un agente secreto).

La última aventura

Posteriormente se hizo una nueva incursión en las aventuras de John Drake en lo que sería una cuarta temporada de la que solo se llegaron a grabar dos episodios que además eran en color, "Koroshi" y "Shinda Shima" que sun relacionados funcionan de manera independien-

te, aunque el más reconocido es siempre el primero de ellos. En Europa se fusionaron en una sola producción de carácter cinematográfico, algo que a muchos de mi generación les resultará familiar por las películas de Spider-Man protagonizadas por Nicholas Hammond, que en realidad eran capítulos unidos para lograr un metraje de mayor duración, y en América tuvo su pase por la televisión.

Como ya es costumbre, más hoy que antes, cuando algo tenía éxito se explotaba por otros lados pudiendo encontrarse novelas, cómics, adaptaciones e incluso cromos.

Al igual que muchas otras producciones de la época su influencia se nota en productos de la actualidad y en muchas ocasiones sin siquiera saberlo por el público, como la canción *Secret Agent Man* del gran Johnny Rivers para la apertura de la serie en América. Esta melodía ha pasado por muchos intérpretes, desde Elvis a David Hasselhoff (de verdad, que sí), e incluso fue usada en la saga cinematográfica *Austin Powers* que protagonizó y escribió Mike Myers, entre otras muchas apariciones.

Y por supuesto sucedía lo mismo que en muchas series de los sesenta, tras la fachada de aventura pura se podía notar cierta crítica, en este caso nada más empezar el capítulo se le oye decir su trabajo y comentar que todos los gobiernos tienen a alguien como él. Esto que pasa sin más y solo sirve a modo de introducción deja ver de fondo un ataque hacia la CIA, el FBI y otros que tienen en su haber agentes secretos para hacer precisamente lo que este hace, o no se sabe dado el secretismo que rodea a este tipo de sociedades.

*«Cada gobierno tiene su rama del servicio secreto.
Estados Unidos, la CIA, Francia, Deuxième Bureau, Inglaterra,
el MI5. La OTAN también tiene la suya. ¿Un trabajo sucio?
Bueno, eso es cuando suelen acudir a mí o a alguien como yo.
Oh sí, mi nombre es Drake, John Drake.»*
Patrick McGoohan como John Drake

Superagente 86, la parodia que superó al original

Si algo tiene éxito no pasará mucho tiempo hasta que aparezcan copias, en el mundo de la series serían producciones que intentarían seguir sus pasos o parodias que al referirse a un muy concreto hecho suelen envejecer muy mal. Pero esto no pasó con *Get Smart*, *Superagente 86* en nuestro idioma, y es que si bien era una versión cómica de los tan de moda agentes secretos no lo era de uno en concreto, lo era del concepto en sí mismo

y logró desarrollar su propia personalidad alejada de los otros como James Bond o John Drake; Maxwell Smart es un profesional aunque a veces las cosas se le compliquen un poco.

De profesión espía

Maxwell Smart no era un inepto, la serie no intentó hacer que sus aventuras fueran para ridiculizarle o que él fuera el elemento cómico de la misma. Se intentó crear un estilo propio, una línea de historias en las que él fuera el centro del universo; sí que se apostaba por la comedia pero en la que realmente se vivían aventuras de agente secreto. El agente 86, y su compañera/novia/esposa, se enfrentarán a villanos, sociedades que quieren controlar el mundo y contarán para ello con los mejores aparatos tecnológicos.

Dos nombres. Ese fue el motivo del éxito. Por una lado el del genio creador que fue Mel Brooks, incansable director y productor que ha trabajado incesantemente en la comedia aunque también en otros géneros, a él le debemos *La loca historia de las galaxias* y otras grandes comedias como *Los productores* (director y guionista de la primera versión) con una gran capacidad de reírse de todo pero no humillando a nada. El otro hombre al que hay que nombrar es a Don Adams, que falleció en el 2005, que logró dotar al personaje de una seriedad y paciencia que contrastaba totalmente con el

toque cómico del que estaba impregnado y aunque este personaje le marcó para siempre no dejó de tener su carrera alejado del mismo e incluso fue la voz del Inspector Gadget.

La serie comenzó su emisión en 1965 en la NBC y estuvo en el aire hasta 1969 habiendo pasado entremedias a la CBS para su última temporada, aunque se han hecho muchas reposiciones de la misma ya que el público nunca se cansa de ella. En estos años además de a 86 conoceremos a 99, a su jefe al que interpreta Edward Platt, la organización CONTROL y su rival KAOS (no son siglas de nada, que sepamos, pero siempre van en mayúsculas. Un elemento más de la parodia), además de varios miembros de cada equipo y la asombrosa tecnología que usan (¿el zapatófono de Mortadelo y Filemón? De aquí amigos, viene de aquí).

Un cierre, que no una despedida

La serie se canceló en 1969 pero no así las aventuras de Maxwell Smart que siguieron a través de dos películas para las que hubo de pasar algo más de 10 años. Puede sorprender que en vista del éxito que el personaje tuvo no se hiciera antes, pero sí que se planteó un proyecto para esto mismo durante la década de los sesenta y aunque no llegó a llevarse a cabo se aprovechó la trama en la propia serie. En 1980 llegaría *The Nude Bomb*, *El disparatado agente 86* según existe traducido, y en 1989 *Get Smart, Again!*, o *Superagente 86 ataca de nuevo*. En estas dos historias se recupera no solo a los actores, también a los personajes y todo el pasado que tienen detrás aunque siendo evidente el paso del tiempo que usan para reírse de ellos mismos.

En el año 1995 se intentará una resurrección de la serie, se volverá al sencillo título de *Get Smart*, en esta ocasión con 86 siendo el jefe de control y presentando al hijo que ha tenido con

99, Zachary Smart o sencillamente Zach, que será igual de patoso que su padre y estará interpretado por Andy Dick. No tuvo muy buena aceptación, o más bien ninguna, y se canceló con solo siete episodios.

El relanzamiento cinematográfico

Una última producción sobre el personaje llegó a las pantallas de cine en 2008 con *Superagente 86 de película*. Se contó con Steve Carrell para ser el protagonista y Anne Hathaway como 99. La película nos presenta una historia situada en teoría antes de la serie y es el cómo 86 pasa a ser un agente con todos los honores. No está a la altura del original pero es respetuosa y divertida, además de tener los cameos de Dwayne Johnson y Bill Murray como el agente 13, siempre en los lugares más imposibles disfrazado para que le descubran.

Esta producción tiene un curioso *spin-off* directo para vídeo llamado *Bruce y Lloyd: descontrolados* (*Get Smart´s Bruce and Lloyd Out of Control* en su título original), en el que se vuelve a los personajes de dos compañeros científicos del personaje protagonista, y que aún contando con el cameo de Anne Hathaway no logró tener muy buenas críticas por lo innecesario de su existencia.

Don Adams murió en 2005, lo que impidió que pudiera aparecer de ninguna manera en la obra de 2008, pero es de esperar que en el futuro Maxwell Smart siga viviendo aventuras.

Unas biografías muy poco secretas

Don Adams fue un gran actor, su carisma junto con la habilidad del creador hicieron de *Superagente 86* un clásico de forma inmediata. Tres nombres hay que destacar, el primero ya se ha mentado, Mel Brooks y Barbara Feldon que fue la agente 99, compañera, amiga, novia y posteriormente esposa de Maxwell Smart.

Don Adams, Maxwell Smart

Donald James Yarmy nació el 13 de abril de 1923 y tristemente falleció el 25 de septiembre de 2005 tras cinco décadas de trabajo y actuación, aunque siempre marcado por el personaje de superagente 86 que le marcó de forma imposible de borrar y le encasilló durante toda su carrera.

Aunque tuvo una trayectoria anterior en la actuación, podemos situar el año 1964 como

el auténtico momento cuando apareció en *Bill Dana Show* con el personaje de Byron Glick, un detective que nos recuerda en parte a Maxwell Smart (o más bien al revés, ya que este último es posterior en el tiempo). Tras esta *sitcom* llegó el momento de dar vida al carismático y patoso agente, pero la primera vez no fue en la propia serie y de hecho hay que citar *A Secret Agent's Dilemma, or A Clear Case of Mind Over Mata Hari* que se emitió algo antes y en la que Don Adams era a la vez este personaje tanto que anfitrión.

No hace falta entrar en este serial y sus continuaciones, ya se ha hecho, así que saltemos en el tiempo hasta 1970 cuando la primera etapa llegó a su fin. En 1971 en *The Partners* sería el Detective Lennie Crooke durante 20 episodios hasta 1972. Aparecería también en *Vacaciones en el mar* en cinco ocasiones como Lenny Carmen y por supuesto volviendo a ser superagente 86 durante los ochenta y los noventa, algo que se ha explicado más arriba.

Durante este tiempo compaginó esto con apariciones como él mismo en distintos *shows* en los que fue estrella invitada, no hay que olvidar que era comediante aunque esa parte nos sea bastante más desconocida en España, y con la profesión de actor de doblaje como el inspector Gadget (hasta 1999) entre otros pero este será seguramente el más conocido para nosotros.

El 25 de septiembre del 2005 fallecería en el hospital Cedars-Sinai en Los Angeles, dejando un hueco sencillamente imposible de llenar.

The Man from U.N.C.L.E, un hombre al servicio de la ley

Aunque «uncle» significa «tío» en nuestro idioma, en parte por eso Mortadelo y Filemón trabajan para la T.IA., en este caso son las siglas de United Network Command for Law and Enforcement o Comisión Internacional Para la Observancia de la Ley en castellano para poder conformar el C.I.P.O.L de *El agente de C.I.P.O.L,* que es la forma en que la conocimos en nuestro país. Esta sociedad tiene carácter internacional y una enemiga llamada THRUSH, en el piloto fue WASP, que tenía una intención muy sencilla que era la dominación mundial. Con esto por argumento más el protagonismo de Robert Vaughn (un actor por el que parece que no pasan los años) y David McCallum como Napoleón Solo e Illya Kuryakin, una sede en Nueva York y la ayuda de Ian Fleming para sentar los pilares que debían seguirse ya estaba todo hecho para dar comienzo a la serie en 1964, que estuvo en antena durante cuatro años, hasta 1968 cuando se cancelaría dejando además el *spin-off La chica de C.I.P.O.L* que únicamente tuvo una temporada.

El éxito del espía

La serie se compuso de un total de 105 episodios, la primera temporada es en blanco y negro y el resto a color. Curiosamente el piloto también lo era y posteriormente se reeditó, con escenas añadidas, bajo el nombre *"To Trap a Spy"* y lanzado como película en 1964 teniendo bastante éxito. A lo largo de esto capítulos iríamos conociendo el mundo en el que nuestros dos protagonistas se movían, un universo que muchas veces se ha defini-

do como una especie de *Alicia en el país de las maravillas* en el mundo real, ya que tras los grises edificios de lo cotidiano se esconde otro muy distinto que es precisamente en el que se mueven nuestros agentes. Parte de esto se muestra en que el acceso a la sede central de la organización sea a través de una entrada secreta que se encuentra en una floristería, además de tener en alguna ocasión toques de ciencia ficción, pero más por el hecho de ser ligeramente futurista (y que realmente hoy no nos lo parece tanto).

Las secuelas

Como era habitual, más que hoy en día, el éxito de la propuesta no tardó en dar sus propios hijos empezando por *The Girl from U.N.C.L.E* que se comentará justo al término de esta de forma breve. Parte de esta descendencia fueron varias películas que siguieron el ejemplo de *"To Trap a Spy"* juntando episodios para crear una obra propia que se estrenaría como filme, tenemos así la siguiente lista:

- *To Trap a Spy* (1964)
- *The Spy with My Face* (1965)
- *One Spy Too Many* (1966)
- *One of Our Spies is Missing* (1966)
- *The Spy in the Green Hat* (1966)
- *The Karate Killers* (1967)
- *The Helicopter Spies* (1968)
- *How to Steal the World* (1968)

Cabría citar aquí *The Return of the Man from U.N.C.L.E: The Fifteen Years Later Affair,* el título deja claro todo lo que podemos esperar y tampoco es una gran muestra de creatividad, una película de televisión lanzada en 1983 en la que Robert Vaughn y David McCallum retomaban sus papeles y además contaba con la aparición de Patrick Macnee como Sir John Raleigh como el mandamás de la organización, en sustitución de Leo G. Carroll.

Claro que esto no fue lo único y no faltó el habitual material de cómics o novelas, de hecho es en este medio en el que se aclara que THRUSH, el nombre de la organización enemiga de C.I.P.O.L, son las siglas de *Technological Hierarchy for the Removal of Undesirables and the Subjugation of Humanity*.

Esta es otra más de esas series de los años sesenta que demuesta el cómo la moda por los agentes secretos tenía más fuerza que nunca y aunque no todas eran de calidad otras han logrado persistir al paso del tiempo y que todavía hoy se hable de cuando en cuando de ellas. Quizá esta no tenga el carisma que pudieron tener *Danger Man* o *Los vengadores*, si la entendemos en este género, pero era una buena producción que se sigue viendo con bastante agrado (aunque solo sea por lo chocante de que aparezca Kurt Russell siendo un niño de poco más de diez años).

Actualmente, todavía sin fecha de estreno prevista, se está rodando una adaptación cinematográfica de la mano de Guy Ritchie (ese genio al que debemos *Snatch: Cerdos y diamantes*) con Henry Cavill, el más reciente Superman, como Napoleon Solo y Armie Hammer, quien ha protagonizado *El llanero solitario*), como Illya Kuryakin.

The Girl from U.N.C.L.E., el *spin-off* que no tuvo que serlo

Aunque esta serie, *La chica de C.I.P.O.L.*, se entiende siempre como un producto derivado de *The man of U.N.C.L.E.* no termina de serlo del todo. Sí, es cierto que se hizo como consecuencia del éxito de esta y para aprovechar la fama de la misma, pero también lo es que en el planteamiento inicial que realizó Ian Fleming se pretendía que el protagonista fuera Solo, todavía no Napoleón Solo (nombre que de hecho se impuso por un tema de derechos), pero en compañía de otra agente que respondería al nombre de April. Finalmente esta idea fue desechada y se pensó que debía ser solo uno el pro-

tagonista, aunque luego entrara en juego su compañero rus,o pero siempre en un cierto segundo plano.

Si nos ceñimos a la historia de la serie según se vio en televisión no fue hasta 1966 en el episodio "The Moonglow Affair" («affair» era el término con el que se referían a las misiones, no confundir con el sentido de encuentro amoroso) cuando hizo su primera aparición con el rostro de Mary Ann Mobley, posteriormente será Stefanie Powers en la serie de tan solo 29 episodios y con un éxito bastante menor del que sus productores esperaban (pero que es lo habitual en este tipo de derivados).

TERROR PARA TODOS
Y DIMENSIONES MÁS ALLÁ DE LOS LÍMITES

Una buena película de miedo es algo que nos gusta a todos, esa sensación de inquietud, de misterio y de saber que muy probablemente (o seguro) no tenga un buen final hace que sintamos una especie de cosquilleo en la espalda. Los héroes nos encantan, que salgan victoriosos es algo que nos llena pero en ocasiones también apetece ver lo contrario, que el villano gane o al menos si no gana que se lleve por delante a unas cuantas personas. Claro que no siempre el monstruo de turno lo es en verdad y si cogemos el caso del monstruo de Frankenstein (o simplemente la Criatura) lo cierto es que el malvado sería más bien su creador, Víctor Frankenstein, que osa desafiar los designios de Dios y además no se para a pensar en las consecuencias de su actos.

El que nombre a este personaje de la literatura no es nada casual y solo sirve de puerta para introducir así a Boris Karloff, legendario actor británico al que se le conoce de forma popular por su trabajo en la Universal Studios y por ser el más famoso rostro tras el pesado traje del monstruo de Frankenstein. Este hombre fue todo un icono del terror pero curiosamente su vida personal es lo más alejado de esto que se pueda imaginar, ya que siempre se le describe como extremadamente afable y educado. Durante los sesenta presentó el programa de misterio y terror llamado *La hora de Boris Karloff*, siendo además de anfitrión- actor en alguna ocasión.

Pero si se habla de series de misterio es imposible no acercarse a las dos por excelencia: *Más allá del límite* y *La dimensión desconocida*. Estas dos producciones serán por siempre recordadas en el imaginario colectivo, además de generalmente mezcladas entre sí dado lo similar de sus contenidos, temáticas, formas de realización y dos títulos que en su versión original en inglés también se asemejan.

Aunque este género va teniendo sus más y sus menos, en gran parte por haber estado asociado durante mucho tiempo a las producciones de bajo presupuesto (aunque eso mismo ha hecho que bastantes películas se hayan convertido en clásicos de culto, aunque solo para los paladares más osados y atrevidos), pero es complicado negar que siempre ha tenido su legión de seguidores que cada cierto tiempo reclaman su dosis de terror. Ahora mismo se está emitiendo la excelente *American Horror Story* (interesante serie tanto en trama como en tratamiento y creación de personajes) que intenta recoger muchas de las historias y leyendas que son típicas en América desde la casa encantada, en la que transcurre toda la acción, hasta el *mad doctor* de turno, y por supuesto los asesinatos pasionales. Esta producción es tan solo una muestra de que esta temática sigue viva y que le queda un largo recorrido por delante, aunque con la complicación de tener que renovarse con el paso de los años pero sin poder por otro lado alejarse de algunas de sus pautas y lugares comunes.

Primero visitemos al monstruo y luego abriremos la puerta para ir hasta una dimensión en la que todo podría pasar.

La hora de Boris Karloff, o cuando el monstruo presenta

Es más que probable que si estás leyendo este libro tengas cierta edad o ciertos intereses muy concretos y el nombre de Boris Karloff te sea bien conocido, pero puede ser el caso de justo lo contrario y que sea un completo desconocido. Lo que es más probable es que sí se tenga en la mente la imagen del monstruo de Frankenstein en la producción de la mítica Universal, aunque no se sepa que fuera el actor debajo del maquillaje.

Un poco de trayectoria

Nació en 1887 bajo el nombre de William Henry Pratt aunque el mundo le conocería bajo su pseudónimo profesional con el que participó en un gran número de películas, y más en concreto alcanzó la fama casi de casualidad gracias a un papel que Bela Lugosi, quien interpretó a Drácula en la película del mismo nombre también de la Universal Studios, rechazó y así llegó a ser la criatura a la que da vida Víctor Frankenstein. Tras esto su vida siempre estuvo ligada al género de terror poniendo su rostro al servicio de otros personajes del género como Imhotep en *La momia*, el malvado doctor Fu Manchú o al propio Víctor Frankenstein en una especie de cinematográfico círculo que se cerraba (fue también el temible capitán Garfio encima de los escenarios teatrales).

Si tenéis oportunidad de leer alguna biografía sobre él, por ejemplo *Boris Karloff: El aristócrata del terror*, veréis que la imagen popular es totalmente alejada de su auténtica persona. Si bien siempre será recordado por el espectador en sus papeles diabólicos y de malvado en su vida cotidiana era todo lo contrario, siendo un hombre amable, generoso y querido por amigos, familia y colegas de profesión.

La hora del monstruo

Tuvo una larga y dilatada carrera que se vio interrumpida por fallecimiento en 1969. Todavía se estrenaron películas suyas hasta 1971, pasó en varias ocasiones por la televisión y una de las más reconocidas fue con *La hora de Boris Karloff*, programa también conocido por *Boris Karloff presenta* y por *Boris Karloff's Thriller* o solamente *Thriller* en su idioma original y según aparecía en ellos créditos. El nombre deja bien claro que al estilo de otras muchas series, como la más que icónica *Tales from the Crypt* (*Historias de la cripta*), se contaba con un presentador para dar paso a las distintas historias que en este caso eran introducidas por Boris Karloff en una línea de guiones que iban desde el terror al suspense. Aunque su papel era ser el de anfitrión también se le pudo ver como uno de los personajes, nunca recurrentes ya que se narraba una historia cada vez, interpretando a Cayton Mace en el episodio llamado "*The Prediction*" (y en otros cuatro capítulos: "*The Premature Burial*", "*The Last of the Sommervilles*", "*Dialogues With Death*" y en "*The Incredible Doctor Markesan*").

Cuando Boris Karloff se convierte en el anfitrión

Esta serie de *La hora de Boris Karloff* estuvo en antena, en su primera emisión ya que posteriormente ha vuelto en varias ocasiones, de 1960 a 1962 con dos temporadas y un total de casi setenta capítulos, una cifra muy respetable y más si tenemos en cuenta la cantidad de series que en la actualidad no llegan a pasar (o ni a llegar) a los veinte. Aunque el rostro del actor británico es lo que siempre se relaciona él no fue más que una persona contratada y la creación se le debe a Hubbel Robinson, con la producción de Fletcher Markle, contando con distintos guionistas y directores.

Pero si ya ha quedado claro quién fue el rostro del programa no fue ni con mucho el único gran actor que pasó por allí y se pueden nombrar a otros como Alan Napier (inolvidable Alfred en el Batman de Adam West), William Shatner (quien alcanzó la fama al ser el Capitán Kirk en *Star Trek*), el fantástico John Carradine o el

muy querido por todos Leslie Nielsen para ser el personaje Alan Patterson en el primer episodio de la serie, lanzado el 13 de septiembre de 1960, además de un largo suma y sigue con un plantel que envidiaría cualquier serie de su momento o de la actualidad.

Boris Karloff fue, es y será, uno de los actores más reconocidos y queridos tanto dentro de la industria por los profesionales como fuera de ella por los aficionados, y esta producción solo fue una más en su larga y dilitada carrera aunque casi siempre fuera de la mano del género que le mantuvo en activo pero que en otro tanto le esclavizó y encasilló.

Una biografía para un caballero monstruoso

En este caso la parada es casi obligatoria ya que Boris Karloff es muy respetado y querido, incluso por la gente que ve sus películas sin saber realmente quién es el hombre que las protagoniza.

Boris Karloff

Os aviso que mi recomendación es que os vayáis a la biblioteca para coger su autobiografía y leerla, es realmente interesante y por supuesto mucho más completa que lo que estos pocos párrafos van a llenar de conocimiento. Es curioso que al contrario que otros muchos actores, el ser encasillado no terminó de ser

un problema para él, además de mostrarse siempre agradecido por todo lo que la vida le había dado, ya que tuvo una muy larga producción que inteligentemente supo orientar para sacar partido de lo que el mundo pedía de él.

William Henry Pratt nació el 23 de noviembre de 1887 y falleció el 2 de febrero de 1969, siendo otro de esos profesionales con un historial más largo que nuestro brazo en el que nunca dejó de actuar, de hecho hasta tal punto que dos años después de su muerte todavía se estrenaron películas en las que él había tomado parte. IMDB da la cifra de 202 producciones, un dato que resulta apabullante y que además explicará al lector el porqué se ha tomado la decisión de hacer un muy breve comentario ya que sería imposible hacerlo en profundidad (a menos que el libro estuviera únicamente orientado a su figura).

Su principal interés era ser diplomático en años más jóvenes, algo que compartió con su hermano que sí lo fue y aunque él no llegara a ello hay que decir que la educación, templanza y exquisita locución que bien le hubieran servido en esa carrera le ayudaron a convertirse en una estrella del cine empezando en 1919 pero pasando más o menos discreto hasta 1931 con *Frankenstein* de James Whale, película en la que daba vida a la criatura que crea Víctor Frankenstein pero que para mantener el misterio en torno al personaje no se indicaba su nombre en los títulos de crédito (solo había un símbolo de interrogación). Solo un año más tarde se metió en la piel, o los vendajes mejor dicho, de otro de los personajes míticos de la Universal, el del temible Imhotep que vuelve de entre los muertos en *La momia*.

Aunque el motivo por el que llegó a ser el monstruo de Frankenstein fue precisamente el rechazo del mismo de Bela Lugosi, Drácula en el montaje teatral y posteriormente en la película, por temor al encasillamiento y por el hecho de que no se viera su rostro, pero como la historia ha demostrado cometió un error, y no terminó de levantar cabeza llegando al punto de trabajar con el «peor director de todos los tiempos», Ed Wood. Si tenéis curiosidad podéis ver *Ed Wood* de Tim Burton que novela la relación entre ambos. Sea de la forma que sea, y sin entrar más en esto, Karloff regresó al gigante muerto dos veces más, la primera en *La novia de Frankenstein* y la segunda en *El hijo de Frankenstein* (en la que además estaba Bela Lugosi como el inquietante Igor).

El punto malo de todo esto fue que tanto los químicos usados para el maquillaje al igual que el pesado traje, junto con los zapatos para hacerle todavía más enorme, le pasaron factura el resto de su vida con daños en la espalda y problemas para caminar.

Pero aunque mucha parte de su trayectoria está relacionada con la televisión y el cine (y Roger Corman) también fue siempre un amante del teatro pasando por Broadway con *Arsenic and Old Lacen,* y tengo que citar por mi amor hacia la creación de J.M Barrie a *Peter Pan* en la que fue el Capitán Garfio (buscad, que no os costará encontrar alguna foto de esto).

Boris Karloff falleció a causa de una neumonía a la edad de 81 años.

The Twilight Zone, donde la realidad llega a su límite

Si nos atenemos estrictamente al hecho de hablar solo sobre series producidas en los años sesenta, este clásico debería quedarse fuera ya que realmente comenzó en los cincuenta, en 1959 para ser exactos, pero es precisamente ese carácter de clásico el que hace que por

es por la culpa de un solo hombre (o un par) que es el responsable de la idea, creador por derecho propio y encargado de dotar de su estilo y espíritu. Este caso no es distinto a los demás y el hombre en cuestión es Rod Serling.

una vez esta norma se salte; además de por sus posteriores épocas nuevas en los ochenta, noventa y en la casi recién terminada década de los 2000, amén de la película de 1983, los videojuegos, cómics y un largo etcétera. Por una vez se habla de una cabecera que realmente no empezó en esta mítica década, pero fue por poco y seguro que el lector sabrá hacer esta concesión.

Algo que tienen en común casi todas estas cabeceras que hemos visto hasta el momento, y puedo adelantar que también las que quedan, es que no son un producto que ha llegado a existir por el *brainstorming* de un grupo de directivos más interesados en el dinero que realmente en dar una obra con una cierta calidad, no es así, aquí ha quedado claro (cristalino que decían en *Algunos hombres buenos*) que si estas historias son lo que son siempre

Rod Serling, la mano que movía los hilos desde otra dimensión

Rod Serling, 1924-1975, fue guionista, actor y productor televisivo que incluso después de muerto ha seguido dando guerra, lo que por otra parte casa muy bien con el estilo que marcó en esta producción de la que además de alma máter fue el conductor del programa. Repitió esto mismo en *Rod Serling´s Night Gallery*, *Galería Nocturna* para nosotros, a principios de la década de los setenta, sí, él era ese caballero con americana y corbata que introducía las historias de cada episodio mientras varios cuadros estaban sostenidos en el aire quién sabe por qué fuerzas sobrenaturales (como detalle comentar que en muchas ocasiones ambas series son confundidas, a mí me pasaba hace años, ya que las similitudes son muchas aun-

A lo largo de un lustro y más de cien episodios, que necesitarían un único libro para ser comentados (que ya se ha hecho, por cierto) se ganó un lugar propio en el Olimpo de las series míticas gracias a la labor de Rod Serling y de otros guionistas, ya que en contra de lo que dicen las leyendas era sencillamente imposible que él estuviera detrás (aunque sí que es cierto que la inmensa mayoría los firma él), así que se contó con un buen plantel que en total eran una decena de los que hay que nombrar a Charles Beamont y Richard Matheson con un total de 38 capítulos repartidos entre ambos. Al primero de ellos le relacionamos con producciones como *7 Faces of Dr. Lao* (basado en el libro *The Circus of Dr. Lao* de Charles G. Finney) o *Más allá de los límites de la realidad* a mitad de la década de los ochenta. El segundo nos sonará más si mencionamos la película *El diablo sobre ruedas*, *The Girl from U.N.C.L.E.* o las novelas *La increíble mujer menguante* y por supuesto su más que conocida *I Am Legend Soy Leyenda*) que se ha adaptado al cine en varias ocasiones contando con Vincent Price, Charlton Heston o Will Smith.

que en realidad no sean la una continuación de la otra).

Parte del éxito que tuvo esta serie, *The Twiligth Zone* o *En los límites de la realidad*, fue la habilidad de Rod Serling para conseguir que en la duración habitual de la época (esa media hora aproximada, aunque luego se duplicaría y se explica dentro de unas líneas) se condensara toda una historia de inquietante terror, con su presentación, desarrollo y desenlace. Por suepuesto hay que tener en cuenta unos personajes que funcionaban correctamente, su inquietante introducción. Y además dejar al espectador con ganas de más, para que regresara en la siguiente emisión sintiendo como sus cabellos se erizaban solo con escuchar su conocida melodía.

El tema musical llamado *Etrange3/Milieu2* de Marius Constant, que probablemente todos habéis escuchado sin saberlo, no fue realmente con el que empezó y la disconformidad de los productores hizo buscar algo distinto siendo elegido el que ha quedado de forma popular (que curiosamente había salido anteriormente en algún episodio) y que ha traspasado mucho más allá de ser una simple sintonía de apertura, quedando como referencia en multitud de series o programas para indicar la aparición de algo extraño o inusual. Al igual que ya se ha visto con otras series, la capacidad de ciertos elementos de convertirse en iconos y pasar a la mente colectiva supera en muchas ocasiones a la propia trayectoria de la serie original que a veces queda totalmente olvidada o sepultada bajo el éxito de otras.

La decadencia a causa del éxito

Al igual que con otras muchas series o programas de televisión el éxito del que gozaba hizo que la productora metiera mano y pidiera que se aumentara la duración de los episodios al doble de lo que estaban siendo. Esto que desde el punto de vista que podemos tener nosotros como aficionados puede ser un acierto pero que al otro lado de la cámara conlleva más trabajo, más tiempo de grabación, extender las tramas con más minutaje, lograr que la tensión y el miedo no decaigan durante ese tiempo, además del hecho de que el equipo ya estaba acostumbrado a esto, el cambio no fue precisamente una mejora y de hecho en la quinta (y última) temporada esta decisión se revocó volviendo a los veinticinco minutos que tan bien habían servido hasta el momento.

Como ya sucedía en *Thriller* con Boris Karloff, *La hora de Boris Karloff*, por esta producción pasaron un buen número de actores de renombre y otros que se convertirían en grandes con el paso de los años, podemos citar a modo representativo al estupendo Lee Marvin, Peter

Falk que será siempre Colombo para todos los seriéfilos, Dennis Hopper o Leonard Nimoy, que pasará a la historia de la televisión como Spock en la serie y películas de *Star Trek*, además de tener una interesante carrera al margen de esa aventura espacial.

El regreso desde la tumba

En la década de los ochenta se resucitó la franquicia gracias a la mano de Steven Spielberg que en 1983 hizo una película en la que se revisaban algunas de las historias de las contadas, pero no terminó de funcionar todo lo bien que hubiera cabido esperar (era más el producto del homenaje de un fan que otra cosa, aunque el fan se llame Steven Spielberg), pero sí logro que se hiciera una segunda serie, que bajo el nombre *The New Twilight Zone* lanzó nuevas tramas desde 1985 y hasta 1989 (con un parón entre medias). En la década siguiente, en 1994, se hizo un telefilme llamado *Twilight Zone: Rod Serling's Lost Classics* (cuyo nombre

no deja lugar a dudas de qué es) con James Earl Jones haciendo las veces de anfitrión, cargo que será tomado por Forest Whitaker en 2002 para la tercera serie que únicamente se tituló *The Twilight Zone* con un total de 44 episodios que revisó algunos clásicos y tuvo otras historias propias, aunque solo duró una temporada.

Para Eusebio R. Arias, autor del muy recomendable libro *Series de culto de TV de ciencia-ficción terror y fantasía*, esta fue la serie que hizo saltar al género de la fantasía de golpe de los intentos de décadas anteriores hasta «una prematura madurez».

The Outer Limits, traspasando las barreras de lo imposible

¿Os acordáis de un episodio de Halloween de *Los Simpson* en el que se escucha la voz de Bart Simpson diciendo «No le ocurre nada a su televisor, no intente ajustar la imagen, ahora nosotros controlamos la emisión»? Esto no es más que una de las muchas referencias que la serie tiene hacia otras, al igual que lo hace con multitud de películas y obras de todo tipo, en concreto de *The Outer Limits* o *Más allá del límite* (tam-

mos, no volverá y mientras nosotros tocamos los botones una voz nos dice que es inútil, que estamos en sus manos y ellos controlarán todo lo que veamos y escuchemos. Esta era solo la forma de dejar claro un mensaje, de hacer que el espectador se sentara en su sillón y no se moviera del mismo hasta que esa transmisión terminara. Entonces ya sería libre.

Lo cierto es que todo lo que se dice en esa apertura, que se transcribe luego, tiene un sentido terrible si pensamos en la actual situación que tienen los medios de comunicación y el control que se ejerce en los mismos, y estos sobre nosotros. Si bien en lugar de permitir un mayor acceso a la información ha conllevado que mediante la agen-

bién *La dimensión desconocida*) en nuestro país, aunque en su concepción original se iba a titular *Please, Stand By*.

El *opening* inicial es realmente inquietante. Mientras tenemos nuestra pantalla encendida empieza a irse la imagen y da igual lo que haga-

da setting que se tiene se maneje a la opinión pública en un sentido o en otro. Este predicción no es algo premeditado o que sitúe a esta serie dentro del sector de las que estaban avanzadas a su tiempo, ya que únicamente se pretendía causar una sensación concreta en el espectador y ha sido fruto de la casualidad que esto se haya hecho realidad.

¿La hermana pequeña de *The Twilight Zone*?

Esta serie siempre estará a la sombra de *The Twilight Zone* por varios motivos. Por un lado que esta es de algunos años antes además de contar con ese toque de tener siempre al mismo presentador para introducir los capítulos, algo que le daba cierto aire de realidad como si estuviéramos a punto de ver las noticias más que algo de carácter ficticio. El otro es que aunque contaba con buenos efectos especiales, más teniendo en cuenta la época en la que estamos, y unas tramas interesantes no terminaban de tener ese algo carismático que lograron los de Rod Serling y sus compañeros. Puede que parte de las diferencias entre una y otra es precisamente que este guionista tenía en sus manos la serie, siendo el patrón y guardián de que se cumplieran las pautas marcadas, el tener a una sola persona detrás como cabeza principal sin duda fue alto beneficioso y que no sucedió en *The Outer Limits*.

Volviendo en los noventa
Durante los años noventa tuvo una resurrección que duró desde 1995 y hasta 2002 en la que se recuperaron estas historias inquie-

tantes a la par que aterradoras en las que el que parece bueno puede ser el malo, o justo lo contrario. El paso del tiempo hizo que el apartado visual fuera notablemente mejor, quizá no destacable en un momento en el que ya estábamos más habituados a ciertos trucos pero totalmente válidos para el desarrollo de la serie. En esta etapa se contó con uno de los responsables del éxito original, Joseph Stefano, además de nuevos guionistas como George R.R. Martin, autor de la archiconocida *Canción de hielo y fuego* (*Juego de tronos*" para los teleadictos).

Aunque gozó de cierto éxito, la nueva etapa de los noventa hasta principios de la década del 2000 y viendo el éxito que tenían algunas revisiones de otras series se toma la decisión de hacer esta nueva tanda de episodios, un total de algo más de 150 que dejó de lado el tema de monstruos prefiriendo hechos científicos y temáticas en esa línea (con fantasía, claro) pero siempre con ese lado aterrador que nos muestra lo peor de lo que somos capaces nosotros mismos, aunque sin tener el carisma que logró en su emisión original, sin embargo, resultando de todas formas un producto interesante y que se deja ver muy bien.

Un apunte sobre Harlan Ellison
Otro de los antiguos escritores que estuvo presente fue Harlan Ellison, autor del relato *I Have No Mouth and I Must Scream* (o *No tengo boca. Y debo gritar*) una historia en la que un ordenador militar llamado AM tomó consciencia de su propia existencia y decide terminar con la vida humana, una idea que a los aficionados a la ciencia ficción (ya sea literaria, cinematográfica o de la forma que sea) nos hace pensar rápidamente en Skynet del futuro que James Cameron nos presenta en *The Terminator*. Pero en la saga del ciborg asesino también se encuentran visos de dos guiones que este hombre realizó para la serie original: *The Demon with a Glass Hand* y *Soldier*, este último además basado en su propio relato corto *Soldier of the Future*. Para que el lector salga de dudas lo mejor es que os hacerse con ellos, son fácilmente encontrables, y ver las similitudes en primera persona.

El monólogo de apertura

«*There is nothing wrong with your television. Do not attempt to adjust the picture. We are now in control of the transmission. We control the horizontal and the vertical. We can deluge you with a thousands channels, or expand one single image to crystal clarity and beyond. We can shape your vision to anything our imagination can conceive. For the next hour, we will control all that you see and hear.*»

«*No le ocurre nada a su televisor. No intente ajustar la imagen. Ahora somos nosotros quiénes controlamos la transmisión. Controlamos la horizontalidad y la verticalidad. Podemos abrumarle con miles de canales o hacer que una simple imagen alcance una claridad cristalina, y aún más. Podemos hacer que vea cualquier cosa que conciba nuestra imaginación. Durante la próxima hora controlaremos todo lo que vea y oiga.*»

LA CIENCIA FICCIÓN Y LOS HOMBRES FANTÁSTICOS

Claro, más de uno (y de dos, supongo) pensará que varias de las series que hemos visto hasta el momento pueden encajarse dentro del género de la fantasía científica y estaría totalmente en lo cierto, por ejemplo *Star Trek* es uno de los clásicos más reconocidos en este género, pero se ha querido diferenciar este apartado para hablar de otras producciones en que la ciencia es quizá algo más cercana y menos fantasiosa, dentro de unos límites ya que el sencillo hecho de ser ciencia ficción hace que estemos hablando en ocasiones de algo imposible. Como se ha dicho al principio de este apartado son varias las cabeceras que bien podrían encajar en varios géneros y es que encontrar la pureza es muy complejo y probablemente imposible.

La ciencia de hoy casi parece de ficción y la verdad es que si uno lo piensa fríamente hay muchas cosas, objetos y tecnologías que parecían imposibles hace unas pocas décadas y hoy son parte de nuestra vida más cotidiana. Por ejemplo esto podría ajustarse perfectamente a esos zapatos teléfono que vimos en *Superagente 86* y que hoy nos parece demasiado grande mientras usamos todo tipo de *smartphones* que serían la envidia de cualquier Q de los años sesenta. Claro

que hay otras muchas ideas que siguen existiendo solo en el plano de la fantasía y con las que no podemos más que soñar.

Tenemos el caso de *The Wild Wild West*, una *western* de ciencia y fantasía que nos narraba las aventuras del guapo y valiente Jim West y se saltaba con alegría (y mucho salero) todas las narrativas históricas apostando por ser totalmente anacrónicos haciendo que el salvaje oeste se volviera más tecnificado de lo que nunca había sido; todavía quedaba mucho para que *Cowboys and Aliens* se convirtiera en un *bestseller* y en una entretenida (aunque mediocre) película cinematográfica. Hay que hacer también referencia al ex astronauta Jeff Tracy y su prole que salvan al mundo de constantes catástrofes, o más bien llegan para limpiar los destrozos, desde su sociedad de Rescate Internacional, que es tanto el nombre al igual que la misión que tienen, siempre a bordo de las fantásticas naves que son los *Thunderbirds*. Esta serie de títeres hecho con la gran profesionalidad y la tecnología de Gerry Anderson se ambienta en un futuro no muy lejano y que bien podría llegar a pasar.

Dos series sin nada en común pero en las que la tecnología y la ciencia, aunque sea de una forma muy fantasiosa, juegan un muy destacado papel.

The Wild Wild West, vaqueros tecnológicos

No, no me refiero a la divertida (aunque muy muy muy mala) película de Will Smith, en la que al menos hay que dar las gracias de que estuvieran Kenneth Branagh y Kevin Kline, uno de mis actores favoritos y fetiche, para mejorar la cosa aunque cuando el guión es malo poco se puede hacer.

Cuando Jim conoció a Artemus

La serie original que nosotros conocemos sencillamente por *Jim West* se produjo entre 1965 y 1969, que aunque sea un *western* en toda regla no dudó en coger elementos de otros géneros como la fantasía científica y por supuesto el de espías, este último impregnó gran parte de las producciones de los años sesenta como hemos ido viendo a lo largo de las páginas. Los dos actores principales eran Robert Conrad y Ross Martin, el primero como Jim West y el segundo siendo el encargado de ser la encarnación de Artemus Gordon aunque hubo que convencerlo para incorporarse ya que de primeras no estaba interesado. Dos personajes muy opuestos que gozaron de gran química tanto por el buen trabajo en la creación de estos como por parte de los propios hombres que estaban detrás de los ficticios vaqueros.

La combinación del héroe apuesto capaz de salir airoso de cualquier situación, y seducir a las bellas mujeres que estuvieran por el camino (en ocasiones los tópicos están hechos para

ser amados), con un compañero que es un completo erudito y aporta la parte científica de la serie, todo con un añejo de *steampunk* sesentero que es algo que siempre gusta mucho. Pero además de esta parte de imaginación pura también tenía una vertiente histórica dada la época en que se ambienta la serie y las posibilidades que esto mismo otorga. Pero si la importancia de los protagonistas es algo que nadie duda, otro tanto es la de sus villanos y rivales, en este caso del Dr. Loveless, al que interpretó Michael Dunn, actor enano habitual del género de comedia y terror que nació en 1934 y falleció en 1973.

La cancelación y el regreso

Al contrario que lo que pasó con otras series aquí no fue realmente el tema de la audiencia el que decidió que se cancelaba la serie, o se pusiera en suspenso como pasó con *Doctor Who*, más un cambio de gustos y la pretensión de que era en exceso violenta pero al igual que ha pasado siempre, y pasará, en lugar de no ver un programa o no dejar que los niños lo hagan es más sencillo quejarse o intentar que se quite. Pero este es otro tema sobre el que se podría hacer una mesa redonda de varias horas y no algo que haya que tratar aquí (aunque ganas no faltan).

Y entonces tras una década de espera los dos amigos volvieron a encontrarse en *The Wild*

Wild West Revisited, nombre que no hace falta traducir, que logró ser bastante del agrado de los seguidores pero lógicamente no puede compararse a todas las temporadas que existían. Por supuesto el Dr. Loveless no podía faltar a la cita, pero dado que Michael Dunn había fallecido se sacó de la manga a un hijo de este. Un año más tarde llegó el turno de *More Wild Wild West*, otro título que deja muy claro todo, que fue la última vez que los personajes originales compartirían una aventura. Hubo algún otro proyecto e intento de recuperar la saga pero no llegaron a buen puerto, incluso la idea de toda una nueva serie, por la muerte de Ross Martin en 1981 fue una piedra demasiado grande, además que Robert Conrad no quería que se hiciera con la ausencia de su compañero.

Treinta años del final de la primera serie se hizo el *remake* cinematográfico que pasó a la historia por la gigantesca araña mecánica que apa-

rece, os recomiendo ver el monólogo del director Kevin Smith al respecto. Aunque Barry Sonnenfeld fue el encargado de estar en la dirección este trabajo no está al nivel de otras de sus producciones, como la fantástica trilogía de *Men in Black*, sin haber tenido más repercusión que ser un divertido elemento de divertimento puro que hay que ver con un enorme bol de palomitas dejando en casa las ganas de pensar.

Los Thunderbirds, marionetas que rescatan internacionalmente

¿Marionetas en la televisión? Qué locura. O no tanto si vemos el éxito que tuvieron, las distintas series que protagonizaron o pensamos por un momento en Jim Henson y es que somos muchos los que nos hemos criado con Barrio Sésamo o que nos declaramos abiertamente fans de The Muppet Show[196]. Pero en los años sesenta lo que

Gerry Anderson y su equipo, entre los que se contaba su mujer Silvia, era toda una novedad por dos motivos: el primero la calidad técnica que desde un principio tuvieron sus producciones (y que solo fueron a más), y en segundo lugar que no pretendía captar solo al público infantil con lo que aportó guiones y tramas de cierta profundidad.

Marionetas para toda la familia

Rescate internacional, la otra forma habitual de referirse a la serie (realmente así se llama el grupo, Thunderbirds es el de las naves), fue una apuesta arriesgada de una hora de duración y a color, por empeño de Lew Grade (nombre que se relaciona con El prisionero de la que ya se ha hablado extensamente o, precisamente, The Muppets), lo que hizo que todo el grupo responsable de la «supermarionation», como se llamó a la técnica de animación que usaban, diera el do de pecho creando así una de las mejores series que en mucho tiempo se han visto en la historia de la televisión con un gran cuidado tanto en el apartado visual, en el trabajo técnico y en los guiones

que aunque eran un entretenimiento familiar no se confundió, como pasa habitualmente, con convertirlo necesariamente en algo infantil y simplón.

Un entretenimiento para todos los públicos ambientado en el 2026 que estaba protagonizado por una familia, al igual que Perdidos en el espacio, esto suele ser un acierto (si se hace bien) ya que permite que todos los miembros de ese núcleo tengan un personaje con el que identificarse para vivir con él sus aventuras, aunque siempre hay uno que es más protagonista que los otros o con algo más de relevancia (es inevitable). El equipo lo conformaban el patriarca Jeff Tracy, un ex astronauta viudo y sus hijos Scott, Virgil, Alan, Gordon y John pilotando cada uno una nave Thunderbird (que se detallan a continuación) junto a otros compañeros como Brains o Kyrano, uno el científico que les ayuda en sus misiones y el otro el fiel sirviente de la familia, todos ellos son en secreto los miembros de Rescate Internacional que fue una decisión tomada por el padre tras la muerte de su esposa Lucille.

Los vehículos, los increíbles Thunderbirds

Antes de seguir con los personajes, ya que todavía quedan la elegante Lady Penélope y el malvado The Hood, pasamos a enumerar las naves de estos rescatadores dentro de la serie (diseñados todos, en su continuidad, por Brains):

Thunderbird 1

Pilotado por Scott Tracy, el primogénito (no podía ser de otra forma) es la aeronave del equipo Thunderbird siendo la más ligera de todas y capaz de llegar a más de Mach 12. Su misión es llegar antes que nadie a los lugares en los que está el peligro para ver qué sucede y aconsejar el mejor curso de acción posible.

Thunderbird 2

Con Virgil Tracy a los mandos este es el carguero supersónico de la familia que es el responsable del transporte de tecnología y equipo voluminoso entre las que destaca el Thunderbird 4 que suele viajar en su interior.

Thunderbird 3

Un cohete espacial propulsado por energía atómica, con su propia equipación de trajes de astronauta y pilotado por Alan Tracy. Generalmente sirve como enlace con el Thunderbird 5, la estación espacial del grupo.

Thunderbird 4

Si este equipo está preparado para todo lógicamente debía estarlo para ayudar en emergencias que sucedan en el mar, así tenemos que este Thunderbird 4 es un submarino a las órdenes de Gordon Tracy. Esta máquina va dentro del Thunderbird 2 hasta la zona de peligro, por su autonomía menor que la del resto, para entrar directamente en la zona de peligro.

Thunderbird 5

La punta de la lanza de todo Rescate Internacional y una muestra del poderío tecnológico (y económico) que tiene la familia Tracy. Esta estación espacial está ocupada por John Tracy siguiendo los pasos de su padre como astronauta, controlando desde las estrellas todo lo que sucede para así no dejar ninguna catástrofe sin ayuda.

Quizá alguno se esté preguntando dónde encaja en todo esto Jeff Tracy, padre del clan, ya que en ningún momento se le ha nombrado pilotando estas naves pero el papel que toma es el que cabía esperar siendo tanto el mentor, subvencionador y líder de los Thunderbirds dirigiendo todas las misiones desde su centro de control y preocupándose tanto del bien de nuestro planeta como del de sus hijos.

Lady Penélope y The Hood, la novia y el villano

Volvamos ya al tema de los personajes que se han quedado en el tintero para entrar en dos muy concretos: Lady Penelope y The Hood.

Elegante, encantadora, siempre vestida de rosa (igual que su coche) y además agente que trabaja codo con codo con los Thunderbirds, sin dejar de lado su origen aristocrático como deja bien claro el «Lady» que acompaña a su largo nombre, Penelope Creighton-Ward. Al igual que el resto del equipo tiene su propio y fantástico vehículo, un Roll-Royce[197] pintado de rosa que responde al nombre de FAB 1 llevando siempre al volante al flemático Parker. Esta creación fue claramente parodiada a la vez que homenajeada por Hanna-Barbera Producctions en *Los autos locos* (*Wacky Races*

en su idioma de origen) con Penelope Glamour y su Compact Pussycat. Como curiosidad está el hecho de que su voz era la de Silvia Anderson, esposa de Gerry Anderson.

No puede haber un serial de aventuras sin un villano recurrente, ese que es el contrario del héroe protagonista y en esta ocasión se cuenta con The Hood, quien además es hermanastro del sirviente de los Tracy lo que complica la situación un poco más. Aunque no se sabe realmente demasiado sobre este hombre, ni su nombre o edad son revelados y menos todavía el cuándo y cómo obtuvo sus poderes hipnóticos o su habilidad con el disfraz. No sigue solo sus propios propósitos y se sabe que sus servicios están en venta, como cuando sirve al General X pero siempre en segundo lugar y siendo su principal intención conocer los secretos de los fantásticos Thunderbirds y emplearlos para el mal (aunque la serie tiene cierta profundidad no deja de ser simplista en otros puntos).

Llevando la idea más allá

El éxito de esta producción propició, no podía ser de otra forma, que se extendiera su universo hacia otros medios como los tebeos, las novelas, por supuesto el campo de los juguetes (Matchbox y la especializada Dinky Toys, a su vez parte de Meccano Ltd, tuvieron su gran momento) y los muñecos, y por supuesto no podía faltar su propia película o tres, para ser exactos. La primera de ellas tuvo el título de *Thunderbirds Are Go!* con la primera misión tripulada a Marte (con los Tracy, claro) y un cameo marionetil de Sean Connery ya que para el personaje de Paul Traver se basaron en su rostro. La segunda aventura larga presentó el nuevo vehículo número 6 y así se llamó la producción, "*Thunderbird 6*", ade-

más de introducir a un nuevo villano con el nombre de el Fantasma Negro (¿o es The Hood vuelto de entre los muertos?) y cerrando las aventuras de este equipo para siempre.

Años más tarde, y desde Japón, se intentó relanzar y modernizar la serie con *Thunderbirds 2086* que se basa en la idea original pero sitúa la acción décadas más tarde, con un equipo más futurista y presentando más vehículos pero que no es del gusto de los fans de la producción original y se considera fuera de este canon. En 2004 se lanzó una nueva película de la franquicia pero que se decantó por la acción real y actores en lugar de los títeres, se respetaba el espíritu familiar y aventurero pero no logra ni por asomo acercarse al carisma que tuvo la versión clásica a pesar de contar en sus filas con Bill Paxton y Sir Ben Kingsley como The Hood o de la buena interpretación que Sophia Myles logró de Lady Penelope, pero tanto la crítica como los fans como el público general dejaron bien clara su opinión a lo largo y ancho de Internet, medios de comunicación y en las cifras de recaudación económica.

En 2005 se filtró, o se soltó premeditadamente, un vídeo que lanzaba una propuesta actual para una nueva serie totalmente respetuosa con la serie original en la que se combinarían marionetas con técnicas de animación real, y aunque realmente visto la cosa pinta bien todo quedó en un intento y no llegó a producirse.

Otras series de Gerry Anderson

Esta es una serie optimista con el futuro, muy alejada del derrotismo apocalíptico que tan de moda se pondrá en las décadas posteriores, pero que solo es una más (aunque la más conocida) de entre las que Gerry Anderson y su equipo realizaron, en alguna mezclando marionetas y actores y al final contando solamente

con actores. Sin entrar en ellas se enumeran algunas a continuación:

- *Adventures of Twizzle*
- *Supercar*
- *Fireball XL5*
- *Stingray*
- *Captain Scarlet and the Mysterions*
- *Joe 90*
- *Secret Service*
- *U.F.O.*
- *1999* (*Spin-off* de la anterior)
- *Space Precinct*

Biografía de un titiritero

Aunque a lo largo del tiempo y de los años hubo muchas personas implicadas en esta serie, y las posteriores, el nombre que más destaca es el de Gerry Anderson y hay que centrarse en él.

Gerry Anderson

Desde pequeño he sentido admiración por Gerry Anderson pero no lo sabía. Me pasaba lo mismo que a muchos de nosotros con Jim Henson, que adoramos todo su trabajo aunque no siempre se conozca su nombre pero intuimos que hubo alguien detrás de la creación de Gustavo, Gonzo y toda la pandilla de *Los teleñecos* (aunque no negaré que el día que entendí que eran marionetas fue una lástima, ojalá pudiéramos volver a soñar igual que en la infancia). Por algún motivo en un momento dado empecé a saber quiénes eran estas dos personas y realmente comencé a apreciar todo lo que habían hecho; con los años pude ver más y leer sobre ellos, únicamente creció y me maravillé todavía más. A veces lo imposible solo sucede si detrás alguien lo provoca.

Gerald Alexander Abrahams nació en West Hampstead, Londres, el 14 de abril de 1929 y en la década de los cincuenta, a finales de la misma comenzó a trabajar para televisión. Un dato curioso, descubierto gracias al trivial de IMDB es que originalmente el apellido familiar era Bieloglovski, fue cambiado a Abrahams en 1895 por un oficial británico de inmigración, pero su madre decidió volverlo a cambiar para que fuera Anderson por gustarle lo bien que sonaba.

Siempre cargado de una visión optimista sobre el futuro y el cómo se desarrollarían las cosas, es lo que en toda regla se define por un visionario, de hecho me permito citar a la Real Academia de la Lengua Española (en su versión web):

visionario, ria.
(De visión).
1. adj. Dicho de una persona: Que, por su fantasía exaltada, se figura y cree con facilidad cosas quiméricas.
2 adj. Que se adelanta a su tiempo o tiene visión de futuro.

Nadie puede decir que estas dos líneas no casen perfectamente con el productor británico que llegó a la fama gracias a su técnica de la *supermarionation* y series como *Adventures of Twizzle* y por supuesto *Thunderbirds* que es su más recordado trabajo, en la que avanzó en su propia técnica y le sirvió además de campo de pruebas para el futuro, siempre en colaboración con su esposa Sylvia ya que hablar de uno conlleva que el otro esté cerca.

Anderson comenzó a trabajar en la British Colonial Film Unit y posteriormente en Gainsborough Pictures en las que fue aprendiendo más acerca de la producción, la edición y la forma de trabajar en el audiovisual, aunque tuvo un pequeño parón al alistarse pero a su vuelta entró en la Polytechnic Studio y posteriormente con varios compañeros fundaría su propia empresa. Aunque esto tampoco llegó a buen puerto, la compañía, daría paso a que se lanzaran con AP Films en la que se haría *The Adventures of Twizzle* para Granada Televisión.

Esta serie de corte infantil fue el comienzo de algo mucho mayor, ya que los Anderson conocieron a Derek Meddins (técnico en efectos especiales que se ha nombrado antes), Barry Gray y Christine Glanville, tres nombres que estarán unidos a ellos y a sus producciones durante años. Ya estaba la llama encendida y de una historia con títeres pasaron a otros, *Tor-*

chy the Battery Boy y una tercera llamada *Four Feather Falls* en la que se empieza a usar un precedente de la técnica conocida por *supermarionation*.

Por varias causas llegó un momento en el que los problemas económicos eran la norma y fue la inesperada aparición de Lew Grade de la ATV que se salvaron de la quema, además de dar lugar al comienzo de una muy buena relación que se extendería por años, además de la larga lista de trabajos que se han mencionado en el repaso anterior.

En 1975, durante la primera temporada de *Space: 1999*, el matrimonio de los Anderson se rompió, algo que le afectó profundamente de forma personal y también a su trabajo. De nuevo tenía problemas económicos y una mala relación con su familia que se saldó con no hablar con su hijo durante veinte años.

Aunque normalmente se olvida, quedando relegada al olvido por lo famoso de *Thunderbirds* y *Space: 1999*, durante los ochenta fue responsable de una nueva producción marionetística llamada *Terrahawks* sobre un equipo de aventureros, de defensores planetarios quizá sería mejor dicho, que se enfrentan a los malvados marcianos que invaden la tierra (que poco tendrían que ver con los malvados hombres verdes de Wallace Wood en sus cromos de *Mars Attacks* de 1962).

Aunque Gerry Anderson nunca ha recuperado el éxito de antaño, no ha dejado de trabajar y tenemos el ejemplo de *Lavender Castle*, su primer proyecto con tecnología informática, animación por ordenador, y las aventuras que el *Captain Scarlet* vivió en 2005.

«*Without them the impossible would never have happened.*»
Derek Meddings, 1993 (prólogo del libro 21st Century Visions)

•

HECHICERAS Y AMAS DE CASA

Este apartado es el único que tiene solamente una serie y este es un hecho que viene porque no tengo muy claro en dónde encajar a *Embrujada*, pero sí estaba seguro de que tenía que hablar de ella. Bien podría ser una comedia familiar, pero sin hijos lo que ya la invalidaba para mí en esa categoría al no cumplir una de las bases del tópico popular, lógicamente en ciencia ficción no podría ser y aunque la protagonista sea una bruja (hechicera es quizá un término más adecuado) no es en absoluto de terror. Así que se ha ganado tener un apartado propio al igual que debía tener su momento en este libro.

No es poco habitual que las series televisivas se acerquen a personas de carácter fantástico y las introduzca en nuestra vida cotidiana, y tenemos el caso de Herman Munster y familia del que se ha hablado ya, todos hemos visto alguna de estas producciones y aunque normalmente no son de una calidad pasmosa tienen un encanto que las hace siempre ser merecedoras de un buen visionado, la ligereza de sus tramas y de su tratamiento también son un soplo de aire fresco que es de agradecer de vez en cuando.

Dejémonos hechizar por el encanto de Elizabeth Montgomery como Samantha Stephens.

Embrujada, una encantadora bruja

Si en una charla de bar alguien habla de series de televisión sobre brujas lo más probable es que mencionen dos en concreto: *Embrujadas* y *Sabrina*.

La primera de ellas en ocasiones se considera una especie de continuación de la que nos ocupa, algo que viene dado por el nombre de ambas pero que es solo así en la traducción a nuestro idioma ya que «Embrujada» viene de «*Bewitched*» y «Embrujadas» de «*Charmed*» (la diferencia real es que una es literalmente de bruja mientras que la segunda iría por encantamiento, aunque en castellano no se haya hecho tal distinción). La segunda no tiene relación alguna más allá de que la protagonista es también un bruja, brujita más bien, que además se basa en los cómics *Sabrina The Teen Age Witch* de Archie Comics Group (misma empresa de la que salió el fantasmita Casper, que más tarde llegaría a la televisión y al cine).

Volviendo al título del que estamos hablando hay que decir que estaba protagonizada por Elizabeth Montgomery como Samantha Stephens, su marido Darrin Stephens que tendrá los rostros de Dick York (del año 1964 a 1969) y Dick Sargent (desde 1969 hasta 1972), además de Agnes Moorehead como Endora, la madre de Samantha, siendo este uno de sus últimos papeles ya que fallecería poco después en 1974. Además de un largo listado de secundarios, regulares y anecdóticos que envidiarían muchas producciones.

El día a día de un matrimonio

La trama es bien sencilla y ciertamente alegre, ya que si algo caracteriza a esta serie es ese ambiente feliz que es evidente en todo momento. Los dos personajes principales se conocen, se enamoran y se casan sin que nada les diferencie de otros matrimonios pero realmente ella es una bruja, algo que Darrin desconoce por completo hasta que le es confesado y claro está que desde ese momento los enredos, complicaciones y situaciones sin control serán un habitual que hará que los capítulos sigan girando. No todo es bueno y si una suegra arquetípica se enfrenta siempre a su yerno aquí se ve acrecentado por que al igual que su hija ella es una hechicera y se complica, ya que se opone totalmente a que se haya casado con un simple mortal.

Lógicamente los encuentros con amigos, vecinos, jefe y curiosos varios, los descuidos, que alguien se dé cuenta de qué es la protagonista en realidad y el habitual suma y sigue que todos estáis imaginando están presentes de forma regular y general en las ocho temporadas que conforman esta cabecera. Realmente Elizabeth Montgomery no estuvo conforme con esto y quiso que se cerrara en la quinta temporada pero la todopoderosa ABC no lo tenía nada claro y prefería seguir exprimiendo a esta gallina de los huevos de oro todo lo que pudiera, pero finalmente el tiempo, el cansancio y el haber tenido que revisar algunas viejas tramas marcaron el carpetazo definitivo con la última emisión del 25 de marzo de 1972 con el capítulo *The Truth, Nothing But the Truth, So Help Me, Sam*.

Las adaptaciones y revisiones

Pero todos sabemos que las brujas no son fáciles de matar, así que nos encontramos con distintas versiones de este producto en Argentina o Japón entre otros lugares, su propia visión de la serie con los derechos bien compraditos y pasados por el pertinente prisma. Esto es algo que no hace mucho ha empezado a ser habitual en nuestro país, aunque no siempre logrando aceptación y seguro que más de uno que esté leyendo esto recuerda con horror el *Cheers* patrio.

Por supuesto hay que mentar la película de 2005 que protagonizó Nicole Kidman junto a Will Ferrell, lo que ya nos marca la línea por la que irá. Aunque se la mete en la categoría de refrito (esa es la manera castellana de decir *remake*, solo que se ha ido perdiendo) no

lo sería exactamente, ya que más bien es una vuelta de tuerca del concepto original, con la misma idea pero tratada de otra forma además de otros personajes diferentes (que en esencia son los mismos). Aunque la pareja formada por Kidman y Ferrell no llega a ser creíble ni a tener química hay otros aciertos como Shirley MacLaine, siendo la madre de la bruja, contar con Michael Caine, lo que siempre es un valor añadido en cualquier filme que veamos (es lo que tiene ser un actor veterano y desbordante de talento).

La serie que creó Sol Saks se sigue viendo hoy estupendamente, siempre que lo hagamos desde la distancia y perdonando ciertos elementos visuales, clichés y otras cosillas que no han envejecido del todo bien.

APÉNDICES

EL AMOR DE HOLLYWOOD POR LAS SERIES TELEVISIVAS

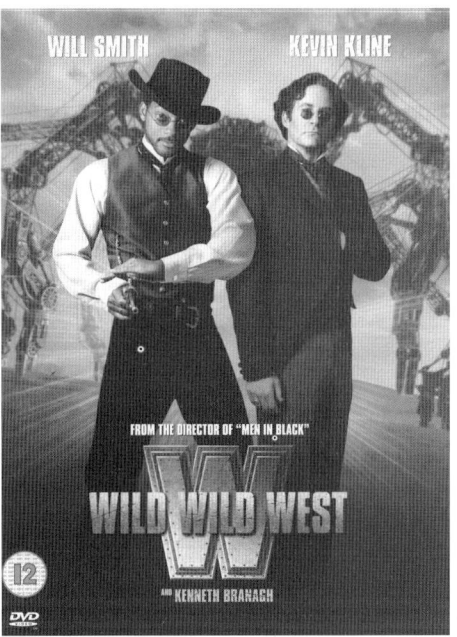

Muchos de nosotros hemos escuchado esa perla de que hoy «el mejor cine está en la televisión» en referencia a las series de televisión (también que «el mejor periodismo está en Twitter» pero ese es otro debate), una frase con la que uno puede estar o no de acuerdo, yo no lo estoy, pero que deja bien claro el nuevo momento de oro que están viviendo las ficciones en la pequeña pantalla. Se crean historias realmente atractivas, producciones que aguantan temporadas manteniendo la calidad y el nivel (aunque de forma general pasada la quinta o sexta entrega no suele ser mala idea ir cerrando el grifo, pero las gallinas de los huevos de oro son muy jugosas), los personajes están trabajando presentando distintos niveles de psicología y muchas veces hay muchas más lecturas que las superficiales.

Hollywood, y espero que se me perdone la licencia de personalizarlo en una única figura, no es tonto. Puede ser muchas cosas, algunas bastante malas por lo que se puede escuchar en entrevistas, pero el ser tonto no es una de ellas y lógicamente si una serie tiene éxito ¿porqué no aprovecharlo para crear una versión cinematográfica de la misma? Pongamos un ejemplo sencillo con una pregunta, ¿quién no ha visto alguna de estas revisiones en la gran pantalla? Que levanten la mano y contamos a ver.

Si son respetuosas con el producto original, la calidad o las intenciones es ya otro tema muy distinto. En más de una ocasión lo que era una divertida serie de pequeños capítulos no termina de soportar el transvase a convertirse en un producto unitario de dos horas (por ejemplo *Wild Wild West* que aunque divertida es terriblemente mala y ni el talento de Kevin Kline logra salvarla), aunque existe el caso contrario y se obtiene tal éxito que se convierte en una saga que casi llega a eclipsar a la clásica, y se tiene que hacer cita aquí de las películas de *Misión: Impossible* que protagoniza Tom Cruise y que se ha convertido en un producto con autonomía propia, su propio universo y su legión de seguidores.

¿Sabe Hollywood qué está haciendo? Os dejo con las palabras del realizador Pedro del Río para responder a esta pregunta.

DE LA TELEVISIÓN AL CINE
ACIERTOS Y DESACIERTOS EN UNA INDUSTRIA EN CRISIS
POR PEDRO DEL RÍO, PRODUCTOR Y REALIZADOR AUDIOVISUAL.

El reciclaje de ideas es una práctica habitual en la industria de Hollywood desde principios de los años noventa. Cada fin de semana la cartelera se convierte en un festival de secuelas, *remakes*, y adaptaciones de viejos éxitos casi siempre peores que el original (salvo honrosas excepciones), y muy políticamente correctas.

Dentro de esta oportunista revisión de tiempos pasados, la traslación de viejos éxitos televisivos ha sido una constante en los últimos veinte años. Debemos partir de la base de que el lenguaje televisivo presenta unas dife-

rencias estructurales y narrativas frente al formato cinematográfico inevitables. Las sinergias entre ambos formatos son constantes, pero las adaptaciones de uno a otro formato no siempre han resultado satisfactorias precisamente por las pretensiones de algunos guionistas y realizadores por contar en dos horas lo que en la serie original era contado en treinta. Sin ir más lejos, el mayor problema de *Sombras tenebrosas* (Tim Burton, 2012), una de las últimas adaptaciones "made in Hollywood" de una serie de televisión reside en el gran número de personajes que componen la trama, y que si en la serie de televisión original (*Dark Shadows*, 1966-1971) eran manejables al contar con más de mil capítulos, en el largometraje de Burton quedan en su gran mayoría indefinidos, siendo finalmente un lastre que deteriora el resultado final de una película totalmente olvidable.

Los años sesenta establecieron los códigos narrativos por los que se ha regido la televisión mundial hasta la actualidad. Supuso la entrada masiva del electrodoméstico en los hogares, y multitud de series comenzaron su emisión. Aunque ya en esta década encontramos alguna adaptación de serie de televisión a la gran pantalla (*Batman*), no fue hasta los años setenta cuando comenzó a ser más habitual. En 1979 Paramount Pictures, animada por el apoteósico éxito de *Star Wars* (George Lucas, 1977), decidió convertir en largometraje una serie de ciencia ficción que había tenido un relativo éxito diez años antes, *Star Trek* (1966-1969). Contando con el mismo reparto del original, encabezado por William Shatner y Leonard Nimoy, Paramount contrató al mítico Robert Wise (*Ultimátum a la Tierra*, 1951), con mucha experiencia en el género, para dirigir una película que resultó fallida por un exceso de pretensiones filosóficas y un metraje desmedido. A pesar de todo, la productora no se rindió y continuaron con la saga, consiguiendo por fin el ansiado éxito y generando otras cuatro series de televisión paralelas, cinco películas más protagonizadas por la tripulación original, cuatro por la siguiente, y una precuela muy afortunada dirigida por J.J. Abrams en el año 2009, que tendrá continuidad y que supo mezclar sabiamente el concepto "*pace opera* con el cine de aventuras.

Si bien *Star Trek* abrió la primera puerta a estas adaptaciones de series a la gran pantalla, no dejaba de ser una evolución del original con los mismos actores al formato de largometraje. Hubo que esperar a 1987 para que Brian de Palma rodara *Los intocables* (1959-1963), serie que estaba inspirada en la verdadera lucha de Eliot Ness y su equipo contra Al Capone durante la ley seca en Chicago. De Palma contó con guión del dramaturgo David Mamet, un holgado presupuesto y un impresionante diseño de producción para dirigir un estupendo largometraje en el que brilló la puesta en escena del cineasta, la banda sonora original de Ennio Morricone, y un excelente reparto con el novato Kevin Costner a la cabeza, secundado por Sean Connery (que ganó un Oscar por su papel), Andy Garcia, o Robert de Niro como Capone.

El tercer eslabón que explicaría la fiebre de los productores de Hollywood para adaptar casi cualquier serie ya olvidada llegó en 1993 de la mano de un realizador apenas conocido que tenía en su haber un par de películas protagonizadas por Steven Seagal. Andrew Davis llevó al cine *El fugitivo* (1963-1967), serie en la que el Dr. Richard Kimble escapaba de la justicia acusado injustamente del asesinato de su mujer, mientras buscaba incansablemente al verdadero asesino. Con Harrison Ford como el falso culpable y Tommy Lee Jones como el Marshall que le persigue, *El fugitivo* fue un excelente *thriller*, muy bien dirigido e interpretado, que obtuvo un rotundo éxito de taquilla y siete nominaciones a los Oscar, incluido el de mejor película.

A partir de entonces se estrenaron multitud de mediocres producciones que pasaron con más pena que gloria. Algunos fueron largometrajes sin demasiadas pretensiones y presupuestos ajustados, olvidadas ya en su estreno y entre las que podemos encontrar *Rústicos en Dinerolandia* (Penelope Spheeris, 1993), *La tribu de los Brady* (Betty Thomas, 1995), *Mr. Magoo* (Stanley Tong, 1998), o *Mi marciano favorito* (Donald Petrie, 1998).

Los problemas llegaron con películas de gran presupuesto pero ínfima calidad dirigidas por realizadores sin personalidad, reflejo del Hollywood actual, que no supieron adaptar convenientemente las claves del programa original y que casi siempre se estrellaron estrepitosamente en taquilla. *Los Picapiedra* (Brian Levant, 1994) y su secuela *Los Picapiedra en Viva Rock Vegas* (Brian Levant, 2000) fueron dos adaptaciones sin gracia de la serie original de Hannah Barbera, *El Santo* (Philip Noyce, 1997) presentaba un claro error de casting al poner al frente del reparto a un Val Kilmer totalmente perdido en el papel, *Perdidos en el espacio* (Stephen Hopkins, 1998), fue un claro ejemplo de superproducción repleta de efectos especiales y un gran elenco pero vacía de contenido, *Los vengadores* (Jeremiah Chechick, 1998) fue un erróneo acercamiento al espíritu *british* de la serie original con claros problemas de montaje, *Wild wild West* (Barry Sonnenfeld, 1999) tenía un guión espantoso, etc. A la lista podríamos sumar proyectos como *Yo, espía* (Betty Thomas, 2002), *Scooby-Doo* (Raja Gosnell, 2002) y su secuela *Scooby-Doo 2: desatado* (Raja Gosnell, 2004), *Embrujada* (Nora Ephron, 2005), *Superagente 86 de película* (Peter Segal, 2008), o *Speed Racer* (Larry y Lana Wachowski, 2008). Todos ellos fueron largometrajes ambiciosos que quedaron en productos comerciales sin ningún atisbo de calidad.

Pero no todo fueron desastres. También existen algunos proyectos que supieron actualizar el original respetando su espíritu y arriesgándose consiguiendo un buen resultado. Es interesante en este sentido *La familia Addams* (Barry Sonnenfeld, 1991), y su secuela *La familia Addams, la tradición continúa* (Barry Sonnenfeld, 1993), que resultaron divertidas, bien ambientadas y mejor interpretadas, permitiéndose su realizador en la secuela profundizar mucho más en la psicología de los personajes. *Maverick* (Richard Donner, 1994) fue un divertido *western* bien rodado que contó con un acertado reparto encabezado por Mel Gibson, Jodie Foster y James Garner, el Maverick original. Esta película fue el único éxito destacable de entre la multitud de *westerns* que se estrenaron en el verano del 1994 a rebufo del éxito de *Sin perdón* (Clint Eastwood, 1992).

Mención aparte merece Tom Cruise, quien a principios de los noventa compró los derechos de la serie *Misión imposible* (1966-1973), para acabar realizando una saga que si bien se centra en exceso en su lucimiento personal como estrella protagonista, ha apostado inteligentemente por hacer cada nueva entrega completamente diferente de la anterior, contando para ello con cineastas con personalidad que dieran su particular visión a cada proyecto. Es un riesgo que no siempre ha merecido la pena, pero que demuestra un claro afán por avanzar sin estancarse repitiendo la fórmula. De esta forma encontramos una primera entrega (*Mission: Impossible*, 1996), dirigida por Brian de Palma, quien aplicó sus habituales juegos visuales a una película de espías perfectamente construida. Una espantosa segunda entrega (*Misión imposible 2*, 2000), dirigida por John Woo, quien aportó su efectista puesta en escena a un guión horrible. Una tercera entrega (*Mission: Impossible 3*, 2006), en la que el televisivo J.J. Abrams integró las claves de su propia serie de espías, *Alias* (2001-2006), a la saga de Cruise, resultando una correcta aunque un tanto irregular película. Y una excelente cuarta entrega (*Misión imposible: Protocolo fantasma*) dirigida por Brad Bird, quien firmó una vibrante y divertida película de aventuras.

Pero a pesar de los fracasos en taquilla, el pozo de series todavía no se secó aunque los estrenos lleguen más espaciados que hace una década. Michel Gondry llevó a la gran pantalla la serie *El avispón verde* (1966-1977) en *The Green Hornet"* (2011), mientras que en 2013 Gore Verbinski (*Piratas del Caribe*), ha estrenado *El llanero solitario* con Armie Hamer de protagonista, apoyado por Johnny Depp como secundario de lujo (eclipsando en la promoción al actor principal) y Walt Disney en la producción, por lo que podemos asegurar que todavía tendremos adaptaciones con sus respectivas secuelas para rato en un Hollywood que empieza a verse totalmente falto de ideas originales.

EL CIERRE FINAL A UNA ÉPOCA INIGUALABLE Y MÍTICA

¿Conocéis Woodstock? Tres días de paz y música. El legendario festival de finales de los sesenta que ha pasado para siempre a la historia. En ese lugar, que curiosamente no era Woodstock ya que se celebró en White Lake, se dieron cita algunos de los músicos más importantes del momento pero poniendo la vista atrás eso no es lo que importa, tampoco las miles de personas que acudieron, los caminos colapsados o que fuera una explosión pura del verano del amor. Todo eso pasó, claro, es así y es un hecho histórico que además podéis ver en documentales, libros y en la revisión cinematográfica que hizo Ang Lee con el título de *Taking Woodstock* (o *Destino Woodstock*).

Es el recuerdo.

No lo hemos vivido, no estuvimos allí y tampoco nadie que conozcamos. Pero lo sentimos cercano, podemos casi tocarlo y si cerramos los ojos las buenas vibraciones llegarán hasta nuestra mente. Lo importante es el recuerdo.

Esto mismo pasa con la series de los años sesenta. No las hemos podido ver en televisión en su emisión original por una simple cuestión de tiempo. Claro, quizá alguno por años sí esté pensando que podría haberlo hecho, pero no realmente en la original ya que esta fue en Inglaterra o en Norte America. Y si hay alguien que combine estas dos cualidades y sí haya tenido esta suerte que por favor me escriba un e-mail (doc@docpastor.com), realmente me gustaría conocer su experiencia.

La primera vez que el Doctor entró en la TARDIS marcó un momento histórico, cuando un hombre que no era un número llegó a una isla (si es que lo era) estaba iniciando algo que sería objeto de estudio durante años. Nadie le dijo a Patrick Macnee y a Diana Rigg que se iban a convertir en la idea popular del Londres de los sesenta para el colectivo del imaginario mundial en una yuxtaposición de situaciones e ideas sobre las que realmente debería reflexionarse.

Lo mismo con muchas de las otras series que se han comentado y sus creadores, hombres como Gene Roddenberry o Gerry Anderson sin los que no hubiera sido posible. Hay que defender la figura del autor, ese hombre que para el *fandom* es realmente importante y significativo ya que de su mente ha salido todo eso que estamos viendo, admirando, comprando y de lo que estamos leyendo. Sin unas mentes detrás que tuvieron la idea habría sido totalmente imposible. Hoy esto es algo muy distinto y muchos podremos decir a los autores que hay detrás de algunas de nuestras producciones favoritas y casi con una matemática exactitud qué tanto es debido a ellos y si algo es de otras personas. Si hablo de J.J. Abrams nos vendrá rápidamente *Lost*, *Perdidos* en la emisión en nuestro país, y a nadie le extraña ya que en la actualidad esto es mucho más valorado, pero no así hace décadas cuando muchos de estos artesanos eran considerados poco más que obreros que debían dar y ya, pero ellos nunca se ciñeron y por esa suerte existen muchas de estas grandes series.

Si dijera que no me gustan los años sesenta os estaría mintiendo a todos, además que no tendría ningún solo sentido cuando me he pasado docenas de páginas escribiendo sobre esa década. Me encantan, o al menos el recuerdo ficticio que de ellos tengo, de una época que no viví, que no he conocido y que ni siquiera pasó de esa forma en nuestro país. Pero las series de televisión han conformado un universo propio y ficticio, un manto de tela sobre el que pintaron estrellas y que visto a través de la pantalla que todos tenemos en nuestro salón nos parece igual de real que el que hay a través de la venta. Quizá más.

Solo puedo decir gracias. Por las risas, las reflexiones, los viajes en el tiempo, los bombines y el cuero, los vestidos, la aventura y por hacerme creer que un hombre puede soñar.

Los sesenta nunca pasarán de moda.

EPÍLOGO
PERIODISTAS DEL CORAZÓN A LAS MANOS
(Y HASTA LOS PIES)
Por Dafne Calvo, cofundadora de la revista *La Encuadre*

Créanme cuando les digo que no hay nada mejor que un periodista apasionado. Hablo de uno de esos seres extraños que ya no llevan gabardina ni sombrero de ala, pero que mantienen cierto aire romántico, y cierta apariencia de ímprobas intenciones, muchas veces incierta.

Pues bien, Doc Pastor es uno de ellos. No importa cuántas veces se esfuerce en hacerme creer lo contrario, o buscar de sucedáneo a su identidad el término «mitómano». Incluso en ocasiones se atreve a renegar, con insufrible vehemencia, del propio significado del periodismo y del cuarto poder. ¿Cuántos soñadores han querido cambiar el mundo en condición de informadores?

Según Doc, para rescatar el planeta, o al menos para salvarse a uno mismo, es más que necesario un poder sobrehumano. Aunque, claro, todo ello tendría mucho más merito sin él. Quién sabe. Superman era reportero, y Spider-Man *solo* un chico que trabajaba como fotógrafo de sí mismo. Y Walter Conkrite consiguió, con unas palabras por televisión, que Gerald Ford tirara definitivamente la toalla con la Guerra de Vietnam. Y resulta que tío Walter, tan *solo* era periodista.

Su superhéroe de cómic favorito no peleó en el Vietnam, pero sí en la Segunda Guerra Mundial. El Capitán América, «cuando está bien construido», matiza él. Me lo dijo más de una vez, en no sé qué conversación y en vayan a saber qué bar de Valladolid o de fuera de la ciudad, poco importa. Sí es más probable que lo hiciera entre tragos de una caña o de un té con leche, cuando se siente más caballero y menos canalla. Porque si a Doc le gusta la cultura, y le encantan los bares, no saben ustedes qué se puede sacar de la tan sencilla y recurrente combinación de ambos factores: lo de las ponencias en garitos presididas por periodistas es un fenómeno aún por descubrir, palabra de aprendiz en el oficio.

Aprendiz de periodista, claro, aunque me temo que nunca se sea del todo, lo que francamente es algo maravilloso, por muy contradictorio o frustrante que pueda parecer. Doc me ha enseñado mucho de ello, casi más inconscientemente que con plena intención de un lance del que, sin querer, se ha convertido en un personaje principal. Recuerdo que mi primera conversación con él se limitó a unas palabras que me apresuraban a terminar la entrevista con un cómico del que él llevaba la prensa. Entrevista realizada en un bar, por supuesto.

El segundo encuentro vino poco después, en un cara a cara hace ya varias estaciones atrás. Yo quería un hueco en su gaceta, y él por poco se ríe de mí cuando le ofrecí mi currículum vítae en un intento de fingida seriedad. «Mejor quedamos en un café, y me cuentas», me contestó con un gesto irónico que ofendió a mi medio ensayo de naciente profesionalidad.

Dicho y hecho. Camino hacia el café, él llevaba una gabardina para protegerse del invierno, y yo tenía suficiente con intentar alcanzar el ritmo de un tipo que parecía ajeno a que, todo lo que me sacaba de altura, también lo hacía proporcionalmente de pierna.

Era una mañana aún gris, pero pudimos ver asomarse el sol a través de los amplios cristales del pub inglés donde me había invitado a desayunar. Dos cafés solos, sin azúcar, y con una tapa de tortilla. Ahí llegó el primer punto en común, aunque no ha sido el único que desde entonces hasta ahora hemos podido comprobar que compartimos.

Lo cierto es que es difícil describirlo, y hay bastantes opiniones al respecto de la primera impresión que produce, algo de lo que él, aunque disimuladamente, se siente más que orgulloso. Bien: saluda, da dos besos o la mano (lo que buenamente proceda y que *solo* la primera vez tiene que ver con el sexo, para que después pase a depender del grado de simpatía que Doc tenga con el sujeto saludado) y comienza a hablar. A partir de ahí, el apabullamiento mental de un primer contacto con él puede derivar en sentimientos completamente contradictorios entre personas, y entre uno mismo.

Ese fue mi caso particular durante aquella charla entre taburetes de roble y mesas circulares. Cada vez que durante la conversación Doc Pastor afirmaba o negaba algo con esa vehemencia que le permite una reforzada seguridad en sí mismo, mi grado de confusión intelectual y emocional era creciente. Y apenas me permitía dilucidar una opinión estable sobre el que sería mi futuro director, amigo y compañero; *solo* sé que acabé cargada con cuatro libros. Uno de ellos trataba de teoría del cómic en cuando al tratamiento del término «novela gráfica», que me prestó para que, literalmente «dejara de ser tan moderna».

Los otros tres eran los tomos de *Ken Games*, una obra que aún me fascina como el primer día. Creo que esta es una obra que guarda, de una manera sorprendente, una relación con la propia experiencia vital de cualquiera de nosotros: y es que, si analizamos retrospectivamente nuestro paso por aquello que vivimos, descubrimos coincidencias y acciones que parecen haber determinado lo que somos en el presente.

Es algo que siempre quise explicar a Doc: que sin esa entrevista al cómico no nos hubiésemos conocido, que si no me hubiera dejado diseñar su especial sobre el Ficomic no hubiésemos creado juntos la revista *La Encuadre*, y que si no le hubiese insistido en que me dejase leer y repasar su libro mientras aún lo estaba escribiendo, tampoco estaría ahora escribiendo estas líneas.

Nuestro trascurso parece tan delicadamente casual, que a veces asusta. Doc Pastor no piensa igual, y poco importa a cuantos bares hayamos ido para discutirlo, que *solo* me dará la razón si prefiere dejar de hablar y empezar a morder su tapa de gulas o jamón ibérico. No es que rechace un significado existencialista, o

cierto simbolismo en aquello que somos y hacemos, y de hecho es un fiel creyente de un destino con el que todos topamos, independientemente del camino que hayamos escogido para ello.

Esto último me lo contó mientras regresábamos en un autobús sin asientos libres a Valladolid. Era el mediodía de un verano a punto de apagarse, pero con el calor encendido de cualquier día de agosto. Veníamos de una presentación en Madrid, y habíamos perdido el de tres horas antes, con los billetes ya comprados. La metáfora le venía que ni al pelo para la situación que estábamos viviendo por confiar con demasiada inocencia en el metro madrileño, pero el significado era sin duda trascendente. Luego me dormí, pero él no. Él apenas duerme, ni siquiera por la noche, y menos en verano. Sé que estuvo leyendo *El Jueves*, porque luego me enseñó las viñetas que más le habían gustado. Por eso, y porque era miércoles, claro.

Conocer a Doc Pastor es muy complicado, sí. Lo diría con la mano en el corazón, si no la estuviera usando para teclear estas letras. Lo escribiré de corazón, entonces. Pero hay una cosa que tengo muy clara, que quizás no lo supe el primer día, pero es fácil de intuir desde el principio y que, aunque él se encargue de negarlo reiteradas veces, yo pienso incidir en ello hasta el final: Doc está enamorado del periodismo, y no hay vuelta de hoja.

Esto conlleva muchas consecuencias, y la primera de ellas, por relación directa, afecta a este libro. Y es que esa condición de encaprichamiento permanente con su oficio, también afecta al tomo que ustedes tienen entre manos, aunque imagino que eso ya lo habrán supuesto mucho antes de toparse conmigo aquí, cuando hayan leído todo lo que Doc tenía que escribirles. O no, porque quizás prefieran comenzar un libro por el final. Que cada cual tiene sus manías, y no vale la pena despreciar ninguna de ellas.

Es curioso, pero en realidad Doc es un espectador de dos temporadas; ve la primera, ve la segunda, y luego se cansa de la serie. Eso hizo con *Dexter*, algo que aún no he podido perdonarle, pero eso es discusión de otro costado, y nada tiene que ver con *Doctor Who*, *The Avengers* o *The Prisioner*. Con estas series pasa lo contario, y hasta puedo asegurar sin dudar que ha llegado a madrugar para ver en directo los estrenos de la nueva temporada de Doctor Who. Es lo que tiene las posibilidades de la *World Wide Web*. Y las consecuencias de la mitomanía, por supuesto.

Vale, sí, la mitomanía. Cuando algo le gusta, le gusta de verdad. Para saberlo bastaría simplemente con echar un vistazo a su habitación, su rincón de trabajo, su madriguera construida mediante toda la cultura que le fascina. Su estudio está envuelto en estanterías repletas de libros, películas, posters, figuras coleccionables, muchas veces aún sin desembalar porque así, según él, se les limpia el polvo más fácilmente.

También hay un armario lleno de camisas, corbatas, y otras cosas inconfesables de contar en un libro. Un zapatero con botas de la talla 46, dos cámaras fotográficas, paquetes de chicles, bolsas de gominolas y una petaca de cristal que siempre está llena de whisky. No es porque no lo beba, y de hecho aún recuerdo la primera vez que me quiso ofrecer un sorbo un día, a eso de las nueve de la mañana. Él lo pegó tras ofrecerme, y a mí aún me dan escalofríos por la capacidad matutina de su estómago (y de su garganta).

Yo prefiero beneficiarme de su estantería de películas, ordenadas alfabéticamente, por cierto. Aún tengo en mi mesa *Camino a Santa Fe*, que venía en un mismo DVD con *Luna nueva*. Él me lo advirtió y lo le respondí que ya la había visto. «Ya lo he visto», «ya lo he leído», «ya lo he escuchado», son palabras muy habituales en las conversaciones de los periodistas culturales. Comunes y pedantes, dicho sea de paso.

Pero volví a ver *Luna nueva*, porque me encanta. Walter Burns y Hildy Johnson son personajes inolvidables. ¿Dónde ha quedado el carisma que perseguía de manera inherente a los profesionales de la comunicación? Esos cazadores de exclusivas, transmisores de injusticias, buscadores incansables y propietarios de la palabra como su arma más eficaz. Parecen *solo* un espectro soterrado por los intereses económicos, un reflejo de los sueños de todos quienes por vocación quieren a ello dedicarse y que acaban con ellos incluso antes de su inserción en la realidad laboral.

Es mucho más fácil darse por vencido que suponer que el periodismo nunca fue una tarea fácil, ni agradecida, ni valorada, ni reconocida por nadie, ni siquiera por los propios periodistas. Y es por eso que Doc Pastor, por mucho que se niegue como soldado de ese batallón que intenta sobrevivir ante las dificultades que implica su incómodo cuarto poder, no puede evitar que el ruido de las teclas con las que escribe día tras días enmudezca en urgencia y relevancia a todas sus quejas, para recordarse a él mismo y a quien le observa lo que de verdad importa: informar, difundir y divulgar.

Y divulgar, lo hace de una forma cuanto menos curiosa. Lo sé porque estuve allí, en alguna intromisión furtiva a su estudio, que casi siempre permanece cerrado y con el pestillo puesto. Doc vive rodeado de libros, y algunos los que está leyendo en ese momento para documentarse aparecen apilados a su derecha. El resto se encuentran abiertos a su alrededor, algunos en su escritorio, otros en sus piernas y finalmente el resto esparcidos sobre el suelo, a los que pasa página con sus pies descalzos (que, recuerden, tallan una 46).

Ahí está Doc, en medio de su barahúnda cultural, frunciendo el ceño y sin despegar sus ojos verdes de las páginas que tiene abiertas. De fondo sonará Queen, o Metallica o David Bowie, si se lo propongo. Otras cosas no me acepta como propuesta musical, pero a Bowie sí, porque le encanta cuando el cantante se viste de traje e interpreta "Heroes", aunque yo me incline más por su rayo rojo y "Starman". Total, solo tengo que esperar a que aparezca en la lista de reproducción aleatoria, y decida no cambiarlo.

A veces se encuentra tan absorto en su trabajo que no se da cuenta de qué suena de fondo, y creo que ni siquiera de mi presencia, aun habiéndome abierto la puerta segundos antes. A veces, en esos momentos de silencio amable y fin de párrafos, instantes antes de levantar la cabeza, frotarse los ojos y saludar, me lo imagino quitándose el sombrero de ala para secarse el sudor, mientras inhala el humo de un cigarro rubio, algo así como haría el carismático Walter Burns en su despacho de *Luna nueva*.

El problema es que no fuma, y ni siquiera podría escribir junto con alguien que lo hiciera:

es algo que detesta. ¿Será cosa del blanco y negro? Lo cierto es que, por ejemplo, Joe Gillis también fumaba mientras aporreaba su máquina de escribir en *El crepúsculo de los dioses*. Aunque él era guionista, eso sí. A falta de Olivetti roja o de Remington gris o de Continental negra, Doc Pastor tiene dos pantallas, un teclado y una tableta para trabajar. Mucha tecnología, sí, pero sigue pasando las hojas con las manos y los pies.

Apaga la música. Entonces despega sus dedos del teclado, y me enseña un anuncio de *The Avengers*, la última referencia que ha encontrado sobre *The Prisoner* o el destornillador sónico del *Doctor Who*, que se compró hace un par de días por eBay. Sonríe natural, y desprende una especie de ilusión infantil que le convierte en un ser hipnotizado por el magnetismo de aquello sobre lo que está escribiendo. Doc Pastor no es periodista por amar esas tres series, sino también por saber transmitirlo con pasión.

«Pero venga, vamos». Le acabé por decir una vez, para después amenazarle con llevarle la figura de Silver Surfer que tiene en el escritorio. Evidentemente no surtió efecto alguno, y dudo que lo hubiese hecho si el chantaje hubiera tenido como rehén a sus coleccionables favoritos, un Spider-Man articulado y una reproducción en miniatura del batmovil de la serie de los sesenta de esa misma época.

El único organismo vivo al que Doc Pastor parece prestar verdadera atención es a Loki, su perro. Una bola de carne peluda que *solo* levanta un palmo del suelo cuando le ofreces una salchicha y se pone a dos patas. Digamos que el chucho no es santo de mi devoción, y el sentimiento es más que recíproco, pero nos tratamos con educación por respeto al amigo en común.

Por fin se levanta, y elegimos cenar comida china. Doc Pastor maneja los palillos cual Goku en *Bola de dragón*, y de hecho imitarlo es su truco para haber conseguido manejarlos con presteza. Supongo que habríamos quedado para hablar de trabajo, aunque al final nos dedicásemos a contarnos todos nuestros enredos sentimentales el uno al otro. Nos pasa más a menudo de lo que nuestro limitado tiempo, o más bien el suyo, debería permitirnos. A veces ni siquiera nos ponemos al día en lo que a vida personal se refiere, sino que derivamos en tópicos extrarradiales, que abarcan desde la vida de Oscar Wilde hasta vídeos de gatitos en la Red, a veces incluso dentro de la misma conversación.

Justo entonces, con unos tallarines fritos resbalándose por los palillos chinos, me pidió que escribiera un epílogo para su primer libro. Y aquí nos encontramos ahora, ustedes leyendo y yo escribiendo, o haciendo lo que buenamente puedo para materializar la petición de Doc. Él lo justificó como un agradecimiento, aunque en mi caso, más bien pienso que las gracias se las debo yo a él. No por el hecho de escribir un epílogo que por supuesto es una delicia para cualquiera que se deshaga por las posibilidades que ofrece un folio en blanco, sino por poder participar de este libro aún más profundamente: leyéndolo desde sus inicios.

Y es que si los epílogos llevan su nombre es porque no podrían haberse escrito al principio del libro, y en mi caso tampoco de leerlo. He de reconocer que, a día de hoy, nunca se me había ocurrido arribar en las costas británicas de los años sesenta para disfrutar de estas series, si no hubiese sido por haber exigido a Doc, hace tiempo, que me dejase leer este libro según lo estaba escribiendo. Fíjense que todo comenzó por mandarme acabar la entrevista que él concertó y yo estaba disfrutando con renacido interés por el mundo del humor. Las coincidencias son maravillosas tantas veces...

Con este libro, probablemente algunos de ustedes habrán resucitado su hambre atroz por cualquiera de estas series, simpatizado con su amor (y, en fin, aceptemos mitomanía, en cualquier caso) por ellas o, como es el caso de quien escribe, descubierto el magnetismo por unas series que hasta entonces no había llegado a más que saber de ellas. Y es que para eso están los libros, para abrirlos y cerrarlos. Para leerlos, releerlos, compartirlos, regalarlos. Para leerlos por varios ojos, para pasarlos por muchas manos. Y por infinidad de pies.

GLOSARIO DE TÉRMINOS
ACLARACIONES PARA MEJORAR LA LECTURA Y DATOS QUE SERÁN DE INTERÉS
197 APUNTES DE DOCTORES, CÁRCELES E INVESTIGADORES

El porqué de este glosario

Realmente llamar a esto glosario no es cierto y por eso se ha puesto un título más largo, pero a fin de cuentas sirve para lo mismo. Aquí no solo encontraréis terminología que se usa, también se dan datos sobre actores y personas implicadas en cada una de las series que se tratan. En otras ocasiones se detalla un dato que puede ser de utilidad a los que estáis leyendo esto o se intenta dar una información más completa que hubiera quedado excesiva de haberla puesto dentro del propio texto. A veces se relacionan nombres y hechos, cosas que mientras escribía me he dado cuenta y que he pensado que merecerían una explicación más en profundidad.

Para algunos no hará ninguna falta consultar, otros en algunos momentos y espero que más de uno encuentre de agradecer la inclusión de todos estos apuntes. Por supuesto que no es necesario estar moviendo las páginas continuamente para ver qué pone en cada uno de estos números, la lectura puede hacerse del tirón y está pensada para que sea accesible a todo el mundo, pero he considerado que tenía que dar algo más y de esta forma el que no quiera no tiene que comerse informaciones que son más secundarias pero que tienen su importancia.

Aunque en este pequeño compendio se habla de diversas series el glosario de términos se refiere solamente a las tres que se trata de forma principal. Esta decisión únicamente responde a la información que se ha dado sobre ellas, en las que hay una gran cantidad de nombres, datos y cuestiones que requieren una pequeña aclaración. En el caso de las otras producciones televisivas de las que se habla no es realmente necesario al abordarse de una manera más general, sencilla y sucinta, con lo que el entendimiento no conllevará ninguna complicación al lector.

Disfrutadlo.

Doctor Who

[1] Seth McFarlane: Guionista estadounidense conocido principalmente por su trabajo en las series *Padre de familia* y *Padre made in USA*.

[2] ITV: Independent Television. Servicio público de televisión de Reino Unido. Sus primeras emisiones fueron en el año 1955.

[3] 1963: Curiosamente es el mismo año que empezó a publicarse *Los vengadores* de Marvel Comics, sin relación alguna con la serie británica del mismo nombre.

[4] Batman: Esta serie estuvo protagonizada por Adam West, con un estilo muy pop ciertamente alejado del concepto que hoy se tiene del héroe de DC Comics y que en parte fue responsable de que el mismo siguiera teniendo éxito.

[5] Howard Thomas: Productor de BBC Radio, ABC TV y Thames Television, que fue la realizadora de *El show de Benny Hill*. Nació en 1909 y falleció en 1986.

[6] Más grande por dentro: La TARDIS es más grande por dentro que por fuera, ya que su exterior se encuentra en una dimensión distinta a su interior. Esto es algo que explicará el cuarto Doctor encarnado por Tom Baker.

[7] Control sobre la nave: Según se supo después, y así lo comenta el décimo Doctor en su aventura final, la TARDIS que él maneja está hecha para ser controlada por seis personas, por eso al intentar hacerlo solo una va siempre a trompicones.

[8] Dalek: Este primer encuentro entre los Dalek y el Doctor tendrá dos revisiones. Por un lado en 1965 en la película *Dr. Who and the Daleks* que protagonizó Peter Cushing y más recientemente en el cómic *The Only Good Dalek* con el undécimo Doctor reviviendo esa aventura.

[9] Doctor who?: Aunque realmente se desconoce la respuesta, se ha indicado que su equivalencia matemática sería $d^3\sum x^2$ ó $\partial^3\sum x^2$ pero nunca dentro de la propia serie televisiva.

[10] Episodios perdidos: En las décadas de los sesenta y setenta se perdieron diversos episodios de la serie, un total de más de cien, al ser borrados o destruidos conservándose solo algunos fragmentos (como

la regeneración de Hartnell en Troughton), fotos y sonido. Algunos se han recuperado, en gran parte gracias a coleccionistas, otros se han podido reconstruir, además de tener versiones en animación.

11 Regenerarse en hombre: La regeneración es solo una apuesta segura para esquivar la muerte, pero más allá todo puede ser inesperado. Muchas veces se ha barajado la idea de que se convierta en una mujer, llegando al punto en que en el paso del décimo al undécimo se toca el pelo (que le crece) y exclama «¡Soy una chica!».

12: Artes marciales: Esto en parte tiene su motivo por el *boom* que las mismas tendrán en la década de los setenta. En el caso concreto de *Doctor Who* el Venusian Aikido y el Kung-Fu de Saturno.

13 Russell T. Davies y Steven Moffat: Guionistas principales de la nueva época de Doctor Who. El segundo sucedió al primero en ese cargo.

14 Romana: A lo largo de los años conoceremos a diversos Señores del Tiempo, tampoco demasiados, pero muy pocas féminas estarán en este grupo. Romana es la primera que hará aparición, tomando protagonismo al acompañar al Doctor e incluso sufriendo ella también una regeneración.

15 Destrucción del destornillador sónico: Este *gadget* es uno de los más icónicos de la serie desde que hizo su aparición con el segundo Doctor. Tras su destrucción pasarían años hasta que volviera a usarse, en concreto en la película de 1992 y posteriormente en la nueva serie siendo la herramienta principal del personaje.

16 Películas de Doctor Who: Aunque no fue hasta 1996 que llegó la primera película dentro de la continuidad de la serie, en los años sesenta se habían producido dos que realmente venían a ser un *remake* de algunos episodios en los que el Doctor pasaba a ser un humano en lugar de un alienígena.

17 El Amo y el ácido: Es innegable que esta caracterización del Amo solo respondía a un intento de recordar al Terminator que no hacía tanto triunfó en las pantallas, además del detalle del ácido que era totalmente deudor de Alien.

18 La madre del Doctor: Esta revelación en parte explica el amor que siente por la Tierra y sus habitantes. También plantea que si la primera encarnación que conocemos es realmente la primera esto haría entender su aspecto y actitudes victorianas, ya que bien podrían ser una herencia de su progenitora.

19 Dalek: Este episodio nos deja claro que los Dalek están desaparecidos, por lo que el Doctor sabe, pero además nos muestra una parte totalmente desconocida de ambas partes. Por la del monstruo un lado tierno y casi humano, haciendo que por una vez sea la víctima y no el responsable del mal, en cambio por la parte del Señor del Tiempo veremos una crueldad como nunca había mostrado casi disfrutando de poder decirle que toda su especie ha muerto. Esto sienta una importante base para la serie, y es que si bien se respetaría todo lo anterior también se iba a jugar con ello para que tuviera una nueva vida.

20 Vestidor del Doctor: Justo tras regenerarse en Colin Baker visitará este espacio de la nave, desechando ropa de alguna encarnación anterior y finalmente escogiendo las coloridas prendas que le caracterizaron.

21 Mutantes: Además de, según se sabrá después, ser los Dalek una alteración genética de la raza Kaled para salvaguardar la vida ante la radiación el serial de esta primera aparición se conoce con el nombre de *The Daleks* y *The Mutants*.

22 El Doctor victoriano: Si tomamos por cierto que la primera encarnación del Doctor lo es realmente, al menos él mismo así lo da a entender, entonces podría suponerse que en vista de su preferencia por la ropa su madre debe ser de un periodo temporal en el que se vestía de esa forma, pero es todo (de momento) especulación.

23 Pordiosero: En parte esto se ha recuperado con el Doctor de Matt Smith al que su compañera, Amy Pond, se refiere por su andrajoso Doctor.

24 James Acheson: Diseñador de vestuario responsable del *look* básico del cuarto Doctor, además de las versiones en color de los dos primeros. Ha trabajado en *Brazil*, *Los inmortales* y las tres películas de *Spider-Man* de Sam Raimi.

25 La Sombra: Misteriosa voz de la radio que apareció en 1930 y que derivó un año después en un personaje pulp por méritos propios. Hace años llegó a las pantallas de cine con el rostro de Alec Baldwin. Sus aventuras se han llevado a otros medios como el cómic donde ha creado una larga mitología propia.

26 Las gafas del Doctor: Aunque la quinta encarnación llega a decir que realmente le hacen falta cuando se encuentra con la décima esta afirma que solamente las llevaba para parecer más inteligente.

27 Rudyard Kipling: Escritor y poeta británico, nacido en la India, autor de *El libro de la selva* y el extraordinario poema "¡Tigre, tigre!".

28 Steampunk: El steampunk se desenvuelve en una ambientación donde la tecnología a vapor sigue siendo la predominante, y por normalidad, asentada en Inglaterra durante la época victoriana, donde no es extraño encontrar elementos comunes de la ciencia ficción o la fantasía.

29 Sexy: Esta forma de referirse a la TARDIS se convierte casi en el centro del episodio *La mujer del Doctor*, cuarto de la sexta temporada de la nueva época, en que la nave adquiere forma humana y flirtean el uno con el otro.

30 Barbara Wright: Este personaje fue interpretado por la actriz y modelo Jacqueline Hill, que volvería más tarde a la serie para poner rostro a Lexa.

31 Jack Harkness: Personaje de la nueva época de la serie y una de las mejores creaciones de la misma. Un agente espacio-temporal interpretado por John Barrowman y que se ha convertido en un icono de la igualdad sexual por su carácter totalmente abierto con este tema.

32 River Song: Es la ruptura absoluta con la norma de que el Doctor no puede tener intereses románticos. Al igual que él es una viajera del tiempo y ambos llevan un diario que comparan al verse para saber cuándo están. Es interpretado por Alex Kingston.

33 Linterna Verde: Héroe de DC Comics que ha tenido

muy diversas encarnaciones. La primera de ellas, y la que hemos citado, fue Alan Scott que apareció en el All-American Comics n.º16, julio de 1940.

34 Identificarse con un joven: Esto era algo muy habitual en la época y desde tiempo antes. Los creadores y productores pensaban que era necesaria una figura más infantil para lograr la atención de ese sector del público.

35 Ian y Barbara: Aunque en la serie no llega a establecerse, sí en otros medios, se da por hecho que llegan a casarse y más tomando en cuenta las palabras de Sarah Jane Smith en su propia serie ya que se refiere a ellos como Ian y Barbara Chesterton.

36 Jefe de la Guerra: Uno de los pocos Señores del Tiempo mostrados en la serie (si miramos el total y tenemos en cuenta el número de temporadas).

37 Retiro del brigadier: Conocemos este dato en Mawdryn Undead que recupera al personaje tras más de un lustro alejado de la serie.

38 Downtime: Aventura directamente lanzada en vídeo, secuela de "The Web of Fear" y "The Abominable Snowmen". Está protagonizado por el brigadier Lethbridge-Stewart, Victoria Waterfield, el profesor Edward Travers y Sarah Jane Smith, todos ellos con sus actores originales.

39 El protegido: Película del año 2000 escrita y dirigida por M. Night Shyamalan, protagonizada por Bruce Willis y Samuel L Jackson. Es una revisión del mito del superhéroe americano desde un prisma más realista.

40 Tremas: Tremas y Master se escriben con las mismas letras. Esta jugada se usó también en la serie actual cuando al fallecer el Rostro de Boe dice al Doctor que «You Are Not Alone» formándose el nombre Yana, que será el que tenga una encarnación del Amo antes de ser Harold Saxxon.

41 Daleks – Invasion Earth: 2150 A.D.: Segunda de las películas que se hicieron basándose en Doctor Who, pero convirtiendo al personaje central en un doctor humano, y que en nuestro país en parte es desconocida ya que se tituló como Los marcianos invaden la Tierra.

42 Davros: Más allá de lo inquietante de este villano el motivo real de su creación fue para dar una voz a los Dalek, ya que su forma de hablar resultaba demasiado pesada para conversaciones y no digamos ya para discursos.

43 Gallifrey: Planeta de la constelación de Kasterborous de donde son originarios los Señores del Tiempo y en la que se erigía su brillante y eterna ciudadela.

44 Primera regeneración: Mucho queda hasta llegar a las elaboradas regeneraciones de la nueva época. En 1966 es un fundido de un primer plano de un actor a otro, poco pero efectivo.

El prisionero

45 Patrick McGoohan: Actor, director, guionista y productor británico nacido en 1928 y fallecido en 2009. Alcanzó la fama con las series Danger Man/Secret Agent y El prisionero.

46 Expediente X: Serie de televisión creada por Chris Carter que se emitió por primera vez en 1993 y permaneció en pantalla hasta el 2002. La trama principal giraba en torno a dos agentes del FBI destinados a investigar casos extraños que no habían sido resueltos.

47 Villa: Aunque el nombre coincida en nuestro idioma no hay que caer en la confusión ya que en inglés el capítulo se llama "View from the Villa" y el aislamiento de El prisionero sucederá en The Village, que en nuestro país será la Villa.

48 Portmeirion: Centro turístico de Gwynedd diseñado y construido por Sir Clough Williams-Ellis.

49 James Bond: Un dato curioso es que al comienzo de la saga cinematográfica el papel le fue ofrecido a Patrick McGoohan que lo rechazó.

50 Carceleros y víctimas: Nunca sabremos realmente quiénes son lo uno y lo otro, de hecho hasta hay razonables dudas con el número 6. Esto es algo que casa mucho en la línea de las distopías sociales establecidas por George Orwell o Ray Bradbury.

51 Lotus Seven: En concreto es un Un Lotus 7 S2 con matrícula KAR 120C.

52 Dimisión: La renuncia de su trabajo por parte del personaje de Patrick McGoohan es el motivo por el que será llevado a la Villa e interrogado para conocer los motivos de la misma.

53 Fall Out: Último episodio de El prisionero, uno de los más desquiciantes y que deja un gran número de preguntas sin responder.

54 Danger Man: Esta serie en España se llamó Cita con la muerte, un título poco respetuoso con el original pero que es ciertamente adecuado. También se le llamó Secret Agent fuera del Reino Unido.

55 Potter: El actor Christopher Benjamin retomaría el papel en el telefilme Koroshi que sigue las aventuras de John Drake en 1968.

56 Ellos: Aunque en algún momento se dan pistas y se deja, de forma no del todo claro, en evidencia que hay dos bloques (comunistas y capitalistas) realmente no se llega a saber si es uno u otro el que controla la Villa o si ese "ellos" no existe y todo está orquestado por un Gran Hermano de nivel mundial.

57 Patrick Cargill: También fue visto en la serie en Many Happy Returns con un personaje llamado Thorpe. Bien puede ser coincidencia y nada más, pero en El prisionero parece que hay muy poco dejado al azar.

58 Leo McKern: Este actor cambió de look en el tiempo entre los dos últimos episodios, lo que hizo necesario meter una escena extra para explicarlo apostando por matarle y que la tecnología de la Villa fuera capaz de resucitarlo.

59 Foto del número 6: Realmente la foto que se ve en este episodio no fue tomada para el mismo y era una de las publicitarias que tenía el propio McGoohan y que ya había hecho aparición en el opening de la serie.

60 Free For All: Primer episodio dirigido y con guión del propio Patrick McGoohan con el pseudónimo de Paddy Fitz.

61 El carnaval de la Villa: Este es uno de esos momentos en que más clara parece la relación entre este serie y Danger Man, cuando el número 6 acude a la fiesta con una vestimenta que lo asemeja totalmente a John Drake.

62 Ajedrez: El ajedrez tiene también relevancia en otra de las series que se trata en este libro, *Los vengadores*. En uno de los *openings* que protagonizaron John Steed y Emma Peel ambos estaban sobre una tablero de enormes proporciones con peones de su mismo tamaño al lado, aunque en este caso era más una cuestión del característico estilo visual que tenía la misma y no tanto de un hecho argumental.

63 Living in Harmony: Es gracias a este episodio que sabemos más sobre el tamaño real de la Villa ya que debe poder contener dentro de sus terrenos la recreación de un pueblo del antiguo Oeste. También nos hace tener todavía más dudas de quién es prisionero y quién no ya que todos parecen tomar parte en este montaje.

64 Once Upon a Time: Esta frase se traduciría a nuestro idioma por el conocido «Érase una vez», una frase sin mayor importancia pero que al ser la elegida para uno de los dos episodios finales hace que podamos pensar que en realidad todo es un cuento, una fábula y un montaje que ha sido orquestado totalmente.

65 19 de marzo de 1928: Esta es la fecha de nacimiento del número 6 pero también la del propio Patrick McGoohan.

66 Once Upon a Time: El comentario sobre que la serie podría terminar en este episodio no es algo lanzado sin más ya que en realidad esa fue la intención que hubo cuando se planteó que la historia estaría conformada por trece capítulos.

67 La resurrección de Leo McKern: Esta secuencia no estaba pensada de antemano pero el tiempo transcurrido entre el episodio anterior, "Once Upon a Time", y este (en concreto pasaron ocho meses) conllevó que Leo McKern se había afeitado la barba y teñido el pelo, lo que rompía totalmente con la continuidad de la serie por lo que debía darse una explicación de algún tipo.

68 Interpretaciones de Patrick McGoohan: Entre otras, ya que son varias décadas de profesión, se cuentan *Estación polar Cebra*, *Escape from Alcatraz* o *Braveheart* en la que daba vida al rey Edward I.

69 *The Three Lives of Thomasina*: Película de Walt Disney que protagonizó Patrick McGoohan en una historia que nos habla sobre una gata y la relación que hay con la familia que la cuida.

70 Chaqueta oscura: Realmente esta prenda no es de color negro, era muy oscura pero fue en el paso por televisión que daba esa sensación quedando así en la memoria colectiva.

71 Cultura mod: Movimiento juvenil con mayor fuerza en Inglaterra, en concreto en Londres. Recomiendo el visionado de *Quadrophenia*, basada la *ópera rock* de 1973 del conocido grupo The Who.

72 El estilo de *El prisionero* 2009: En este caso sí se apuesta por la ropa blanca pero 6 siempre es un rebelde y lleva una camiseta gris con vaqueros, aunque no siempre es así ya que en esta nueva versión cambian de ropa y no llevan siempre la misma.

73 Norma West: Actriz nacida en 1943 que es reconocida por su interpretación de la reina en *The Shadow of the Tower*.

74 Angelo Muscat: Actor que interpreta el papel del callado mayordomo al servicio del número 2. Hizo también aparición en *Doctor Who*. Falleció en 1977 a la edad de 40 años.

75 La auténtica Villa: Por descabellado que parezca McGoohan afirmó que para la creación de la Villa se inspiró en un campo de entrenamiento de espionaje.

76 Tally Ho: Además del nombre del periódico que hay en la Villa es también una expresión de origen británico, originalmente utilizada en la caza del zorro, cuando la pieza era avistada por uno de los cazadores.

Los vengadores

77 John Steed: Este personaje siempre ha estado interpretado por el aristócrata Daniel Patrick Macnee, cuyo nombre artístico era solamente Patrick Macnee y ha sido el único que ha estado presente en todas y cada una de las temporadas de *Los vengadores*. Es sin duda el alma y el motor tras toda esta producción.

78 Emma Peel: El otro icono de *Los vengadores* que llegó a la fama con el rostro de Diana Rigg y se convirtió, lo sigue siendo, en toda una referencia en el mundo de la moda.

79 *Police Surgeon*: Existe otra serie con este mismo nombre, la canadiense Dr. Simon Locke que es conocida también por *Police Surgeon* y se emitió a principios de los años setenta.

80 Ian Hendry: Actor británico nacido en 1931 y fallecido en 1984 es conocido además de por su papel en *Los vengadores* por la película *Get Carter* en la que también estaba el siempre genial Michael Caine. Apareció en series de renombre como *El Santo*, *Danger Man* y otras.

81 Leonard White: Productor inglés cuyo trabajo se extendió desde los años sesenta hasta los noventa y entre cuyas producciones se encuentran *Police Surgeon* y *Los vengadores*.

82 Maxwell Smart: Protagonista de la serie paródica *Get Smart* o *Superagente 86* al que daba vida Don Adams. El éxito de esta comedia propició que de la serie original se hicieran dos largometrajes más un *remake* cinematográfico en 2008, además de una serie en 1995 con Maxwell Smart habiéndose convertido en el jefe de CONTROL, la organización secreta para la que él mismo trabajaba.

83 James Bond: Personaje literario creado en 1952 por Ian Fleming para ser el protagonista de *Casino Royale* que alcanzó el rango de icono gracias a sus aventuras cinematográficas, de las que todavía hoy en día se siguen realizando nuevas entregas.

84 Teniente Colombo: Colombo, Columbo en el original, fue el protagonista de la serie de mismo nombre que a la vez era un derivado de *Diagnóstico Asesinato*. Un detective que vestía siempre su andrajosa gabardina, con una voz ronca y carrasposa que parecía no darse cuenta de lo que se cocía a su alrededor aunque en el fondo era un tipo realmente inteligente y un gran investigador.

85 *Winston Churchill: The Valiant Years*: Documental de principios de los años sesenta sobre la figura de Winston Churchill. Tomaba de base sus memorias y contaba con la dirección compartida de Anthony Bushell y John Schlesinger.

apéndices

86 "*Hot Snow*": Este el episodio número uno de la primera época y al igual que sucedió con otras series muchos se han perdido o solo se conserva parte, en este caso los primeros veinte minutos (aproximados).

87 Katherine Woodville: Esta actriz daba vida a la novia del Doctor Keel y apareció en los títulos de crédito como Catherine Woodville. Además estaría casada con Patrick Macnee en los años sesenta, aunque se divorciaría del mismo y contraería de nuevo matrimonio en los setenta con el actor americano Edward Albert.

88 *Spin-off* de *Siete vidas*: Aída era un personaje de la mentada *Siete vidas* que obtuvo un gran cariño por parte del público logrando su propia serie con su elenco de personajes e historias en solitario. Se estrenó en 2005 y continúa en emisión.

89 Sociedades secretas: No es algo extraño que en la series de televisión sobre agentes o detectives haya este tipo de sociedades, pero es todavía mayor en *Los vengadores* ya que es algo que se convertirá en marca y sello de la casa, empezando por la propia organización para la que trabaja John Steed y posteriormente Tara King.

90 *La pimpinela escarlata*: Novela publicada en 1905 y escrita por la Baronesa Orczy. Se narraba la historia de Sir Percy Blakeney que llevaba una doble vida como la Pimpinela Escarlata.

91 Brian Clemens: Nacido en 1931 y de nombre completo Brian Horace Clemens es un guionista y productor televisivo con parentesco con Mark Twain. Sus dos trabajos más conocidos son *Los vengadores* y *The Professionals*.

92 Dennis Spooner: Nació en 1932 y falleció en 1986. Fue uno de los escritores más todo terreno de la BBC y la ITC Entertainment. Entre *Los vengadores* está el haber sido responsable del fantástico episodio "Oye, dime si ya sabes este, pero había dos tipos..."

93 Científico loco: Todo un prototipo en la ficción ya sea literaria, cinematográfico o de cualquier otro medio. En ocasiones malvado, en otras benigno pero únicamente interesado en lograr que sus planes y experimentos salgan adelante sin reparar en las consecuencias.

94 Peggy: Es curioso pararse a pensar en lo recurrente de este nombre en la ficción televisiva y de cómic, desde Miss Peggy de *Los teleñecos* a Peggy Carter que es compañera del Capitán América.

95 Lady Diana Forbes-Blakeney: Quizá de haberse seguido la producción se hubiera sacado más partido a este personaje, pero solo tenemos ocasión de verla en el capítulo "*Killer*".

96 Dr. Geoffrey Brent: Aunque la serie solo unos muy breves capítulos y fue cancelada tuvo el tiempo suficiente para emitir una película televisiva que llevaba por nombre *Alice Through the Looking Box*.

97 BAFTA: En concreto son las siglas que corresponden a British Academy of Film and Television Arts y de forma popular se usa el término para referirse a los premios que otorga dicha academia.

98 Vincent Price: Actor americano que interpretó a un buen número de personajes de terror, muchos en producciones de bajo presupuesto, lo que junto con su gran capacidad interpretativa lo ha terminado convirtiendo en una referencia de culto. Falleció en 1993 a los 82 años de edad.

99 Crematorio de Golders Green: Uno de los más antiguos de Inglaterra y el primero en ser abierto en Londres datando la fecha en 1902.

100 Martin Luther King Jr: Pastor baptista de gran importancia histórica en la lucha por los derechos humanos de los afroamericanos que fue asesinado en 1968.

101 Harold Chorley: Ficticio periodista televisivo de Londres en *Doctor Who*.

102 Dazzler: Personaje de los *X-Men* aparecida en 1980. Además de ser una mutante y superheroína es cantante de cierto éxito, a lo que ayuda su poder de transformar el sonido en luz.

103 Angela Douglas: Aunque finalmente no fuera ella la encargada de dar vida a Venus Smith sí haría aparición en *Los vengadores* en dos papeles distintos, en 1961 y 1969, además de ser otro más de esos actores que han compartido su vida con el Doctor Who, haciendo de Doris Lethbridge-Stewart.

104 Revista *Life*: Publicación estadounidense en activo desde 1883 aunque comenzó siendo de sátira política y comprada en 1936 por Henry Luce, fundador del *Time*, convirtiéndose en una referencia mundial en el campo del fotoperiodismo.

105 Judo: Este arte marcial fue el elegido para los elegantes movimiento de lucha de Cathy Gale, algo que se repetiría para Emma Peel pero cambiando a karate dejando así claro que la una no era (ni sería bajo ningún concepto) una simple sustituta de su predecesora.

106 Diseños: Aunque hubo destacados diseñadores quizá lo más interesante sea el hecho de que Patrick Macnee creó algunos de los trajes que John Steed lució en la producción.

107 *Goldfinger*: Tercera película de James Bond que contó de nuevo con Sean Connery en el papel protagonista. El filme adaptaba la séptima novela del personaje que había escrito Ian Fleming.

108 Tara King: Actualmente por este nombre se conoce también a Tara O'Connor en su vertiente de modelo profesional. Si tenéis curiosidad podéis entrar en http://www.taraking.com para conocer más sobre ella.

109 David Niven: Nacido en Londres a principios del siglo XX y uno de los actores con más estilo del cine, llegando a ser el auténtico prototipo del galán más elegante de Hollywood. Uno de sus papeles más destacados y reconocidos por el público fue el de Sir Charles Litton en la saga de películas de *La Pantera Rosa*.

110 Número 69: ¿Es esto una referencia a *El prisionero*? La elección de que su protagonista fuera el número 6 vino dada porque dado la vuelta es el único que tiene otro significado, 9.

111 John Huston: Conocido director y guionista al que se le deben grandes obras como *El halcón Maltés* y *El hombre que pudo reinar*.

112 John Bryce: Productor inglés responsable entre otras de la serie *Detective público* y *Redcap*.

113 *Sombras tenebrosas*: Serie de televisión de mediados de los sesenta y principios de los setenta, que ha visto una adaptación cinematográfica de la mano de Tim Burton. Actualmente es recordada por el personaje del vampiro Barnabas Collins que no hizo aparición hasta la segunda temporada.

114 *Family Matters*: Producción que en España conocimos bajo el nombre de *Cosas de casa* y que narraba el día a día de los Winslow, pero el auténtico éxito llegó con Steve Urkel que de ser pensado de forma episódica terminó siendo el protagonista de la misma.

115 Elizabeth Shepherd: Actriz inglesa nacida en 1936. Con una dilatada carrera que la ha llevado también al mundo del doblaje, pone su voz a Infinity en la serie de *Silver Surfer* y al cine en títulos tan conocidos como *Poltergeist: El Legado* y *La maldición de Damien*.

116 Rupert Everett: Actor británico aunque es habitual en producciones americanas. Homosexual declarado, lo que le ha valido algunas de sus mejores interpretaciones como en *La boda de mi mejor amigo*, con una gran capacidad para reírse de sí mismo. Cine, televisión, teatro e incluso algo de música (en concreto acompañando a Madonna de la que es amigo íntimo).

117 *Al servicio secreto de su majestad*: Película de Bond en la que no se contó con Sean Connery, aunque volvería a la saga, y tuvo a George Lazenby de protagonista para dar vida al más famoso agente secreto del mundo.

118 *El rey Lear*: Una de las más conocidas obras de William Shakespeare en la que el anciano rey Lear considera dejar su reino a sus tres descendientes lo que tendrá funestas consecuencias.

119 Laurence Olivier: Reconocido actor y director británico responsable de las adaptaciones cinematográficas de *Hamlet* y *Enrique V*, además de actor en *Cumbres borrascosas* y *Marathon Man* entre una largo listado de trabajos de cine, teatro y televisión.

120 Rachel Stirling: Hija de Diana Rigg y el productor teatral Archibald Stirling, casados en 1982 y divorciados en 1990. Al igual que su madre ha pasado por cine y teatro en producciones relacionadas con Shakespeare y ha hecho sus pinitos en televisión en la miniserie de corte bíblico *In the Beginning* y *D.H. Lawrence´s Women in Love*.

121 Big Brother: Gran Hermano o Hermano Mayor según traducciones. Ente omnipresente que vigila todo y a todos en la distópica novela *1984* de George Orwell.

122 *La liga de los caballeros extraordinarios*: Ingenioso y profundo cómic de aventuras, con un gran número de niveles de lectura, creado por Alan Moore e ilustrado por Kevin O´Neill. La premisa principal consistió en coger a personajes de la literatura victoriana y conformar un equipo para luchar contra el mal. Una lectura obligada y compleja.

123 One-Ten: Existe una producción de principios de lo noventa que lleva el mismo nombre pero sin relación alguna con este personaje, y no es más que una casualidad (o eso se asume).

124 Patrick Newell: Nació en 1932 y falleció en 1988, siempre con un rostro redondo y un problema de peso que por otro lado le hizo perfecto para muchos de sus papeles. Al igual que otros su camino se cruzó con *Doctor Who*, en concreto en el episodio "The Android Invasion".

125 *The House That Jack Built*: Este título hace referencia al cuento y canción *This Is the House That Jack Built* que data de 1755 aunque se pueden encontrar referencias más o menos directas anteriores, la primera a una distancia de unos doscientos años.

126 The Joker: Por este mismo nombre se conoce al mayor de los enemigos de Batman, que apareció por primera vez en el n.º 1 de Batman y considerado uno de los mejores villanos de cómic de todos los tiempos.

127 Virgilio: Poeta griego al que se le atribuye *La Eneida* y que fue convertido en guía del Infierno por Dante Alighieri en su obra *La divina comedia*.

128 Peter Wyngarde: Actor británico pero de origen francés, nacido en 1928 y principalmente conocido por haber interpretado a Jason King.

129 Sebastian Shaw: Además del personaje de los *X-Men* este nombre pertenece al rostro que vimos tras la máscara de Darth Vader en *El retorno del Jedi*, no así al que llevó el traje durante las tres películas o al que le puso voz ya que fueron otros dos actores (David Prowse y James Earl Jones respectivamente).

130 St. Francis of Wycombe: Se conoció bajo este nombre en referencia al lugar de reunión que tenían que no era otro que la propia casa de Sir Francis que estaba en la parte oeste de Wycombe.

131 Aleisteir Crowley: Personaje histórico en el que normalmente se mezclan la ficción y las leyendas con la realidad. Vivió entre 1875 y 1947 con intereses por la magia y el ocultismo, llegando a fundar su propia religión y formó parte de la Hermandad Hermética del Amanecer Dorado junto con otros grandes nombres como Bram Stoker. También fue escritor y poeta.

132 Ave Fénix: Ser mitológico generalmente relacionado con la cultura griega aunque se le puede encontrar en civilizaciones anteriores y posteriores. Es un pájaro de gran tamaño con un plumaje que va desde el amarillo al rojo que cada varios cientos de años era consumido por las llamas para resurgir de las cenizas que había dejado su propio cuerpo. Se le asocia con la idea del sol, del renacimiento y el cambio.

133 Fénix: Personaje de los *X-Men* que apareció en La saga de Fénix, una de sus historias más recordadas (a veces parece que no hay más). La trama nos muestra la corrupción de Jean Grey de ser un ejemplo de bondad a estar poseída por un poder casi absoluto y perder el control sobre sí misma.

134 HYDRA: Organización terrorista de Marvel Comics que recoge su nombre por la Hidra de Lerna, personaje mitológico con tres cabezas (realmente esto puede cambiar) pero que cada vez que le cortaban una dos ocupaban su lugar. HYDRA no son siglas, aunque lo parezca. Siempre enfrentados a S.H.I.E.L.D (Servicio Homologado Internacional de Espionaje, Logística y Defensa, entre otros significados) por sus planes de dominación mundial y de crear el caos. Aparecieron por primera vez en 1965 como enemigos de Nick Furia y quedaron como villanos recurrentes.

135 Norman Rockwell: Norman Rockwell es conocido por sus pinturas pero también fue fotógrafo. Aunque tuvo diferentes etapas de forma popular se le relaciona siempre con sus imágenes amables de familias alrededor de un árbol navideño, dos compañeros en una cafetería y en general de la representación más bella y luminosa de lo que se supone es el estilo de vida americano. Nació en 1894 y falleció en 1978.

136 Mono de cuero: Visto desde el punto de vista actual en el que los shorts cada vez lo son más y las minifaldas ajustadas están a la orden del día pues no es para tanto, pero ya el hecho de sacar por televisión a una mujer (y no una adolescente) con pantalones de forma habitual era un hito, más todavía el hecho de que fuera un ajustado mono de cuero negro (verde en realidad) que dejaba muy poco a la imaginación. *Los vengadores* siempre estuvieron un paso por delante de todos los demás.

137 Una vieja gabardina: Aunque John Steed lució este aspecto hoy nos resulta inconcebible ya que realmente es el que se convirtió en característico de otro gran personaje televisivo, el del teniente Colombo que vivió sus aventuras en la década de los sesenta.

138 Savile Row: Savile Row es la meca del estilo y la elegancia masculina clásica. Barrio de Londres con gran cantidad de sastrerías y tiendas de complementos en las que se han vestido las más grandes figuras históricas de las últimas décadas y por supuesto John Steed.

139 Eduardo, duque de Windsor: Rey de Inglaterra por derecho que abdicó por amor, igual que en los cuentos de hadas, y convertido en todo un icono de la elegancia por derecho propio. Marcó un importante cambio en la forma de vestir del caballero con un armario moderno en el que había sitio para americanas de cuadros y corbatas de colores.

140 El bombín en la película: Este es un elemento característico de John Steed y al igual que toda su ropa no es puramente ornamental, al punto que en la película de 1998 le volveremos a ver usarlo como arma y pelear cuando los secuaces del villano se lo quitan a lo que él responde: «ese es el peor error que podría usted cometer».

141 Swordstick: Este término para referirse a un bastón o paraguas con un sable viene de la Europa del siglo XVIII aunque no así el objeto en sí mismo ya que tanto en Japón o en la antigua Roma eran conocidos y usados pero sería entre los siglos XVIII y XIX que se convertiría en un complemento de moda y estilo estando su uso declarado como ilegal (a excepción de decoración o antigüedades).

142 James Smith & Sons: Casa fundada en 1830 y especializada en la fabricación artesanal de paraguas y mangos para los mismos. Si tenéis interés podéis dar un vistazo a su web aunque solo sea por curiosidad http://www.james-smith.co.uk

143 Pierre Cardin: Diseñador nacido en 1922 en Italia y todavía en activo, innovador en la moda unisex siguiendo solo sus propias ideas y en gran parte definiendo lo que hoy se conoce como el estilo de los años sesenta. Amante de la gastronomía, el teatro y el ballet. Actualmente es Embajador de buena voluntad de la FAO.

144 W. & H. Gidden: Casa fundada en 1806 por William y Henry Gidden especializados en sillas de montar y otros elementos para la equitación.

145 Bernard Weatherill: Situada en Savile Row, no podía ser de otra forma, fue fundada en 1910 y es proveedora de la Casa Real de Inglaterra desde 1920 a petición del rey George V.

146 John Bates: Diseñador nacido en 1938, fue aprendiz de Gerard Pipart y Herbert Sidon. Se cambió el nombre de forma profesional a finales de los años cincuenta siendo desde entonces conocido como Jean Varon.

147 PVC: Son las siglas del Policloruro de vinilo que puede ser rígido o flexible, permitiendo esto que tenga multitud de usos, claro que respirarlo en altos niveles puede conllevar riesgo de intoxicación y muerte.

148 Marqués de Sade: Donatien Alphonse François de Sade fue un escritor francés bien conocido por sus obras de carácter ateo y sexual, lo que en vida (1740 a 1814) le valió el ser encerrado en diversos manicomios y fortalezas, incluyendo la Bastilla. Morirá a la edad de 74 años en el asilo de Charenton.

149 Frederick Starke: Proveniente de una familia del gremio de la sastrería montó su propia y exclusiva tienda en Bruton Street, su estilo y trabajo ya eran conocidos pero subió todavía más al encargarse del vestuario de Honor Blackman para su personaje de Cathy Gale en *Los vengadores*.

150 Chapeau Melon et Bottles de Cuir: En Francia los personajes eran muy queridos y un productor llamado Rudolf Roffi contó con Linda Thorson y Patrick Macnee para ser Tara King y John Steed en un anuncio de *champagne*, se hizo y se emitió. Pero este hombre quería más, contactó de nuevo con el actor que se negó y entonces fue a por uno de los creadores de la serie logrando finalmente la creación de una nueva serie.

151 Elstree Studios: Realmente este nombre se refiere de forma general a todos los estudios de la zona de Elstree y Borehawdood en Hertfordshire (Inglaterra, claro) desde 1927 y hasta el día de hoy ya que en la actualidad se sigue rodando y realizando producciones allí, claro que en este punto hay que aclarar que en concreto la BBC tiene el suyo propio llamado BBC Elstree Studios.

152 La mediocridad de *Los nuevos vengadores*: De hecho Patrick Macnee llegó a referirse a ella como una versión descafeinada de Starsky y Hutch, gran éxito de los setenta, y a reconocer que estaba por debajo de la producción original, claro que también alabó su calidad como obra unitaria y el buen trabajo que tuvo en los guiones.

153 Hugh Hefner: Apodado cariñosamente "Hef" es el fundador y todavía editor jefe de la conocida publicación *Playboy* cuyo primer número se publicó en 1953.

154 Batman: Durante la década de los setenta sufrió un alejamiento drástico de las historias de épocas anteriores hacia algo más serio y oscuro, destacando las historias en que se contó con Neal Adams.

155 El alcoholismo de Tony Stark: Los héroes de Marvel siempre se han definido por tener los pies de barro, y en el caso de Iron Man se le volvió alcohólico y en 1979 se publicó el cómic *Demon in a Bottle, El demo-*

nio en una botella, tratando precisamente este tema y aunque logra salir siempre es algo recurrente y de fondo en muchas de sus aventuras.

156 Joanna Lumley: Esta actriz inglesa nació en 1946, contaba con poco más de treinta años cuando estuvo en *Los nuevos vengadores* pero ya tenía cierta fama y trayectoria a lo que ayudó su interpretación en *Al servicio de su majestad*. Ha tomado también parte en *James y el melocotón gigante*, producción de Tim Burton basada en el relato del mismo nombre.

157 Gareth Hunt: Nacido en 1944 y marino mercante desde los 15 años y hasta los 21, momento en el que comenzó sus estudios en la Royal Shakespeare Company. Su camino también estuvo unido al de James Bond aunque fue imitando al personaje bajo el nombre de Charles Bind en *Licensed to Love and Kill* que se comercializó también como *The Man from S.E.X.*

158 Peter Cushing: Peter Cushing es uno de los actores británicos más conocidos y de fama mundial. Falleció con 81 años dejando atrás su participación en sagas de la talla de *Star Wars*, con un inolvidable Gran Moff Tarkin, habiendo sido Víctor Frankenstein o Abraham Van Helsing y por supuesto es imposible no nombrar a su Sherlock Holmes. Falleció a la edad de 81 años.

159 1977: Precisamente en este año se estrenó la cuarta película de la saga *Star Wars*, aunque la primera en hacerse, *Una nueva esperanza*.

160 Jerry Weintraub: Productor de cine americano, también manager musical (de hecho lo fue de Elvis), al que se le deben películas como The Karate Kid, Soldier o Mi novia es una extraterrestre.

161 Ralph Fiennes: Actor británico de grandes dotes. Participó en *La lista de Schindler* como Amon Göth y en la película *El paciente inglés*, por las que sería nominado a un Oscar. En los últimos años fue el elegido para poner el rostro al malvado Voldemort en la saga cinematográfica que adaptaba las historias de Harry Potter.

162 Uma Thurman: Esta actriz americana se ha convertido en la musa principal del director Quentin Tarantino al participar, y ser una de las protagonistas, en dos de sus mejores trabajos: *Pulp Fiction*, de 1994, y *Kill Bill*, en ambos volúmenes de 2003 y 2004.

163 Sean Connery: Todos conocemos a este gran actor y su rostro que ha quedado para siempre como el mejor James Bond de todos, además de ser el padre de Indiana Jones y una lista de grandes personajes más larga que mi brazo.

164 Jim Broadbent: Teatro, cine y televisión, nada escapa a las manos e inquietudes de este actor, uno de esos grandes que solo tienen que aparecer un minuto para que nos clavemos en la butaca. *Moulin Rouge*, *Harry Potter* o *The Iron Lady* (la biopic sobre Margaret Thatcher) son algunos de sus trabajos.

Otras series

165 Narciso Ibáñez Serrador: Conocido generalmente como Chicho es hijo de Narciso Ibáñez Menta y uno de los artífices de la televisión en España según la hemos conocido en las últimas décadas. Además de *Estudio 3* o *Historias para no dormir* es el creador del archiconocido *Un, dos, tres... Responda otra vez*.

166 *American way of life*: El estilo de vida americano, siempre entendido así por ellos y pasado por su prisma, claro, viene a explicar a los Estados Unidos de América como los mejores exponentes de la democracia y la libertad.

167 Bruguera: La editorial Bruguera fue una de las más importantes de nuestro país, publicando prácticamente de todo. Hoy son muy recordadas sus novelas de bolsillo y sus revistas de humor a las que no se llamaba tebeo ya que el TBO era la competencia. Allí se juntaron algunos de los más grandes desde Cifré a Vázquez pasando por Escobar e Ibáñez.

168 Mel Brooks: Actor, director, guionista y productor de cine, en concreto de comedia. Entre sus trabajos están obras tan geniales como *El jovencito Frankenstein*, *La última locura* y por supuesto *Space Balls* o *La loca historia de las galaxias*, divertida parodia de *Star Wars*.

169 Steve Carrell: Aunque ya ha tenido varios papeles que le han llevado a ser un rostro conocido por el público el más destacable es su personaje en la serie *The Office*, pero sin dejar de lado su magnífica actuación en *Pequeña Miss Sunshine*.

170 Anne Hathaway: Anne Hathaway se ha convertido en un rostro habitual de la gran pantalla en los últimos años, generalmente en comedias pero pasando por otro tipo de películas como *Brokeback Mountain* o *The Dark Knight Rises*, pero la fama vino con *Princesa por sorpresa*, junto a la magnífica Julie Andrews, en el cine familiar del que se ha intentado alejar temiendo un encasillamiento. Afortunadamente su carrera ha ido por muchos más lugares demostrando lo que algunos ya sabíamos, que bajo esa sonrisa y cara bonita había una actriz de gran talento.

171 Bob Kane: Nació en 1915 y falleció en 1998. Conocido por ser el creador de Batman y de otros de sus grandes compañeros y secundarios.

172 Bill Finger: Nació en 1914 y falleció en 1974. Segunda parte del dúo que creó a Batman aunque durante mucho tiempo no le fue reconocido este mérito. Este guionista fue merecedor de estar en el Salón de la fama de los codiciados Premios Eisner y de los Harvey, además de crearse un galardón con su nombre.

173 *Batman* de Tim Burton: Aunque fue propiciado por el éxito de *Superman* en los setenta no fue hasta 1989 que se estrenó una nueva adaptación del detective de Gotham City, protagonizada por Michael Keaton y Jack Nicholson (Batman/Bruce Wayne y el Joker respectivamente). La película tuvo algunos cambios de relevancia respecto a la historia original pero fue muy bien acogida por público y crítica, además de demostrar que sí se podían hacer buenas producciones audiovisuales sobre superhéroes.

174 Frank Gorshin: Nos dejó en el 2005 tras muchas décadas de gran trabajo. Aunque siempre será ese Acertijo lleno de energía de la serie de *Batman* de los sesenta tuvo una dilatada carrera que le llevó desde *El Show de Sullivan* hasta el lejano futuro de *Buck Rogers in the 25th Century* pasando también por las bambalinas de Broadway con las conocidas *Guys and Dolls* y *Jimmy*.

175 Jackson Pollock: Nombrar a este pintor no es casual y responde a mis gustos personales, aunque no diré que entiendo su trabajo. Falleció en 1956 y es considerado una de las figuras más importantes del arte del pasado siglo, encuadrado dentro del expresionismo abstracto.

176 Enamoramiento del Joker: Por muy raro que parezca, si eres lector de cómics no, pero el Joker en más de una ocasión ha demostrado una malsana obsesión con Batman llegando a referirse al cruzado de la capa como «amor mío» o perlas similares.

177 Batcueva: Si hay que ser exactos la cueva no aparecería realmente hasta el serial televisivo de los cuarenta, el primero de 1943 no, el segundo de 1949, pero la cosa parece que gustó y se trasladó al cómic. El capítulo en el que se vio llevaba por título *"The Bat´s Cave"* o *"La cueva del murciélago"*.

178 La Batcueva de los sesenta: El diseño que la Batcueva, o Baticueva si nos ponemos nostálgicos, es obra de Grave.

179 Mark Hamill: Este nombre sonará a muchos, o a todos supongo, por ser el actor que dio vida a Luke Skywalker en la saga galáctica de Star Wars.

180 Tía Harriet: Esta mujer apareció por primera vez en 1964 en Detective Comics 328, siendo la tía por parte de madre de Dick Grayson, Robin. Pero aunque hiciera su apertura en las viñetas siempre será recordada con el rostro de la actriz Madge Blake en la batiserie por excelencia.

181 La muerte de Alfred: Por raro que pueda parecer, Alfred, uno de los personajes más eternos y característicos del detective de Gotham City, llegó a morir. Esto fue en 1964 tras haber convertido en un supervillano llamado The Outsider.

182 Alan Napier: Este actor se convirtió en uno de los rostros más recordados de la serie de Batman de los sesenta, a pesar de que antes de la misma no conocía al personaje y cuando le presentaron el proyecto lo tildó de ser una tontería, así que le aumentaron la oferta.

183 *Cliffhanger*: El *cliffhanger* es un recurso muy habitual en las historias de ficción serializadas, son esos momentos de tensión que quedan en el aire para ser resueltos en la siguiente entrega.

184 Christopher Pike: Capitán del Enterprise en el capítulo piloto de *Star Trek*, con el rostro de Jeffrey Hunter, y retroactivamente se le ha hecho predecesor de James T. Kirk, Spock ha servido bajo el mando de ambos. En la película de 2009, que sirve tanto de predecesora a la serie como de inicio de una nueva saga, este personaje aparece interpretado por Bruce Greenwood.

185 La aparición del Capitán Pike: El metraje fue usado en los episodios 11 y 12 según emisión en la historia *La colección de las fieras*, metiendo una trama como fondo de la otra y comenzando (sin saberlo) a establecer una cronología e historia para todo lo que era ese nuevo universo espacial.

186 El aspecto de los Klingon: El porqué lucen más humanos la primera vez responde a dos motivos, el real es sencillamente un tema presupuestario y de un diseño que fue evolucionando, el otro es según la cronología ficticia en la que establece que por un experimento se mezcló ADN Klingon y humano dando ese aspecto (y una enfermedad) como resultado.

187 El capitán de barco: Lo cierto es que en esencia James T. Kirk viene a ser un homenaje a James Cook, oficial británico de la Armada Real Británica, aventurero, cartógrafo y explorador.

188 Khan Noonien Singh: Interpretado en la serie (en el capítulo *"Space Seed"*) y en la película por un inigualable Ricardo Montalbán, es un superhombre creado científicamente y un dictador que tuvo a una cuarta parte de la Tierra bajo su mando. Estará en animación suspendida y tras despertar, y hacer maldades será sometido a juicio y desterrado a lo que le dirá a Kirk que «es preferible gobernar en el infierno que servir en el cielo» (referencia a *El paraíso perdido* de John Milton). En la película el odio entre este personaje y Kirk es el motor que mueve la acción y las últimas palabras del villano serán «¡Desde el corazón del infierno yo te apuñalo! ¡Con todo el odio, te escupo mi último aliento!» (citando directamente a *Moby Dick* de Herman Melville).

189 *Star Trek*: Esta película llevó un discreto «2009» a modo de subtítulo para diferenciarla. Se sitúa temporalmente antes de los primeros capítulos de la serie pero gracias a un viaje temporal además se erige como la primera parte de una nueva saga de cuya segunda parte parece que se ocupará también el director J.J. Abrams y de la que se rumorea que se recuperará al mítico personaje de Khan Noonien Singh.

190 Hanna-Barbera: Empresa de animación americana fundada a finales de los cincuenta y responsable de gran parte de las series de dibujos que todos hemos visto de pequeños y que todavía hoy se siguen reponiendo o haciendo nuevas aventuras. Actualmente Hanna-Barbera no existe como productora independiente (comenzó a caer en los ochenta y murió en los noventa) pasando a ser parte de Cartoon Network Studios.

191 Irwin Allen: Apodado «el maestro del desastre» por la tremenda labor que desarrolló en este género que tan de moda se puso en los setenta. Nació en 1916 y falleció en 1991.

192 *El túnel del tiempo*: Esta serie bien podría haber entrado en este libro pero no tenía mayor interés que el ver a los protagonistas viajando por distintas épocas. Sí el símbolo con el que se asocia, ese panel circular de líneas concéntricas que gira creando un característico efecto óptico o el hecho de que cuando se canceló la producción los dos protagonistas todavía no habían regresado al momento temporal de comenzar su viaje, así que bien se puede suponer que nunca lograron realmente hacerlo.

193 El Joker: Sin entrar en la larga y complicada historia del personaje solo decir que es por excelencia el peor enemigo de Batman que apareció por primera vez en 1940 en Batman n.º1, pensado para no tener continuidad pero eso es algo que cambió en cuanto se vio el impacto que tuvo entre los lectores.

194 Jonathan Harris: Actor británico nacido en noviembre de 1914 y fallecido también en noviembre de 2002. Su personaje del doctor Zachary Smith en

Perdidos en el espacio le situó en el Olimpo de las series y de la ciencia ficción, pero participó en otro gran número de producciones como *The Web*, *The Outlaws*, *The Twilight Zone* (de la que también se habla en este libro) o *Bonanza*.

[195] John Larroquette: John Larroquette es un conocido y querido actor americano aunque en nuestro país sea un rostro menos habitual, pero le hemos podido ver hasta no hace mucho en la genial serie *Boston Legal* que protagonizaban Paul Spader y William Shatner.

[196] Marionetas en la televisión: Lo cierto es que si volvemos la vista atrás no es tal locura, menos todavía si pensamos en Jim Henson y el éxito que tuvieron sus Muppets o teleñecos según los conocemos en nuestro país.

[197] Rolls-Royce: En la película de acción real de la década del 2000 el coche de Lady Penelope no fue un Rolls-Royce y en su lugar era de la marca Ford. El porqué de este cambio solo respondía a un tema de acuerdos ya que con la primera compañía no se llegó a un trato y sí con la segunda.

BIBLIOGRAFÍA POR ORDEN DE APILAMIENTO

(igual esto requiere una explicación. La cosa es que según consulto libros los voy dejando en el suelo al lado de mi escritorio, por si me hacen falta, así que al cabo del tiempo suelo tener dos otres torres rodeándome. A veces me choco pero me ahorra mucho tiempo el tenerlos cerca).

Libros

Hearn, Marcus. *The Avengers, A Celebration: 50 years of a television classic*. Titan Books, Londres, 2010.

Gaumer, Patrick. Moliterni, Claude. *Diccionario del cómic*. Editorial Larousse, Barcelona, 1994.

Arias, Eusebio R.: *Series de Culto de TV de ciencia-ficción, terror y fantasía*. Nuer Ediciones, Madrid, 1997.

Carrazé, Alain. Putheaud, Jean-Luc: *The Avengers Companion*. Titan Books, Londres, 1998 (a su vez traducción de Chapeau melon et botter de cuir, *Huitième Art Editions*, 1990).

Shatner, William. Kreski, Chris: *Star Trek Las Películas*. Alberto Santos Editor, Madrid, 2009.

Abadía, Miguel. Banús, Teresa. Banús, María Jesús. Font, Sebastián. Villar, María Ángeles: *Star Trek La Aventura Continúa*. Alberto Santos Editor, Madrid, 2008.

Meddings, Derek: *21 ST Century Visions: Thunderbirds, Fireball XL5, Supercar, Stingray, Captain Scarlet, Secret Service, Joe 90, UFO*. Dragon´s World, Limpsfield, 1993.

Buebo, Señor: *Que la Fuerza te acompañe, guía completa de La Guerra de las Galaxias*. Dolmen Editorial, Palma de Mallorca, 2011.

Duque, Pedro: *Araña de Marte, Video-Guía de invasiones alienígenas*. Ediciones Glénat, 1998.

Maroto, Carlos D. Alboreca, Luis F.: *Batman, de Bob Kane a Joel Schumacher*. Nuer Ediciones, Madrid, 1999.

Cadigan, Pat: *The making of Lost in Space*. Titan Books, Londres, 1998.

Sánchez, Santiago: *Sex Simbols del cine*. Film Ideal, Barcelona, 1997.

Nimoy, Leonard: *Star Trek Soy Spock*. Alberto Santos Editor, Madrid, 2009.

White, Matthew. Ali, Jaffer: *The official Prisoner Companion, The only guide to the most original and innovative TV series of all time!* Warner Books, Nueva York, 1988.

Haining, Peter: *Doctor Who 25 Glorious Years XXV*. BBC Books – Virgin, Londres, 1988.

De España, Ramón. Sánchez, Jordi. Sánchez, Sergi. Trashorras, Antonio: *La Biblia Trekkie*. Ediciones Glénat, 1995.

Meynendonckx, Fien: *The Good – The Bad, The greatest heroes and villians in the History of film*, Teclum Publishers of Style, Bélgica, 2011.

Sánchez, Sergi: *El libro gordo de los superhéroes, De santo, el enmascarado de plata a Batman, el hombre murciélago*. Midons Editorial, Valencia, 1997.

Luis, Robert J.: *Coches famosos del cine y la televisión*. Círculo Latino, San Andrés de La Barca, 2006.

Busquet, Josep: *La diferencia entre arriba y abajo, El gran libro de los Muppets*. Camaleón Ediciones, 1998.

Richards, Justin: *Doctor Who Monsters and Villians, The Doctor´s most evil enemies, from the past, present and future*. BBC Books, Gran Bretaña, 2005.

Ellis, Phil: *Miller´s Sci-Fi and Fantasy Collectibles*. Octopus Publishing Group, Londres, 2003.

Richards, Justin. Collins, Mike: *Doctor Who The Only Good Dalek*. BBC Books – The Random House Group, 2010.

Pérez, Adolfo: *La Guerra de las Galaxias y Star Trek*. Edimat Libros, Arganda del Rey, 1998.

Pérez, Adolfo: *75 años del cine de ciencia-ficción, Películas más famosas, actores y directores*. Ediciones Masters, Madrid, 2004.

Mérida, Pablo: *El Zorro y otros justicieros de película*. Nuer Ediciones, Madrid, 1997.

Richards, Justin: *Doctor Who Companion compedium, Top Trivia for Time Travellers*. BBC Books – The Penguin Group, Londres, 2010

Smith, Oli: *Doctor Who, 170 fact files from the TARDIS Database! The Secret of the TARDIS*. BBC Books – Penguin Book Ltd, Londres, 2010.

Davies, Steven Paul: *The Prisoner Handbook*. Pan Books, Londres, 2007 (primera edición publicada en 2002 por Boxtree).

Riera, Jorge: *Mutación catódica, Las 50 series de culto moderno que electrocutaron a los televidentes*. Midons Ediciones, Valencia, 1997.

Mainon, Dominique. Ursini, James: *Amazonas, Guerreras en la pantalla*. Alberto Santos Editor, Madrid, 2008 (traducción de *The modern amazons. Warrior women on-screen*. Limelight Editions, 2006).

Casas, Quim: *Películas clave del cine de Superhéroes. Ma Non Troppo* – Ediciones Robin Book, Barcelona, 2011.

Pérez, Xavier: *El Universo de Los vengadores*. Glénat Ediciones, 1998.

Werle, Simon: *Fashionisto A century of style icons*. Prestel Books – Verlagsgruppe Random House GmbH, Munich, Berlin, Londres, Nueva York, 2010.

Roetzel, Bernhard: *El Caballero, manual de moda masculina clásica*. Könemann - Tandem Verlag GmbH, Barcelona, 2005 (traducción de Der Gentleman, 2004, para LocTeam S.L.).

Chapman, James: *Inside the Tardis, The Worlds of Doctor Who*. L.B. Tauris, 2006.

Russell, Gary: *Doctor Who The Encyclopedia, A Definitive Guide In Time And Space*. BBC Books, Londres, 2006.

Motter, Dean. Askwith, Mark: *The Prisoner Shattered Visage*. DC Comics, Nueva York, 1988 (seriados), 1990 (tomo unitario).

Carrazé, Alain. Oswald, *Héléne: The Prisoner, A Televisionary Masterpiece*. Barnes and Noble, Nueva York, 1995.

Rogers, Dave: *The Complete Avengers, The Full Story Britain's Smash Crime-Fightin Team!* St. Martín's Press, Nueva York, 1989.

McCall, Michael: *The Best of 60s TV*. Bantam Dobleday Dell Promotional Book Co, Nueva York, 1992.

Macnee, Patrick. Rogers, Dave: *The Avengers The Inside Story*. Titan Books, Londres, 2008.

Monaco, Paul: *The Sixties 1960-1969*. 2003

Gilbert, Katie: *Brian Clemens Auteur of The Avengers*. BFI Southbank, 2010 (información de prensa).

Arteaga, Lander: *Doctor Who 50 años de historia televisiva*. Madrid, 2011 (proyecto de estudio para la Universidad Complutense de Madrid).

Bidlingmeyer, Lisa Marie: *Agent + Imagen, How the Television Image Destabilizes Identity in TV Spy Series*. B.A. Biology/Studio Art Kenyon College, Massachusetts, 2007 (trabajo de Master en Ciencia comparativa de los medios).

Eliopoulus, Chris. Pinna, Amilcar: *The Prisoner Exclusive Sneak Peek*. Marvel Comics, Nueva York, 2009.

Black, Prudence. Driscoll, Catherine: *Strapped to the drainpipe, Emma Peel and the vinyl catsuit*. University of Sidney, Sidney, 2012.

Material on-line y páginas web

http://www.bbc.co.uk
http://en.wikipedia.org
http://www.planetgallifrey.es/
http://classicdoctorwhofiles.blogspot.com.es/
http://tardis.wikia.com
http://www.listal.com
http://doctorwhofiles.tumblr.com/
http://www.destornilladorsonico.com/
http://www.doctorwhospain.com/
http://doctorwho.estudiosuizo.com
http://www.cabletv.com/doctor-who-timeline
http://www.combom.co.uk/

http://tvlia.com
http://www.whosdw.com/
http://www.elprisionero.com.ar/
http://ktarsis.es/2010/01/02/resena-tv-el-prisionero-2-009/
http://www.retroweb.com/prisoner.html
http://www.sixofone.org.uk/
http://www.theprisoneronline.com/
http://www.portmeirion-village.com/
http://www.cineol.net/serie/123_El-prisionero-(1967)
http://www.newsarama.com/

http://losvengadores.theavengers.tv
http://denisebrain.blogspot.com.es
http://declassified.theavengers.tv/
http://www.masters-of-photography.com
http://sharetv.org
http://justbon.hubpages.com
http://emmapeelpants.wordpress.com/
http://classic-tv.com/60s-shows/
http://www.the60sofficialsite.com/Television_in_the_60s.html
http://www.pbs.org/opb/thesixties/educator/index.html
http://tvhits.blogspot.com.es/
http://elchedigital.es/not/1582/las_101_series_de_television_de_los_anos_60__70_y_80/
http://www.gustavorivas.com.ar/2004/que-antiguo-soy/series-de-los-60s-y-70s/

http://batmania.com.ar/
http://www.buildtheenterprise.org
http://www.danger-man.co.uk/
http://vintagefashionguild.org
http://http://www.therealfrankgorshin.com
http://http://www.adamwest.com/

He omitido citar el visionado de las series y especiales, ya que es algo que se da por hecho (a excepción de los capítulos perdidos o los que directamente son innencontrables más allá de colecciones privadas y profundos búnkeres secretos). También he omitido la gran cantidad de material documental y libros revisados que aunque me han servido para enriquecerme mental y espiritualmente no han tenido finalmente uso para la realización de este escrito.

Si queréis tener más información de Doctor Who, The Prisoner y The Avengers os recomiendo los documentales:

In Search of the Prisoner (Sci-Fi Channel, 2001, presentado por James Hyman).
Avenging The Avengers (Screen First, 2000).
The Story of Doctor Who (BBC, 2003).
Y en general sobre la década de los años sesenta podéis dar un vistazo a:
The Sixties: The years that shaped a generation (PBS, 2005).
A Decade to remember: The Sixties.

Dato referente a las biografías: Si consultáis la Wikipedia (http://wikipedia.org), algo que todos hacemos dada la gran cantidad de buena información que hay en la misma, encontraréis algunos datos que no coinciden con lo expuesto aquí. Esto es debido a que en ciertos casos ciertas cuestiones están mal indicadas, traducidas erróneamente del inglés o que consultando libros y documentación he encontrado referencias a varios hechos explicados de otra forma.

De igual forma para la mayoría de fechas (nacimientos, defunciones, primeras emisiones,...) se ha contrastado con IMDB por la fiabilidad de esta base de datos, aunque en más de una ocasión no era la única existente y contradecía a otras.

AGRADECIMIENTOS FINALES.

Gracias a todos.

Por vuestro tiempo, paciencia, consejos y cervezas. Ningún libro puede escribirse sin unas cuantas cañas de por medio. Y whisky.

Salgamos a vivir aventuras. Y a seducir.

SOBRE EL AUTOR

Doc Pastor, Valladolid, 1984.
Comunicador cultural, especializado en la divulgación de cómic, su auténtica pasión, aunque lo compagina con escribir sobre cine (o lo que toque) y la fotografía. Ha colaborado en diversas publicaciones como Dentro de la Viñeta, Zona Negativa, Blood Crime Syndicate, el Periódico de Cataluña, el mensual AQUÍ en Valladolid o la revista LaRAÑA de Sevilla, entre otros además de haber pasado también por Televisión Popular del Mediterráneo en Valencia.

También ha prestado su apoyo en los libros Papel y Plástico (volumen 2 y 3. Editorial Astiberri) de Óscar Lombana o en Que la Fuerza te acompañe: Guía completa de La Guerra de las Galaxias publicado por Dolmen Editorial, y fue fundador y director de la gaceta on-line Ruta 42 (http://ruta42.es) y la revista mensual La Encuadre (http://laencuadre), jefe de prensa del I Congreso Internacional del cómic de la Universidad de Sevilla, entre otras ocupaciones.

Forma parte del colectivo de autores "Los Perros del coloquio" y colabora con The Way Out Magazine y la revista Unagi. Le gusta el whisky y las corbatas. Y su perrito se llama Loki.

En twitter le tenéis con @docpastor, y podéis leer su blog en http://docpastor.com

nanana

nanana

nana

¡Batman!

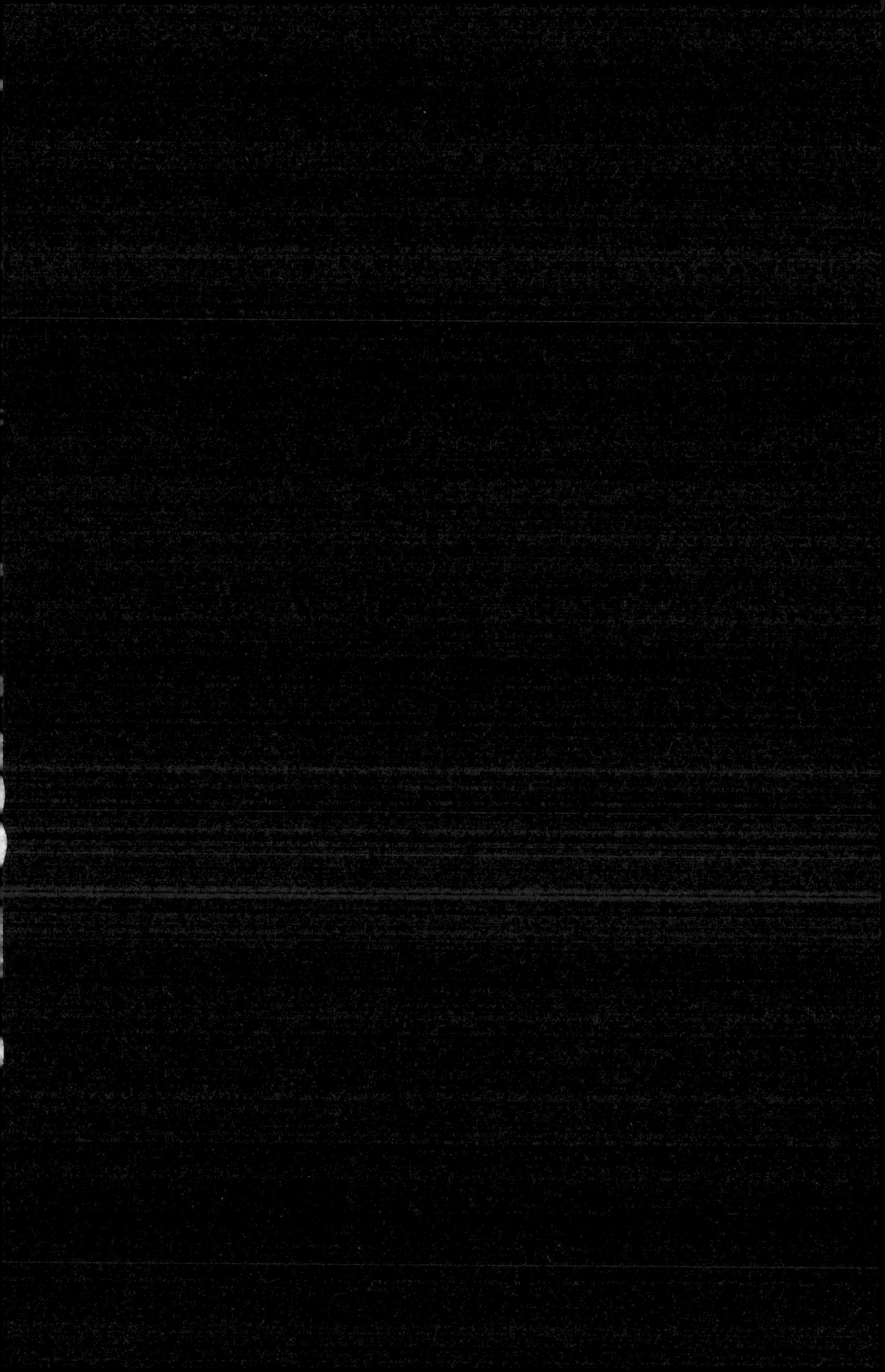